COLLECTI

Sous l



# LA BÊTE HUMAINE

## D'ÉMILE ZOLA

*Texte intégral*

ÉDITION PRÉSENTÉE, ANNOTÉE ET COMMENTÉE

PAR

AGNÈS GRIMAUD
ENSEIGNANTE AU COLLÈGE LIONEL-GROULX

FRÉDÉRIQUE IZAUTE
ENSEIGNANTE AU CÉGEP MONTMORENCY

Beauchemin

*LA BÊTE HUMAINE* d'Émile Zola
Texte intégral
Édition présentée, annotée et commentée
par Agnès Grimaud et Frédérique Izaute
Collection « Parcours d'une œuvre »
sous la direction de Michel Laurin

 Groupe Beauchemin, éditeur ltée
3281, avenue Jean-Béraud
Laval (Québec) H7T 2L2
Téléphone : (514) 334-5912
1 800 361-4504
Télécopieur : (450) 688-6269
www.beaucheminediteur.com



Nous reconnaissons l'aide financière du gouvernement du Canada par l'entremise du Programme d'aide au développement de l'industrie de l'édition (PADIÉ) pour nos activités d'édition.

ISBN : 2-7616-1976-5
Dépôt légal : 1er trimestre 2004
Bibliothèque nationale du Québec
Bibliothèque nationale du Canada

Imprimé au Canada
2 3 4 5 6 ITG 14 13 12 11 10

Supervision éditoriale : Catherine Lassure et Claude Roussin
Coordonnatrice à la production : Maryse Quesnel
Charge de projet : Catherine Lassure et Claude Roussin
Révision linguistique : Manuela Giroux
Correction d'épreuves : Louise Verreault
Recherche iconographique : Violaine Charest-Sigouin et Josée Doucet
Conception graphique : Martin Dufour, a.r.c.
Conception et réalisation de la couverture : Martin Dufour, a.r.c.
Typographie et illustrations : Trevor Aubert Jones
Impression : Imprimeries Transcontinental inc.

# Table des matières

**Émile Zola.**

Photographie de Félix Nadar (1888).

## Zola, écrivain de la démesure et de la modernité

Comme ses prédécesseurs réalistes, Émile Zola entend rendre compte fidèlement de son époque. Rien ne doit lui échapper des changements politiques, des bouleversements sociaux, des progrès scientifiques et technologiques qui marquent le Second Empire. « Tout voir, tout savoir, tout dire. Je voudrais coucher l'humanité sur une page blanche, tous les êtres, toutes les choses ; une œuvre qui serait l'arche immense », note-t-il dans ses dossiers préparatoires. L'arbre généalogique des Rougon-Macquart témoigne de cette volonté d'exhaustivité. En décrivant l'histoire naturelle et sociale de cette famille, le romancier fait preuve à la fois d'un remarquable esprit d'observation, d'analyse et de synthèse. Cette démarche toute scientifique est pourtant transcendée par l'imaginaire zolien, un imaginaire de la démesure. C'est une vision neuve et résolument moderne de l'homme que livre *La Bête humaine* en 1890. À travers le récit d'une désorganisation tant individuelle que sociale, Zola traite en définitive de la condition humaine, et ce, dans ses aspects les plus obscurs. À force de travailler sur toutes sortes de déterminismes, il finit par sonder les instincts primordiaux de chacun : les pulsions de vie et de mort, ces fameux principes d'Éros et de Thanatos qui seront, un peu plus tard, au cœur de la psychanalyse et des théories de l'inconscient.

*La Bête humaine*, frontispice de *La Vie Populaire* (1889).

Musée Carnavalet.

# La Bête humaine

d'Émile Zola

N. B. : Les quatre extraits qui font l'objet d'une analyse approfondie sont indiqués dans l'œuvre par des filets tracés dans la marge.

Les mots suivis du symbole § sont définis dans le glossaire, à la page 487. Si le mot se répète plusieurs fois dans la même page, seule la première occurrence est ainsi signalée.

# – I –

En entrant dans la chambre, Roubaud posa sur la table le pain d'une livre, le pâté et la bouteille de vin blanc. Mais, le matin, avant de descendre à son poste, la mère Victoire avait dû couvrir le feu de son poêle, d'un tel poussier, que la chaleur était suffocante. Et le sous-chef de gare, ayant ouvert une fenêtre, s'y accouda.

C'était impasse d'Amsterdam, dans la dernière maison de droite, une haute maison où la Compagnie de l'Ouest[1] logeait certains de ses employés. La fenêtre, au cinquième, à l'angle du toit mansardé qui faisait retour, donnait sur la gare, cette tranchée large trouant le quartier de l'Europe[2], tout un déroulement brusque de l'horizon, que semblait agrandir encore, cet après-midi-là, un ciel gris du milieu de février, d'un gris humide et tiède, traversé de soleil.

En face, sous ce poudroiement de rayons, les maisons de la rue de Rome se brouillaient, s'effaçaient, légères. À gauche, les marquises[3] des halles[4] couvertes ouvraient leurs porches géants, aux vitrages enfumés, celle des grandes lignes, immense, où l'œil plongeait, et que les bâtiments de la poste et de la bouillotterie[5] séparaient des autres, plus petites, celles d'Argenteuil, de Versailles et de la Ceinture[6] ; tandis que le pont de l'Europe, à droite, coupait de son étoile de fer la tranchée, que l'on voyait reparaître et filer au-delà, jusqu'au tunnel des Batignolles. Et,

1 *Compagnie de l'Ouest* : sous le Second Empire, la Compagnie de l'Ouest, qui a été créée en 1851, était l'une des six grandes compagnies ferroviaires de France. Elle couvrait Paris et le nord-ouest de la France.

2 *quartier de l'Europe* : quartier parisien construit pendant la Restauration et modifié en 1837 avec l'apparition de la gare Saint-Lazare, la première gare de Paris. Chaque artère du quartier portait le nom d'une grande ville européenne.

3 *marquises* : auvents vitrés, en bois ou en zinc, qui protègent les quais de gare.

4 *halles* : bâtiments de grande dimension destinés à abriter des voyageurs ou des marchandises.

5 *bouillotterie* : bâtiment où l'on préparait les bouillottes, c'est-à-dire des récipients de métal dans lesquels on mettait de l'eau chaude pour réchauffer les pieds des passagers dans les trains. Il semble que ce terme soit propre à Zola.

6 *Ceinture* : ligne de chemin de fer qui faisait le tour de Paris.

en bas de la fenêtre même, occupant tout le vaste champ, les trois doubles voies qui sortaient du pont, se ramifiaient, s'écartaient en un éventail dont les branches de métal, multipliées, innombrables, allaient se perdre sous les marquises[§]. Les trois postes d'aiguilleur[1], en avant des arches, montraient leurs petits jardins nus. Dans l'effacement confus des wagons et des machines* encombrant les rails, un grand signal rouge tachait le jour pâle.

Pendant un instant, Roubaud s'intéressa, comparant, songeant à sa gare du Havre[2]. Chaque fois qu'il venait de la sorte passer un jour à Paris, et qu'il descendait chez la mère Victoire, le métier le reprenait. Sous la marquise des grandes lignes, l'arrivée d'un train de Mantes avait animé les quais ; et il suivit des yeux la machine de manœuvre, une petite machine-tender[3], aux trois roues basses et couplées, qui commençait le débranchement du train, alerte besogneuse, emmenant, refoulant les wagons sur les voies de remisage. Une autre machine, puissante celle-là, une machine d'express[4], aux deux grandes roues dévorantes, stationnait seule, lâchait par sa cheminée une grosse fumée noire, montant droit, très lente dans l'air calme. Mais toute son attention fut prise par le train de trois heures vingt-cinq, à destination de Caen, empli déjà de ses voyageurs, et qui attendait sa machine. Il n'apercevait pas celle-ci, arrêtée au-delà du pont de l'Europe ; il l'entendait seulement demander la voie, à légers coups de sifflet pressés, en

* N.B. : Dans *La Bête humaine*, Zola utilise systématiquement le mot « machine » pour désigner une « locomotive ». Cette récurrence n'est donc pas soulignée dans le texte par le signe § afin de ne pas alourdir la lecture.

1 *aiguilleur* : employé de chemin de fer chargé de la manœuvre d'un appareil d'aiguillage dont le mécanisme permet les opérations de changement de voie.

2 *Havre* : Le Havre est une ville portuaire située à 228 km de Paris et d'où partaient la plupart des grands paquebots se dirigeant vers l'Amérique.

3 *machine-tender* : locomotive avec un tender incorporé. Le tender est une voiture accrochée derrière une locomotive et qui contient le charbon et l'eau nécessaires à l'approvisionnement de cette dernière. La machine-tender peut donc servir à la manœuvre et à la traction des trains.

4 *express* : train de voyageurs à vitesse accélérée, ne s'arrêtant que dans les gares importantes du parcours et dont l'horaire est étudié pour assurer, dans la mesure du possible, les principales correspondances en un temps minimal.

personne que l'impatience gagne. Un ordre fut crié, elle répondit par un coup bref qu'elle avait compris. Puis, avant la mise en marche, il y eut un silence, les purgeurs[1] furent ouverts, la vapeur siffla au ras du sol, en un jet assourdissant. Et il vit alors déborder du pont cette blancheur qui foisonnait, tourbillonnante comme un duvet de neige, envolée à travers les charpentes de fer. Tout un coin de l'espace en était blanchi, tandis que les fumées accrues de l'autre machine élargissaient leur voile noir. Derrière, s'étouffaient des sons prolongés de trompe, des cris de commandement, des secousses de plaques tournantes[2]. Une déchirure se produisit, il distingua, au fond, un train de Versailles et un train d'Auteuil, l'un montant, l'autre descendant, qui se croisaient.

Comme Roubaud allait quitter la fenêtre, une voix qui prononçait son nom, le fit se pencher. Et il reconnut, au-dessous, sur la terrasse du quatrième, un jeune homme d'une trentaine d'années, Henri Dauvergne, conducteur chef[3], qui habitait là en compagnie de son père, chef adjoint des grandes lignes, et de ses sœurs, Claire et Sophie, deux blondes de dix-huit et vingt ans, adorables, menant le ménage avec les six mille francs[4] des deux hommes, au milieu d'un continuel éclat de gaieté. On entendait l'aînée rire, pendant que la cadette chantait, et qu'une cage, pleine d'oiseaux des îles, rivalisait de roulades.

« Tiens ! monsieur Roubaud, vous êtes donc à Paris ?... Ah ! oui, pour votre affaire avec le sous-préfet[5] ! »

1 *purgeurs* : appareils servant à éliminer l'eau qui se condense dans les cylindres de la machine à vapeur.

2 *plaques tournantes* : plaques circulaires pivotantes équipées de rails et permettant de faire passer un véhicule d'une voie à une autre ou de renverser le sens de sa marche.

3 *conducteur chef* : responsable des employés qui travaillent à bord du train. Il commande notamment le départ du train.

4 *francs* : en 1890, un ouvrier manuel non spécialisé gagnait environ quatre ou cinq francs par jour.

5 *sous-préfet* : administrativement, la France est divisée en départements, eux-mêmes divisés en arrondissements. Le préfet est un fonctionnaire public chargé de l'administration d'un département et, sous ses ordres, des sous-préfets sont responsables des arrondissements.

De nouveau accoudé, le sous-chef de gare expliqua qu'il avait dû quitter Le Havre[§], le matin même, par l'express[§] de six heures quarante. Un ordre du chef de l'exploitation[1] l'appelait à Paris, on venait de le sermonner d'importance. Heureux encore de n'y avoir pas laissé sa place.

« Et madame ? » demanda Henri.

Madame avait voulu venir, elle aussi, pour des emplettes. Son mari l'attendait là, dans cette chambre dont la mère Victoire leur remettait la clef, à chacun de leurs voyages, et où ils aimaient déjeuner[2], tranquilles et seuls, pendant que la brave femme était retenue en bas, à son poste de la salubrité. Ce jour-là, ils avaient mangé un petit pain à Mantes, voulant se débarrasser de leurs courses d'abord. Mais trois heures étaient sonnées, il mourait de faim.

Henri, pour être aimable, posa encore une question :

« Et vous couchez à Paris ? »

Non, non ! ils retournaient tous deux au Havre le soir, par l'express de six heures trente. Ah bien ! oui, des vacances ! On ne vous dérangeait que pour vous flanquer votre paquet, et tout de suite à la niche !

Un moment, les deux employés se regardèrent, en hochant la tête. Mais ils ne s'entendaient plus, un piano endiablé venait d'éclater en notes sonores. Les deux sœurs devaient taper dessus ensemble, riant plus haut, excitant les oiseaux des îles. Alors, le jeune homme, qui s'égayait à son tour, salua, rentra dans l'appartement ; et le sous-chef, seul, demeura un instant les yeux sur la terrasse, d'où montait toute cette gaieté de jeunesse. Puis, les regards levés, il aperçut la machine qui avait fermé ses purgeurs[§], et que l'aiguilleur[§] envoyait sur le train de Caen. Les derniers floconnements de vapeur blanche se perdaient, parmi les gros tourbillons de fumée noire, salissant le ciel. Et il rentra, lui aussi, dans la chambre.

1 *chef de l'exploitation* : responsable des services de l'entretien et du fonctionnement des trains, ainsi que de la gestion commerciale et administrative de la Compagnie.

2 *déjeuner* : repas du midi.

Devant le coucou[1] qui marquait trois heures vingt, Roubaud eut un geste désespéré. À quoi diable Séverine pouvait-elle s'attarder ainsi ? Elle n'en sortait plus, lorsqu'elle était dans un magasin. Pour tromper la faim qui lui labourait l'estomac, il eut l'idée de mettre la table. La vaste pièce, à deux fenêtres, lui était familière, servant à la fois de chambre à coucher, de salle à manger et de cuisine, avec ses meubles de noyer, son lit drapé de cotonnade rouge, son buffet à dressoir, sa table ronde, son armoire normande. Il prit, dans le buffet, des serviettes, des assiettes, des fourchettes et des couteaux, deux verres. Tout cela était d'une propreté extrême, et il s'amusait à ces soins de ménage, comme s'il eût joué à la dînette, heureux de la blancheur du linge, très amoureux de sa femme, riant lui-même du bon rire frais dont elle allait éclater, en ouvrant la porte. Mais, lorsqu'il eut posé le pâté sur une assiette, et placé, à côté, la bouteille de vin blanc, il s'inquiéta, chercha des yeux. Puis, vivement, il tira de ses poches deux paquets oubliés, une petite boîte de sardines et du fromage de gruyère.

La demie sonna. Roubaud marchait de long en large, tournant, au moindre bruit, l'oreille vers l'escalier. Dans son attente désœuvrée, en passant devant la glace, il s'arrêta, se regarda. Il ne vieillissait point, la quarantaine approchait, sans que le roux ardent de ses cheveux frisés eût pâli. Sa barbe, qu'il portait entière, restait drue, elle aussi, d'un blond de soleil. Et, de taille moyenne, mais d'une extraordinaire vigueur, il se plaisait à sa personne, satisfait de sa tête un peu plate, au front bas, à la nuque épaisse, de sa face ronde et sanguine, éclairée de deux gros yeux vifs. Ses sourcils se rejoignaient, embroussaillant son front de la barre des jaloux. Comme il avait épousé une femme plus jeune que lui de quinze années, ces coups d'œil fréquents, donnés aux glaces, le rassuraient.

Il y eut un bruit de pas, Roubaud courut entrebâiller la porte. Mais c'était une marchande de journaux de la gare, qui rentrait chez elle, à côté. Il revint, s'intéressa à une boîte de

1 *coucou* : pendule dont les heures et les demi-heures sont ponctuées par l'apparition d'un oiseau imitant le cri du coucou.

coquillages, sur le buffet. Il la connaissait bien, cette boîte, un cadeau de Séverine à la mère Victoire, sa nourrice. Et ce petit objet avait suffi, toute l'histoire de son mariage se déroulait. Déjà trois ans bientôt. Né dans le Midi, à Plassans, d'un père charretier, sorti du service avec les galons de sergent major, longtemps facteur mixte[1] à la gare de Mantes, il était passé facteur chef[2] à celle de Barentin ; et c'était là qu'il l'avait connue, sa chère femme, lorsqu'elle venait de Doinville, prendre le train, en compagnie de mademoiselle Berthe, la fille du président[3] Grandmorin. Séverine Aubry n'était que la cadette d'un jardinier, mort au service des Grandmorin ; mais le président, son parrain et son tuteur, la gâtait tellement, faisant d'elle la compagne de sa fille, les envoyant toutes deux au même pensionnat de Rouen, et elle même avait une telle distinction native, que longtemps Roubaud s'était contenté de la désirer de loin, avec la passion d'un ouvrier dégrossi pour un bijou délicat, qu'il jugeait précieux. Là était l'unique roman de son existence. Il l'aurait épousée sans un sou, pour la joie de l'avoir, et quand il s'était enhardi enfin, la réalisation avait dépassé le rêve : outre Séverine et une dot de dix mille francs[§], le président, aujourd'hui en retraite, membre du conseil d'administration de la Compagnie de l'Ouest[§], lui avait donné sa protection. Dès le lendemain du mariage, il était passé sous-chef à la gare du Havre[§]. Il avait sans doute pour lui ses notes de bon employé, solide à son poste, ponctuel, honnête, d'un esprit borné, mais très droit, toutes sortes de qualités excellentes qui pouvaient expliquer l'accueil prompt fait à sa demande et la rapidité de son avancement. Il préférait croire qu'il devait tout à sa femme. Il l'adorait.

Lorsqu'il eut ouvert la boîte de sardines, Roubaud perdit décidément patience. Le rendez-vous était pour trois heures.

---

1 *facteur mixte* : employé qui enregistre, puis porte les colis dans le train.

2 *facteur chef* : employé dont le grade est supérieur à celui de facteur mixte et inférieur à ceux de chef de petite gare ou de sous-chef de grande gare.

3 *président* : Grandmorin est premier président à la cour de justice impériale de Rouen, c'est-à-dire qu'il est juge. Il conserve son titre malgré le fait qu'il soit à la retraite.

Où pouvait-elle être ? Elle ne lui conterait pas que l'achat d'une paire de bottines et de six chemises demandait la journée. Et, comme il passait de nouveau devant la glace, il s'aperçut, les sourcils hérissés, le front coupé d'une ligne dure. Jamais au Havre[§] il ne la soupçonnait. À Paris, il s'imaginait toutes sortes de dangers, des ruses, des fautes. Un flot de sang montait à son crâne, ses poings d'ancien homme d'équipe se serraient, comme au temps où il poussait des wagons. Il redevenait la brute inconsciente de sa force, il l'aurait broyée, dans un élan de fureur aveugle.

Séverine poussa la porte, parut toute fraîche, toute joyeuse.

«C'est moi… Hein ? tu as dû croire que j'étais perdue.»

Dans l'éclat de ses vingt-cinq ans, elle semblait grande, mince et très souple, grasse pourtant avec de petits os. Elle n'était point jolie d'abord, la face longue, la bouche forte, éclairée de dents admirables. Mais, à la regarder, elle séduisait par le charme, l'étrangeté de ses larges yeux bleus, sous son épaisse chevelure noire.

Et, comme son mari, sans répondre, continuait à l'examiner, du regard trouble et vacillant qu'elle connaissait bien, elle ajouta :

«Oh ! J'ai couru… Imagine-toi, impossible d'avoir un omnibus[1]. Alors, ne voulant pas dépenser l'argent d'une voiture, j'ai couru… Regarde comme j'ai chaud.

— Voyons, dit-il violemment, tu ne me feras pas croire que tu viens du Bon Marché[2].»

Mais, tout de suite, avec une gentillesse d'enfant, elle se jeta à son cou, en lui posant, sur la bouche, sa jolie petite main potelée :

«Vilain, vilain, tais-toi !… Tu sais bien que je t'aime.»

Une telle sincérité sortait de toute sa personne, il la sentait restée si candide, si droite, qu'il la serra éperdument dans ses bras. Toujours ses soupçons finissaient ainsi. Elle, s'abandonnait, aimant à se faire cajoler. Il la couvrait de baisers, qu'elle ne

1 *omnibus* : voiture publique à chevaux, ancêtre de l'autobus, qui parcourait divers quartiers d'une ville et s'arrêtait en route pour prendre et déposer les voyageurs.

2 *Bon Marché* : grand magasin parisien qui existe encore aujourd'hui.

rendait pas ; et c'était même là son inquiétude obscure, cette grande enfant passive, d'une affection filiale, où l'amante ne s'éveillait point.

« Alors, tu as dévalisé le Bon Marché[§] ?

— Oh ! oui. Je vais te conter… Mais, auparavant, mangeons. Ce que j'ai faim !… Ah ! écoute, j'ai un petit cadeau. Dis : Mon petit cadeau. »

Elle lui riait dans le visage, de tout près. Elle avait fourré sa main droite dans sa poche, où elle tenait un objet, qu'elle ne sortait pas.

« Dis vite : Mon petit cadeau. »

Lui, riait aussi, en bon homme. Il se décida.

« Mon petit cadeau. »

C'était un couteau qu'elle venait de lui acheter, pour en remplacer un qu'il avait perdu et qu'il pleurait, depuis quinze jours. Il s'exclamait, le trouvait superbe, ce beau couteau neuf, avec son manche en ivoire et sa lame luisante. Tout de suite, il allait s'en servir. Elle était ravie de sa joie ; et, en plaisantant, elle se fit donner un sou, pour que leur amitié ne fût pas coupée.

« Mangeons, mangeons, répéta-t-elle. Non, non ! je t'en prie, ne ferme pas encore. J'ai si chaud ! »

Elle l'avait rejoint à la fenêtre, elle demeura là quelques secondes, appuyée à son épaule, regardant le vaste champ de la gare. Pour le moment, les fumées s'en étaient allées, le disque cuivré du soleil descendait dans la brume, derrière les maisons de la rue de Rome. En bas, une machine de manœuvre amenait, tout formé, le train de Mantes, qui devait partir à quatre heures vingt-cinq. Elle le refoula le long du quai, sous la marquise[§], fut dételée. Au fond, dans le hangar de la Ceinture[§], des chocs de tampons annonçaient l'attelage imprévu de voitures qu'on ajoutait. Et, seule, au milieu des rails, avec son mécanicien[1] et son chauffeur[2], noirs de la poussière du voyage, une lourde

1 *mécanicien* : employé chargé de la conduite et du fonctionnement d'une locomotive.

2 *chauffeur* : employé chargé de l'alimentation de la chaudière et placé sous les ordres du mécanicien.

machine de train omnibus[1] restait immobile, comme lasse et essoufflée, sans autre vapeur qu'un mince filet sortant d'une soupape[2]. Elle attendait qu'on lui ouvrît la voie, pour retourner au dépôt[3] des Batignolles. Un signal rouge claqua, s'effaça. Elle partit.

«Sont-elles gaies, ces petites Dauvergne ! dit Roubaud en quittant la fenêtre. Les entends-tu taper sur leur piano ?… Tout à l'heure, j'ai vu Henri, qui m'a dit de te présenter ses hommages.

— À table, à table !» cria Séverine.

Et elle se jeta sur les sardines, elle dévora. Ah ! le petit pain de Mantes était loin ! Cela la grisait, quand elle venait à Paris. Elle était toute vibrante du bonheur d'avoir couru les trottoirs, elle gardait une fièvre de ses achats au Bon Marché[§]. En un coup, chaque printemps, elle y dépensait ses économies de l'hiver, préférant tout y acheter, disant qu'elle y économisait son voyage. Aussi, sans perdre une bouchée, ne tarissait-elle pas. Un peu confuse, rougissante, elle finit par lâcher le total de la somme qu'elle avait dépensée, plus de trois cents francs[§].

«Fichtre ! dit Roubaud saisi, tu te mets bien, toi, pour la femme d'un sous-chef !… Mais tu n'avais à prendre que six chemises et une paire de bottines ?

— Oh ! mon ami, des occasions uniques !… Une petite soie à rayures délicieuses ! un chapeau d'un goût, un rêve ! des jupons tout faits, avec des volants brodés ! Et tout ça pour rien, j'aurais payé le double au Havre[§]… On va m'expédier, tu verras !»

Il avait pris le parti de rire, tant elle était jolie, dans sa joie, avec son air de confusion suppliante. Et puis, c'était si charmant, cette dînette improvisée, au fond de cette chambre où ils étaient seuls, bien mieux qu'au restaurant. Elle, qui d'ordinaire buvait de l'eau, se laissait aller, vidait son verre de vin blanc, sans savoir. La boîte de sardines était finie, ils entamèrent le

1 *train omnibus* : train qui dessert toutes les gares d'un parcours.

2 *soupape* : dispositif de sûreté fixé sur la chaudière d'une machine à vapeur et servant à libérer le surplus de vapeur pour éviter une explosion.

3 *dépôt* : ensemble des voies, bâtiments et aménagements nécessaires pour garer, remiser, réparer et ravitailler les locomotives.

pâté avec le beau couteau neuf. Ce fut un triomphe, tellement il coupait bien.

« Et toi, voyons, ton affaire ? demanda-t-elle. Tu me fais bavarder, tu ne me dis pas comment ça s'est terminé, pour le sous-préfet[§]. »

Alors, il conta en détail la façon dont le chef de l'exploitation[§] l'avait reçu. Oh ! un lavage de tête en règle ! Il s'était défendu, avait dit la vraie vérité, comment ce petit crevé de sous-préfet s'était obstiné à monter avec son chien dans une voiture de première[1], lorsqu'il y avait une voiture de seconde, réservée pour les chasseurs et leurs bêtes, et la querelle qui s'en était suivie, et les mots qu'on avait échangés. En somme, le chef lui donnait raison d'avoir voulu faire respecter la consigne ; mais le terrible était la parole qu'il avouait lui-même : « Vous ne serez pas toujours les maîtres ! » On le soupçonnait d'être républicain[2]. Les discussions qui venaient de marquer l'ouverture de la session[3] de 1869, et la peur sourde des prochaines élections générales[4] rendaient le gouvernement ombrageux. Aussi l'aurait-on certainement déplacé, sans la bonne recommandation du président[§] Grandmorin. Encore avait-il dû signer la lettre d'excuse, conseillée et rédigée par ce dernier.

Séverine l'interrompit, criant :

« Hein ? ai-je eu raison de lui écrire et de lui faire une visite avec toi, ce matin, avant que tu ailles recevoir ton savon… Je savais bien qu'il nous tirerait d'affaire.

— Oui, il t'aime beaucoup, reprit Roubaud, et il a le bras long, dans la Compagnie… Vois donc un peu à quoi ça sert, d'être un bon employé. Ah ! on ne m'a point ménagé les éloges : pas beaucoup d'initiative, mais de la conduite, de l'obéissance, du courage, enfin tout ! Eh bien ! ma chère, si tu n'avais pas été ma femme, et si Grandmorin n'avait pas plaidé ma cause, par

1 *première* : première classe (les trains comptaient trois classes).

2 *républicain* : qui est partisan de la République, donc opposé au régime impérial en place.

3 *session* : session parlementaire.

4 *élections générales* : élections par lesquelles étaient désignés les membres du Corps législatif, c'est-à-dire les députés.

amitié pour toi, j'étais fichu, on m'envoyait en pénitence, au fond de quelque petite station.»

Elle regardait fixement le vide, elle murmura, comme se parlant à elle-même :

«Oh ! certainement, c'est un homme qui a le bras long.»

Il y eut un silence, et elle restait les yeux élargis, perdus au loin, cessant de manger. Sans doute elle évoquait les jours de son enfance, là-bas, au château de Doinville, à quatre lieues[1] de Rouen. Jamais elle n'avait connu sa mère. Quand son père, le jardinier Aubry, était mort, elle entrait dans sa treizième année; et c'était à cette époque que le président[§], déjà veuf, l'avait gardée près de sa fille Berthe, sous la surveillance de sa sœur, madame Bonnehon, la femme d'un manufacturier, également veuve, à qui le château appartenait aujourd'hui. Berthe, son aînée de deux ans, mariée six mois après elle, avait épousé M. de Lachesnaye, conseiller[2] à la cour de Rouen, un petit homme sec et jaune. L'année précédente, le président était encore à la tête de cette cour, dans son pays, lorsqu'il avait pris sa retraite, après une carrière magnifique. Né en 1804, substitut[3] à Digne au lendemain de 1830, puis à Fontainebleau, puis à Paris, ensuite procureur[4] à Troyes, avocat général[5] à Rennes, enfin premier président à Rouen. Riche à plusieurs millions, il faisait partie du conseil général[6] depuis 1855, on l'avait nommé commandeur de la Légion d'honneur[7], le jour même de sa

1 *lieues* : la lieue est une mesure dont la valeur a beaucoup varié d'une époque à l'autre, mais que l'on s'entend généralement pour fixer à un peu plus de quatre kilomètres.

2 *conseiller* : titre des juges de certaines cours de justice.

3 *substitut* : magistrat chargé de remplacer le procureur impérial.

4 *procureur* : magistrat représentant le pouvoir en place (en l'occurrence l'Empire) auprès d'un tribunal de première instance.

5 *avocat général* : magistrat représentant le pouvoir en place dans une cour d'appel ou à la Cour de cassation (tribunaux de plus grande importance que ceux de première instance).

6 *conseil général* : assemblée élue au suffrage universel et qui gère les affaires du département.

7 *Légion d'honneur* : la Légion d'honneur est un titre décerné pour récompenser les services militaires ou civils. Elle comprend plusieurs grades, dont celui de commandeur qui figure parmi les plus élevés.

retraite. Et, du plus loin qu'elle se souvenait, elle le revoyait tel qu'il était encore, trapu et solide, blanc de bonne heure, d'un blanc doré d'ancien blond, les cheveux en brosse, le collier de barbe coupé ras, sans moustaches, avec une face carrée que les yeux d'un bleu dur et le nez gros rendaient sévère. Il avait l'abord rude, il faisait tout trembler autour de lui.

Roubaud dut élever la voix, répétant à deux reprises :

« Eh bien ! à quoi donc penses-tu ? »

Elle tressaillit, eut un petit frisson, comme surprise et secouée de peur.

« Mais à rien.

— Tu ne manges plus, tu n'as donc plus faim ?

— Oh ! si… Tu vas voir. »

Séverine, ayant vidé son verre de vin blanc, acheva la tranche de pâté qu'elle avait dans son assiette. Mais il y eut une alerte : ils avaient fini le pain d'une livre, pas une bouchée ne restait pour manger le fromage. Ce furent des cris, puis des rires, lorsque, bousculant tout, ils découvrirent, au fond du buffet de la mère Victoire, un bout de pain rassis. Bien que la fenêtre fût ouverte, il continuait de faire chaud et la jeune femme, qui avait le poêle derrière elle, ne se rafraîchissait guère, plus rose et plus excitée par l'imprévu de ce déjeuner[§] bavard, dans cette chambre. À propos de la mère Victoire, Roubaud en était revenu à Grandmorin : encore une, celle-là, qui lui devait une belle chandelle ! Fille séduite dont l'enfant était mort, nourrice de Séverine qui venait de coûter la vie à sa mère, plus tard femme d'un chauffeur[§] de la Compagnie, elle vivait mal, à Paris, d'un peu de couture, son mari mangeant tout, lorsque la rencontre de sa fille de lait avait renoué les liens d'autrefois, en faisant d'elle aussi une protégée du président[§] ; et, aujourd'hui, il lui avait obtenu un poste à la salubrité, la garde des cabinets[1] de luxe, le côté des dames, ce qu'il y a de meilleur. La Compagnie ne lui donnait que cent francs[§] par an, mais elle s'en faisait près de quatorze, avec la recette[2], sans

1 *cabinets* : (au pluriel) toilettes.

2 *recette* : pourboire.

*Sans doute elle évoquait les jours de son enfance, là-bas, au château de Doinville […].*

Lignes 307 et 308.

Œuvres complètes illustrées d'Émile Zola (1906).

compter le logement, cette chambre où elle était même chauffée. Enfin, une situation bien agréable. Et Roubaud calculait que, si Pecqueux, le mari, avait apporté ses deux mille huit cents francs[§] de chauffeur[§], tant pour les primes que pour le fixe, au lieu de nocer aux deux bouts de la ligne, le ménage aurait réuni plus de quatre mille francs, le double de ce que lui, sous-chef de gare, gagnait au Havre[§].

« Sans doute, conclut-il, toutes les femmes ne voudraient pas tenir les cabinets[§]. Mais il n'y a pas de sot métier. »

Cependant, leur grosse faim s'était apaisée, et ils ne mangeaient plus que d'un air alangui, coupant le fromage par petits morceaux, pour faire durer le régal. Leurs paroles aussi se faisaient lentes.

« À propos, cria-t-il, j'ai oublié de te demander… Pourquoi as-tu donc refusé au président[§] d'aller passer deux ou trois jours à Doinville ? »

Son esprit, dans le bien-être de la digestion, venait de refaire leur visite du matin, tout près de la gare, à l'hôtel[1] de la rue du Rocher ; et il s'était revu dans le grand cabinet[2] sévère, il entendait encore le président leur dire qu'il partait le lendemain pour Doinville. Puis, comme cédant à une idée soudaine, il leur avait offert de prendre le soir même, avec eux, l'express[§] de six heures trente, et d'emmener ensuite sa filleule là-bas, chez sa sœur, qui la réclamait depuis longtemps. Mais la jeune femme avait allégué toutes sortes de raisons, qui l'empêchaient, disait-elle.

« Tu sais, moi, continua Roubaud, je ne voyais pas de mal à ce petit voyage. Tu aurais pu y rester jusqu'à jeudi, je me serais arrangé… N'est-ce pas ? dans notre position, nous avons besoin d'eux. Ce n'est guère adroit, de refuser leurs politesses ; d'autant plus que ton refus a eu l'air de lui causer une vraie peine… Aussi n'ai-je cessé de te pousser à accepter, que lorsque tu m'as tiré par mon paletot. Alors, j'ai dit comme toi, mais sans comprendre… Hein ! pourquoi n'as-tu pas voulu ? »

1 *hôtel* : maison de ville vaste et somptueuse.

2 *cabinet* : bureau d'un personnage important.

Séverine, les regards vacillants, eut un geste d'impatience.

« Est-ce que je puis te laisser tout seul ?

— Ce n'est pas une raison… Depuis notre mariage, en trois ans, tu es bien allée deux fois à Doinville, passer ainsi une semaine. Rien ne t'empêchait d'y retourner une troisième. »

La gêne de la jeune femme croissait, elle avait détourné la tête.

« Enfin, ça ne me disait pas. Tu ne vas pas me forcer à des choses qui me déplaisent. »

Roubaud ouvrit les bras, comme pour déclarer qu'il ne la forçait à rien. Pourtant, il reprit :

« Tiens ! tu me caches quelque chose… La dernière fois, est-ce que madame Bonnehon t'aurait mal reçue ? »

Oh ! non, madame Bonnehon l'avait toujours très bien accueillie. Elle était si agréable, grande, forte, avec de magnifiques cheveux blonds, belle encore malgré ses cinquante-cinq ans ! Depuis son veuvage, et même du vivant de son mari, on racontait qu'elle avait eu souvent son cœur occupé. On l'adorait à Doinville, elle faisait du château un lieu de délices, toute la société de Rouen y venait en visite, surtout la magistrature. C'était dans la magistrature que madame Bonnehon avait eu beaucoup d'amis.

« Alors, avoue-le, ce sont les Lachesnaye qui t'ont battu froid. »

Sans doute, depuis son mariage avec M. de Lachesnaye, Berthe avait cessé d'être pour elle ce qu'elle était autrefois. Elle ne devenait guère bonne, cette pauvre Berthe, si insignifiante, avec son nez rouge. À Rouen, les dames vantaient beaucoup sa distinction. Aussi, un mari comme le sien, laid, dur, avare, semblait-il plutôt fait pour déteindre sur sa femme et la rendre mauvaise. Mais non, Berthe s'était montrée convenable à l'égard de son ancienne camarade, celle-ci n'avait aucun reproche précis à lui adresser.

« C'est donc le président[§] qui te déplaît, là-bas ? »

Séverine, qui, jusque-là, répondait lentement, d'une voix égale, fut reprise d'impatience.

« Lui, quelle idée ! »

Et elle continua, en petites phrases nerveuses. On le voyait seulement à peine. Il s'était réservé, dans le parc, un pavillon, dont la porte donnait sur une ruelle déserte. Il sortait, il rentrait, sans qu'on le sût. Jamais sa sœur, du reste, ne connaissait au juste le jour de son arrivée. Il prenait une voiture à Barentin, se faisait conduire de nuit à Doinville, vivait des journées dans son pavillon, ignoré de tous. Ah ! ce n'était pas lui qui vous gênait, là-bas.

« Je t'en parle, parce que tu m'as raconté vingt fois, que, dans ton enfance, il te faisait une peur bleue.

— Oh ! une peur bleue ! tu exagères, comme toujours… Bien sûr qu'il ne riait guère. Il vous regardait si fixement, de ses gros yeux, qu'on baissait la tête tout de suite. J'ai vu des gens se troubler, ne pas pouvoir lui adresser un mot, tellement il leur en imposait, avec son grand renom de sévérité et de sagesse… Mais, moi, il ne m'a jamais grondée, j'ai toujours senti qu'il avait un faible pour moi… »

De nouveau, sa voix se ralentissait, ses yeux se perdaient au loin.

« Je me souviens… Quand j'étais gamine et que je jouais avec des amies, dans les allées, s'il venait à paraître, toutes se cachaient, même sa fille Berthe, qui tremblait sans cesse d'être en faute. Moi, je l'attendais, tranquille. Il passait, et en me voyant là, souriante, le museau levé, il me donnait une petite tape sur la joue… Plus tard, à seize ans, lorsque Berthe avait une faveur à obtenir de lui, c'était toujours moi qu'elle chargeait de la demande. Je parlais, je ne baissais pas les regards, et je sentais les siens qui m'entraient sous la peau. Mais je m'en moquais bien, j'étais si certaine qu'il accorderait tout ce que je voudrais !… Ah ! oui, je me souviens, je me souviens ! Là-bas, il n'y a pas un taillis du parc, pas un corridor, pas une chambre du château, que je ne puisse évoquer en fermant les yeux. »

Elle se tut, les paupières closes ; et, sur son visage chaud et gonflé, semblait passer le frisson de ces choses d'autrefois, les choses qu'elle ne disait point. Un instant, elle demeura ainsi, avec un petit battement des lèvres, comme un tic involontaire qui lui tirait douloureusement un coin de la bouche.

« Il a été certainement très bon pour toi, reprit Roubaud, qui venait d'allumer sa pipe. Non seulement il t'a fait élever comme une demoiselle, mais il a très sagement administré tes quatre sous, et il a arrondi la somme, lors de notre mariage… Sans compter qu'il doit te laisser quelque chose, il l'a dit devant moi.

— Oui, murmura Séverine, cette maison de la Croix-de-Maufras, cette propriété que le chemin de fer a coupée. On y allait parfois passer huit jours… Oh ! je n'y compte guère, les Lachesnaye doivent le travailler pour qu'il ne me laisse rien. Et puis, j'aime mieux rien, rien ! »

Elle avait prononcé ces dernières paroles d'une voix si vive, qu'il s'en étonna, retirant sa pipe de la bouche, la regardant de ses yeux arrondis.

« Es-tu drôle ! On assure que le président[§] a des millions, quel mal y aurait-il à ce qu'il mît sa filleule dans son testament ? Personne n'en serait surpris, et ça arrangerait joliment nos affaires. »

Puis, une idée qui lui traversa le cerveau le fit rire.

« Tu n'as peut-être pas peur de passer pour sa fille ?… Car, tu sais, le président, malgré son air glacé, on en chuchote de raides sur son compte. Il paraît que, du vivant de sa femme, toutes les bonnes y passaient. Enfin, un gaillard qui, aujourd'hui encore, vous trousse une femme… Mon Dieu ! va, quand tu serais sa fille ! »

Séverine s'était levée, violente, le visage en flamme, avec le vacillement effrayé de son regard bleu, sous la masse lourde de ses cheveux noirs.

« Sa fille, sa fille !… Je ne veux pas que tu plaisantes avec ça, entends-tu ! Est-ce que je puis être sa fille ? est-ce que je lui ressemble ?… Et en voilà assez, parlons d'autre chose. Je ne veux pas aller à Doinville, parce que je ne veux pas, parce que je préfère rentrer avec toi au Havre[§]. »

Il hocha la tête, il l'apaisa du geste. Bon, bon ! du moment que ça lui donnait sur les nerfs. Il souriait, jamais il ne l'avait vue si nerveuse. Le vin blanc sans doute. Désireux de se faire pardonner, il reprit le couteau, s'extasiant encore, l'essuyant avec soin ; et, pour montrer qu'il coupait comme un rasoir, il s'en taillait les ongles.

«Déjà quatre heures un quart, murmura Séverine, debout devant le coucou[§]. J'ai encore quelques courses… Il faut songer à notre train.»

Mais, comme pour achever de se calmer, avant de mettre un peu d'ordre dans la chambre, elle retourna s'accouder à la fenêtre. Lui, alors, lâchant le couteau, lâchant sa pipe, quitta la table à son tour, s'approcha d'elle, la prit par-derrière, entre ses bras, doucement. Et il la tenait enlacée ainsi, il avait posé le menton sur son épaule, appuyé la tête contre la sienne. Ni l'un ni l'autre ne bougeait plus, ils regardaient.

Sous eux, toujours, les petites machines de manœuvre allaient et venaient sans repos; et on les entendait à peine s'activer, comme des ménagères vives et prudentes, les roues assourdies, le sifflet discret. Une d'elles passa, disparut sous le pont de l'Europe, emmenant au remisage les voitures d'un train de Trouville, qu'on débranchait. Et, là-bas, au-delà du pont, elle frôla une machine venue seule du dépôt[§], en promeneuse solitaire, avec ses cuivres et ses aciers luisants, fraîche et gaillarde pour le voyage. Celle-ci s'était arrêtée, demandant de deux coups brefs la voie à l'aiguilleur[§], qui, presque immédiatement, l'envoya sur son train, tout formé, à quai sous la marquise[§] des grandes lignes. C'était le train de quatre heures vingt-cinq, pour Dieppe. Un flot de voyageurs se pressait, on entendait le roulement des chariots chargés de bagages, des hommes poussaient une à une les bouillottes dans les voitures. Mais la machine et son tender[§] avaient abordé le fourgon[1] de tête, d'un choc sourd, et l'on vit le chef d'équipe serrer lui-même la vis de la barre d'attelage. Le ciel s'était assombri vers les Batignolles; une cendre crépusculaire, noyant les façades, semblait tomber déjà sur l'éventail élargi des voies; tandis que, dans cet effacement, au lointain, se croisaient sans cesse les départs et les arrivées de la banlieue et de la Ceinture[§]. Par-delà les nappes sombres des grandes halles[§] couvertes, sur Paris obscurci, des fumées rousses, déchiquetées, s'envolaient.

1 *fourgon*: wagon situé à la tête ou à la queue du train et destiné au transport des employés, des bagages et des colis.

«Non, non, laisse-moi», murmura Séverine.

Peu à peu, sans une parole, il l'avait enveloppée d'une caresse plus étroite, excité par la tiédeur de ce corps jeune, qu'il tenait ainsi à pleins bras. Elle le grisait de son odeur, elle achevait d'affoler son désir, en cambrant les reins pour se dégager. D'une secousse, il l'enleva de la fenêtre, dont il referma les vitres du coude. Sa bouche avait rencontré la sienne, il lui écrasait les lèvres, il l'emportait vers le lit.

«Non, non, nous ne sommes pas chez nous, répéta-t-elle. Je t'en prie, pas dans cette chambre !»

Elle-même était comme grise, étourdie de nourriture et de vin, encore vibrante de sa course fiévreuse à travers Paris. Cette pièce trop chauffée, cette table où traînait la débandade du couvert, l'imprévu du voyage qui tournait en partie fine, tout lui allumait le sang, la soulevait d'un frisson. Et pourtant, elle se refusait, elle résistait, arc-boutée contre le bois du lit, dans une révolte effrayée, dont elle n'aurait pu dire la cause.

«Non, non, je ne veux pas.»

Lui, le sang à la peau, retenait ses grosses mains brutales. Il tremblait, il l'aurait brisée.

«Bête, est-ce qu'on saura ? Nous retaperons le lit.»

D'habitude, elle s'abandonnait avec une docilité complaisante, chez eux, au Havre[§], après le déjeuner[§], lorsqu'il était de service de nuit. Cela semblait sans plaisir pour elle, mais elle y montrait une mollesse heureuse, un affectueux consentement de son plaisir à lui. Et ce qui, en ce moment, le rendait fou, c'était de la sentir comme jamais il ne l'avait eue, ardente, frémissante de passion sensuelle. Le noir reflet de sa chevelure assombrissait ses calmes yeux de pervenche, sa bouche forte saignait dans le doux ovale de son visage. Il y avait là une femme qu'il ne connaissait point. Pourquoi se refusait-elle ?

«Dis, pourquoi ? Nous avons le temps.»

Alors, dans une angoisse inexplicable, dans un débat où elle ne paraissait pas juger les choses nettement, comme si elle se fût ignorée elle aussi, elle eut un cri de douleur vraie, qui le fit se tenir tranquille.

« Non, non, je t'en supplie, laisse-moi !… Je ne sais pas, ça m'étrangle, rien que l'idée, en ce moment… Ça ne serait pas bien. »

Tous deux étaient tombés assis au bord du lit. Il se passa la main sur la face, comme pour s'en ôter la cuisson qui le brûlait. En le voyant redevenu sage, elle, gentille, se pencha, lui posa un gros baiser sur la joue, voulant lui montrer qu'elle l'aimait bien tout de même. Un instant, ils restèrent de la sorte, sans parler, à se remettre. Il lui avait repris la main gauche et jouait avec une vieille bague d'or, un serpent d'or à petite tête de rubis, qu'elle portait au même doigt que son alliance. Toujours il la lui avait connue là.

« Mon petit serpent, dit Séverine d'une voix involontaire de rêve, croyant qu'il regardait la bague et éprouvant l'impérieux besoin de parler. C'est à la Croix-de-Maufras, qu'il m'en a fait cadeau, pour mes seize ans. »

Roubaud leva la tête, surpris.

« Qui donc ? le président[§] ? »

Lorsque les yeux de son mari s'étaient posés sur les siens, elle avait eu une brusque secousse de réveil. Elle sentit un petit froid glacer ses joues. Elle voulut répondre, et ne trouva rien, étranglée par la sorte de paralysie qui la prenait.

« Mais, continua-t-il, tu m'as toujours dit que c'était ta mère qui te l'avait laissée, cette bague. »

Encore à cette seconde, elle pouvait rattraper la phrase, lâchée dans un oubli de tout. Il lui aurait suffi de rire, de jouer l'étourdie. Mais elle s'entêta, ne se possédant plus, inconsciente.

« Jamais, mon chéri, je ne t'ai dit que ma mère m'avait laissé cette bague. »

Du coup, Roubaud la dévisagea, pâlissant lui aussi.

« Comment ? tu ne m'as jamais dit ça ? Tu me l'as dit vingt fois !… Il n'y a pas de mal à ce que le président t'ait donné une bague. Il t'a donné bien autre chose… Mais pourquoi me l'avoir caché ? pourquoi avoir menti, en parlant de ta mère ?

— Je n'ai pas parlé de ma mère, mon chéri, tu te trompes. »

C'était imbécile, cette obstination. Elle voyait qu'elle se perdait, qu'il lisait clairement sous sa peau, et elle aurait voulu revenir, ravaler ses paroles; mais il n'était plus temps, elle sentait ses traits se décomposer, l'aveu sortir malgré elle de toute sa personne. Le froid de ses joues avait envahi sa face entière, un tic nerveux tirait ses lèvres. Et lui, effrayant, redevenu subitement rouge, à croire que le sang allait faire éclater ses veines, lui avait saisi les poignets, la regardait de tout près, afin de mieux suivre, dans l'effarement épouvanté de ses yeux, ce qu'elle ne disait pas tout haut.

«Nom de Dieu ! bégaya-t-il, nom de Dieu !»

Elle eut peur, baissa le visage pour le cacher sous son bras, devinant le coup de poing. Un fait, petit, misérable, insignifiant, l'oubli d'un mensonge à propos de cette bague, venait d'amener l'évidence, en quelques paroles échangées. Et il avait suffi d'une minute. Il la jeta d'une secousse en travers du lit, il tapa sur elle des deux poings, au hasard. En trois ans, il ne lui avait pas donné une chiquenaude, et il la massacrait, aveugle, ivre, dans un emportement de brute, de l'homme aux grosses mains, qui, autrefois, avait poussé des wagons.

«Nom de Dieu de garce ! tu as couché avec !... couché avec !... couché avec !»

Il s'enrageait à ces mots répétés, il abattait les poings, chaque fois qu'il les prononçait, comme pour les lui faire entrer dans la chair.

«Le reste d'un vieux, nom de Dieu de garce !... couché avec !... couché avec !»

Sa voix s'étranglait d'une telle colère, qu'elle sifflait et ne sortait plus. Alors, seulement, il entendit que, mollissante sous les coups, elle disait non. Elle ne trouvait pas d'autre défense, elle niait pour qu'il ne la tuât pas. Et ce cri, cet entêtement dans le mensonge, acheva de le rendre fou.

«Avoue que tu as couché avec.

— Non ! non !»

Il l'avait reprise, il la soutenait dans ses bras, l'empêchant de retomber la face contre la couverture, en pauvre être qui se cache. Il la forçait à le regarder.

«Avoue que tu as couché avec.»

Mais, se laissant glisser, elle s'échappa, elle voulut courir vers la porte. D'un bond, il fut de nouveau sur elle, le poing en l'air ; et, furieusement, d'un seul coup, près de la table, il l'abattit. Il s'était jeté à son côté, il l'avait empoignée par les cheveux, pour la clouer au sol. Un instant, ils restèrent ainsi par terre, face à face, sans bouger. Et, dans l'effrayant silence, on entendit monter les chants et les rires des demoiselles Dauvergne, dont le piano faisait rage, heureusement en dessous, étouffant les bruits de lutte. C'était Claire qui chantait des rondes de petites filles, tandis que Sophie l'accompagnait à tour de bras.

« Avoue que tu as couché avec. »

Elle n'osa plus dire non, elle ne répondit point.

« Avoue que tu as couché avec, nom de Dieu ! ou je t'éventre ! »

Il l'aurait tuée, elle le lisait nettement dans son regard. En tombant, elle avait aperçu le couteau, ouvert sur la table ; et elle revoyait l'éclair de la lame, elle crut qu'il allongeait le bras. Une lâcheté l'envahit, un abandon d'elle-même et de tout, un besoin d'en finir.

« Eh bien ! oui, c'est vrai, laisse-moi m'en aller. »

Alors, ce fut abominable. Cet aveu qu'il exigeait si violemment, venait de l'atteindre en pleine figure, comme une chose impossible, monstrueuse. Il semblait que jamais il n'aurait supposé une infamie pareille. Il lui empoigna la tête, il la cogna contre un pied de la table. Elle se débattait, et il la tira par les cheveux, au travers de la pièce, bousculant les chaises. Chaque fois qu'elle faisait un effort pour se redresser, il la rejetait sur le carreau d'un coup de poing. Et cela haletant, les dents serrées, un acharnement sauvage et imbécile. La table, poussée, faillit renverser le poêle. Des cheveux et du sang restèrent à un angle du buffet. Quand ils reprirent haleine, hébétés, gonflés de cette horreur, las de frapper et d'être frappée, ils étaient revenus près du lit, elle toujours par terre, vautrée, lui accroupi, la tenant encore aux épaules. Et ils soufflèrent. En bas, la musique continuait, les rires s'envolaient, très sonores et très jeunes.

D'une secousse, Roubaud remonta Séverine, l'adossa contre le bois du lit. Puis, demeurant à genoux, pesant sur elle, il put parler enfin. Il ne la battait plus, il la torturait de ses questions, du besoin inextinguible qu'il avait de savoir.

« Ainsi, tu as couché avec, garce !… Répète, répète que tu as couché avec ce vieux… Et à quel âge, hein ? toute petite, toute petite, n'est-ce pas ? »

Brusquement, elle venait d'éclater en larmes, ses sanglots l'empêchaient de répondre.

« Nom de Dieu ! veux-tu me dire !… Hein ? tu n'avais pas dix ans, que tu l'amusais, ce vieux ? C'est pour ça qu'il t'élevait à la becquée, c'est pour sa cochonnerie, dis-le donc, nom de Dieu ! ou je recommence ! »

Elle pleurait, elle ne pouvait prononcer un mot, et il leva la main, il l'étourdit d'une nouvelle claque. À trois reprises, comme il n'obtenait pas davantage de réponse, il la gifla, répétant sa question.

« À quel âge, dis-le donc, garce ! dis-le donc ? »

Pourquoi lutter ? Son être fuyait sous elle. Il lui aurait sorti le cœur, de ses doigts gourds d'ancien ouvrier. Et l'interrogatoire continua, elle disait tout, dans un tel anéantissement de honte et de peur, que ses phrases, soufflées très bas, s'entendaient à peine. Et lui, mordu de sa jalousie atroce, s'enrageait à la souffrance dont le déchiraient les tableaux évoqués : il n'en savait jamais assez, il l'obligeait à revenir sur les détails, à préciser les faits. L'oreille aux lèvres de la misérable, il agonisait de cette confession, avec la continuelle menace de son poing levé, prêt à cogner encore, si elle s'arrêtait.

De nouveau, tout le passé, à Doinville, défila, l'enfance, la jeunesse. Était-ce au fond des massifs du grand parc ? était-ce dans le détour perdu de quelque corridor du château ? Déjà le président[§] songeait donc à elle, lorsqu'il l'avait gardée, à la mort de son jardinier, et fait élever avec sa fille ? Cela, pour sûr, avait commencé, les jours où les autres gamines s'enfuyaient, au milieu de leurs jeux, s'il venait à paraître, tandis qu'elle, souriante, le museau en l'air, attendait qu'il lui donnât en passant une petite tape sur la joue. Et, plus tard, si elle osait lui parler en face, si elle obtenait tout de lui, n'était-ce pas qu'elle se sentait maîtresse, alors qu'il l'achetait par ses complaisances de trousseur de bonnes, si digne et si sévère aux autres ? Ah ! La sale chose, ce vieux se faisant baisoter comme un grand-père, regardant pousser cette fillette, la tâtant, l'entamant un peu à chaque heure, sans avoir la patience d'attendre qu'elle fût mûre !

Roubaud haletait.

« Enfin, à quel âge… répète, à quel âge ?

— Seize ans et demi.

— Tu mens ! »

Mentir, mon Dieu ! pourquoi ? Elle eut un haussement d'épaules plein d'un abandon et d'une lassitude immenses.

« Et, la première fois, où ça s'est-il passé ?

— À la Croix-de-Maufras. »

Il hésita une seconde, ses lèvres s'agitaient, une lueur jaune troublait ses yeux.

« Et, je veux que tu me dises, qu'est-ce qu'il t'a fait ? »

Elle resta muette. Puis, comme il brandissait le poing :

« Tu ne me croirais pas.

— Dis toujours… Il n'a pu rien faire, hein ? »

D'un signe de tête, elle répondit. C'était bien cela. Et, alors, il s'acharna sur la scène, il voulut la connaître jusqu'au bout, il descendit aux mots crus, aux interrogations immondes. Elle ne desserrait plus les dents, elle continuait à dire oui, à dire non, d'un signe. Peut-être ça les soulagerait-il l'un et l'autre, quand elle aurait avoué. Mais lui souffrait davantage de ces détails, qu'elle croyait être une atténuation. Des rapports normaux, complets, l'auraient hanté d'une vision moins torturante. Cette débauche pourrissait tout, enfonçait et retournait au fond de sa chair les lames empoisonnées de sa jalousie. Maintenant, c'était fini, il ne vivrait plus, il évoquerait toujours l'exécrable image.

Un sanglot déchira sa gorge.

« Ah ! nom de Dieu… ah ! nom de Dieu !… ça ne peut pas être, non, non ! c'est trop, ça ne peut pas être ! »

Puis, tout d'un coup, il la secoua.

« Mais nom de Dieu de garce ! pourquoi m'as-tu épousé ?… Sais-tu que c'est ignoble de m'avoir trompé ainsi ? Il y a des voleuses, en prison, qui n'en ont pas tant sur la conscience…

Tu me méprisais donc, tu ne m'aimais donc pas ?... Hein ! pourquoi m'as-tu épousé ?»

Elle eut un geste vague. Est-ce qu'elle savait au juste, à présent ? En l'épousant, elle était heureuse, espérant en finir avec l'autre. Il y a tant de choses qu'on ne voudrait pas faire et qu'on fait, parce qu'elles sont encore les plus sages. Non, elle ne l'aimait pas ; et ce qu'elle évitait de lui dire, c'était que, sans cette histoire, jamais elle n'aurait consenti à être sa femme.

«Lui, n'est-ce pas ? désirait te caser. Il a trouvé une bonne bête... Hein ? il désirait te caser pour que ça continue. Et vous avez continué, hein ? à tes deux voyages, là-bas. C'est pour ça qu'il t'emmenait ?»

D'un signe, elle avoua de nouveau.

«Et c'est pour ça encore qu'il t'invitait, cette fois ?... Jusqu'à la fin, alors, ça aurait recommencé, ces ordures ! Et, si je ne t'étrangle pas, ça recommencera !»

Ses mains convulsées s'avançaient pour la reprendre à la gorge. Mais, ce coup-ci, elle se révolta.

«Voyons, tu es injuste. Puisque c'est moi qui ai refusé d'y aller. Tu m'y envoyais, j'ai dû me fâcher, rappelle-toi... Tu vois bien que je ne voulais plus. C'était fini. Jamais, jamais plus, je n'aurais voulu.»

Il sentit qu'elle disait la vérité, et il n'en eut aucun soulagement. L'affreuse douleur, le fer qui lui restait en pleine poitrine, c'était l'irréparable, ce qui avait eu lieu entre elle et cet homme. Il ne souffrait horriblement que de son impuissance à faire que cela ne fût pas. Sans la lâcher encore, il s'était rapproché de son visage, il semblait fasciné, attiré là, comme pour retrouver, dans le sang de ses petites veines bleues, tout ce qu'elle lui avouait. Et il murmura, obsédé, halluciné :

«À la Croix-de-Maufras, dans la chambre rouge... Je la connais, la fenêtre donne sur le chemin de fer, le lit est en face. Et c'est là, dans cette chambre... Je comprends qu'il parle de te laisser la maison. Tu l'as bien gagnée. Il pouvait veiller sur tes sous et te doter, ça valait ça... Un juge, un homme riche à millions, si respecté, si instruit, si haut ! Vrai, la tête vous tourne... Et, dis donc, s'il était ton père ?»

Séverine, d'un effort, se mit debout. Elle l'avait repoussé, avec une vigueur extraordinaire, pour sa faiblesse de pauvre être vaincu. Violente, elle protestait.

«Non, non, pas ça ! Tout ce que tu voudras, pour le reste. Bats-moi, tue-moi… Mais ne dis pas ça, tu mens !»

Roubaud lui avait gardé une main dans les siennes.

«Est-ce que tu en sais quelque chose ? C'est bien parce que tu en doutes toi-même, que ça te soulève ainsi.»

Et, comme elle dégageait sa main, il sentit la bague, le petit serpent d'or à tête de rubis, oublié à son doigt. Il l'en arracha, le pila du talon sur le carreau, dans un nouvel accès de rage. Puis, il marcha d'un bout de la pièce à l'autre, muet, éperdu. Elle, tombée assise au bord du lit, le regardait de ses grands yeux fixes. Et le terrible silence dura.

La fureur de Roubaud ne se calmait point. Dès qu'elle semblait se dissiper un peu, elle revenait aussitôt, comme l'ivresse, par grandes ondes redoublées, qui l'emportaient dans leur vertige. Il ne se possédait plus, battait le vide, jeté à toutes les sautes du vent de violence dont il était flagellé, retombant à l'unique besoin d'apaiser la bête hurlante au fond de lui. C'était un besoin physique, immédiat, comme une faim de vengeance, qui lui tordait le corps et qui ne lui laisserait plus aucun repos, tant qu'il ne l'aurait pas satisfaite.

Sans s'arrêter, il se tapa les tempes de ses deux poings, il bégaya, d'une voix d'angoisse

«Qu'est-ce que je vais faire ?»

Cette femme puisqu'il ne l'avait pas tuée tout de suite, il ne la tuerait pas maintenant. Sa lâcheté de la laisser vivre exaspérait sa colère, car c'était lâche, c'était parce qu'il tenait encore à sa peau de garce, qu'il ne l'avait pas étranglée. Il ne pouvait pourtant la garder ainsi. Alors, il allait donc la chasser, la mettre à la rue, pour ne jamais la revoir ? Et un nouveau flot de souffrance l'emportait, une exécrable nausée le submergeait tout entier, lorsqu'il sentait qu'il ne ferait pas même ça. Quoi, enfin ? Il ne restait qu'à accepter l'abomination et qu'à remmener cette femme au Havre[§], à continuer la tranquille vie avec elle, comme si de rien n'était. Non ! non ! la mort plutôt, la mort pour tous les deux, à l'instant ! Une telle détresse le souleva, qu'il cria plus haut, égaré :

« Qu'est-ce que je vais faire ? »

Du lit où elle restait assise, Séverine le suivait toujours de ses grands yeux. Dans la calme affection de camarade qu'elle avait eue pour lui, il l'apitoyait déjà, par la douleur démesurée où elle le voyait. Les gros mots, les coups, elle les aurait excusés, si cet emportement fou lui avait laissé moins de surprise, une surprise dont elle ne revenait pas encore. Elle, passive, docile, qui toute jeune s'était pliée aux désirs d'un vieillard, qui plus tard avait laissé faire son mariage, simplement désireuse d'arranger les choses, n'arrivait pas à comprendre un tel éclat de jalousie, pour des fautes anciennes, dont elle se repentait ; et, sans vice, la chair mal éveillée encore, dans sa demi-inconscience de fille douce, chaste malgré tout, elle regardait son mari, aller, venir, tourner furieusement, comme elle aurait regardé un loup, un être d'une autre espèce. Qu'avait-il donc en lui ? Il y en avait tant sans colère ! Ce qui l'épouvantait, c'était de sentir l'animal, soupçonné par elle depuis trois ans, à des grognements sourds, aujourd'hui déchaîné, enragé, prêt à mordre. Que lui dire, pour empêcher un malheur ?

À chaque retour, il se retrouvait près du lit, devant elle. Et elle l'attendait au passage, elle osa lui parler.

« Mon ami, écoute… »

Mais il ne l'entendait pas, il repartait à l'autre bout de la pièce, ainsi qu'une paille battue d'un orage.

« Qu'est-ce que je vais faire ? Qu'est-ce que je vais faire ? »

Enfin, elle lui saisit le poignet, elle le retint une minute.

« Mon ami, voyons, puisque c'est moi qui ai refusé d'y aller… Je n'y serais jamais plus allée, jamais ! jamais ! C'est toi que j'aime. »

Et elle se faisait caressante, l'attirant, levant ses lèvres pour qu'il les baisât. Mais, tombé près d'elle, il la repoussa, dans un mouvement d'horreur.

« Ah ! garce, tu voudrais maintenant… Tout à l'heure, tu n'as pas voulu, tu n'avais pas envie de moi… Et, maintenant, tu voudrais, pour me reprendre, hein ? Lorsqu'on tient un homme par là, on le tient solidement… Mais ça me brûlerait, d'aller avec toi, oui ! je sens bien que ça me brûlerait le sang d'un poison.»

Il frissonnait. L'idée de la posséder, cette image de leurs deux corps s'abattant sur le lit, venait de le traverser d'une flamme. Et, dans la nuit trouble de sa chair, au fond de son désir souillé qui saignait, brusquement se dressa la nécessité de la mort.

«Pour que je ne crève pas d'aller encore avec toi, vois-tu, il faut avant ça que je crève l'autre… Il faut que je le crève, que je le crève !»

Sa voix montait, il répéta le mot, debout, grandi, comme si ce mot, en lui apportant une résolution, l'avait calmé. Il ne parla plus, il marcha lentement jusqu'à la table, y regarda le couteau, dont la lame, grande ouverte, luisait. D'un geste machinal, il le ferma, le mit dans sa poche. Et, les mains ballantes, les regards au loin, il restait à la même place, il songeait. Des obstacles coupaient son front de deux grandes rides. Pour trouver, il retourna ouvrir la fenêtre, il s'y planta, le visage dans le petit air froid du crépuscule. Derrière lui, sa femme s'était levée, reprise de peur ; et, n'osant le questionner, tâchant de deviner ce qui se passait au fond de ce crâne dur, elle attendait, debout elle aussi, en face du large ciel.

Sous la nuit commençante, les maisons lointaines se découpaient en noir, le vaste champ de la gare s'emplissait d'une brume violâtre. Du côté des Batignolles surtout, la tranchée profonde était comme noyée d'une cendre, où commençaient à s'effacer les charpentes du pont de l'Europe. Vers Paris, un dernier reflet de jour pâlissait les vitres des grandes halles§ couvertes, tandis que, dessous, les ténèbres amassées pleuvaient. Des étincelles brillèrent, on allumait les becs de gaz[1], le long des quais. Une grosse clarté blanche était là, la lanterne de la machine du train de Dieppe, bondé de voyageurs, les portières déjà closes, et qui attendait pour partir l'ordre du sous-chef de service. Des embarras s'étaient produits, le signal rouge de l'aiguilleur§ fermait la voie, pendant qu'une petite machine venait reprendre des voitures, qu'une manœuvre mal

1 *becs de gaz* : réverbères fonctionnant au gaz.

exécutée avait laissées en route. Sans cesse, des trains filaient dans l'ombre croissante, parmi l'inextricable lacis des rails, au milieu des files de wagons immobiles, stationnant sur les voies d'attente. Il en partit un pour Argenteuil, un autre pour Saint-Germain ; il en arriva un de Cherbourg, très long. Les signaux se multipliaient, les coups de sifflet, les sons de trompe ; de toutes parts, un à un, apparaissaient des feux, rouges, verts, jaunes, blancs ; c'était une confusion, à cette heure trouble de l'entre chien et loup, et il semblait que tout allait se briser, et tout passait, se frôlait, se dégageait, du même mouvement doux et rampant, vague au fond du crépuscule. Mais le feu rouge de l'aiguilleur[§] s'effaça, le train de Dieppe siffla, se mit en marche. Du ciel pâle, commençaient à voler de rares gouttes de pluie. La nuit allait être très humide.

Quand Roubaud se retourna, il avait la face épaisse et têtue, comme envahie d'ombre par cette nuit qui tombait. Il était décidé, son plan était fait. Dans le jour mourant, il regarda l'heure au coucou[§] ; il dit tout haut :

« Cinq heures vingt. »

Et il s'étonnait : une heure, une heure à peine, pour tant de choses ! Il aurait cru que tous deux se dévoraient là depuis des semaines.

« Cinq heures vingt, nous avons le temps. »

Séverine, qui n'osait l'interroger, le suivait toujours de ses regards anxieux. Elle le vit fureter dans l'armoire, en tirer du papier, une petite bouteille d'encre, une plume.

« Tiens ! tu vas écrire.

— À qui donc ?

— À lui… Assieds-toi. »

Et, comme elle s'écartait instinctivement de la chaise, sans savoir encore ce qu'il allait exiger, il la ramena, l'assit devant la table, d'une telle pesée, qu'elle y resta.

« Écris… "Partez ce soir par l'express[§] de six heures trente et ne vous montrez qu'à Rouen." »

Elle tenait la plume, mais sa main tremblait, sa peur s'augmentait de tout l'inconnu, que creusaient devant elle ces deux simples lignes. Aussi s'enhardit-elle jusqu'à lever la tête, suppliante.

« Mon ami, que vas-tu faire ?... Je t'en prie, explique-moi... » Il répéta, de sa voix haute, inexorable :

« Écris, écris. »

Puis, les yeux dans les siens, sans colère, sans gros mots, mais avec une obstination dont elle sentait le poids l'écraser, l'anéantir :

« Ce que je vais faire, tu le verras bien... Et, entends-tu, ce que je vais faire, je veux que tu le fasses avec moi... Comme ça, nous resterons ensemble, il y aura quelque chose de solide entre nous. »

Il l'épouvantait, elle eut un recul encore.

« Non, non, je veux savoir... Je n'écrirai pas avant de savoir. »

Alors, cessant de parler, il lui prit la main, une petite main frêle d'enfant, la serra dans sa poigne de fer, d'une pression continue d'étau, jusqu'à la broyer. C'était sa volonté qu'il lui entrait ainsi dans la chair, avec la douleur. Elle jeta un cri, et tout se brisait en elle, tout se livrait. L'ignorante qu'elle était restée, dans sa douceur passive, ne pouvait qu'obéir. Instrument d'amour, instrument de mort.

« Écris, écris. »

Et elle écrivit, de sa pauvre main douloureuse, péniblement.

« C'est bon, tu es gentille, dit-il, quand il eut la lettre. À présent, range un peu ici, apprête tout... Je reviendrai te prendre. »

Il était très calme. Il refit le nœud de sa cravate devant la glace, mit son chapeau, puis s'en alla. Elle l'entendit qui fermait la porte, à double tour, et qui emportait la clef. La nuit croissait de plus en plus. Un instant, elle resta assise, l'oreille tendue à tous les bruits du dehors. Chez la voisine, la marchande de journaux, il y avait une plainte continue, assourdie : sans doute un petit chien oublié. En bas, chez les Dauvergne, le piano se taisait. C'était maintenant un tapage gai de casseroles et de vaisselle, les deux ménagères s'occupant au fond de leur cuisine, Claire à soigner un ragoût de mouton, Sophie à éplucher une salade. Et elle, anéantie, les écoutait rire, dans la détresse affreuse de cette nuit qui tombait.

*«C'est bon, tu es gentille, dit-il, quand il eut la lettre.»*

**Ligne 962.**

Œuvres complètes illustrées d'Émile Zola (1906).

Dès six heures un quart, la machine de l'express[§] du Havre[§], débouchant du pont de l'Europe, fut envoyée sur son train, et attelée. À cause d'un encombrement, on n'avait pu loger ce train sous la marquise[§] des grandes lignes. Il attendait au plein air, contre le quai qui se prolongeait en une sorte de jetée étroite, dans les ténèbres d'un ciel d'encre, où la file des quelques becs de gaz[§], plantés le long du trottoir, n'alignait que des étoiles fumeuses. Une averse venait de cesser, il en restait un souffle d'une humidité glaciale, épandu par ce vaste espace découvert, qu'une brume reculait jusqu'aux petites lueurs pâlies des façades de la rue de Rome. Cela était immense et triste, noyé d'eau, çà et là piqué d'un feu sanglant, confusément peuplé de masses opaques, les machines et les wagons solitaires, les tronçons de trains dormant sur les voies de garage; et, du fond de ce lac d'ombre, des bruits arrivaient, des respirations géantes, haletantes de fièvre, des coups de sifflet pareils à des cris aigus de femmes qu'on violente, des trompes lointaines sonnant, lamentables, au milieu du grondement des rues voisines. Il y eut des ordres à voix haute, pour qu'on ajoutât une voiture. Immobile, la machine de l'express perdait par une soupape[§] un grand jet de vapeur qui montait dans tout ce noir, où elle s'effilochait en petites fumées, semant de larmes blanches le deuil sans bornes tendu au ciel.

À six heures vingt, Roubaud et Séverine parurent. Elle venait de rendre la clef à la mère Victoire, en passant devant les cabinets[§], près des salles d'attente; et il la poussait, de l'air pressé d'un mari que sa femme attarde, lui impatient et brusque, le chapeau en arrière, elle sa voilette serrée au visage, hésitante, comme brisée de fatigue. Un flot de voyageurs suivait le quai, ils s'y mêlèrent, longèrent la file des wagons, cherchant du regard un compartiment[1] de première[§] vide. Le trottoir s'animait, des facteurs roulaient au fourgon[§] de tête les chariots de bagages, un surveillant s'occupait de caser une famille nombreuse, le sous-chef de service donnait un coup d'œil aux attelages, sa lanterne-signal à la main, pour voir s'ils étaient bien faits, serrés à bloc.

1 *compartiment*: division cloisonnée d'un wagon spécialement aménagé pour les voyageurs. Pour aller d'un compartiment à un autre, il faut passer par l'extérieur.

Et Roubaud avait enfin trouvé un compartiment[§] vide, dans lequel il allait faire monter Séverine, lorsqu'il fut aperçu par le chef de gare, M. Vandorpe, qui se promenait là, en compagnie de son chef adjoint des grandes lignes, M. Dauvergne, tous les deux les mains derrière le dos, suivant la manœuvre, pour la voiture qu'on ajoutait. Il y eut des saluts, il fallut s'arrêter et causer.

D'abord, on parla de cette histoire du sous-préfet[§], qui s'était terminée à la satisfaction de tout le monde. Ensuite, il fut question d'un accident arrivé le matin au Havre[§], et que le télégraphe avait transmis : une machine, la Lison, qui, le jeudi et le samedi, faisait le service de l'express[§] de six heures trente, avait eu sa bielle[1] cassée, juste comme le train entrait en gare ; et la réparation devait immobiliser là-bas, pendant deux jours, le mécanicien[§], Jacques Lantier, un pays[2] de Roubaud, et son chauffeur[§], Pecqueux, l'homme de la mère Victoire. Debout devant la portière du compartiment, Séverine attendait, sans monter encore ; tandis que son mari affectait avec ces messieurs une grande liberté d'esprit, haussant la voix, riant. Mais il y eut un choc, le train recula de quelques mètres : c'était la machine qui refoulait les premiers wagons sur celui qu'on venait d'ajouter, le 293, pour avoir un coupé[3] réservé. Et le fils Dauvergne, Henri, qui accompagnait le train en qualité de conducteur chef[§], ayant reconnu Séverine sous sa voilette, l'avait empêchée d'être heurtée par la portière grande ouverte, en l'écartant d'un geste prompt ; puis, s'excusant, souriant, très aimable, il lui expliqua que le coupé était pour un des administrateurs de la Compagnie, qui venait d'en faire la demande, une demi-heure avant le départ du train. Elle eut un petit rire nerveux, sans cause, et il courut à son service, il la quitta enchanté, car il s'était dit souvent qu'elle ferait une maîtresse bien agréable.

1 *bielle* : pièce permettant la transformation du mouvement longitudinal en mouvement de rotation et qui est, avec la chaudière, à l'origine de la locomotive à vapeur. Ces deux inventions forment le noyau dur de la machine.

2 *pays* : personne de la même ville.

3 *coupé* : compartiment aménagé à l'extrémité d'une voiture (généralement de première classe) et ne comportant qu'une seule banquette.

L'horloge marquait six heures vingt-sept. Encore trois minutes. Brusquement, Roubaud, qui guettait au loin les portes des salles d'attente, tout en causant avec le chef de gare, quitta celui-ci pour revenir près de Séverine. Mais le wagon avait marché, ils durent rejoindre le compartiment[§] vide, à quelques pas ; et, tournant le dos, il bousculait sa femme, il la fit monter d'un effort du poignet, tandis que, dans sa docilité anxieuse, elle regardait instinctivement en arrière pour savoir. C'était un voyageur attardé qui arrivait, n'ayant à la main qu'une couverture, le collet de son gros paletot bleu relevé et si ample, le bord de son chapeau rond si bas sur les sourcils, qu'on ne distinguait de la face, aux clartés vacillantes du gaz, qu'un peu de barbe blanche. Pourtant, M. Vandorpe et M. Dauvergne s'étaient avancés, malgré le désir évident que le voyageur avait de n'être pas vu. Ils le suivirent, il ne les salua que trois wagons plus loin, devant le coupé[§] réservé, où il monta en hâte. C'était lui. Séverine, tremblante, s'était laissée tomber sur la banquette. Son mari lui broyait le bras d'une étreinte, comme une prise dernière de possession, exultant, maintenant qu'il était certain de faire la chose.

Dans une minute, la demie sonnerait. Un marchand s'entêtait à offrir les journaux du soir, des voyageurs se promenaient encore sur le quai, finissant une cigarette. Mais tous montèrent : on entendait venir, des deux bouts du train, les surveillants fermant les portières. Et Roubaud, qui avait eu la surprise désagréable d'apercevoir, dans ce compartiment qu'il croyait vide, une forme sombre occupant un coin, une femme en deuil sans doute, muette, immobile, ne put retenir une exclamation de véritable colère, lorsque la portière fut rouverte et qu'un surveillant jeta un couple, un gros homme, une grosse femme, qui s'échouèrent, étouffant. On allait partir. La pluie, très fine, avait repris, noyant le vaste champ ténébreux, que sans cesse traversaient des trains, dont on distinguait seulement les vitres éclairées, une file de petites fenêtres mouvantes. Des feux verts s'étaient allumés, quelques lanternes dansaient au ras du sol. Et rien autre, rien qu'une immensité noire, où seules apparaissaient les marquises[§] des grandes lignes, pâlies d'un faible reflet de gaz. Tout avait sombré, les bruits eux-mêmes s'assourdissaient, il n'y avait plus que le tonnerre de la machine, ouvrant ses purgeurs[§], lâchant des flots tourbillonnants de vapeur blanche. Une nuée montait, déroulant comme un linceul d'apparition, et dans laquelle passaient de grandes fumées noires, venues on ne savait d'où. Le ciel en fut obscurci encore, un nuage de suie s'envolait sur le Paris nocturne, incendié de son brasier.

Alors, le sous-chef de service leva sa lanterne, pour que le mécanicien[§] demandât la voie. Il y eut deux coups de sifflet, et là-bas, près du poste de l'aiguilleur[§], le feu rouge s'effaça, fut remplacé par un feu blanc. Debout à la porte du fourgon[§], le conducteur chef[§] attendait l'ordre du départ, qu'il transmit. Le mécanicien siffla encore, longuement, ouvrit son régulateur, démarrant la machine. On partait. D'abord, le mouvement fut insensible, puis le train roula. Il fila sous le pont de l'Europe, s'enfonça vers le tunnel des Batignolles. On ne voyait de lui, saignant comme des blessures ouvertes, que les trois feux de l'arrière, le triangle rouge. Quelques secondes encore, on put le suivre, dans le frisson noir de la nuit. Maintenant, il fuyait, et rien ne devait plus arrêter ce train lancé à toute vapeur. Il disparut.

# – II –

À la Croix-de-Maufras, dans un jardin que le chemin de fer a coupé, la maison est posée de biais, si près de la voie, que tous les trains qui passent l'ébranlent ; et un voyage suffit pour l'emporter dans sa mémoire, le monde entier filant à grande vitesse la sait à cette place, sans rien connaître d'elle, toujours close, laissée comme en détresse, avec ses volets gris que verdissent les coups de pluie de l'ouest. C'est le désert, elle semble accroître encore la solitude de ce coin perdu, qu'une lieue[§] à la ronde sépare de toute âme.

Seule, la maison du garde-barrière[1] est là, au coin de la route qui traverse la ligne et qui se rend à Doinville, distant de cinq kilomètres. Basse, les murs lézardés, les tuiles de la toiture mangées de mousse, elle s'écrase d'un air abandonné de pauvre, au milieu du jardin qui l'entoure, un jardin planté de légumes, fermé d'une haie vive, et dans lequel se dresse un grand puits, aussi haut que la maison. Le passage à niveau se trouve entre les stations de Malaunay et de Barentin, juste au milieu, à quatre kilomètres de chacune d'elles. Il est d'ailleurs très peu fréquenté, la vieille barrière à demi pourrie ne roule guère que pour les fardiers[2] des carrières de Bécourt, dans la forêt, à une demi-lieue. On ne saurait imaginer un trou plus reculé, plus séparé des vivants, car le long tunnel, du côté de Malaunay, coupe tout chemin, et l'on ne communique avec Barentin que par un sentier mal entretenu longeant la ligne. Aussi les visiteurs sont-ils rares.

Ce soir-là, à la tombée du jour, par un temps gris très doux, un voyageur, qui venait de quitter à Barentin un train du Havre[§], suivait d'un pas allongé le sentier de la Croix-de-Maufras. Le pays n'est qu'une suite ininterrompue de vallons

1 *garde-barrière* : employé de chemin de fer chargé de la manœuvre des barrières d'un passage à niveau.

2 *fardiers* : voitures à roues basses solidement construites et servant au transport de charges très lourdes, telles que gros troncs d'arbres, pierres de taille et blocs de marbre.

et de côtes, une sorte de moutonnement du sol, que le chemin de fer traverse, alternativement, sur des remblais et dans des tranchées. Aux deux bords de la voie, ces accidents de terrain continuels, les montées et les descentes, achèvent de rendre les routes difficiles. La sensation de grande solitude en est augmentée ; les terrains, maigres, blanchâtres, restent incultes ; des arbres couronnent les mamelons de petits bois, tandis que, le long des vallées étroites, coulent des ruisseaux, ombragés de saules. D'autres bosses crayeuses sont absolument nues, les coteaux se succèdent, stériles, dans un silence et un abandon de mort. Et le voyageur, jeune, vigoureux, hâtait le pas, comme pour échapper à la tristesse de ce crépuscule si doux sur cette terre désolée.

Dans le jardin du garde-barrière[§], une fille tirait de l'eau au puits, une grande fille de dix-huit ans, blonde, forte, à la bouche épaisse, aux grands yeux verdâtres, au front bas, sous de lourds cheveux. Elle n'était point jolie, elle avait des hanches solides et les bras durs d'un garçon. Dès qu'elle aperçut le voyageur, descendant le sentier, elle lâcha le seau, elle accourut se mettre devant la porte à claire-voie, qui fermait la haie vive.

« Tiens ! Jacques ! » cria-t-elle.

Lui, avait levé la tête. Il venait d'avoir vingt-six ans, également de grande taille, très brun, beau garçon au visage rond et régulier, mais que gâtaient des mâchoires trop fortes. Ses cheveux, plantés drus, frisaient, ainsi que ses moustaches, si épaisses, si noires, qu'elles augmentaient la pâleur de son teint. On aurait dit un monsieur, à sa peau fine, bien rasée sur les joues, si l'on n'eût pas trouvé d'autre part l'empreinte indélébile du métier, les graisses qui jaunissaient déjà ses mains de mécanicien[§], des mains pourtant restées petites et souples.

« Bonsoir, Flore », dit-il simplement.

Mais ses yeux, qu'il avait larges et noirs, semés de points d'or, s'étaient comme troublés d'une fumée rousse, qui les pâlissait. Les paupières battirent, les yeux se détournèrent, dans une gêne subite, un malaise allant jusqu'à la souffrance. Et tout le corps lui-même avait eu un instinctif mouvement de recul.

Elle, immobile, les regards posés droit sur lui, s'était aperçue de ce tressaillement involontaire, qu'il tâchait de maîtriser, chaque fois qu'il abordait une femme. Elle semblait en rester toute sérieuse et triste. Puis, désireux de cacher son embarras, comme il lui demandait si sa mère était à la maison, bien qu'il sût celle-ci souffrante, incapable de sortir, elle ne répondit que d'un signe de tête, elle s'écarta pour qu'il pût entrer sans la toucher, et retourna au puits, sans un mot, la taille droite et fière.

Jacques, de son pas rapide, traversa l'étroit jardin et entra dans la maison. Là, au milieu de la première pièce, une vaste cuisine où l'on mangeait et où l'on vivait, tante Phasie, ainsi qu'il la nommait depuis l'enfance, était seule, assise près de la table, sur une chaise de paille, les jambes enveloppées d'un vieux châle. C'était une cousine de son père, une Lantier, qui lui avait servi de marraine, et qui, à l'âge de six ans, l'avait pris chez elle, quand, son père et sa mère disparus, envolés à Paris, il était resté à Plassans, où il avait suivi plus tard les cours de l'École des Arts et Métiers[1]. Il lui en gardait une vive reconnaissance, il disait que c'était à elle qu'il le devait s'il avait fait son chemin. Lorsqu'il était devenu mécanicien[§] de première[§] classe à la Compagnie de l'Ouest[§], après deux années passées au chemin de fer d'Orléans, il y avait trouvé sa marraine, remariée à un garde-barrière[§] du nom de Misard, exilée avec les deux filles de son premier mariage, dans ce trou perdu de la Croix-de-Maufras. Aujourd'hui, bien qu'âgée de quarante-cinq ans à peine, la belle tante Phasie d'autrefois, si grande, si forte, en paraissait soixante, amaigrie et jaunie, secouée de continuels frissons.

Elle eut un cri de joie.

« Comment, c'est toi, Jacques !… Ah ! mon grand garçon, quelle surprise ! »

Il la baisa sur les joues, il lui expliqua qu'il venait d'avoir brusquement deux jours de congé forcé : la Lison, sa machine,

1 *École des Arts et Métiers* : les écoles des arts et métiers ont été créées à la fin du XVIIIe siècle par le duc de La Rochefoucauld pour répondre aux besoins des métiers techniques en expansion.

en arrivant le matin au Havre[§], avait eu sa bielle[§] rompue, et comme la réparation ne pouvait être terminée avant vingt-quatre heures, il ne reprendrait son service que le lendemain soir, pour l'express[§] de six heures quarante. Alors, il avait voulu l'embrasser. Il coucherait, il ne repartirait de Barentin que par le train de sept heures vingt-six du matin. Et il gardait entre les siennes ses pauvres mains fondues, il lui disait combien sa dernière lettre l'avait inquiété.

— Ah ! oui, mon garçon, ça ne va plus, ça ne va plus du tout… Que tu es gentil d'avoir deviné mon désir de te voir ! Mais je sais à quel point tu es tenu, je n'osais pas te demander de venir. Enfin, te voilà, et j'en ai si gros, si gros sur le cœur ! »

Elle s'interrompit, pour jeter craintivement un regard par la fenêtre. Sous le jour finissant, de l'autre côté de la voie, on apercevait son mari, Misard, dans un poste de cantonnement, une de ces cabanes de planches, établies tous les cinq ou six kilomètres et reliées par des appareils télégraphiques, afin d'assurer la bonne circulation des trains. Tandis que sa femme, et plus tard Flore, était chargée de la barrière du passage à niveau, on avait fait de Misard un stationnaire[1].

Comme s'il avait pu l'entendre, elle baissa la voix, dans un frisson.

« Je crois bien qu'il m'empoisonne ! »

Jacques eut un sursaut de surprise à cette confidence, et ses yeux, en se tournant eux aussi vers la fenêtre, furent de nouveau ternis par ce trouble singulier, cette petite fumée rousse qui en pâlissait l'éclat noir, diamanté d'or.

« Oh ! tante Phasie, quelle idée ! murmura-t-il. Il a l'air si doux et si faible. »

Un train allant vers Le Havre venait de passer, et Misard était sorti de son poste, pour fermer la voie derrière lui. Pendant qu'il remontait le levier, mettant au rouge le signal, Jacques le regardait. Un petit homme malingre, les cheveux et la barbe rares, décolorés, la figure creusée et pauvre. Avec cela, silencieux, effacé, sans colère, d'une politesse obséquieuse

1 *stationnaire* : celui qui assure une garde.

devant les chefs. Mais il était rentré dans la cabane de planches, pour inscrire sur son garde-temps l'heure du passage, et pour pousser les deux boutons électriques, l'un qui rendait la voie libre au poste précédent, l'autre qui annonçait le train au poste suivant.

« Ah ! tu ne le connais pas, reprit tante Phasie. Je te dis qu'il doit me faire prendre quelque saleté… Moi qui étais si forte, qui l'aurais mangé, et c'est lui, ce bout d'homme, ce rien du tout, qui me mange ! »

Elle s'enfiévrait d'une rancune sourde et peureuse, elle vidait son cœur, ravie de tenir enfin quelqu'un qui l'écoutait. Où avait-elle eu la tête de se remarier avec un sournois pareil, et sans le sou, et avare, elle plus âgée de cinq ans, ayant deux filles, l'une de six ans, l'autre de huit ans déjà ? Voici dix années bientôt qu'elle avait fait ce beau coup, et pas une heure ne s'était écoulée sans qu'elle en eût le repentir : une existence de misère, un exil dans ce coin glacé du Nord, où elle grelottait, un ennui à périr, de n'avoir jamais personne à qui causer, pas même une voisine. Lui, était un ancien poseur de la voie, qui, maintenant, gagnait douze cents francs[§] comme stationnaire[§] ; elle, dès le début, avait eu cinquante francs pour la barrière, dont Flore aujourd'hui se trouvait chargée ; et là étaient le présent et l'avenir, aucun autre espoir, la certitude de vivre et de crever dans ce trou, à mille lieues[§] des vivants. Ce qu'elle ne racontait pas, c'étaient les consolations qu'elle avait encore, avant de tomber malade, lorsque son mari travaillait au ballast[1], et qu'elle demeurait seule à garder la barrière avec ses filles ; car elle possédait alors, de Rouen au Havre[§], sur toute la ligne, une telle réputation de belle femme, que les inspecteurs de la voie la visitaient au passage ; même il y avait eu des rivalités, les piqueurs[2] d'un autre service étaient toujours en tournée, à redoubler de surveillance. Le mari n'était pas une gêne, déférent avec tout le monde, se glissant par les portes, partant, revenant sans rien voir. Mais ces distractions avaient cessé, et elle restait

1 *ballast* : pierraille dont on garnit l'assise d'une voie ferrée pour asseoir et maintenir les traverses.

2 *piqueurs* : contremaîtres chargés de l'entretien et de la surveillance de la voie.

là, les semaines, les mois, sur cette chaise, dans cette solitude, à sentir son corps s'en aller un peu plus, d'heure en heure.

« Je te dis, répéta-t-elle pour conclure, que c'est lui qui s'est mis après moi, et qu'il m'achèvera, tout petit qu'il est. »

Une sonnerie brusque lui fit jeter au-dehors le même regard inquiet. C'était le poste précédent qui annonçait à Misard un train allant sur Paris ; et l'aiguille de l'appareil de cantonnement, posé devant la vitre, s'était inclinée dans le sens de la direction. Il arrêta la sonnerie, il sortit pour signaler le train par deux sons de trompe. Flore, à ce moment, vint pousser la barrière ; puis, elle se planta, tenant tout droit le drapeau, dans son fourreau de cuir. On entendit le train, un express[§], caché par une courbe, s'approcher avec un grondement qui grandissait. Il passa comme en un coup de foudre, ébranlant, menaçant d'emporter la maison basse, au milieu d'un vent de tempête. Déjà Flore s'en retournait à ses légumes, tandis que Misard, après avoir fermé la voie montante derrière le train, allait rouvrir la voie descendante, en abattant le levier pour effacer le signal rouge ; car une nouvelle sonnerie, accompagnée du relèvement de l'autre aiguille, venait de l'avertir que le train, passé cinq minutes plus tôt, avait franchi le poste suivant. Il rentra, prévint les deux postes, inscrivit le passage, puis attendit. Besogne toujours la même, qu'il faisait pendant douze heures, vivant là, mangeant là, sans lire trois lignes d'un journal, sans paraître même avoir une pensée, sous son crâne oblique.

Jacques, qui, autrefois, plaisantait sa marraine sur les ravages qu'elle faisait parmi les inspecteurs de la voie, ne put s'empêcher de sourire, en disant :

« Peut-être bien qu'il est jaloux. »

Mais Phasie eut un haussement d'épaules plein de pitié, pendant qu'un rire montait également, irrésistible, à ses pauvres yeux pâlis.

« Ah ! mon garçon, qu'est-ce que tu dis là ?... Lui, jaloux ! Il s'en est toujours fichu, du moment que ça ne lui sortait rien de la poche. »

Puis, reprise de son frisson :

«Non, non, il n'y tenait guère, à ça. Il ne tient qu'à l'argent… Ce qui nous a fâchés, vois-tu, c'est que je n'ai pas voulu lui donner les mille francs[§] de papa, l'année dernière, quand j'ai hérité. Alors, ainsi qu'il m'en menaçait, ça m'a porté malheur, je suis tombée malade… Et le mal ne m'a plus quittée depuis cette époque, oui ! juste depuis cette époque.»

Le jeune homme comprit, et comme il croyait à des idées noires de femme souffrante, il essaya encore de la dissuader. Mais elle s'entêtait d'un branle de la tête, en personne dont la conviction est faite. Aussi finit-il par dire :

«Eh bien ! rien n'est plus simple, si vous désirez que ça finisse… Donnez-lui vos mille francs.»

Un effort extraordinaire la mit debout. Et ressuscitée, violente :

«Mes mille francs, jamais ! J'aime mieux crever… Ah ! ils sont cachés, bien cachés, va ! On peut retourner la maison, je défie qu'on les trouve… Et il l'a assez retournée, lui, le malin ! Je l'ai entendu, la nuit, qui tapait dans tous les murs. Cherche, cherche ! Rien que le plaisir de voir son nez s'allonger, ça me suffirait pour prendre patience… Faudra savoir qui lâchera le premier, de lui ou de moi. Je me méfie, je n'avale plus rien de ce qu'il touche. Et si je claquais, eh bien ! il ne les aurait tout de même pas, mes mille francs ! Je préférerais les laisser à la terre.»

Elle retomba sur la chaise, épuisée, secouée par un nouveau son de trompe. C'était Misard, au seuil du poste de cantonnement, qui, cette fois, signalait un train allant au Havre[§]. Malgré l'obstination où elle s'enfermait, de ne pas donner l'héritage, elle avait de lui une peur secrète, grandissante, la peur du colosse devant l'insecte dont il se sent mangé. Et le train annoncé, l'omnibus[§] parti de Paris à midi quarante-cinq, venait au loin, d'un roulement sourd. On l'entendit sortir du tunnel, souffler plus haut dans la campagne. Puis, il passa, dans le tonnerre de ses roues et la masse de ses wagons, d'une force invincible d'ouragan.

Jacques, les yeux levés vers la fenêtre, avait regardé défiler les petites vitres carrées, où apparaissaient des profils de voyageurs. Il voulut détourner les idées noires de Phasie, il reprit en plaisantant :

« Marraine, vous vous plaignez de ne jamais voir un chat, dans votre trou… Mais en voilà, du monde ! »

Elle ne comprit pas d'abord, étonnée.

« Où çà, du monde ?… Ah ! oui, ces gens qui passent. La belle avance ! on ne les connaît pas, on ne peut pas causer. »

Il continuait de rire.

« Moi, vous me connaissez bien, vous me voyez passer souvent.

— Toi, c'est vrai, je te connais, et je sais l'heure de ton train, et je te guette, sur ta machine. Seulement, tu files, tu files ! Hier, tu as fait comme ça de la main. Je ne peux seulement pas répondre… Non, non, ce n'est pas une manière de voir le monde. »

Pourtant, cette idée du flot de foule que les trains montants et descendants charriaient quotidiennement devant elle, au milieu du grand silence de sa solitude, la laissait pensive, les regards sur la voie, où tombait la nuit. Quand elle était valide, qu'elle allait et venait, se plantant devant la barrière, le drapeau au poing, elle ne songeait jamais à ces choses. Mais des rêveries confuses, à peine formulées, lui embarbouillaient la tête, depuis qu'elle demeurait les journées sur cette chaise, n'ayant à réfléchir à rien qu'à sa lutte sourde avec son homme. Cela lui semblait drôle, de vivre perdue au fond de ce désert, sans une âme à qui se confier, lorsque, de jour et de nuit, continuellement, il défilait tant d'hommes et de femmes, dans le coup de tempête des trains, secouant la maison, fuyant à toute vapeur. Bien sûr que la terre entière passait là, pas des Français seulement, des étrangers aussi, des gens venus des contrées les plus lointaines, puisque personne maintenant ne pouvait rester chez soi, et que tous les peuples, comme on disait, n'en feraient bientôt plus qu'un seul. Ça, c'était le progrès, tous frères, roulant tous ensemble, là-bas, vers un pays de cocagne[1]. Elle

1 *pays de cocagne* : pays imaginaire où l'on a tout en abondance et sans peine. Ici cette expression désigne l'Amérique.

essayait de les compter, en moyenne, à tant par wagon : il y en avait trop, elle n'y parvenait pas. Souvent, elle croyait reconnaître des visages, celui d'un monsieur à barbe blonde, un Anglais sans doute, qui faisait chaque semaine le voyage de Paris, celui d'une petite dame brune, passant régulièrement le mercredi et le samedi. Mais l'éclair les emportait, elle n'était pas bien sûre de les avoir vus, toutes les faces se noyaient, se confondaient, comme semblables, disparaissaient les unes dans les autres. Le torrent coulait, en ne laissant rien de lui. Et ce qui la rendait triste, c'était, sous ce roulement continu, sous tant de bien-être et tant d'argent promenés, de sentir que cette foule toujours si haletante ignorait qu'elle fût là, en danger de mort, à ce point que si son homme l'achevait un soir, les trains continueraient à se croiser près de son cadavre, sans se douter seulement du crime, au fond de la maison solitaire.

Phasie était restée les yeux sur la fenêtre, et elle résuma ce qu'elle éprouvait trop vaguement pour l'expliquer tout au long.

« Ah ! c'est une belle invention, il n'y a pas à dire. On va vite, on est plus savant… Mais les bêtes sauvages restent des bêtes sauvages, et on aura beau inventer des mécaniques meilleures encore, il y aura quand même des bêtes sauvages dessous. »

Jacques de nouveau hocha la tête, pour dire qu'il pensait comme elle. Depuis un instant, il regardait Flore qui rouvrait la barrière, devant une voiture de carrier[1], chargée de deux blocs de pierre énormes. La route desservait uniquement les carrières de Bécourt, si bien que, la nuit, la barrière était cadenassée, et qu'il était très rare qu'on fît relever la jeune fille. En voyant celle-ci causer familièrement avec le carrier, un petit jeune homme brun, il s'écria :

« Tiens ! Cabuche est donc malade, que son cousin Louis conduit ses chevaux ?… Ce pauvre Cabuche, le voyez-vous souvent, marraine ? »

Elle leva les mains, sans répondre, en poussant un gros soupir. C'était tout un drame, à l'automne dernier, qui n'avait pas été fait pour la remettre : sa fille Louisette, la cadette, placée

1 *carrier* : ouvrier qui extrait des pierres dans une carrière.

comme femme de chambre chez madame Bonnehon, à Doinville, s'était sauvée un soir, affolée, meurtrie, pour aller mourir chez son bon ami Cabuche, dans la maison que celui-ci habitait en pleine forêt. Des histoires avaient couru, qui accusaient de violence le président[§] Grandmorin ; mais on n'osait pas le répéter tout haut. La mère elle-même, bien que sachant à quoi s'en tenir, n'aimait point revenir sur ce sujet. Pourtant, elle finit par dire :

« Non, il n'entre plus, il devient un vrai loup… Cette pauvre Louisette, qui était si mignonne, si blanche, si douce ! Elle m'aimait bien, elle m'aurait soignée, elle ! Tandis que Flore, mon Dieu ! je ne m'en plains pas, mais elle a pour sûr quelque chose de dérangé, toujours à n'en faire qu'à sa tête, disparue pendant des heures, et fière, et violente !… Tout ça est triste, bien triste. »

En écoutant, Jacques continuait à suivre des yeux le fardier[§], qui, maintenant, traversait la voie. Mais les roues s'embarrassèrent dans les rails, il fallut que le conducteur fît claquer son fouet, tandis que Flore elle-même criait, excitant les chevaux.

« Fichtre ! déclara le jeune homme, il ne faudrait pas qu'un train arrive… Il y en aurait une, de marmelade !

— Oh ! pas de danger, reprit tante Phasie. Flore est drôle des fois, mais elle connaît son affaire, elle ouvre l'œil… Dieu merci, voici cinq ans que nous n'avons pas eu d'accident. Autrefois, un homme a été coupé. Nous autres, nous n'avons encore eu qu'une vache, qui a manqué de faire dérailler un train. Ah ! la pauvre bête ! on a retrouvé le corps ici et la tête là-bas, près du tunnel… Avec Flore, on peut dormir sur ses deux oreilles. »

Le fardier était passé, on entendait s'éloigner les secousses profondes des roues dans les ornières. Alors, elle revint à sa préoccupation constante, à l'idée de la santé, chez les autres autant que chez elle.

« Et toi, ça va-t-il tout à fait bien, maintenant ? Tu te rappelles, chez nous, les choses dont tu souffrais, et auxquelles le docteur ne comprenait rien ? »

Il eut son vacillement inquiet du regard.

«Je me porte très bien, marraine.

— Vrai ! tout a disparu, cette douleur qui te trouait le crâne, derrière les oreilles, et les coups de fièvre brusques, et ces accès de tristesse qui te faisaient te cacher comme une bête, au fond d'un trou ?»

À mesure qu'elle parlait, il se troublait davantage, pris d'un tel malaise, qu'il finit par l'interrompre, d'une voix brève.

«Je vous assure que je me porte très bien… Je n'ai plus rien, plus rien du tout.

— Allons, tant mieux, mon garçon !… Ce n'est point parce que tu aurais du mal, que ça me guérirait le mien. Et puis, c'est de ton âge, d'avoir de la santé. Ah ! la santé, il n'y a rien de si bon… Tu es tout de même très gentil d'être venu me voir, quand tu aurais pu aller t'amuser ailleurs. N'est-ce pas ? Tu vas dîner[1] avec nous, et tu coucheras là-haut dans le grenier, à côté de la chambre de Flore.»

Mais, encore une fois, un son de trompe lui coupa la parole. La nuit était tombée, et tous deux, en se tournant vers la fenêtre, ne distinguaient plus que confusément Misard causant avec un autre homme. Six heures venaient de sonner, il remettait le service à son remplaçant, le stationnaire[§] de nuit. Il allait être libre enfin, après ses douze heures passées dans cette cabane, meublée seulement d'une petite table, sous la planchette des appareils, d'un tabouret et d'un poêle, dont la chaleur trop forte l'obligeait à tenir presque constamment la porte ouverte.

«Ah ! le voici, il va rentrer», murmura tante Phasie, reprise de sa peur.

Le train annoncé arrivait, très lourd, très long, avec son grondement de plus en plus haut. Et le jeune homme dut se pencher pour se faire entendre de la malade, ému de l'état misérable où il la voyait se mettre, désireux de la soulager.

«Écoutez, marraine, s'il a vraiment de mauvaises idées, peut-être que ça l'arrêterait, de savoir que je m'en mêle… Vous feriez bien de me confier vos mille francs[§].»

1 *dîner* : repas pris, selon les époques et les régions, le midi ou le soir. Aux environs de Paris, à la fin du XIX<sup>e</sup> siècle, il s'agit plutôt du repas du soir.

Elle eut une dernière révolte.

«Mes mille francs[§] ! pas plus à toi qu'à lui !… Je te dis que j'aime mieux crever !»

À ce moment, le train passait, dans sa violence d'orage, comme s'il eût tout balayé devant lui. La maison en trembla, enveloppée d'un coup de vent. Ce train-là, qui allait au Havre[§], était très chargé, car il y avait une fête pour le lendemain dimanche, le lancement d'un navire. Malgré la vitesse, par les vitres éclairées des portières, on avait eu la vision des compartiments[§] pleins, les files de têtes rangées, serrées, chacune avec son profil. Elles se succédaient, disparaissaient. Que de monde ! Encore la foule, la foule sans fin, au milieu du roulement des wagons, du sifflement des machines, du tintement du télégraphe, de la sonnerie des cloches ! C'était comme un grand corps, un être géant couché en travers de la terre, la tête à Paris, les vertèbres tout le long de la ligne, les membres s'élargissant avec les embranchements, les pieds et les mains au Havre et dans les autres villes d'arrivée. Et ça passait, ça passait, mécanique, triomphal, allant à l'avenir avec une rectitude mécanique, dans l'ignorance volontaire de ce qu'il restait de l'homme, aux deux bords, caché et toujours vivace, l'éternelle passion et l'éternel crime.

Ce fut Flore qui rentra la première. Elle alluma la lampe, une petite lampe à pétrole, sans abat-jour, et mit la table. Pas un mot n'était échangé, à peine glissa-t-elle un regard vers Jacques, qui se détournait, debout devant la fenêtre. Sur le poêle, une soupe aux choux se tenait chaude. Elle la servait, lorsque Misard parut à son tour. Il ne témoigna aucune surprise de trouver là le jeune homme. Peut-être l'avait-il vu arriver, mais il ne le questionna pas, sans curiosité. Un serrement de main, trois paroles brèves, rien de plus. Jacques dut répéter, de lui-même, l'histoire de la bielle[§] rompue, son idée de venir embrasser sa marraine et de coucher. Doucement, Misard se contentait de branler la tête, comme s'il trouvait cela très bien, et l'on s'assit, l'on mangea sans hâte, d'abord en silence. Phasie, qui, depuis le matin, n'avait pas quitté des yeux la marmite où bouillait la soupe aux choux, en accepta une assiette. Mais son homme s'étant levé pour lui donner son eau ferrée[1], oubliée par Flore, une carafe où trempaient des clous, elle n'y toucha pas. Lui, humble, chétif, toussant d'une petite toux mauvaise, n'avait point l'air de remarquer les regards anxieux dont elle suivait ses moindres mouvements. Comme elle demandait du sel, dont il n'y avait plus sur la table, il lui dit qu'elle se repentirait d'en manger tant, que c'était ça qui la rendait malade; et il se releva pour en prendre, en apporta dans une cuiller une pincée, qu'elle accepta sans défiance, le sel purifiant tout, disait-elle. Alors, on causa du temps vraiment tiède qu'il faisait depuis quelques jours, d'un déraillement qui s'était produit à Maromme. Jacques finissait par croire que sa marraine avait des cauchemars tout éveillée, car lui ne surprenait rien, chez ce bout d'homme si complaisant, aux yeux vagues. On s'attarda plus d'une heure. Deux fois, au signal de la trompe, Flore avait disparu un instant. Les trains passaient, secouaient les verres sur la table; mais aucun des convives n'y faisait même attention.

Un nouveau son de trompe se fit entendre, et, cette fois, Flore, qui venait d'ôter le couvert, ne reparut pas. Elle laissait sa mère et les deux hommes attablés devant une bouteille d'eau-de-vie de cidre. Tous trois restèrent là une demi-heure encore. Puis, Misard, qui, depuis un instant, avait arrêté ses yeux fureteurs sur un angle de la pièce, prit sa casquette et sortit, avec un simple bonsoir. Il braconnait dans les petits ruisseaux voisins, où il y avait des anguilles superbes, et jamais il ne se couchait, sans être allé visiter ses lignes de fond[2].

Dès qu'il ne fut plus là, Phasie regarda fixement son filleul.

« Hein, crois-tu ? L'as-tu vu fouiller du regard là-bas, dans ce coin ?… C'est que l'idée lui est venue que je pouvais avoir caché mon magot derrière le pot à beurre… Ah ! je le connais, je suis sûre que, cette nuit, il ira déranger le pot, pour voir. »

1 *eau ferrée* : eau dans laquelle on a plongé un fer rouge ou qu'on a versée bouillante sur du fer rouillé ou dans laquelle on a fait dissoudre des substances ferrugineuses, considérée au XIXe siècle comme un remède pour les malades souffrant d'anémie.

2 *lignes de fond* : fils de pêche sans flotteur, qui reposent au fond de l'eau, garnis d'hameçons.

Mais des sueurs la prenaient, un tremblement agitait ses membres.

«Regarde, ça y est encore, va ! Il m'aura droguée, j'ai la bouche amère comme si j'avais avalé des vieux sous. Dieu sait pourtant si j'ai rien pris de sa main ! C'est à se ficher à l'eau… Ce soir, je n'en peux plus, vaut mieux que je me couche. Alors, adieu, mon garçon, parce que, si tu pars à sept heures vingt-six, ce sera de trop bonne heure pour moi. Et reviens, n'est-ce pas ? Et espérons que j'y serai toujours.»

Il dut l'aider à rentrer dans la chambre, où elle se coucha et s'endormit, accablée. Resté seul, il hésita, se demandant s'il ne devait pas monter s'étendre, lui aussi, sur le foin qui l'attendait au grenier. Mais il n'était que huit heures moins dix, il avait le temps de dormir. Et il sortit à son tour, laissant brûler la petite lampe à pétrole, dans la maison vide et ensommeillée, ébranlée de temps à autre par le tonnerre brusque d'un train.

Dehors, Jacques fut surpris de la douceur de l'air. Sans doute, il allait pleuvoir encore. Dans le ciel, une nuée laiteuse, uniforme, s'était épandue, et la pleine lune, qu'on ne voyait pas, noyée derrière, éclairait toute la voûte d'un reflet rougeâtre. Aussi distinguait-il nettement la campagne, dont les terres autour de lui, les coteaux, les arbres se détachaient en noir, sous cette lumière égale et morte, d'une paix de veilleuse. Il fit le tour du petit potager. Puis, il songea à marcher du côté de Doinville, la route par là montant moins rudement. Mais la vue de la maison solitaire, plantée de biais à l'autre bout de la ligne, l'ayant attiré, il traversa la voie en passant par le portillon, car la barrière était déjà fermée pour la nuit. Cette maison, il la connaissait bien, il la regardait à chacun de ses voyages, dans le branle grondant de sa machine. Elle le hantait sans qu'il sût pourquoi, avec la sensation confuse qu'elle importait à son existence. Chaque fois, il éprouvait, d'abord comme une peur de ne plus la retrouver là, ensuite comme un malaise à constater qu'elle y était toujours. Jamais il n'en avait vu ouvertes ni les portes ni les fenêtres. Tout ce qu'on lui avait appris d'elle, c'était qu'elle appartenait au président[§] Grandmorin ; et, ce soir-là, un désir irrésistible le prenait de tourner autour, pour en savoir davantage.

Longtemps, Jacques resta planté sur la route, en face de la grille. Il se reculait, se haussait, tâchant de se rendre compte. Le chemin de fer, en coupant le jardin, n'avait d'ailleurs laissé devant le perron qu'un étroit parterre, clos de murs ; tandis que, derrière, s'étendait un assez vaste terrain, entouré simplement d'une haie vive. La maison était d'une tristesse lugubre, en sa détresse, sous le rouge reflet de cette nuit fumeuse ; et il allait s'éloigner, avec un frisson à fleur de peau, lorsqu'il remarqua un trou dans la haie. L'idée que ce serait lâche de ne pas entrer, le fit passer par le trou. Son cœur battait. Mais, tout de suite, comme il longeait une petite serre en ruine, la vue d'une ombre, accroupie à la porte, l'arrêta.

« Comment, c'est toi ? s'écria-t-il étonné, en reconnaissant Flore. Qu'est-ce que tu fais donc ? »

Elle aussi avait eu une secousse de surprise. Puis, tranquillement :

« Tu vois bien, je prends des cordes… Ils ont laissé là un tas de cordes qui pourrissent, sans servir à personne. Alors, moi, comme j'en ai toujours besoin, je viens en prendre. »

En effet, une paire de forts ciseaux à la main, assise par terre, elle démêlait les bouts de corde, coupait les nœuds, quand ils résistaient.

« Le propriétaire ne vient donc plus ? » demanda le jeune homme.

Elle se mit à rire.

« Oh ! depuis l'affaire de Louisette, il n'y a pas de danger que le président[§] risque le bout de son nez à la Croix-de-Maufras. Va, je puis prendre ses cordes. »

Il se tut un instant, l'air troublé par le souvenir de l'aventure tragique qu'elle évoquait.

« Et toi, tu crois ce que Louisette a raconté, tu crois qu'il a voulu l'avoir, et que c'est en se débattant qu'elle s'est blessée ? »

Cessant de rire, brusquement violente, elle cria :

« Jamais Louisette n'a menti, ni Cabuche non plus… C'est mon ami, Cabuche.

— Ton amoureux peut-être, à cette heure ?

— Lui ! ah bien, il faudrait être une fameuse cateau[1] !… Non, non ! c'est mon ami, je n'ai pas d'amoureux, moi ! je n'en veux pas avoir. »

Elle avait relevé sa tête puissante, dont l'épaisse toison blonde frisait très bas sur le front ; et, de tout son être solide et souple, montait une sauvage énergie de volonté. Déjà une légende se formait sur elle, dans le pays. On contait des histoires, des sauvetages : une charrette retirée d'une secousse, au passage d'un train ; un wagon, qui descendait tout seul la pente de Barentin, arrêté ainsi qu'une bête furieuse, galopant à la rencontre d'un express[§]. Et ces preuves de force étonnaient, la faisaient désirer des hommes, d'autant plus qu'on l'avait crue facile d'abord, toujours à battre les champs dès qu'elle était libre, cherchant des coins perdus, se couchant au fond des trous, les yeux en l'air, muette, immobile. Mais les premiers qui s'étaient risqués n'avaient pas eu envie de recommencer l'aventure. Comme elle aimait à se baigner pendant des heures, nue dans un ruisseau voisin, des gamins de son âge étaient allés faire la partie de la regarder ; et elle en avait empoigné un, sans même prendre la peine de remettre sa chemise, et elle l'avait arrangé si bien, que personne ne la guettait plus. Enfin, le bruit se répandait de son histoire avec un aiguilleur[§] de l'embranchement de Dieppe, à l'autre bout du tunnel : un nommé Ozil, un garçon d'une trentaine d'années, très honnête, qu'elle semblait avoir encouragé un instant, et qui, ayant essayé de la prendre, s'imaginant un soir qu'elle se livrait, avait failli être tué par elle d'un coup de bâton. Elle était vierge et guerrière, dédaigneuse du mâle, ce qui finissait par convaincre les gens qu'elle avait pour sûr la tête dérangée.

En l'entendant déclarer qu'elle ne voulait pas d'amoureux, Jacques continua de plaisanter.

« Alors, ça ne va pas, ton mariage avec Ozil ? Je m'étais laissé dire que, tous les jours, tu filais le rejoindre par le tunnel. »

1 *cateau* : femme de mauvaise vie, catin. Zola utilise, dans *La Terre* puis dans *La Bête humaine*, l'ancienne graphie du mot. En effet, au XIX$^{e}$ siècle, la graphie la plus répandue était « catau ».

Elle haussa les épaules.

« Ah ! ouitche ! mon mariage… Ça m'amuse, le tunnel. Deux kilomètres et demi à galoper dans le noir, avec l'idée qu'on peut être coupé par un train, si l'on n'ouvre pas l'œil. Faut les entendre, les trains, ronfler là-dessous !… Mais il m'a ennuyée, Ozil. Ce n'est pas encore celui-là que je veux.

— Tu en veux donc un autre ?

— Ah ! je ne sais pas… Ah ! ma foi, non ! »

Un rire l'avait reprise, tandis qu'une pointe d'embarras la faisait se remettre à un nœud des cordes, dont elle ne pouvait venir à bout. Puis, sans relever la tête, comme très absorbée par sa besogne :

— Et toi, tu n'en as pas, d'amoureuse ? »

À son tour, Jacques redevint sérieux. Ses yeux se détournèrent, vacillèrent en se fixant au loin, dans la nuit. Il répondit d'une voix brève :

« Non.

— C'est ça, continua-t-elle, on m'a bien conté que tu abominais les femmes. Et puis, ce n'est pas d'hier que je te connais, jamais tu ne nous adresserais quelque chose d'aimable… Pourquoi, dis ? »

Il se taisait, elle se décida à lâcher le nœud et à le regarder.

« Est-ce donc que tu n'aimes que ta machine ? On en plaisante, tu sais. On prétend que tu es toujours à la frotter, à la faire reluire, comme si tu n'avais des caresses que pour elle… Moi, je te dis ça, parce que je suis ton amie. »

Lui aussi, maintenant, la regardait, à la pâle clarté du ciel fumeux. Et il se souvenait d'elle, quand elle était petite, violente et volontaire déjà, mais lui sautant au cou dès qu'il arrivait, prise d'une passion de fillette sauvage. Ensuite, l'ayant souvent perdue de vue, il l'avait chaque fois retrouvée grandie, l'accueillant du même saut à ses épaules, le gênant de plus en plus par la flamme de ses grands yeux clairs. À cette heure, elle était femme, superbe, désirable, et elle l'aimait sans doute, de très loin, du fond même de sa jeunesse. Son cœur se mit à battre, il eut la sensation soudaine d'être celui qu'elle attendait. Un grand trouble montait à son crâne avec le sang de ses veines, son premier mouvement fut de fuir, dans l'angoisse qui l'envahissait. Toujours le désir l'avait rendu fou, il voyait rouge.

« Qu'est-ce que tu fais là, debout ? reprit-elle. Assieds-toi donc ! »

De nouveau, il hésitait. Puis, les jambes subitement très lasses, vaincu par le besoin de tenter l'amour encore, il se laissa tomber près d'elle, sur le tas de cordes. Il ne parlait plus, la gorge sèche. C'était elle, maintenant, la fière, la silencieuse, qui bavardait à perdre haleine, très gaie, s'étourdissant elle-même.

« Vois-tu, le tort de maman, ç'a été d'épouser Misard. Ça lui jouera un mauvais tour… Moi, je m'en fiche, parce qu'on a assez de ses affaires, n'est-ce pas ? Et puis, maman m'envoie coucher, dès que je veux intervenir… Alors, qu'elle se débrouille ! Je vis dehors, moi. Je songe à des choses, pour plus tard… Ah ! tu sais, je t'avais vu passer, ce matin, sur ta machine, tiens ! de ces broussailles, là-bas, où j'étais assise. Mais toi, tu ne regardes jamais… Et je te les dirai, à toi, les choses auxquelles je songe, mais pas maintenant, plus tard, quand nous serons tout à fait bons amis. »

Elle avait laissé glisser les ciseaux, et lui, toujours muet, s'était emparé de ses deux mains. Ravie, elle les lui abandonnait. Pourtant, lorsqu'il les porta à ses lèvres brûlantes, elle eut un sursaut effaré de vierge. La guerrière se réveillait, cabrée, batailleuse, à cette première approche du mâle.

« Non, non ! Laisse-moi, je ne veux pas… Tiens-toi tranquille, nous causerons… Ça ne pense qu'à ça, les hommes. Ah ! si je te répétais ce que Louisette m'a raconté, le jour où elle est morte, chez Cabuche… D'ailleurs, j'en savais déjà sur le président[§], parce que j'avais vu des saletés ici, lorsqu'il venait avec des jeunes filles… Il y en a une que personne ne soupçonne, une qu'il a mariée… »

Lui, ne l'écoutait pas, ne l'entendait pas. Il l'avait saisie d'une étreinte brutale, et il écrasait sa bouche sur la sienne. Elle eut un léger cri, une plainte plutôt, si profonde, si douce, où éclatait l'aveu de sa tendresse longtemps cachée. Mais elle luttait toujours, se refusait quand même, par un instinct de combat. Elle le souhaitait et elle se disputait à lui, avec le besoin d'être conquise. Sans parole, poitrine contre poitrine, tous deux s'essoufflaient à qui renverserait l'autre. Un instant, elle sembla devoir être la plus forte, elle l'aurait peut-être jeté sous elle, tant il s'énervait, s'il ne l'avait pas empoignée à la gorge. Le corsage fut arraché, les deux seins jaillirent, durs et gonflés de la bataille, d'une blancheur de lait, dans l'ombre claire. Et elle s'abattit sur le dos, elle se donnait, vaincue.

Alors, lui, haletant, s'arrêta, la regarda, au lieu de la posséder. Une fureur semblait le prendre, une férocité qui le faisait chercher des yeux, autour de lui, une arme, une pierre, quelque chose enfin pour la tuer. Ses regards rencontrèrent les ciseaux, luisant parmi les bouts de corde ; et il les ramassa d'un bond, et il les aurait enfoncés dans cette gorge nue, entre les deux seins blancs, aux fleurs roses. Mais un grand froid le dégrisait, il les rejeta, il s'enfuit, éperdu ; tandis qu'elle, les paupières closes, croyait qu'il la refusait à son tour, parce qu'elle lui avait résisté.

Jacques fuyait dans la nuit mélancolique. Il monta au galop le sentier d'une côte, retomba au fond d'un étroit vallon. Des cailloux roulant sous ses pas l'effrayèrent, il se lança à gauche parmi des broussailles, fit un crochet qui le ramena à droite, sur un plateau vide. Brusquement, il dévala, il buta contre la haie du chemin de fer : un train arrivait, grondant, flambant ; et il ne comprit pas d'abord, terrifié. Ah ! oui, tout ce monde qui passait, le continuel flot, tandis que lui agonisait là ! Il repartit, grimpa, descendit encore. Toujours maintenant il rencontrait la voie, au fond des tranchées profondes qui creusaient des abîmes, sur des remblais qui fermaient l'horizon de barricades géantes. Ce pays désert, coupé de monticules, était comme un labyrinthe sans issue, où tournait sa folie, dans la morne désolation des terrains incultes. Et, depuis de longues minutes, il battait les pentes, lorsqu'il aperçut devant lui l'ouverture ronde, la gueule noire du tunnel. Un train montant s'y engouffrait, hurlant et sifflant, laissant, disparu, bu par la terre, une longue secousse dont le sol tremblait.

1 Alors, Jacques, les jambes brisées, tomba au bord de la ligne, et il éclata en sanglots convulsifs, vautré sur le ventre, la face enfoncée dans l'herbe. Mon Dieu ! il était donc revenu, ce mal

abominable dont il se croyait guéri ? Voilà qu'il avait voulu la tuer, cette fille ! Tuer une femme, tuer une femme ! cela sonnait à ses oreilles, du fond de sa jeunesse, avec la fièvre grandissante, affolante du désir. Comme les autres, sous l'éveil de la puberté, rêvent d'en posséder une, lui s'était enragé à l'idée d'en tuer une. Car il ne pouvait se mentir, il avait bien pris les ciseaux pour les lui planter dans la chair, dès qu'il l'avait vue, cette chair, cette gorge, chaude et blanche. Et ce n'était point parce qu'elle résistait, non ! c'était pour le plaisir, parce qu'il en avait une envie, une envie telle, que, s'il ne s'était pas cramponné aux herbes, il serait retourné là-bas, en galopant, pour l'égorger. Elle, mon Dieu ! cette Flore qu'il avait vue grandir, cette enfant sauvage dont il venait de se sentir aimé si profondément ! Ses doigts tordus entrèrent dans la terre, ses sanglots lui déchirèrent la gorge, dans un râle d'effroyable désespoir.

Pourtant, il s'efforçait de se calmer, il aurait voulu comprendre. Qu'avait-il donc de différent, lorsqu'il se comparait aux autres ? Là-bas, à Plassans, dans sa jeunesse, souvent déjà il s'était questionné. Sa mère Gervaise, il est vrai, l'avait eu très jeune, à quinze ans et demi ; mais il n'arrivait que le second, elle entrait à peine dans sa quatorzième année, lorsqu'elle était accouchée du premier, Claude ; et aucun de ses deux frères, ni Claude, ni Étienne, né plus tard, ne semblait souffrir d'une mère si enfant et d'un père gamin comme elle, ce beau Lantier, dont le mauvais cœur devait coûter à Gervaise tant de larmes. Peut-être aussi ses frères avaient-ils chacun son mal, qu'ils n'avouaient pas, l'aîné surtout qui se dévorait à vouloir être peintre, si rageusement qu'on le disait à moitié fou de son génie. La famille n'était guère d'aplomb, beaucoup avaient une fêlure. Lui, à certaines heures, la sentait bien, cette fêlure héréditaire ; non pas qu'il fût d'une santé mauvaise, car l'appréhension et la honte de ses crises l'avaient seules maigri autrefois ; mais c'étaient, dans son être, de subites pertes d'équilibre, comme des cassures, des trous par lesquels son moi lui échappait, au milieu d'une sorte de grande fumée qui déformait tout. Il ne s'appartenait plus, il obéissait à ses muscles, à la bête enragée. Pourtant, il ne buvait pas, il se refusait même un petit verre d'eau-de-vie, ayant remarqué que la moindre goutte d'alcool le rendait fou. Et il en venait à penser qu'il payait pour les autres, les pères, les grands-pères, qui avaient bu, les générations d'ivrognes dont il était le sang gâté, un lent empoisonnement, une sauvagerie qui le ramenait avec les loups mangeurs de femmes, au fond des bois.

Jacques s'était relevé sur un coude, réfléchissant, regardant l'entrée noire du tunnel; et un nouveau sanglot courut de ses reins à sa nuque, il retomba, il roula sa tête par terre, criant de douleur. Cette fille, cette fille qu'il avait voulu tuer ! Cela revenait en lui, aigu, affreux, comme si les ciseaux eussent pénétré dans sa propre chair. Aucun raisonnement ne l'apaisait : il avait voulu la tuer, il la tuerait, si elle était encore là, dégrafée, la gorge nue. Il se rappelait bien, il était âgé de seize ans à peine, la première fois, lorsque le mal l'avait pris, un soir qu'il jouait avec une gamine, la fillette d'une parente, sa cadette de deux ans : elle était tombée, il avait vu ses jambes, et il s'était rué. L'année suivante, il se souvenait d'avoir aiguisé un couteau [1] pour l'enfoncer dans le cou d'une autre, une petite blonde, qu'il voyait chaque matin passer devant sa porte. Celle-ci avait un cou très gras, très rose, où il choisissait déjà la place, un signe brun, sous l'oreille. Puis, c'en étaient d'autres, d'autres encore, un défilé de cauchemar, toutes celles qu'il avait effleurées de son désir brusque de meurtre, les femmes coudoyées dans la rue, les femmes qu'une rencontre faisait ses voisines, une surtout, une nouvelle mariée, assise près de lui au théâtre, qui riait très fort, et qu'il avait dû fuir, au milieu d'un acte, pour ne pas l'éventrer. Puisqu'il ne les connaissait pas, quelle fureur pouvait-il avoir contre elles ? Car, chaque fois, c'était comme une soudaine crise de rage aveugle, une soif toujours renaissante de venger des offenses très anciennes, dont il aurait perdu l'exacte mémoire. Cela venait-il donc de si loin, du mal que les femmes avaient fait à sa race, de la rancune amassée de mâle en mâle, depuis la première tromperie au fond des cavernes ? Et il sentait aussi, dans son accès, une nécessité de bataille pour conquérir la femelle et la dompter, le besoin perverti de la jeter morte sur son dos, ainsi qu'une proie qu'on arrache aux autres, à jamais. Son crâne éclatait sous l'effort, il n'arrivait pas à se répondre, trop ignorant, pensait-il, le cerveau trop sourd, dans cette angoisse d'un homme poussé à des actes où sa volonté n'était pour rien, et dont la cause en lui avait disparu.

Un train, de nouveau, passa avec l'éclair de ses feux, s'abîma en coup de foudre qui gronde et s'éteint, au fond du tunnel ; et Jacques, comme si cette foule anonyme, indifférente et pressée, avait pu l'entendre, s'était redressé, refoulant ses sanglots, prenant une attitude d'innocent. Que de fois, à la suite d'un de ses accès, il avait eu ainsi des sursauts de coupable, au moindre bruit ! Il ne vivait tranquille, heureux, détaché du monde, que sur sa machine. Quand elle l'emportait dans la trépidation de ses roues, à grande vitesse, quand il avait la main sur le volant du changement de marche[1], pris tout entier par la surveillance de la voie, guettant les signaux, il ne pensait plus, il respirait largement l'air pur qui soufflait toujours en tempête. Et c'était pour cela qu'il aimait si fort sa machine, à l'égal d'une maîtresse apaisante, dont il n'attendait que du bonheur. Au sortir de l'École des Arts et Métiers[§], malgré sa vive intelligence, il avait choisi ce métier de mécanicien[§], pour la solitude et l'étourdissement où il y vivait, sans ambition d'ailleurs, arrivé en quatre ans au poste de mécanicien de première[§] classe, gagnant déjà deux mille huit cents francs[§], ce qui, avec ses primes de chauffage et de graissage, le mettait à plus de quatre mille, mais ne rêvant rien au-delà. Il voyait ses camarades de troisième classe et de deuxième, ceux que formait la Compagnie, les ouvriers ajusteurs qu'elle prenait pour en faire des élèves, il les voyait presque tous épouser des ouvrières, des femmes effacées qu'on apercevait seulement parfois à l'heure du départ, lorsqu'elles apportaient les petits paniers de provisions ; tandis que les camarades ambitieux, surtout ceux qui sortaient d'une école, attendaient d'être chefs de dépôt[§] pour se marier, dans l'espoir de trouver une bourgeoise, une dame à

1 *volant du changement de marche* : appareil qui permet la mise en mouvement du train dans l'une ou l'autre direction.

chapeau. Lui, fuyait les femmes, que lui importait ? Jamais il ne se marierait, il n'avait d'autre avenir que de rouler seul, rouler encore et encore, sans repos. Aussi tous ses chefs le donnaient-ils pour un mécanicien[§] hors ligne, ne buvant pas, ne courant pas, plaisanté seulement par les camarades noceurs sur son excès de bonne conduite, et inquiétant sourdement les autres, lorsqu'il tombait à ses tristesses, muet, les yeux pâlis, la face terreuse. Dans sa petite chambre de la rue Cardinet, d'où l'on voyait le dépôt[§] des Batignolles, auquel appartenait sa machine, que d'heures il se souvenait d'avoir passées, toutes ses heures libres, enfermé comme un moine au fond de sa cellule, usant la révolte de ses désirs à force de sommeil, dormant sur le ventre !

D'un effort, Jacques tenta de se lever. Que faisait-il là, dans l'herbe, par cette nuit tiède et brumeuse d'hiver ? La campagne restait noyée d'ombre, il n'y avait de lumière qu'au ciel, le fin brouillard, l'immense coupole de verre dépoli, que la lune, cachée derrière, éclairait d'un pâle reflet jaune ; et l'horizon noir dormait, d'une immobilité de mort. Allons ! il devait être près de neuf heures, le mieux était de rentrer et de se coucher. Mais, dans son engourdissement, il se vit de retour chez les Misard, montant l'escalier du grenier, s'allongeant sur le foin, contre la chambre de Flore, une simple cloison de planches. Elle serait là, il l'entendrait respirer ; même il savait qu'elle ne fermait jamais sa porte, il pourrait la rejoindre. Et son grand frisson le reprit, l'image évoquée de cette fille dévêtue, les membres abandonnés et chauds de sommeil, le secoua une fois encore d'un sanglot dont la violence le rabattit sur le sol. Il avait voulu la tuer, voulu la tuer, mon Dieu ! Il étouffait, il agonisait à l'idée qu'il irait la tuer dans son lit, tout à l'heure, s'il rentrait. Il aurait beau n'avoir pas d'arme, s'envelopper la tête de ses deux bras, pour s'anéantir : il sentait que le mâle, en dehors de sa volonté, pousserait la porte, étranglerait la fille, sous le coup de fouet de l'instinct du rapt et par le besoin de venger l'ancienne injure. Non, non ! plutôt passer la nuit à battre la campagne, que de retourner là-bas ! Il s'était relevé d'un bond, il se remit à fuir.

Alors, de nouveau, pendant une demi-heure, il galopa au travers de la campagne noire, comme si la meute déchaînée des épouvantes l'avait poursuivi de ses abois. Il monta des côtes, il dévala dans des gorges étroites. Coup sur coup, deux ruisseaux se présentèrent : il les franchit, se mouilla jusqu'aux hanches. Un buisson qui lui barrait la route, l'exaspérait. Son unique pensée était d'aller tout droit, plus loin, toujours plus loin, pour se fuir, pour fuir l'autre, la bête enragée qu'il sentait en lui. Mais il l'emportait, elle galopait aussi fort. Depuis sept mois qu'il croyait l'avoir chassée, il se reprenait à l'existence de tout le monde ; et, maintenant, c'était à recommencer, il lui faudrait encore se battre, pour qu'elle ne sautât pas sur la première femme coudoyée par hasard. Le grand silence pourtant, la vaste solitude l'apaisaient un peu, lui faisaient rêver une vie muette et déserte comme ce pays désolé, où il marcherait toujours, sans jamais rencontrer une âme. Il devait tourner à son insu, car il revint, de l'autre côté, buter contre la voie, après avoir décrit un large demi-cercle, parmi les pentes, hérissées de broussailles, au-dessus du tunnel. Il recula, avec l'inquiète colère de retomber sur des vivants. Puis, ayant voulu couper derrière un monticule, il se perdit, se retrouva devant la haie du chemin de fer, juste à la sortie du souterrain, en face du pré où il avait sangloté tout à l'heure. Et, vaincu, il restait immobile, lorsque le tonnerre d'un train sortant des profondeurs de la terre, léger encore, grandissant de seconde en seconde, l'arrêta. C'était l'express[§] du Havre[§], parti de Paris à six heures trente, et qui passait là à neuf heures vingt-cinq : un train que, de deux jours en deux jours, il conduisait.

Jacques vit d'abord la gueule noire du tunnel s'éclairer, ainsi que la bouche d'un four, où des fagots s'embrasent. Puis, dans le fracas qu'elle apportait, ce fut la machine qui en jaillit, avec l'éblouissement de son gros œil rond, la lanterne d'avant, dont l'incendie troua la campagne, allumant au loin les rails d'une double ligne de flamme. Mais c'était une apparition en coup de foudre : tout de suite les wagons se succédèrent, les petites vitres carrées des portières, violemment éclairées, firent défiler les compartiments[§] pleins de voyageurs, dans un tel vertige de vitesse que l'œil doutait ensuite des images entrevues. Et Jacques, très distinctement, à ce quart précis de seconde, aperçut, par les glaces flambantes d'un coupé[§], un homme qui en tenait un autre renversé sur la banquette et qui lui plantait un couteau dans la gorge, tandis qu'une masse noire, peut-être une troisième personne, peut-être un écroulement de bagages, pesait de tout son poids sur les jambes convulsives de l'assassiné. Déjà, le train fuyait, se perdait vers la Croix-de-Maufras, en ne montrant plus de lui, dans les ténèbres, que les trois feux de l'arrière, le triangle rouge.

Cloué sur place, le jeune homme suivait des yeux le train, dont le grondement s'éteignait, au fond de la grande paix morte de la campagne. Avait-il bien vu ? Et il hésitait maintenant, il n'osait plus affirmer la réalité de cette vision, apportée et emportée dans un éclair. Pas un seul trait des deux acteurs du drame ne lui était resté vivace. La masse brune devait être une couverture de voyage, tombée en travers du corps de la victime. Pourtant, il avait cru d'abord distinguer, sous un déroulement d'épais cheveux, un fin profil pâle. Mais tout se confondait, s'évaporait, comme en un rêve. Un instant, le profil, évoqué, reparut ; puis, il s'effaça définitivement. Ce n'était sans doute qu'une imagination. Et tout cela le glaçait, lui semblait si extraordinaire, qu'il finissait par admettre une hallucination, née de l'affreuse crise qu'il venait de traverser.

Pendant près d'une heure encore, Jacques marcha, la tête alourdie de songeries confuses. Il était brisé, une détente se produisait, un grand froid intérieur avait emporté sa fièvre. Sans l'avoir décidé, il finit par revenir vers la Croix-de-Maufras. Puis, lorsqu'il se retrouva devant la maison du garde-barrière[§], il se dit qu'il n'entrerait pas, qu'il dormirait sous le petit hangar, scellé à l'un des pignons. Mais une raie de lumière passait sous la porte, et il poussa cette porte machinalement. Un spectacle inattendu l'arrêta sur le seuil.

Misard, dans le coin, avait dérangé le pot à beurre ; et, à quatre pattes par terre, une lanterne allumée posée près de lui, il sondait le mur à légers coups de poing, il cherchait. Le bruit

*Sans l'avoir décidé, il finit par revenir vers la Croix-de-Maufras.*
*[…] devant la maison du garde-barrière […].*

Lignes 1977 et 1978.

Œuvres complètes illustrées d'Émile Zola (1906).

de la porte le fit se redresser. Du reste, il ne se troubla pas le moins du monde, il dit simplement, d'un air naturel :

« C'est des allumettes qui sont tombées. »

Et, quand il eut remis en place le pot à beurre, il ajouta :

« Je suis venu prendre ma lanterne, parce que, tout à l'heure, en rentrant, j'ai aperçu un individu étalé sur la voie… Je crois bien qu'il est mort. »

Jacques, saisi d'abord à la pensée qu'il surprenait Misard en train de chercher le magot de tante Phasie, ce qui changeait en brusque certitude son doute au sujet des accusations de cette dernière, fut ensuite si violemment remué par cette nouvelle de la découverte d'un cadavre, qu'il en oublia l'autre drame, celui qui se jouait là, dans cette petite maison perdue. La scène du coupé[§], la vision si brève d'un homme égorgeant un homme, venait de renaître, à la lueur du même éclair.

« Un homme sur la voie, où donc ? » demanda-t-il, pâlissant.

Misard allait raconter qu'il rapportait deux anguilles, décrochées de ses lignes de fond[§], et qu'il avait avant tout galopé jusque chez lui, pour les cacher. Mais quel besoin de se confier à ce garçon ? Il n'eut qu'un geste vague, en répondant :

« Là-bas, comme qui dirait à cinq cents mètres… Faut voir clair, pour savoir. »

À ce moment, Jacques entendit, au-dessus de sa tête, un choc assourdi. Il était si anxieux qu'il en sursauta.

« C'est rien, reprit le père, c'est Flore qui remue. »

Et le jeune homme, en effet, reconnut le bruit de deux pieds nus sur le carreau. Elle avait dû l'attendre, elle venait écouter, par sa porte entrouverte.

« Je vous accompagne, reprit-il. Et vous êtes sûr qu'il est mort ?

— Dame ! ça m'a semblé. Avec la lanterne, on verra bien.

— Enfin, qu'est-ce que vous en dites ? Un accident, n'est-ce pas ?

— Ça se peut. Quelque gaillard qui se sera fait couper, ou peut-être bien un voyageur qui aura sauté d'un wagon. »

Jacques frémissait.

« Venez vite ! venez vite ! »

Jamais une telle fièvre de voir, de savoir, ne l'avait agité. Dehors, tandis que son compagnon, sans émotion aucune, suivait la voie, balançant la lanterne, dont le rond de clarté suivait doucement les rails, lui courait en avant, s'irritait de cette lenteur. C'était comme un désir physique, ce feu intérieur qui précipite la marche des amants, aux heures de rendez-vous. Il avait peur de ce qui l'attendait là-bas, et il y volait, de tous les muscles de ses membres. Quand il arriva, quand il faillit se cogner dans un tas noir, allongé près de la voie descendante, il resta planté, parcouru des talons à la nuque d'une secousse. Et son angoisse de ne rien distinguer nettement, se tourna en jurons contre l'autre, qui s'attardait à plus de trente pas en arrière.

«Mais, nom de Dieu ! arrivez donc ! s'il vivait encore, on pourrait le secourir.»

Misard se dandina, s'avança, avec son flegme. Puis, lorsqu'il eut promené la lanterne au-dessus du corps :

«Ah ! ouitche ! il a son compte.»

L'individu, culbutant sans doute d'un wagon, était tombé sur le ventre, la face contre le sol, à cinquante centimètres au plus des rails. On ne voyait, de sa tête, qu'une couronne épaisse de cheveux blancs. Ses jambes se trouvaient écartées. De ses bras, le droit gisait comme arraché, tandis que le gauche était replié sous la poitrine. Il était très bien vêtu, un ample paletot de drap bleu, des bottines élégantes, du linge fin. Le corps ne portait aucune trace d'écrasement, beaucoup de sang avait seulement coulé de la gorge et tachait le col de la chemise.

«Un bourgeois à qui on a fait son affaire, reprit tranquillement Misard, après quelques secondes d'examen silencieux.»

Puis, se tournant vers Jacques, immobile, béant :

«Faut pas toucher, c'est défendu... Vous allez rester là, à le garder, vous, pendant que moi, je vas courir à Barentin prévenir le chef de gare.»

Il leva sa lanterne, consulta un poteau kilométrique.

«Bon ! juste au poteau 153.»

Et, posant sa lanterne par terre, près du corps, il s'éloigna de son pas traînard.

Jacques, resté seul, ne bougeait pas, regardait toujours cette masse inerte, effondrée, que la clarté vague, au ras du sol, laissait confuse. Et, en lui, l'agitation qui avait précipité sa marche, l'horrible attrait qui le retenait là, aboutissait à cette pensée aiguë, jaillissante de tout son être : l'autre, l'homme entrevu le couteau au poing, avait osé ! l'autre était allé jusqu'au bout de son désir, l'autre avait tué ! Ah ! n'être pas lâche, se satisfaire enfin, enfoncer le couteau ! Lui que l'envie en torturait depuis dix ans ! Il y avait, dans sa fièvre, un mépris de lui-même et de l'admiration pour l'autre, et surtout le besoin de voir ça, la soif inextinguible de se rassasier les yeux de cette loque humaine, du pantin cassé, de la chiffe molle, qu'un coup de couteau faisait d'une créature. Ce qu'il rêvait, l'autre l'avait réalisé, et c'était ça. S'il tuait, il y aurait ça par terre. Son cœur battait à se rompre, son prurit de meurtre s'exaspérait comme une concupiscence au spectacle de ce mort tragique. Il fit un pas, s'approcha davantage, ainsi qu'un enfant nerveux qui se familiarise avec la peur. Oui ! il oserait, il oserait à son tour !

Mais un grondement, derrière son dos, le força à sauter de côté. Un train arrivait, qu'il n'avait pas entendu, au fond de sa contemplation. Il allait être broyé, l'haleine chaude, le souffle formidable de la machine venait seul de l'avertir. Le train passa, dans son ouragan de bruit, de fumée et de flamme. Il y avait beaucoup de monde encore, le flot des voyageurs continuait vers Le Havre[§], pour la fête du lendemain. Un enfant s'écrasait le nez contre une vitre, regardant la campagne noire ; des profils d'hommes se dessinèrent, tandis qu'une jeune femme, baissant une glace, jetait un papier taché de beurre et de sucre. Déjà le train joyeux filait au loin, dans l'insouciance de ce cadavre que ses roues avaient frôlé. Et le corps gisait toujours sur la face, éclairé vaguement par la lanterne, au milieu de la mélancolique paix de la nuit.

Alors, Jacques fut pris du désir de voir la blessure, pendant qu'il était seul. Une inquiétude l'arrêtait, l'idée que, s'il touchait à la tête, on s'en apercevrait peut-être. Il avait calculé que Misard ne pouvait guère être de retour, avec le chef de gare, avant trois quarts d'heure. Et il laissait passer les minutes, il songeait à ce Misard, à ce chétif, si lent, si calme, qui osait lui aussi, tuant le plus tranquillement du monde, à coups de drogue. C'était donc bien facile de tuer ? Tout le monde tuait. Il se rapprocha. L'idée de voir la blessure le piquait d'un aiguillon si vif, que sa chair en brûlait. Voir comment c'était fait et ce qui avait coulé, voir le trou rouge ! En replaçant la tête soigneusement, on ne saurait rien. Mais il y avait une autre peur, inavouée, au fond de son hésitation, la peur même du sang. Toujours et en tout, chez lui, l'épouvante s'était éveillée avec le désir. Encore un quart d'heure à être seul, et il allait se décider pourtant, lorsqu'un petit bruit, à son côté, le fit tressaillir.

C'était Flore, debout, regardant comme lui. Elle avait la curiosité des accidents : dès qu'on annonçait une bête broyée, un homme coupé par un train, on était sûr de la faire accourir. Elle venait de se rhabiller, elle voulait voir le mort. Et, après le premier coup d'œil elle n'hésita pas. Se baissant, soulevant la lanterne d'une main, de l'autre elle prit la tête, la renversa.

« Méfie-toi, c'est défendu », murmura Jacques.

Mais elle haussa les épaules. Et la tête apparaissait, dans la clarté jaune, une tête de vieillard, au grand nez, aux yeux bleus d'ancien blond, largement ouverts. Sous le menton, la blessure bâillait, affreuse, une entaille profonde qui avait coupé le cou, une plaie labourée, comme si le couteau s'était retourné en fouillant. Du sang inondait tout le côté droit de la poitrine. À gauche, à la boutonnière du paletot, une rosette[1] de commandeur semblait un caillot rouge, égaré là.

Flore avait eu un léger cri de surprise.

« Tiens ! le vieux ! »

Jacques, penché comme elle, s'avançait, mêlait ses cheveux aux siens, pour mieux voir ; et il étouffait, il se gorgeait du spectacle. Inconsciemment, il répéta :

« Le vieux… le vieux…

— Oui, le vieux Grandmorin… Le président[§]. »

1 *rosette* : petit cercle d'étoffe, insigne du grade d'officier dans certains ordres, tels que la Légion d'honneur.

Un moment encore, elle examina cette face pâle, à la bouche tordue, aux grands yeux d'épouvante. Puis, elle lâcha la tête que la rigidité cadavérique commençait à glacer, et qui retomba contre le sol, refermant la blessure.

« Fini de rire avec les filles ! reprit-elle plus bas. C'est à cause d'une, pour sûr… Ah ! ma pauvre Louisette, ah ! le cochon, c'est bien fait ! »

Et un long silence régna. Flore, qui avait reposé la lanterne, attendait, en jetant sur Jacques de lents regards ; tandis que celui-ci, séparé d'elle par le corps, n'avait plus bougé, comme perdu, anéanti dans ce qu'il venait de voir. Il devait être près de onze heures. Un embarras, après la scène de la soirée, l'empêchait de parler la première. Mais un bruit de voix se fit entendre, c'était le père qui ramenait le chef de gare ; et, ne voulant pas être vue, elle se décida.

« Tu ne rentres pas te coucher ? »

Il tressaillit, un débat parut l'agiter un instant. Puis, dans un effort, dans un recul désespéré :

« Non, non ! »

Elle n'eut pas un geste, mais la ligne tombante de ses bras de forte fille exprima beaucoup de chagrin. Comme pour se faire pardonner sa résistance de tout à l'heure, elle se montra très humble, elle dit encore :

« Alors, tu ne rentreras pas, je ne te reverrai pas ?

— Non, non ! »

Les voix approchaient, et sans chercher à lui serrer la main, puisqu'il semblait mettre exprès ce cadavre entre eux, sans même lui jeter l'adieu familier de leur camaraderie d'enfance, elle s'éloigna, se perdit dans les ténèbres, le souffle rauque, comme si elle étouffait des sanglots.

Tout de suite, le chef de gare fut là, avec Misard et deux hommes d'équipe. Lui aussi constata l'identité : c'était bien le président[§] Grandmorin, qu'il connaissait, pour le voir descendre à sa station, chaque fois que celui-ci se rendait chez sa sœur, madame Bonnehon, à Doinville. Le corps pouvait rester à la place où il était tombé, il le fit seulement couvrir d'un manteau, que l'un des hommes apportait. Un employé avait pris, à

Barentin, le train de onze heures, pour prévenir le procureur[§] impérial de Rouen. Mais il ne fallait pas compter sur ce dernier avant cinq ou six heures du matin, car il aurait à amener le juge d'instruction[1], le greffier[2] du tribunal et un médecin. Aussi le chef de gare organisa-t-il un service de garde, près du mort : pendant toute la nuit, on se relaierait, un homme serait constamment là, à veiller avec la lanterne.

Et Jacques, avant de se décider à aller s'étendre sous quelque hangar de la station de Barentin, d'où il ne devait repartir pour Le Havre[§] qu'à sept heures vingt, demeura longtemps encore, immobile, obsédé. Puis, l'idée du juge d'instruction qu'on attendait le troubla, comme s'il s'était senti complice. Dirait-il ce qu'il avait vu, au passage de l'express[§] ? Il résolut d'abord de parler, puisque lui n'avait en somme rien à craindre. Son devoir, d'ailleurs, n'était pas douteux. Mais, ensuite, il se demanda à quoi bon : il n'apporterait pas un seul fait décisif, il n'oserait affirmer aucun détail précis sur l'assassin. Ce serait imbécile de se mettre là-dedans, de perdre son temps et de s'émotionner, sans profit pour personne. Non, non, il ne parlerait pas ! Et il s'en alla enfin, et il se retourna deux fois, pour voir la bosse noire que le corps faisait sur le sol, dans le rond jaune de la lanterne. Un froid plus vif tombait du ciel fumeux sur la désolation de ce désert, aux coteaux arides. Des trains encore étaient passés, un autre arrivait, pour Paris, très long. Tous se croisaient, dans leur inexorable puissance mécanique, filaient à leur but lointain, à l'avenir, en frôlant, sans y prendre garde, la tête coupée à demi de cet homme, qu'un autre homme avait égorgé.

1 *juge d'instruction* : magistrat chargé de l'ensemble des actes et formalités préparatoires à un procès.

2 *greffier* : officier ministériel qui, entre autres tâches, consigne par écrit les débats judiciaires.

# – III –

Le lendemain, un dimanche, cinq heures du matin venaient de sonner à tous les clochers du Havre[§], lorsque Roubaud descendit de la marquise[§] de la gare, pour prendre son service. Il faisait encore nuit noire ; mais le vent, qui soufflait de la mer, avait grandi et poussait les brumes, noyant les coteaux dont les hauteurs s'étendent de Sainte-Adresse au fort de Tourneville ; tandis que, vers l'ouest, au-dessus du large, une éclaircie se montrait, un pan de ciel, où brillaient les dernières étoiles. Sous la marquise, les becs de gaz[§] brûlaient toujours, pâlis par le froid humide et l'heure matinale ; et il y avait là le premier train de Montivilliers, que formaient des hommes d'équipe, aux ordres du sous-chef de nuit. Les portes des salles n'étaient pas ouvertes, les quais s'étendaient déserts, dans ce réveil engourdi de la gare.

Comme il sortait de chez lui, en haut, au-dessus des salles d'attente, Roubaud avait trouvé la femme du caissier, madame Lebleu, immobile au milieu du couloir central, sur lequel donnaient les logements des employés. Depuis des semaines, cette dame se relevait la nuit, pour guetter mademoiselle Guichon, la buraliste[1], qu'elle soupçonnait d'une intrigue avec le chef de gare, M. Dabadie. D'ailleurs, elle n'avait jamais surpris la moindre chose, pas une ombre, pas un souffle. Et, ce matin-là encore, elle était vite rentrée chez elle, ne rapportant que l'étonnement d'avoir aperçu, chez les Roubaud, pendant les trois secondes mises par le mari à ouvrir et à refermer la porte, la femme debout dans la salle à manger, la belle Séverine déjà vêtue, peignée, chaussée, elle qui d'habitude traînait au lit jusqu'à neuf heures. Aussi, madame Lebleu avait-elle réveillé Lebleu, pour lui apprendre ce fait extraordinaire. La veille, ils ne s'étaient pas couchés avant l'arrivée de l'express[§] de Paris, à onze heures cinq, brûlant de savoir ce qu'il advenait de

1 *buraliste* : personne qui tient un bureau (de paiement, de recette, de tabac, etc.).

l'histoire du sous-préfet[§]. Mais ils n'avaient rien pu lire dans l'attitude des Roubaud, qui étaient revenus avec leur figure de tous les jours; et, vainement, jusqu'à minuit, ils avaient tendu l'oreille : aucun bruit ne sortait de chez leurs voisins, ceux-ci devaient s'être endormis tout de suite, d'un profond sommeil. Certainement, leur voyage n'avait pas eu un bon résultat, sans quoi Séverine n'aurait pas été levée à pareille heure. Le caissier ayant demandé quelle mine elle faisait, sa femme s'était efforcée de la dépeindre : très raide, très pâle, avec ses grands yeux bleus, si clairs sous ses cheveux noirs; et pas un mouvement, l'air d'une somnambule. Enfin, on saurait bien à quoi s'en tenir, dans la journée.

En bas, Roubaud trouva son collègue Moulin, qui avait fait le service de nuit. Et il prit le service, tandis que Moulin causait, se promenait quelques minutes encore, tout en le mettant au courant des menus faits arrivés depuis la veille : des rôdeurs avaient été surpris, au moment de s'introduire dans la salle de consigne; trois hommes d'équipe s'étaient fait réprimander pour indiscipline; un crochet d'attelage venait de se rompre, pendant qu'on formait le train de Montivilliers. Silencieux, Roubaud écoutait, d'un visage calme; et il était seulement un peu blême, sans doute un reste de fatigue que ses yeux battus accusaient aussi. Cependant, son collègue avait cessé de parler, qu'il semblait l'interroger encore, comme s'il se fût attendu à d'autres événements. Mais c'était bien tout, il baissa la tête, regarda un instant la terre.

En marchant le long du quai, les deux hommes étaient arrivés au bout de la salle couverte, à l'endroit où, sur la droite, se trouvait une remise, dans laquelle stationnaient les wagons de roulement, ceux qui, arrivés la veille, servaient à former les trains du lendemain. Et il avait relevé le front, ses regards s'étaient fixés sur une voiture de première[§] classe, pourvue d'un coupé[§], le numéro 293, qu'un bec de gaz[§] justement éclairait d'une lueur vacillante, lorsque l'autre s'écria :

« Ah ! j'oubliais… »

La face pâlie de Roubaud se colora, et il ne put retenir un léger mouvement.

« J'oubliais, répéta Moulin. Il ne faut pas que cette voiture parte, ne la faites pas mettre ce matin dans l'express[§] de six heures quarante. »

Il y eut un court silence, avant que Roubaud demandât, d'une voix naturelle :

« Tiens ! pourquoi donc ?

— Parce qu'il y a un coupé[§] retenu pour l'express de ce soir. On n'est pas sûr qu'il en vienne dans la journée, autant garder celui-là. »

Il le regardait toujours fixement, il répondit :

« Sans doute. »

Mais une autre pensée l'absorbait, il s'emporta tout d'un coup.

« C'est dégoûtant ! Voyez-moi comme ces bougres-là nettoient ! Cette voiture semble avoir de la poussière de huit jours.

— Ah ! reprit Moulin, quand les trains arrivent passé onze heures, il n'y a pas de danger que les hommes donnent un coup de torchon… Ça va bien encore lorsqu'ils consentent à faire la visite. L'autre soir, ils ont oublié sur une banquette un voyageur endormi, qui ne s'est réveillé que le lendemain matin. »

Puis, étouffant un bâillement, il dit qu'il montait se coucher. Et, comme il s'en allait, une brusque curiosité le ramena.

« À propos, votre affaire avec le sous-préfet[§], c'est fini, n'est-ce pas ?

— Oui, oui, un très bon voyage, je suis content.

— Allons, tant mieux… et rappelez-vous que le 293 ne part pas. »

Quand Roubaud se trouva seul sur le quai, il revint lentement vers le train de Montivilliers, qui attendait. Les portes des salles furent ouvertes, des voyageurs parurent, quelques chasseurs avec leurs chiens, deux ou trois familles de boutiquiers profitant du dimanche, peu de monde en somme. Mais, ce train-là parti, le premier de la journée, il n'eut pas de temps à perdre, il dut immédiatement faire former l'omnibus[§] de cinq heures quarante-cinq, un train pour Rouen et Paris. À cette heure matinale, le personnel étant peu nombreux, la besogne du sous-chef de service se compliquait de toutes sortes de soins. Lorsqu'il eut surveillé la manœuvre, chaque voiture prise au remisage, mise sur le chariot que des hommes poussaient et amenaient sous la marquise[§], il dut courir à la salle de départ, donner un coup d'œil à la distribution des billets et à l'enregistrement des bagages. Une querelle éclatait entre des soldats et un employé, qui nécessita son intervention. Pendant une demi-heure, parmi les courants d'air glacé, au milieu du public grelottant, les yeux gros encore de sommeil, dans cette mauvaise humeur d'une bousculade en pleines ténèbres, il se multiplia, n'eut pas une pensée à lui. Puis, le départ de l'omnibus[§] ayant déblayé la gare, il se hâta de se rendre au poste de l'aiguilleur[§], s'assurer que tout allait bien de ce côté, car un autre train arrivait, le direct de Paris, qui avait du retard. Il revint assister au débarquement, attendit que le flot des voyageurs eût rendu les billets et se fût empilé dans les voitures des hôtels[1], qui, en ce temps-là, entraient attendre sous la marquise, séparées de la voie par une simple palissade. Et, alors seulement, il put souffler un instant dans la gare redevenue déserte et silencieuse.

Six heures sonnaient. Roubaud sortit de la halle[§] couverte, d'un pas de promenade ; et, dehors, ayant devant lui l'espace, il leva la tête, il respira, en voyant que l'aube se levait enfin. Le vent du large avait achevé de balayer les brumes, c'était le clair matin d'un beau jour. Il regarda vers le nord la côte d'Ingouville, jusqu'aux arbres du cimetière, se détacher d'un trait violacé sur le ciel pâlissant ; ensuite, se tournant vers le midi et l'ouest, il remarqua, au-dessus de la mer, un dernier vol de légères nuées blanches, qui nageaient lentement en escadre ; tandis que l'est tout entier, la trouée immense de l'embouchure de la Seine, commençait à s'embraser du lever prochain de l'astre. D'un geste machinal, il venait d'ôter sa casquette brodée d'argent, comme pour rafraîchir son front dans l'air vif et pur. Cet horizon accoutumé, le vaste déroulement plat des dépendances de la gare, à gauche l'arrivage, puis le Dépôt[§] des

1 *voitures des hôtels* : voitures qui servaient de navette pour les voyageurs entre la gare et leur hôtel.

machines, à droite l'expédition, toute une ville semblait l'apaiser, le rendre au calme de sa besogne quotidienne, éternellement la même. Par-dessus le mur de la rue Charles-Laffitte, des cheminées d'usine fumaient, on apercevait les énormes tas de charbon[1] des entrepôts, qui longent le bassin[2] Vauban. Et une rumeur montait déjà des autres bassins. Les coups de sifflet des trains de marchandises, le réveil et l'odeur du flot apportés dans le vent, le firent songer à la fête du jour, à ce navire qu'on allait lancer et autour duquel la foule s'écraserait.

Comme Roubaud rentrait sous la halle[§] couverte, il trouva l'équipe qui commençait à former l'express[§] de six heures quarante ; et il crut que les hommes mettaient le 293 sur le chariot, tout l'apaisement de la fraîche matinée s'en alla dans un éclat subit de colère.

« Nom de Dieu ! pas cette voiture-là ! Laissez-la donc tranquille ! Elle ne part que ce soir. »

Le chef de l'équipe lui expliquait qu'on poussait simplement la voiture, pour en prendre une autre, qui était derrière. Mais il n'entendait pas, assourdi par son emportement, hors de toute proportion.

« Bougres de maladroits, quand on vous dit de ne pas y toucher ! »

Lorsqu'il eut compris enfin, il resta furieux, tomba sur les incommodités de la gare, où l'on ne pouvait seulement retourner un wagon. En effet, la gare, bâtie une des premières de la ligne, était insuffisante, indigne du Havre[§], avec sa remise en vieille charpente, sa marquise[§] de bois et de zinc, au vitrage étroit, ses bâtiments nus et tristes, lézardés de toutes parts.

« C'est une honte, je ne sais pas comment la Compagnie n'a pas encore flanqué ça par terre. »

1 *charbon* : combustible de couleur noire, riche en carbone et utilisé comme source de chaleur et d'énergie. Le charbon, en tant que premier combustible fossile découvert, fut à la base de la révolution industrielle, puisqu'il servait à alimenter les machines à vapeur. Il en fallait des quantités considérables pour approvisionner la chaudière de la locomotive, ce qui explique la présence de tas de charbon sur les terrains des gares.

2 *bassin* : enceinte aménagée dans un port (il existe des bassins pour charger les bateaux, pour les décharger, pour les construire, les entretenir, etc.).

Les hommes de l'équipe le regardaient, surpris de l'entendre parler librement, lui d'une discipline si correcte d'habitude. Il s'en aperçut, s'arrêta d'un coup. Et, silencieux, raidi, il continua de surveiller la manœuvre. Un pli de mécontentement coupait son front bas, tandis que sa face ronde et colorée, hérissée de barbe rousse, prenait une tension profonde de volonté.

Dès lors, Roubaud eut tout son sang-froid. Il s'occupa activement de l'express[§], contrôla chaque détail. Des attelages lui ayant paru mal faits, il exigea qu'on les serrât sous ses yeux. Une mère et ses deux filles, que fréquentait sa femme, voulurent qu'il les installât dans le compartiment[§] des dames seules. Puis, avant de siffler pour donner le signal du départ, il s'assura encore de la bonne ordonnance du train ; et il le regarda longuement s'éloigner, de ce coup d'œil clair des hommes dont une minute de distraction peut coûter des vies humaines. Tout de suite, d'ailleurs, il dut traverser la voie pour recevoir un train de Rouen, qui entrait en gare. Justement, il s'y trouvait un employé des postes, avec lequel, chaque jour, il échangeait les nouvelles. C'était, dans sa matinée si occupée, un court repos, près d'un quart d'heure, pendant lequel il pouvait respirer, aucun service immédiat ne le réclamant. Et, ce matin-là, comme d'habitude, il roula une cigarette, il causa très gaiement. Le jour avait grandi, on venait d'éteindre les becs de gaz[§], sous la marquise[§]. Elle était si pauvrement vitrée, qu'une ombre grise y régnait encore ; mais, au-delà, le vaste pan de ciel sur lequel elle ouvrait, flambait déjà d'un incendie de rayons ; tandis que l'horizon entier devenait rose, d'une netteté vive des détails, dans cet air pur d'un beau matin d'hiver.

À huit heures, M. Dabadie, le chef de gare, descendait d'habitude, et le sous-chef allait au rapport. C'était un bel homme, très brun, bien tenu, ayant les allures d'un grand commerçant tout à ses affaires. Du reste, il se désintéressait volontiers de la gare des voyageurs, il se consacrait surtout au mouvement des bassins[§], au transit énorme des marchandises, en continuelles relations avec le haut commerce du Havre[§] et du monde entier. Ce jour-là, il était en retard ; et, deux fois déjà, Roubaud avait poussé la porte du bureau, sans l'y trouver. Sur la table, le courrier n'était pas même ouvert. Les yeux du sous-chef venaient de tomber, parmi les lettres, sur une dépêche[1]. Puis comme si une fascination le retenait là, il n'avait plus quitté la porte, se retournant malgré lui, jetant vers la table de courts regards.

Enfin, à huit heures dix, M. Dabadie parut. Roubaud, qui s'était assis, se taisait, pour lui permettre d'ouvrir la dépêche. Mais le chef ne se hâtait point, voulait se montrer aimable avec son subordonné, qu'il estimait.

«Et, naturellement, à Paris, tout a bien marché ?

— Oui, Monsieur, je vous remercie.»

Il avait fini par ouvrir la dépêche; et il ne la lisait pas, il souriait toujours à l'autre, dont la voix s'était assourdie, sous le violent effort qu'il faisait pour maîtriser un tic nerveux qui lui convulsait le menton.

«Nous sommes très heureux de vous garder ici.

— Et moi, Monsieur, je suis bien content de rester avec vous.»

Alors, comme M. Dabadie se décidait à parcourir la dépêche, Roubaud, dont une légère sueur mouillait la face, le regarda. Mais l'émotion à laquelle il s'attendait, ne se produisait point; le chef achevait tranquillement la lecture du télégramme, qu'il rejeta sur son bureau : sans doute un simple détail de service. Et tout de suite, il continua d'ouvrir son courrier, pendant que, selon l'habitude de chaque matin, le sous-chef faisait son rapport verbal sur les événements de la nuit et de la matinée. Seulement, ce matin-là, Roubaud, hésitant, dut chercher, avant de se rappeler ce que lui avait dit son collègue, au sujet des rôdeurs surpris dans la salle de consigne. Quelques paroles furent encore échangées, et le chef le congédiait d'un geste, lorsque les deux chefs adjoints, celui des bassins[§] et celui de la petite vitesse[2], entrèrent, venant eux aussi au rapport. Ils

1 *dépêche*: information ou communication transmise par télégraphe.

2 *petite vitesse*: les transports ferroviaires de marchandises se divisent en deux catégories selon la rapidité du service; on parle alors de grande vitesse ou de petite vitesse.

apportaient une nouvelle dépêche[§], qu'un employé venait de leur remettre, sur le quai.

« Vous pouvez vous retirer », dit M. Dabadie, en voyant que Roubaud s'arrêtait à la porte.

Mais celui-ci attendait, les yeux ronds et fixes ; et il ne s'en alla que lorsque le petit papier fut retombé sur la table, écarté du même geste indifférent. Un instant, il erra sous la marquise[§], perplexe, étourdi. L'horloge marquait huit heures trente-cinq, il n'avait plus de départ avant l'omnibus[§] de neuf heures cinquante. D'ordinaire, il employait cette heure de répit à faire une tournée dans la gare. Il marcha pendant quelques minutes sans savoir où ses pieds le conduisaient. Puis, comme il levait la tête et qu'il se retrouvait devant la voiture 293, il fit un brusque crochet, il s'éloigna vers le Dépôt[§] des machines, bien qu'il n'eût rien à voir de ce côté. Le soleil maintenant montait à l'horizon, une poussière d'or pleuvait dans l'air pâle. Et il ne jouissait plus de la belle matinée, il pressait le pas, l'air très affairé, tâchant de tuer l'obsession de son attente.

Une voix, tout d'un coup, l'arrêta.

« Monsieur Roubaud, bonjour !... Vous avez vu ma femme ? »

C'était Pecqueux, le chauffeur[§], un grand gaillard de quarante-trois ans, maigre avec de gros os, la face cuite par le feu et par la fumée. Ses yeux gris sous le front bas, sa bouche large dans une mâchoire saillante, riaient d'un continuel rire de noceur.

« Comment ! c'est vous ? dit Roubaud en s'arrêtant, étonné. Ah ! oui, l'accident arrivé à la machine, j'oubliais... Et vous ne repartez que ce soir ? Un congé de vingt-quatre heures, bonne affaire, hein ?

— Bonne affaire ! » répéta l'autre, gris encore d'une noce faite la veille.

D'un village près de Rouen, il était entré très jeune dans la Compagnie, comme ouvrier ajusteur. Puis, à trente ans, s'ennuyant à l'atelier, il avait voulu être chauffeur, pour devenir mécanicien[§] ; et c'était alors qu'il avait épousé Victoire, du même village que lui. Mais les années s'écoulaient, il restait chauffeur[§], jamais maintenant il ne passerait mécanicien[§], sans conduite, sans bonne tenue, ivrogne, coureur de femmes. Vingt fois, on l'aurait congédié, s'il n'avait pas eu la protection du président[§] Grandmorin, et si l'on ne s'était habitué à ses vices, qu'il rachetait par sa belle humeur et par son expérience de vieil ouvrier. Il ne devenait vraiment à craindre que lorsqu'il était ivre, car il se changeait alors en vraie brute, capable d'un mauvais coup.

« Et ma femme, vous l'avez vue ? demanda-t-il de nouveau, la bouche fendue par son large rire.

— Certes, oui, nous l'avons vue, répondit le sous-chef. Nous avons même déjeuné dans votre chambre… Ah ! une brave femme que vous avez là, Pecqueux. Et vous avez bien tort de ne pas lui être fidèle. »

Il rigola plus violemment.

« Oh ! si l'on peut dire ! Mais c'est elle qui veut que je m'amuse ! »

C'était vrai. Victoire, son aînée de deux ans, devenue énorme et difficile à remuer, glissait des pièces de cent sous[1] dans ses poches, afin qu'il prît du plaisir dehors. Jamais elle n'avait beaucoup souffert de ses infidélités, du continuel guilledou qu'il courait, par un besoin de nature ; et maintenant l'existence était réglée, il avait deux femmes, une à chaque bout de la ligne, sa femme à Paris pour les nuits qu'il y couchait, et une autre au Havre[§] pour les heures d'attente qu'il y passait, entre deux trains. Très économe, vivant chichement elle-même, Victoire, qui savait tout et qui le traitait maternellement, répétait volontiers qu'elle ne voulait pas le laisser en affront avec l'autre, là-bas. Même, à chaque départ, elle veillait sur son linge, car il lui aurait été très sensible que l'autre l'accusât de ne pas tenir leur homme proprement.

« N'importe, reprit Roubaud, ce n'est guère gentil. Ma femme, qui adore sa nourrice, veut vous gronder. »

Mais il se tut, en voyant sortir d'un hangar, contre lequel ils se trouvaient, une grande femme sèche, Philomène Sauvagnat,

1 *cent sous* : cinq francs.

la sœur du chef de dépôt[§], l'épouse supplémentaire que Pecqueux avait au Havre[§], depuis un an. Tous deux devaient être à causer sous le hangar, lorsque lui s'était avancé pour appeler le sous-chef. Elle, encore jeune malgré ses trente-deux ans, haute, anguleuse, la poitrine plate, la chair brûlée de continuels désirs, avait la tête longue, aux yeux flambants, d'une cavale[1] maigre et hennissante. On l'accusait de boire. Tous les hommes de la gare avaient défilé chez elle, dans la petite maison que son frère occupait près du Dépôt des machines, et qu'elle tenait fort salement. Ce frère, auvergnat, têtu, très sévère sur la discipline, très estimé de ses chefs, avait eu les plus gros ennuis à son sujet, jusqu'au point d'être menacé de renvoi ; et, si maintenant on la tolérait à cause de lui, il ne s'obstinait lui-même à la garder que par esprit de famille ; ce qui ne l'empêchait pas, lorsqu'il la surprenait avec un homme, de la rouer de coups, si rudement qu'il la laissait sur le carreau, morte. Il y avait eu, entre elle et Pecqueux, une vraie rencontre : elle, assouvie enfin, aux bras de ce grand diable rigoleur ; lui, changé de sa femme trop grasse, heureux de celle-ci trop maigre, répétant par farce qu'il n'avait plus besoin de chercher ailleurs. Et Séverine seule, qui croyait devoir cela à Victoire, s'était brouillée avec Philomène, qu'elle évitait déjà le plus possible, par une fierté de nature, et qu'elle avait cessé de saluer.

« Eh bien ! dit Philomène insolemment, à tout à l'heure, Pecqueux. Je m'en vas, puisque monsieur Roubaud a de la morale à te faire, de la part de sa femme. »

Lui, bon garçon, riait toujours.

« Reste donc, il plaisante.

— Non, non ! Faut que j'aille porter deux œufs de mes poules, que j'ai promis à madame Lebleu. »

Elle avait lancé ce nom exprès, connaissant la rivalité sourde entre la femme du caissier, et la femme du sous-chef, affectant d'être au mieux avec la première, pour faire enrager l'autre. Mais elle resta pourtant, tout d'un coup intéressée, lorsqu'elle entendit le chauffeur[§] demander des nouvelles de l'affaire du sous-préfet[§].

1 *cavale* : jument.

«C'est arrangé, vous êtes content, n'est-ce pas? monsieur Roubaud.

— Très content.»

Pecqueux cligna les yeux d'un air malin.

«Oh! vous n'aviez pas à être inquiet, parce que, lorsqu'on a un gros bonnet dans sa manche… Hein? vous savez qui je veux dire. Ma femme aussi lui a bien de la reconnaissance.»

Le sous-chef interrompit cette allusion au président[§] Grandmorin, en répétant d'une voix brusque:

«Et alors vous ne partez que ce soir?

— Oui, la Lison va être réparée, on finit d'ajuster la bielle[§]… Et j'attends mon mécanicien[§], qui s'est donné de l'air, lui. Vous le connaissez, Jacques Lantier? Il est de votre pays.»

Un instant, Roubaud resta sans répondre, absent, l'esprit perdu. Puis, avec un sursaut de réveil:

«Hein? Jacques Lantier, le mécanicien… Certainement, je le connais. Oh! vous savez, bonjour, bonsoir. C'est ici que nous nous sommes rencontrés, car il est mon cadet, et je ne l'avais jamais vu, là-bas, à Plassans… L'automne dernier, il a rendu un petit service à ma femme, une commission qu'il a faite pour elle, chez des cousines, à Dieppe… Un garçon capable, à ce qu'on dit.»

Il parlait au hasard, d'abondance. Soudain, il s'éloigna.

«Au revoir, Pecqueux… J'ai à donner un coup d'œil de ce côté.»

Alors seulement Philomène s'en alla, de son pas allongé de cavale[§]; tandis que Pecqueux, immobile, les mains dans les poches, riant d'aise à la fainéantise de cette gaie matinée, s'étonnait que le sous-chef, après s'être contenté de faire le tour du hangar, s'en retournait rapidement. Ce n'était pas long à donner, son coup d'œil. Qu'est-ce qu'il pouvait bien être venu moucharder?

Comme Roubaud rentrait sous la marquise[§], neuf heures allaient sonner. Il marcha jusqu'au fond, près des messageries, regarda, sans paraître trouver ce qu'il cherchait; puis, il revint, du même pas d'impatience. Successivement, il interrogea des yeux les bureaux des différents services. À cette heure, la gare était calme, déserte ; et il s'y agitait seul, l'air de plus en plus énervé de cette paix, dans ce tourment de l'homme, menacé d'une catastrophe, qui finit par souhaiter ardemment qu'elle éclate. Son sang-froid était à bout, il ne pouvait tenir en place. Maintenant, ses yeux ne quittaient plus l'horloge. Neuf heures, neuf heures cinq. D'ordinaire, il ne remontait chez lui qu'à dix heures, après le départ du train de neuf heures cinquante, pour déjeuner[§]. Et, tout d'un coup, il remonta, à la pensée de Séverine, qui, elle aussi, là-haut, devait attendre.

Dans le couloir, à cette minute précise, madame Lebleu ouvrait à Philomène, venue en voisine, décoiffée, et tenant deux œufs. Elles restèrent, il fallut bien que Roubaud rentrât chez lui, sous leurs yeux braqués. Il avait sa clef, il se hâta. Tout de même, dans le va-et-vient rapide de la porte, elles aperçurent Séverine, assise sur une chaise de la salle à manger, les mains oisives, le profil pâle, immobile. Et, attirant Philomène, s'enfermant à son tour, madame Lebleu raconta qu'elle l'avait déjà vue de la sorte, le matin : sans doute l'histoire du sous-préfet[§] qui tournait mal. Mais non, Philomène expliqua qu'elle accourait, parce qu'elle avait des nouvelles ; et elle répéta ce qu'elle venait d'entendre dire au sous-chef lui-même. Alors, les deux femmes se perdirent en conjectures. C'étaient ainsi, à chacune de leurs rencontres, des commérages sans fin.

« On leur a lavé la tête, ma petite, j'en mettrais ma main au feu… Pour sûr, ils branlent dans le manche.

— Ah ! ma bonne dame, si l'on pouvait donc nous en débarrasser ! »

La rivalité de plus en plus envenimée entre les Lebleu et les Roubaud, était simplement née d'une question de logement. Tout le premier étage, au-dessus des salles d'attente, servait à loger les employés ; et le couloir central, un vrai couloir d'hôtel[§], peint en jaune, éclairé par le haut, séparait l'étage en deux, alignant les portes brunes à droite et à gauche. Seulement, les logements de droite avaient des fenêtres qui donnaient sur la cour du départ[1], plantée de vieux ormes, par-dessus lesquels se

1 *cour du départ* : entrée de la gare située du côté de la rue.

déroulait l'admirable vue de la côte d'Ingouville ; tandis que les logements de gauche, aux fenêtres cintrées, écrasées, s'ouvraient directement sur la marquise[§] de la gare, dont la pente haute, le faîtage de zinc et de vitres sales barraient l'horizon. Rien n'était plus gai que les uns, avec la continuelle animation de la cour, la verdure des arbres, la vaste campagne ; et il y avait de quoi mourir d'ennui dans les autres, où l'on voyait à peine clair, le ciel muré comme en prison. Sur le devant, habitaient le chef de gare, le sous-chef Moulin et les Lebleu ; sur le derrière, les Roubaud, ainsi que la buraliste[§], mademoiselle Guichon, sans compter trois pièces, qui étaient réservées aux inspecteurs de passage. Or, il était notoire que les deux sous-chefs avaient toujours logé côte à côte. Si les Lebleu étaient là, cela venait d'une complaisance de l'ancien sous-chef, remplacé par Roubaud, qui, veuf sans enfants, avait voulu être agréable à madame Lebleu, en lui cédant son logement. Mais est-ce que ce logement n'aurait pas dû faire retour aux Roubaud ? Est-ce que cela était juste, de les reléguer sur le derrière, quand ils avaient le droit d'être sur le devant ? Tant que les deux ménages avaient vécu en bon accord, Séverine s'était effacée devant sa voisine, plus âgée qu'elle de vingt ans, mal portante avec ça, si énorme qu'elle étouffait sans cesse. Et la guerre n'était vraiment déclarée que depuis le jour où Philomène avait fâché les deux femmes, par d'abominables bavardages.

« Vous savez, reprit celle-ci, qu'ils sont bien capables d'avoir profité de leur voyage à Paris, pour demander votre expulsion… On m'a affirmé qu'ils ont écrit au directeur une longue lettre où ils font valoir leur droit. »

Madame Lebleu suffoquait.

« Les misérables !… Et je suis bien sûre qu'ils travaillent pour mettre la buraliste avec eux ; car voici quinze jours qu'elle me salue à peine, celle-là… Encore quelque chose de propre ! Aussi, je la guette… »

Elle baissa la voix pour affirmer que mademoiselle Guichon, chaque nuit, devait aller retrouver le chef de gare. Leurs deux portes se faisaient face. C'était M. Dabadie, veuf, père d'une grande fille toujours en pension, qui avait amené là cette blonde de trente ans, déjà fanée, silencieuse et mince, d'une souplesse de couleuvre. Elle avait dû être vaguement institutrice. Et impossible de la surprendre, tellement elle se glissait sans bruit, à travers les fentes les plus étroites. Par elle-même, elle ne comptait guère. Mais, si elle couchait avec le chef de gare, elle prenait une importance décisive, et le triomphe était de la tenir, en possédant son secret.

« Oh ! je finirai par savoir, continua madame Lebleu. Je ne veux pas me laisser manger… Nous sommes ici, nous y resterons. Les braves gens sont pour nous, n'est-ce pas ? ma petite. »

Toute la gare, en effet, se passionnait, dans cette guerre des deux logements. Le couloir surtout en était ravagé. Il n'y avait guère que l'autre sous-chef, Moulin, qui se désintéressât, satisfait d'être sur le devant, marié à une petite femme timide et frêle, qu'on ne voyait jamais et qui lui donnait un enfant tous les vingt mois.

« Enfin, conclut Philomène, s'ils branlent dans le manche, ce n'est pas encore de ce coup qu'ils resteront sur le carreau… Méfiez-vous, car ils connaissent du monde qui a le bras long. »

Elle tenait toujours ses deux œufs, elle les offrit : des œufs du matin, qu'elle venait de ramasser sous ses poules. Et la vieille dame se confondait en remerciements.

« Que vous êtes gentille ! Vous me gâtez… Venez donc causer plus souvent. Vous savez que mon mari est toujours à sa caisse ; et moi je m'ennuie tant, clouée ici, à cause de mes jambes ! Qu'est-ce que je deviendrais si ces misérables me prenaient ma vue ? »

Puis, comme elle l'accompagnait et qu'elle rouvrait la porte, elle posa un doigt sur ses lèvres.

« Chut ! écoutons. »

Toutes deux, debout dans le couloir, restèrent cinq grandes minutes debout, sans un geste, en retenant leur souffle. Elles penchaient la tête, tendaient l'oreille vers la salle à manger des Roubaud. Mais pas un bruit n'en sortait, il régnait là un silence de mort. Et, de peur d'être surprises, elles se séparèrent enfin, en se saluant une dernière fois de la tête, sans une parole. L'une s'en alla sur la pointe des pieds, l'autre referma sa porte si doucement, qu'on n'entendit pas le pêne glisser dans la gâche.

À neuf heures vingt, Roubaud était de nouveau en bas, sous la marquise[§]. Il surveillait la formation de l'omnibus[§] de neuf heures cinquante ; et, malgré l'effort de sa volonté, il gesticulait davantage, il piétinait, tournait sans cesse la tête pour inspecter le quai du regard, d'un bout à l'autre. Rien n'arrivait, ses mains en tremblaient.

Puis, brusquement, comme il fouillait encore la gare d'un coup d'œil en arrière, il entendit près de lui la voix d'un employé du télégraphe, disant, essoufflée :

« Monsieur Roubaud, vous ne savez pas où sont monsieur le chef de gare et monsieur le commissaire de surveillance[1]... J'ai là des dépêches[§] pour eux, et voici dix minutes que je cours... »

Il s'était retourné, dans un tel raidissement de tout son être, que pas un muscle de son visage ne bougea. Ses yeux se fixèrent sur les deux dépêches que tenait l'employé. Cette fois, à l'émotion de celui-ci, il en avait la certitude, c'était enfin la catastrophe.

« Monsieur Dabadie a passé là tout à l'heure », dit-il tranquillement.

Et jamais il ne s'était senti si froid, d'intelligence si nette, tout entier bandé à la défense. Maintenant, il était sûr de lui.

« Tenez ! reprit-il, le voici qui arrive, monsieur Dabadie. »

En effet, le chef de gare revenait de la petite vitesse[§]. Dès qu'il eut parcouru la dépêche, il s'exclama.

« Il y a eu un assassinat sur la ligne... C'est l'inspecteur de Rouen qui me télégraphie.

— Comment ? demanda Roubaud, un assassinat parmi notre personnel ?

— Non, non, sur un voyageur, dans un coupé[§]... Le corps a été jeté, presque au sortir du tunnel de Malaunay, au poteau 153... Et la victime est un de nos administrateurs, le président[§] Grandmorin. »

---

1 *commissaire de surveillance* : fonctionnaire du ministère des Travaux publics placé dans une gare et chargé de relever les infractions relatives à l'exploitation des chemins de fer. Comme il est aussi officier de police judiciaire, il peut être mandaté par le juge d'instruction pour lui faire un rapport.

À son tour, le sous-chef s'exclamait.

« Le président[§] ! ah ! ma pauvre femme va-t-elle être chagrine ! »

Le cri était si juste, si apitoyé, que M. Dabadie s'y arrêta un instant.

« C'est vrai, vous le connaissiez, un si brave homme, n'est-ce pas ? »

Puis, revenant à l'autre télégramme, adressé au commissaire de surveillance[§] :

« Ça doit être du juge d'instruction[§], sans doute pour quelque formalité… Et il n'est que neuf heures vingt-cinq, monsieur Cauche n'est pas encore là, naturellement… Qu'on aille vite au café du Commerce, sur le cours[1] Napoléon. On l'y trouvera à coup sûr. »

Cinq minutes plus tard, M. Cauche arrivait, ramené par un homme d'équipe. Ancien officier, considérant son emploi comme une retraite, il ne paraissait jamais à la gare avant dix heures, y flânait un moment, et retournait au café. Ce drame, tombé entre deux parties de piquet[2], l'avait d'abord étonné, car les affaires qui passaient par ses mains étaient d'ordinaire peu graves. Mais la dépêche[§] venait bien du juge d'instruction de Rouen ; et, si elle arrivait douze heures après la découverte du cadavre, c'était que ce juge avait d'abord télégraphié à Paris, au chef de gare, pour savoir dans quelles conditions la victime était partie ; puis, renseigné sur le numéro du train et sur celui de la voiture, il avait alors seulement envoyé, au commissaire de surveillance, l'ordre de visiter le coupé[§] qui se trouvait dans la voiture 293, si cette voiture était encore au Havre[§]. Tout de suite, la mauvaise humeur que M. Cauche montrait, d'avoir été dérangé inutilement sans doute, disparut et fit place à une attitude d'extrême importance, proportionnée à la gravité exceptionnelle que prenait l'affaire.

« Mais, s'écria-t-il, subitement inquiet, avec la peur de voir l'enquête lui échapper, la voiture ne doit plus être ici, elle a dû repartir ce matin. »

1 *cours* : longue et large avenue.

2 *piquet* : jeu de cartes.

Ce fut Roubaud qui le rassura, de son air calme.

«Non, non, faites excuse… Il y avait un coupé[§] retenu pour ce soir, la voiture est là, sous la remise.»

Et il marcha le premier, le commissaire et le chef de gare le suivirent. Cependant, la nouvelle devait se répandre, car les hommes d'équipe, sournoisement, quittaient la besogne, suivaient eux aussi; tandis que, sur les portes des divers services, des employés se montraient, finissaient par s'approcher, un à un. Bientôt, il y eut là un rassemblement.

Comme on arrivait devant la voiture, M. Dabadie fit tout haut une réflexion:

«Pourtant, hier soir, la visite a eu lieu. S'il était resté des traces, on les aurait signalées au rapport.

— Nous allons bien voir», dit M. Cauche.

Il ouvrit la portière, il monta dans le coupé. Et, à l'instant même, il se récria, s'oubliant, jurant.

«Ah! nom de Dieu! on dirait qu'on a saigné un cochon!»

Un petit souffle d'épouvante courut parmi les assistants, des têtes s'allongèrent; et M. Dabadie, un des premiers, voulut voir, se haussa sur le marchepied; pendant que, derrière lui, Roubaud, pour faire comme les autres, tendait aussi le cou.

À l'intérieur, le coupé ne montrait aucun désordre. Les glaces étaient restées fermées, tout semblait en place. Seulement, une odeur affreuse s'échappait de la portière ouverte; et là, au milieu d'un des coussins, une mare de sang noir s'était coagulée, une mare si profonde, si large, qu'un ruisseau en avait jailli comme d'une source, s'épanchant sur le tapis. Des caillots demeuraient accrochés au drap. Et rien autre, rien que ce sang nauséabond.

M. Dabadie s'emporta.

«Où sont les hommes qui ont fait la visite, hier soir? Qu'on les amène!»

Ils étaient justement là, ils s'avancèrent, balbutièrent des excuses: la nuit, est-ce qu'on pouvait se rendre compte? et, cependant, ils passaient bien leurs mains partout. La veille, ils juraient n'avoir rien senti.

Cependant, M. Cauche, resté debout dans le wagon, prenait des notes au crayon, pour son rapport. Il appela Roubaud, qu'il fréquentait volontiers, tous deux fumant des cigarettes, le long du quai, aux heures de flâne.

« Monsieur Roubaud, montez donc, vous m'aiderez. »

Et, quand le sous-chef eut enjambé le sang du tapis, pour ne pas marcher dedans :

« Regardez sous l'autre coussin, voir si rien n'y a glissé. »

Il souleva le coussin, il chercha, les mains prudentes, les regards simplement curieux.

« Il n'y a rien. »

Mais une tache, sur le drap capitonné du dossier, attira son attention ; et il la signala au commissaire. N'était-ce pas l'empreinte sanglante d'un doigt ? Non, on finit par tomber d'accord que c'était une éclaboussure. Le flot de monde s'était rapproché, pour suivre cet examen, flairant le crime, se pressant derrière le chef de gare qu'une répugnance d'homme délicat avait retenu sur le marchepied.

Soudain, celui-ci fit une réflexion.

« Dites donc, monsieur Roubaud, vous étiez dans le train... N'est-ce pas ? vous êtes bien rentré par l'express[§], hier soir... Vous pourriez peut-être nous donner des renseignements, vous !

— Tiens ! c'est vrai, s'écria le commissaire. Est-ce que vous avez remarqué quelque chose ? »

Pendant trois ou quatre secondes, Roubaud demeura muet. Il était baissé à ce moment, examinant le tapis. Mais il se releva presque tout de suite, en répondant de sa voix naturelle, un peu grosse.

« Certainement, certainement, je vais vous dire... Ma femme était avec moi. Si ce que je sais doit figurer au rapport, j'aimerais bien qu'elle descendît, pour contrôler mes souvenirs par les siens. »

Cela parut très raisonnable à M. Cauche, et Pecqueux, qui venait d'arriver, offrit d'aller chercher madame Roubaud. Il partit à grandes enjambées, il y eut un moment d'attente. Philomène, accourue avec le chauffeur[§], l'avait suivi des yeux, irritée de ce qu'il se chargeait de cette commission. Mais, ayant aperçu madame Lebleu, qui se hâtait, de toute la vitesse de ses pauvres jambes enflées, elle se précipita, l'aida; et les deux femmes levèrent les mains au ciel, poussèrent des exclamations, passionnées par la découverte d'un si abominable crime. Bien qu'on ne sût encore absolument rien, déjà des versions circulaient, autour d'elles, dans l'effarement des gestes et des visages. Dominant le bourdonnement des voix, Philomène, elle-même, qui ne tenait le fait de personne, affirmait sur sa parole d'honneur que madame Roubaud avait vu l'assassin. Et le silence se fit, lorsque Pecqueux reparut, accompagné de cette dernière.

« Voyez-la donc ! murmura madame Lebleu. Si l'on dirait la femme d'un sous-chef, avec son air de princesse ! Ce matin, avant le jour, elle était déjà ainsi, peignée et corsetée comme si elle allait en visite. »

Ce fut à petits pas réguliers que Séverine s'avança. Il y avait tout un long bout du quai à suivre, sous les yeux qui la regardaient venir; et elle ne faiblissait pas, elle appuyait simplement son mouchoir sur ses paupières, dans la grosse douleur qu'elle venait d'éprouver, en apprenant le nom de la victime. Vêtue d'une robe de laine noire, très élégante, elle semblait porter le deuil de son protecteur. Ses lourds cheveux sombres luisaient au soleil, car elle n'avait pas même pris le temps de se couvrir la tête, malgré le froid. Ses yeux bleus si doux, pleins d'angoisse et noyés de larmes, la rendaient très touchante.

« Bien sûr qu'elle a raison de pleurer, dit à demi-voix Philomène. Les voilà fichus, maintenant qu'on a tué leur bon Dieu. »

Lorsque Séverine fut là, au milieu de tout ce monde, devant la portière ouverte du coupé[§], M. Cauche et Roubaud en descendirent; et, tout de suite, ce dernier commença à dire ce qu'il savait.

« N'est-ce pas ? ma chère, hier matin, dès notre arrivée à Paris, nous sommes allés voir monsieur Grandmorin... Il pouvait être onze heures un quart, n'est-ce pas ? »

Il la regardait fixement, elle répéta d'une voix docile :

« Oui, onze heures un quart. »

Mais ses yeux s'étaient arrêtés sur le coussin noir de sang, elle eut un spasme, des sanglots profonds jaillirent de sa gorge. Et le chef de gare, ému, empressé, intervint :

« Madame, si vous ne pouviez supporter ce spectacle… Nous comprenons très bien votre douleur…

— Oh ! simplement deux mots, interrompit le commissaire. Nous ferons ensuite reconduire madame chez elle. »

Roubaud se hâta de continuer :

« C'est alors, après avoir causé de différentes choses, que monsieur Grandmorin nous annonça qu'il devait partir le lendemain, pour aller à Doinville, chez sa sœur… Je le vois encore assis à son bureau. Moi, j'étais ici ; ma femme était là… N'est-ce pas, ma chère, il nous a dit qu'il partirait le lendemain ?

— Oui, le lendemain. »

M. Cauche, qui continuait à prendre au crayon des notes rapides, leva la tête.

« Comment, le lendemain ? mais puisqu'il est parti le soir !

— Attendez donc ! répliqua le sous-chef. Même, quand il sut que nous repartions le soir, il eut un instant l'idée de prendre l'express[§] avec nous, si ma femme voulait bien le suivre jusqu'à Doinville, où elle passerait quelques jours avec sa sœur, comme cela était arrivé déjà. Mais ma femme, qui avait beaucoup à faire ici, a refusé… N'est-ce pas, tu as refusé ?

— J'ai refusé, oui.

— Et voilà, il a été très gentil… Il s'était occupé de moi, il nous a accompagnés jusqu'à la porte de son cabinet[§]… N'est-ce pas, ma chère ?

— Oui, jusqu'à la porte.

— Le soir, nous sommes partis… Avant de nous installer dans notre compartiment[§], j'ai causé avec monsieur Vandorpe, le chef de gare. Et je n'ai rien vu du tout. J'étais très ennuyé, parce que je nous croyais seuls, et qu'il y avait, dans un coin, une dame que je n'avais pas remarquée ; d'autant plus que deux autres personnes, un ménage, sont encore montées au dernier moment… Jusqu'à Rouen non plus, rien de particulier, je n'ai rien vu… Aussi, à Rouen, comme nous étions descendus pour nous dégourdir les jambes, quelle n'a pas été notre surprise, d'apercevoir, à trois ou quatre voitures de la nôtre, M. Grandmorin, debout à la portière d'un coupé[§] ! "Comment, monsieur le président[§], vous êtes parti ? Ah bien ! nous ne nous doutions guère de voyager avec vous !" Et il nous a expliqué qu'il avait reçu une dépêche[§]… On a sifflé, nous sommes remontés vite dans notre compartiment[§], où, par parenthèse, nous n'avons retrouvé personne, tous nos compagnons de route s'étant arrêtés à Rouen, ce qui ne nous a pas fait de peine… Et voilà ! c'est bien tout, ma chère, n'est-ce pas ?

— Oui, c'est bien tout. »

Ce récit, si simple qu'il fût, avait fortement impressionné l'auditoire. Tous attendaient de comprendre, la face béante. Le commissaire, cessant d'écrire, exprima la surprise générale, en demandant :

« Et vous êtes sûr qu'il n'y avait personne dans le coupé, avec monsieur Grandmorin ?

— Oh ! ça, absolument sûr. »

Un frémissement courut. Ce mystère qui se posait, soufflait de la peur, un petit froid que chacun sentit passer sur sa nuque. Si le voyageur était seul, par qui avait-il pu être assassiné et jeté du coupé, à trois lieues[§] de là, avant un nouvel arrêt du train ?

Dans le silence, on entendit la voix mauvaise de Philomène :

« C'est drôle tout de même. »

En se sentant dévisagé, Roubaud la regarda, avec un hochement du menton, comme pour dire qu'il trouvait ça drôle, lui aussi. Près d'elle, il aperçut Pecqueux et madame Lebleu, qui hochaient également la tête. Les yeux de tous s'étaient tournés de son côté, on attendait autre chose, on cherchait sur sa personne un détail oublié, qui éclairerait l'affaire. Il n'y avait aucune accusation, dans ces regards ardemment curieux ; et il croyait pourtant voir poindre le soupçon vague, ce doute que le plus petit fait parfois change en certitude.

« Extraordinaire, murmura M. Cauche.

— Tout à fait extraordinaire », répéta M. Dabadie.

Alors, Roubaud se décida :

« Ce dont je suis encore bien sûr, c'est que l'express[§] qui va, d'un trait, de Rouen à Barentin, a marché à sa vitesse réglementaire, sans que j'aie remarqué rien d'anormal… Je le dis, parce que, justement, nous trouvant seuls, j'avais baissé la glace, pour fumer une cigarette ; et je jetais des coups d'œil au-dehors, je me rendais parfaitement compte de tous les bruits du train… Même, à Barentin, ayant reconnu sur le quai monsieur Bessière, le chef de gare, mon successeur, je l'ai appelé, et nous avons échangé trois paroles, tandis que, monté sur le marchepied, il me serrait la main… N'est-ce pas ? ma chère, on peut l'interroger, monsieur Bessière le dira. »

Séverine, toujours immobile et pâle, son fin visage noyé de chagrin, confirma une fois de plus la déclaration de son mari.

« Il le dira, oui. »

Dès ce moment, toute accusation devenait impossible, si les Roubaud, remontés à Rouen, dans leur compartiment[§], y avaient été salués, à Barentin, par un ami. L'ombre de soupçon que le sous-chef croyait avoir vue passer dans les yeux, s'en était allée ; et l'étonnement de chacun grandissait. L'affaire prenait une tournure de plus en plus mystérieuse.

« Voyons, dit le commissaire, êtes-vous bien certain que personne, à Rouen, n'a pu monter dans le coupé[§], après que vous avez eu quitté monsieur Grandmorin ? »

Évidemment, Roubaud n'avait pas prévu cette question, car, pour la première fois, il se troubla, n'ayant sans doute plus la réponse préparée d'avance. Il regarda sa femme, hésitant.

« Oh ! non, je ne crois pas… On fermait les portières, on sifflait, nous avons eu bien juste le temps de regagner notre voiture… Et puis, le coupé était réservé, personne ne pouvait monter, il me semble… »

Mais les yeux bleus de sa femme s'élargissaient, devenaient si grands, qu'il s'effraya d'être affirmatif.

« Après tout, je ne sais pas… Oui, peut-être quelqu'un a pu monter… Il y avait une vraie bousculade… »

Et, à mesure qu'il parlait, sa voix se refaisait nette, toute cette histoire nouvelle naissait, s'affirmait.

«Vous savez, à cause des fêtes du Havre[§], la foule était énorme… Nous avons été obligés de défendre notre compartiment[§] contre des voyageurs de deuxième et même de troisième classe… Avec ça, la gare est très mal éclairée, on ne voyait rien, on se poussait, on criait, dans la cohue du départ… Ma foi ! oui, il est très possible que, ne sachant comment se caser, ou même profitant de l'encombrement, quelqu'un se soit introduit de force dans le coupé[§], à la dernière seconde.»

Et, s'interrompant :

«Hein ? ma chère, c'est ce qui a dû arriver.»

Séverine, l'air brisé, son mouchoir sur ses yeux meurtris, répéta :

«C'est ce qui est arrivé, certainement.»

Dès lors, la piste était donnée; et, sans se prononcer, le commissaire de surveillance[§] et le chef de gare échangèrent un regard, d'un air entendu. Un long mouvement avait agité la foule, qui sentait que l'enquête était finie, et qu'un besoin de commentaires tourmentait : tout de suite des suppositions circulèrent, chacun avait une histoire. Depuis un instant, le service de gare se trouvait comme suspendu, le personnel entier était là, obsédé par ce drame; et ce fut une surprise de voir entrer sous la marquise[§] le train de neuf heures trente-huit. On courut, les portières s'ouvrirent, le flot des voyageurs s'écoula. Presque tous les curieux, d'ailleurs, étaient restés autour du commissaire, qui, par un scrupule d'homme méthodique, visitait une dernière fois le coupé ensanglanté.

Pecqueux, gesticulant entre madame Lebleu et Philomène, aperçut à ce moment son mécanicien[§], Jacques Lantier, qui venait de descendre du train et qui, immobile, regardait de loin le rassemblement. Il l'appela violemment de la main. Jacques ne bougeait pas. Enfin, il se décida, d'une marche lente.

«Quoi donc ?» demanda-t-il à son chauffeur[§].

Il savait bien, il n'écouta que d'une oreille distraite la nouvelle de l'assassinat et les suppositions que l'on faisait. Ce qui le surprenait, le remuait étrangement, c'était de tomber au milieu de cette enquête, de retrouver ce coupé, entrevu dans les ténèbres, lancé à toute vitesse. Il allongea le cou, regarda la mare de sang caillé sur le coussin; et il revoyait la scène du meurtre, il revoyait surtout le cadavre, étendu en travers de la voie, là-bas, avec sa gorge ouverte. Puis, comme il détournait les yeux, il remarqua les Roubaud, pendant que Pecqueux continuait à lui raconter l'histoire, de quelle façon ces derniers étaient mêlés à l'affaire, leur départ de Paris dans le même train que la victime, les dernières paroles qu'ils avaient échangées ensemble, à Rouen. L'homme, il le connaissait, pour lui serrer la main, parfois, depuis qu'il faisait le service de l'express[§]; la femme, il l'avait entrevue de loin en loin, il s'était écarté d'elle comme des autres, dans sa peur maladive. Mais, à cette minute, ainsi pleurante et pâle, avec la douceur effarée de ses yeux bleus sous l'écrasement noir de sa chevelure, elle le frappa. Il ne la quittait plus du regard, et il eut une absence, il se demanda, étourdi, pourquoi les Roubaud et lui étaient là, comment les faits avaient pu les réunir dans cette voiture du crime, eux de retour de Paris, la veille, lui revenu de Barentin à l'instant même.

«Oh ! je sais, je sais, dit-il tout haut, interrompant le chauffeur[§]. J'étais justement là-bas, à la sortie du tunnel, cette nuit, et j'ai bien cru voir quelque chose, au moment où le train a passé.»

Ce fut une grosse émotion, tous l'entourèrent. Et lui, le premier, avait frémi, étonné, bouleversé de ce qu'il venait de dire. Pourquoi avait-il parlé, après s'être promis si formellement de se taire ? Tant de bonnes raisons lui conseillaient le silence ! Et les mots étaient inconsciemment sortis de ses lèvres, tandis qu'il regardait cette femme. Elle avait brusquement écarté son mouchoir, pour fixer sur lui ses yeux en larmes, qui s'agrandissaient encore.

Mais le commissaire s'était vivement approché.

«Quoi ? qu'avez-vous vu ?»

Et Jacques, sous le regard immobile de Séverine, dit ce qu'il avait vu : le coupé[§] éclairé, passant dans la nuit, à toute vapeur, et les profils fuyants des deux hommes, l'un renversé, l'autre le couteau au poing. Près de sa femme, Roubaud écoutait, en fixant sur lui ses gros yeux vifs.

« Alors, demanda le commissaire, vous reconnaîtriez l'assassin ?

— Oh ! ça, non, je ne crois pas.

— Portait-il un paletot ou une blouse[1] ?

— Je ne pourrais rien affirmer. Songez donc, un train qui devait marcher à une vitesse de quatre-vingts kilomètres ! »

Séverine, en dehors de sa volonté, échangea un coup d'œil avec Roubaud, qui eut la force de dire :

« En effet, il faudrait avoir de bons yeux.

— N'importe, conclut M. Cauche, voilà une déposition importante. Le juge d'instruction[§] vous aidera à voir clair dans tout ça… Monsieur Lantier et monsieur Roubaud, donnez-moi vos noms bien exacts, pour les citations[2]. »

C'était fini, le groupe des curieux se dissipa peu à peu, le service de la gare reprit son activité. Roubaud surtout dut courir s'occuper de l'omnibus[§] de neuf heures cinquante, dans lequel des voyageurs montaient déjà. Il avait donné à Jacques une poignée de main, plus vigoureuse que de coutume ; et celui-ci, resté seul avec Séverine, derrière madame Lebleu, Pecqueux et Philomène, qui s'en allaient en chuchotant, s'était cru forcé d'accompagner la jeune femme sous la marquise[§], jusqu'à l'escalier des employés, ne trouvant rien à lui dire, retenu pourtant près d'elle, comme si un lien venait de se nouer entre eux. Maintenant, la gaieté du jour avait grandi, le soleil clair montait vainqueur des brumes matinales, dans la grande limpidité bleue du ciel ; pendant que le vent de mer, prenant de la force avec la marée montante, apportait sa fraîcheur salée. Et, comme il la quittait enfin, il rencontra de nouveau ses larges yeux, dont la douceur terrifiée et suppliante l'avait si profondément remué.

Mais il y eut un léger coup de sifflet. C'était Roubaud qui donnait le signal du départ. La machine répondit par un sifflement prolongé, et le train de neuf heures cinquante s'ébranla, roula plus vite, disparut au loin, dans la poussière d'or du soleil.

1 *blouse* : chemise en grosse toile portée autrefois dans leur travail quotidien par les gens de la campagne, les ouvriers, les marchands, etc.

2 *citations* : sommations de comparaître, dans un délai fixé, devant un juge, un tribunal correctionnel ou un tribunal de simple police pour être jugé ou pour témoigner.

# – IV –

Ce jour-là, dans la seconde semaine de mars, M. Denizet, le juge d'instruction[§], avait mandé de nouveau à son cabinet[§], au Palais de Justice de Rouen, certains témoins importants de l'affaire Grandmorin.

Depuis trois semaines, cette affaire faisait un bruit énorme. Elle avait bouleversé Rouen, elle passionnait Paris, et les journaux de l'opposition[1], dans la violente campagne qu'ils menaient contre l'Empire, venaient de la prendre comme machine de guerre[2]. L'approche des élections générales[§], dont la préoccupation dominait toute la politique, enfiévrait la lutte. Il y avait eu, à la Chambre[3], des séances très orageuses : celle où l'on avait discuté âprement la validation des pouvoirs de deux députés attachés à la personne de l'Empereur ; celle encore où l'on s'était acharné contre la gestion financière du préfet de la Seine, en réclamant l'élection d'un conseil municipal. Et l'affaire Grandmorin arrivait à point pour continuer l'agitation, les histoires les plus extraordinaires circulaient, les journaux s'emplissaient chaque matin de nouvelles hypothèses, injurieuses pour le gouvernement. D'une part, on laissait entendre que la victime, un familier des Tuileries[4], ancien magistrat, commandeur de la Légion d'honneur[§], riche à millions, était adonné aux pires débauches ; de l'autre, l'instruction[5] n'ayant pas abouti jusque-là, on commençait à accuser la police et la magistrature de complaisance, on plaisantait sur cet assassin légendaire, resté introuvable. S'il y avait beaucoup de vérité dans ces attaques, elles n'en étaient que plus dures à supporter.

Aussi, M. Denizet sentait-il bien toute la lourde responsabilité qui pesait sur lui. Il se passionnait, lui aussi, d'autant plus

1 *opposition* : en cette fin d'Empire, l'opposition est surtout républicaine.

2 *machine de guerre* : armes complexes d'attaque ou de défense.

3 *Chambre* : le Corps législatif est aussi appelé la « Chambre des Députés ».

4 *Tuileries* : résidence officielle de Napoléon III.

5 *instruction* : ensemble des éléments nécessaires (documents, témoignages, interrogatoires) par lesquels un magistrat s'assure qu'une affaire est en état d'être jugée.

qu'il avait de l'ambition et qu'il attendait ardemment une affaire de cette importance, pour mettre en lumière les hautes qualités de perspicacité et d'énergie qu'il s'accordait. Fils d'un gros éleveur normand, il avait fait son droit à Caen et n'était entré qu'assez tard dans la magistrature, où son origine paysanne, aggravée par une faillite de son père, avait rendu son avancement difficile. Substitut[§] à Bernay, à Dieppe, au Havre[§], il avait mis dix ans pour devenir procureur[§] impérial à Pont-Audemer. Puis, envoyé à Rouen comme substitut, il y était juge d'instruction[§] depuis dix-huit mois, à cinquante ans passés. Sans fortune, ravagé de besoins que ne pouvaient contenter ses maigres appointements, il vivait dans cette dépendance de la magistrature mal payée, acceptée seulement des médiocres, et où les intelligents se dévorent, en attendant de se vendre. Lui, était d'une intelligence très vive, très déliée, honnête même, ayant l'amour de son métier, grisé de sa toute-puissance, qui le faisait, dans son cabinet[§] de juge, maître absolu de la liberté des autres. Son intérêt seul corrigeait sa passion, il avait un si cuisant désir d'être décoré et de passer à Paris, qu'après s'être laissé emporter, au premier jour de l'instruction[§], par son amour de la vérité, il avançait maintenant avec une extrême prudence, en devinant de toutes parts des fondrières, dans lesquelles son avenir pouvait sombrer.

Il faut dire que M. Denizet était prévenu, car, dès le commencement de son enquête, un ami lui avait conseillé de se rendre à Paris, au ministère de la Justice. Là, il avait longuement causé avec le secrétaire général[1], M. Camy-Lamotte, personnage considérable, ayant la haute main sur le personnel, chargé des nominations, en continuel rapport avec les Tuileries[§]. C'était un bel homme, parti comme lui substitut, mais que ses relations et sa femme avaient fait nommer député et grand officier de la Légion d'honneur[§]. L'affaire lui était arrivée naturellement entre les mains, le procureur impérial de Rouen, inquiet de ce drame louche où un ancien magistrat se trouvait être la victime, ayant pris la précaution d'en référer au

1 *secrétaire général* : fonctionnaire qui dirige le ministère de la Justice.

ministre, qui s'était déchargé à son tour sur son secrétaire général[§]. Et, ici, il y avait eu une rencontre : M. Camy-Lamotte était justement un ancien condisciple du président[§] Grandmorin, plus jeune de quelques années, resté avec lui sur un pied d'amitié si étroite, qu'il le connaissait à fond, jusque dans ses vices. Aussi parlait-il de la mort tragique de son ami avec une affliction profonde, et il n'avait entretenu M. Denizet que de son désir ardent d'atteindre le coupable. Mais il ne cachait pas que les Tuileries[§] se désolaient de tout ce bruit disproportionné, il s'était permis de lui recommander beaucoup de tact. En somme, le juge avait compris qu'il ferait bien de ne pas se hâter, de ne rien risquer sans approbation préalable. Même il était revenu à Rouen avec la certitude que, de son côté, le secrétaire général avait lancé des agents, désireux d'instruire l'affaire, lui aussi. On voulait connaître la vérité, pour la cacher mieux, s'il était nécessaire.

Cependant, des jours se passèrent, et M. Denizet, malgré son effort de patience, s'irritait des plaisanteries de la presse. Puis, le policier reparaissait, le nez au vent, comme un bon chien. Il était emporté par le besoin de trouver la vraie piste, par la gloire d'être le premier à l'avoir flairée, quitte à l'abandonner, si on lui en donnait l'ordre. Et, tout en attendant du ministère une lettre, un conseil, un simple signe, qui tardait à venir, il s'était remis activement à son instruction[§]. Sur deux ou trois arrestations déjà faites, aucune n'avait pu être maintenue. Mais, brusquement, l'ouverture du testament du président Grandmorin réveilla en lui un soupçon, dont il s'était senti effleuré dès les premières heures : la culpabilité possible des Roubaud. Ce testament, encombré de legs étranges, en contenait un par lequel Séverine était instituée légataire de la maison située au lieu dit la Croix-de-Maufras. Dès lors, le mobile du meurtre, vainement cherché jusque-là, était trouvé : les Roubaud, connaissant le legs, avaient pu assassiner leur bienfaiteur pour entrer en jouissance immédiate. Cela le hantait d'autant plus, que M. Camy-Lamotte avait parlé singulièrement de madame Roubaud, comme l'ayant connue autrefois chez le président, lorsqu'elle était jeune fille. Seulement, que d'invraisemblances, que d'impossibilités matérielles et morales ! Depuis qu'il dirigeait ses recherches dans ce sens, il butait à chaque pas contre des faits qui déroutaient sa conception d'une enquête judiciaire classiquement menée. Rien ne s'éclairait, la grande clarté centrale, la cause première, illuminant tout, manquait.

Une autre piste existait bien, que M. Denizet n'avait pas perdue de vue, la piste fournie par Roubaud lui-même, celle de l'homme qui, grâce à la bousculade du départ, pouvait être monté dans le coupé§. C'était le fameux assassin introuvable, légendaire, dont tous les journaux de l'opposition§ ricanaient. L'effort de l'instruction§ avait d'abord porté sur le signalement de cet homme, à Rouen d'où il était parti, à Barentin où il devait être descendu ; mais il n'en était rien résulté de précis, certains témoins niaient même la possibilité du coupé réservé pris d'assaut, d'autres donnaient des renseignements les plus contradictoires. Et la piste ne semblait devoir mener à rien de bon, lorsque le juge, en interrogeant le garde-barrière§ Misard, tomba sans le vouloir sur la dramatique aventure de Cabuche et de Louisette, cette enfant, qui, violentée par le président§, serait allée mourir chez son bon ami. Ce fut pour lui le coup de foudre, d'un bloc l'acte d'accusation classique se formula dans sa tête. Tout s'y trouvait, des menaces de mort proférées par le carrier§ contre la victime, des antécédents déplorables, un alibi invoqué maladroitement, impossible à prouver. En secret, dans une minute d'inspiration énergique, il avait fait, la veille, enlever Cabuche de la petite maison qu'il occupait au fond des bois, sorte de tanière perdue, où l'on avait trouvé un pantalon taché de sang. Et, tout en se défendant encore contre la conviction qui l'envahissait, tout en se promettant de ne pas lâcher l'hypothèse des Roubaud, il exultait à l'idée que lui seul avait eu le nez assez fin pour découvrir l'assassin véritable. C'était dans le but de se faire une certitude qu'il avait mandé, ce jour-là, à son cabinet§, plusieurs des témoins déjà entendus, au lendemain du crime.

Le cabinet du juge d'instruction§ se trouvait, du côté de la rue Jeanne-d'Arc, dans le vieux bâtiment délabré, collé au flanc de l'ancien palais des ducs de Normandie, transformé aujourd'hui en Palais de Justice, qu'il déshonorait. Cette grande pièce triste, située au rez-de-chaussée, était éclairée d'un jour si blafard, qu'il fallait y allumer une lampe, dès trois heures, en hiver. Tendue d'un ancien papier vert décoloré, elle avait pour tout ameublement deux fauteuils, quatre chaises, le bureau du juge, la petite table du greffier[§] ; et, sur la cheminée froide, deux coupes de bronze flanquaient une pendule de marbre noir. Derrière le bureau, une porte conduisait à une seconde pièce, dans laquelle le juge cachait parfois les personnes qu'il voulait garder à sa disposition; tandis que la porte d'entrée s'ouvrait directement sur le large couloir, garni de banquettes, où attendaient les témoins.

Dès une heure et demie, bien que la citation[§] ne fût que pour deux heures, les Roubaud étaient là. Ils arrivaient du Havre[§], ils avaient à peine pris le temps de déjeuner[§], dans un petit restaurant de la grande-rue. Tous les deux vêtus de noir, lui en redingote, elle en robe de soie, comme une dame, gardaient la gravité un peu lasse et chagrine d'un ménage qui a perdu un parent. Elle s'était assise sur une banquette, immobile, sans une parole, pendant que, resté debout, les mains derrière le dos, il se promenait à pas lents devant elle. Mais, à chaque retour, leurs regards se rencontraient, et leur anxiété cachée passait alors, ainsi qu'une ombre, sur leurs faces muettes. Bien qu'il les eût comblés de joie, le legs de la Croix-de-Maufras venait de raviver leurs craintes; car la famille du président[§], sa fille surtout, outrée des donations étranges, si nombreuses qu'elles atteignaient la moitié de la fortune totale, parlait d'attaquer le testament; et madame de Lachesnaye, poussée par son mari, se montrait particulièrement dure contre son ancienne amie Séverine, qu'elle chargeait des soupçons les plus graves. D'autre part, la pensée d'une preuve, à laquelle Roubaud n'avait pas songé d'abord, le hantait maintenant d'une peur continue : la lettre qu'il avait fait écrire à sa femme afin de décider Grandmorin à partir, cette lettre qu'on allait retrouver, si celui-ci ne l'avait pas détruite, et dont on pouvait reconnaître l'écriture. Heureusement, les jours passaient, rien ne s'était encore produit, la lettre devait avoir été déchirée. Chaque citation nouvelle, au cabinet[§] du juge d'instruction[§], n'en demeurait pas moins, pour le ménage, une cause de sueurs froides, sous leur correcte attitude d'héritiers et de témoins.

Deux heures sonnèrent. Jacques parut à son tour. Lui, arrivait de Paris. Tout de suite, Roubaud s'avança, la main tendue, très expansif.

« Ah ! vous aussi, on vous a dérangé… Hein ! est-ce ennuyeux, cette triste affaire qui n'en finit pas ! »

Jacques, en apercevant Séverine, toujours assise, immobile, venait de s'arrêter net. Depuis trois semaines, tous les deux jours, à chacun de ses voyages au Havre[§], le sous-chef le comblait de prévenances. Même, une fois, il avait dû accepter à déjeuner[§]. Et, près de la jeune femme, il s'était senti frémir de son frisson, dans un trouble croissant. Allait-il donc la vouloir aussi celle-là ? Son cœur battait, ses mains brûlaient, à voir seulement la ligne blanche de son cou, autour de l'échancrure du corsage. Aussi était-il désormais fermement résolu à la fuir.

« Et, reprit Roubaud, que dit-on de l'affaire, à Paris ? Rien de nouveau, n'est-ce pas ? Voyez-vous, on ne sait rien, on ne saura jamais rien… Venez donc dire bonjour à ma femme. »

Il l'entraîna, il fallut que Jacques s'approchât, saluât Séverine, gênée, souriante de son air d'enfant peureux. Il s'efforçait de causer de choses indifférentes, sous les regards du mari et de la femme qui ne le quittaient pas, comme s'ils avaient tâché de lire, au-delà même de sa pensée, dans les songeries vagues où lui-même hésitait à descendre. Pourquoi était-il si froid ? Pourquoi semblait-il chercher à les éviter ? Est-ce que ses souvenirs se réveillaient, est-ce que c'était pour les confronter avec lui qu'on les avait rappelés ? Cet unique témoin qu'ils redoutaient, ils auraient voulu le conquérir, se l'attacher par des liens d'une fraternité si étroite, qu'il ne trouvât plus le courage de parler contre eux.

Ce fut le sous-chef, torturé, qui revint à l'affaire.

« Alors, vous ne vous doutez pas pour quelle raison on nous cite ? Hein ! peut-être y a-t-il du nouveau ? »

Jacques eut un geste d'indifférence.

«Un bruit circulait tout à l'heure, à la gare, lorsque je suis arrivé. On parlait d'une arrestation.»

Les Roubaud s'étonnèrent, très agités, très perplexes. Comment, une arrestation ? Personne ne leur en avait soufflé mot ! Une arrestation faite, ou une arrestation à faire ? Ils l'accablaient de questions, mais il n'en savait pas davantage.

À ce moment, dans le couloir, un bruit de pas éveilla l'attention de Séverine.

«Voici Berthe et son mari», murmura-t-elle.

C'étaient, en effet, les Lachesnaye. Ils passèrent très raides devant les Roubaud, la jeune femme n'eut pas même un regard pour son ancienne camarade. Et un huissier les introduisit tout de suite dans le cabinet§ du juge d'instruction§.

«Ah bien ! Il faut nous armer de patience, dit Roubaud. Nous sommes là pour deux bonnes heures… Asseyez-vous donc !»

Lui-même venait de se placer à gauche de Séverine, et de la main il invitait Jacques à se mettre de l'autre côté, près d'elle. Celui-ci resta debout un instant encore. Puis, comme elle le regardait de son air doux et craintif, il se laissa aller sur la banquette. Elle était très frêle entre eux, il la sentait d'une tendresse soumise ; et la tiédeur légère qui émanait de cette femme, pendant leur longue attente, l'engourdissait lentement, tout entier.

Dans le cabinet de M. Denizet, les interrogatoires allaient commencer. Déjà l'instruction§ avait fourni la matière d'un dossier énorme, plusieurs liasses de papiers, revêtues de chemises bleues. On s'était efforcé de suivre la victime depuis son départ de Paris. M. Vandorpe, le chef de gare, avait déposé sur le départ de l'express§ de six heures trente, la voiture 293 ajoutée au dernier moment, les quelques paroles échangées avec Roubaud, monté dans son compartiment§ un peu avant l'arrivée du président§ Grandmorin, enfin l'installation de celui-ci dans son coupé§, où il était certainement seul. Puis, le conducteur du train, Henri Dauvergne, interrogé sur ce qui s'était passé à Rouen, pendant l'arrêt de dix minutes, n'avait rien pu affirmer. Il avait vu les Roubaud causant, devant le coupé, et il croyait bien qu'ils étaient retournés dans leur compartiment, dont un surveillant aurait refermé la portière ; mais cela restait vague, au milieu des poussées de la foule et des demi-ténèbres de la gare. Quant à se prononcer si un homme, le fameux assassin introuvable, avait pu se jeter dans le coupé[§], au moment de la mise en marche, il croyait l'aventure peu vraisemblable, tout en en admettant la possibilité ; car elle s'était, à sa connaissance, déjà produite deux fois. D'autres employés du personnel de Rouen, questionnés aussi sur les mêmes points, au lieu d'apporter quelque lumière n'avaient guère qu'embrouillé les choses, par leurs réponses contradictoires. Cependant, un fait prouvé, c'était la poignée de main donnée par Roubaud, de l'intérieur du wagon, au chef de gare de Barentin, monté sur le marchepied : ce chef de gare, M. Bessière, l'avait formellement reconnu comme exact, et il avait ajouté que son collègue était seul avec sa femme, qui, couchée à demi, paraissait dormir tranquillement. D'autre part, on était allé jusqu'à rechercher les voyageurs, partis de Paris dans le même compartiment[§] que les Roubaud. La grosse dame et le gros monsieur, arrivés tard, à la dernière minute, des bourgeois de Petit-Couronne, avaient déclaré que, s'étant assoupis tout de suite, ils ne pouvaient rien dire ; et quant à la femme noire, muette en son coin, elle s'était dissipée comme une ombre, il avait été absolument impossible de la retrouver. Enfin, c'était d'autres témoins encore, le fretin, ceux qui avaient servi à établir l'identité des voyageurs descendus ce soir-là à Barentin, l'homme devant s'être arrêté là : on avait compté les billets, on était arrivé à connaître tous les voyageurs, sauf un, justement un grand gaillard, la tête enveloppée d'un mouchoir bleu, que les uns disaient vêtu d'un paletot et les autres d'une blouse[§]. Rien que sur cet homme, disparu, évanoui ainsi qu'un rêve, il y avait au dossier trois cent dix pièces, d'une confusion telle, que chaque témoignage y était démenti par un autre.

Et le dossier se compliquait encore des pièces judiciaires : le procès-verbal[1] de constat rédigé par le greffier[§] que le procureur[§]

1 *procès-verbal* : acte de procédure établi par une autorité compétente et relatant des constatations ou des dépositions.

impérial et le juge d'instruction[§] avaient amené sur le théâtre du crime, toute une volumineuse description de l'endroit de la voie ferrée où la victime gisait, de la position du corps, du costume, des objets trouvés dans les poches, ayant permis d'établir l'identité; le procès-verbal du médecin, amené également, une pièce où, en termes scientifiques, était longuement décrite la plaie de la gorge, l'unique plaie, une affreuse entaille faite avec un instrument tranchant, un couteau sans doute; d'autres procès-verbaux encore, d'autres documents sur le transport du cadavre à l'hôpital de Rouen, sur le temps qu'il y était resté, avant que sa décomposition remarquablement prompte eût forcé l'autorité à le rendre à la famille. Mais, de ce nouvel amas de paperasses, demeuraient seulement deux ou trois points importants. D'abord, dans les poches, on n'avait retrouvé ni la montre, ni un petit portefeuille, où devaient être dix billets de mille francs[§], somme due par le président[§] Grandmorin à sa sœur, madame Bonnehon, et que celle-ci attendait. Il aurait donc semblé que le crime avait eu le vol pour mobile, si d'autre part une bague, ornée d'un gros brillant[1], n'était restée au doigt. De là encore toute une série d'hypothèses. On n'avait malheureusement pas les numéros des billets de banque; mais la montre était connue, une montre très forte, à remontoir, portant sur le boîtier les deux initiales entrelacées du président et dans l'intérieur un chiffre de fabrication, le numéro 2516. Enfin, l'arme, le couteau dont l'assassin s'était servi, avait donné lieu à des recherches considérables, le long de la voie, parmi les broussailles environnantes, partout où il aurait pu être jeté; mais elles étaient demeurées inutiles, l'assassin devait avoir caché le couteau, dans le même trou que les billets et la montre. On avait seulement ramassé, à une centaine de mètres avant la station de Barentin, la couverture de voyage de la victime, abandonnée là, comme un objet compromettant; et elle figurait parmi les pièces à conviction.

Lorsque les Lachesnaye entrèrent, M. Denizet, debout devant son bureau, relisait un des premiers interrogatoires, que

1 *brillant*: diamant.

son greffier§ venait de chercher dans le dossier. C'était un homme petit et assez fort, entièrement rasé, grisonnant déjà. Les joues épaisses, le menton carré, le nez large, avaient une immobilité blême, qu'augmentaient encore les paupières lourdes, retombant à demi sur de gros yeux clairs. Mais toute la sagacité, toute l'adresse qu'il croyait avoir, s'étaient réfugiées dans la bouche, une de ces bouches de comédien jouant leurs sentiments à la ville, d'une mobilité extrême, et qui s'amincissait, dans les minutes où il devenait très fin. La finesse le perdait le plus souvent, il était trop perspicace, il rusait trop avec la vérité simple et bonne, d'après un idéal de métier, s'étant fait de sa fonction un type d'anatomiste moral[1], doué de seconde vue, extrêmement spirituel. D'ailleurs, il n'était pas non plus un sot.

Tout de suite, il se montra aimable pour madame de Lachesnaye, car il y avait encore en lui un magistrat mondain, fréquentant la société de Rouen et des environs.

« Madame, veuillez vous asseoir. »

Et il avança lui-même un siège à la jeune femme, une blonde chétive, l'air désagréable et laide, dans ses vêtements de deuil. Mais il fut simplement poli, de mine un peu rogue même, pour M. de Lachesnaye, blond lui aussi et malingre ; car ce petit homme, conseiller§ à la cour dès l'âge de trente-six ans, décoré, grâce à l'influence de son beau-père et aux services que son père, également magistrat, avait rendus autrefois dans les commissions mixtes[2], représentait à ses yeux la magistrature de faveur, la magistrature riche, les médiocres qui s'installaient, certains d'un chemin rapide par leur parenté et leur fortune ; tandis que lui, pauvre, sans protection, se trouvait réduit à tendre l'éternelle échine du solliciteur, sous la pierre sans cesse retombante de l'avancement. Aussi n'était-il pas fâché de lui faire sentir, dans ce cabinet§, sa toute-puissance, l'absolu pouvoir

---

1 *anatomiste moral* : Denizet est comparé à un savant qui serait en mesure de disséquer les mœurs, les valeurs et l'état d'esprit de la personne qu'il observe.

2 *commissions mixtes* : tribunaux d'exception institués par l'Empire en février 1852. Ces commissions devaient centraliser, à la préfecture, les dossiers de tous les individus signalés comme dangereux pour la sûreté du nouveau régime.

qu'il avait sur la liberté de tous, au point de changer d'un mot un témoin en prévenu[1], et de procéder à son arrestation immédiate, si la fantaisie l'en prenait.

« Madame, continua-t-il, vous me pardonnerez d'avoir encore à vous torturer avec cette douloureuse histoire. Je sais que vous souhaitez aussi vivement que nous de voir la clarté se faire et le coupable expier son crime. »

D'un signe, il prévint le greffier[§], un grand garçon jaune, à la figure osseuse, et l'interrogatoire commença.

Mais, dès les premières questions posées à sa femme, M. de Lachesnaye, qui s'était assis, voyant qu'on ne l'en priait pas, s'efforça de se substituer à elle. Il en vint à exhaler toute son amertume contre le testament de son beau-père. Comprenait-on cela ? Des legs si nombreux, si importants, qu'ils atteignaient presque la moitié de la fortune, une fortune de trois millions sept cent mille francs[§] ! Et à des personnes qu'on ne connaissait pas pour la plupart, à des femmes de toutes les classes ! Il y avait jusqu'à une petite marchande de violettes, installée sous une porte de la rue du Rocher. C'était inacceptable, il attendait que l'instruction[§] criminelle fût finie, pour voir s'il n'y aurait pas moyen de faire casser ce testament immoral.

Pendant qu'il se désolait ainsi, les dents serrées, montrant le sot qu'il était, le provincial à passions têtues, enfoncé dans l'avarice, M. Denizet le regardait de ses gros yeux clairs, à demi cachés, et sa bouche fine exprimait un dédain jaloux, pour cet impuissant que deux millions ne satisfaisaient pas, et qu'il verrait sans doute un jour sous la pourpre suprême, grâce à tout cet argent.

« Je crois, Monsieur, que vous auriez tort, dit-il enfin. Le testament ne pourrait être attaqué que si le total des legs dépassait la moitié de la fortune, et ce n'est pas le cas. »

Puis, se tournant vers son greffier :

« Dites donc, Laurent, vous n'écrivez pas tout ceci, je pense. »

D'un faible sourire, celui-ci le rassura, en homme qui savait comprendre.

1 *prévenu* : individu appelé à répondre d'une infraction pénale devant la justice et qui est en attente d'un jugement définitif.

« Mais, enfin, reprit M. de Lachesnaye plus aigrement, on ne s'imagine pas, j'espère, que je vais laisser la Croix-de-Maufras à ces Roubaud. Un cadeau pareil à la fille d'un domestique ! Et pourquoi, à quel titre ? Puis, s'il est prouvé qu'ils ont trempé dans le crime… »

M. Denizet revint à l'affaire.

« Vraiment, le croyez-vous ?

— Dame ! s'ils avaient connaissance du testament, leur intérêt à la mort de notre pauvre père est démontré… Remarquez, en outre, qu'ils ont été les derniers à causer avec lui… Enfin, tout cela semble bien louche. »

Impatienté, dérangé dans sa nouvelle hypothèse, le juge se tourna vers Berthe.

« Et vous, Madame, pensez-vous votre ancienne amie capable d'un tel crime ? »

Avant de répondre, elle regarda son mari. En quelques mois de ménage, leur mauvaise grâce, leur sécheresse à tous deux s'étaient communiquées et exagérées. Ils se gâtaient ensemble, c'était lui qui l'avait jetée sur Séverine, au point que, pour ravoir la maison, elle l'aurait fait arrêter sur l'heure.

« Mon Dieu ! Monsieur, finit-elle par dire, la personne dont vous parlez avait de très mauvais instincts, étant petite.

— Quoi donc ? L'accusez-vous de s'être mal conduite à Doinville ?

— Oh ! non, Monsieur, mon père ne l'aurait pas gardée. »

Dans ce cri, se révoltait la pruderie de la bourgeoise honnête, qui n'aurait jamais une faute à se reprocher, et qui mettait sa gloire à être une des vertus les plus incontestables de Rouen, saluée et reçue partout.

« Seulement, continua-t-elle, quand il y a des habitudes de légèreté et de dissipation… Enfin, Monsieur, bien des choses que je n'aurais pas crues possibles, me paraissent certaines aujourd'hui. »

De nouveau, M. Denizet eut un mouvement d'impatience. Il n'était plus du tout sur cette piste, et quiconque y demeurait devenait son adversaire ; lui semblait s'attaquer à la sûreté de son intelligence.

« Voyons, pourtant, il faut raisonner, s'écria-t-il. Des gens comme les Roubaud ne tuent pas un homme comme votre père, pour hériter plus vite ; ou, tout au moins, il y aurait des indices de leur hâte, je trouverais ailleurs des traces de cette âpreté à posséder et à jouir. Non, le mobile ne suffit point, il faudrait en découvrir un autre, et il n'y a rien, vous n'apportez rien vous-mêmes… Puis, rétablissez les faits, ne constatez-vous pas des impossibilités matérielles ? Personne n'a vu les Roubaud monter dans le coupé[§], un employé croit même pouvoir affirmer qu'ils sont retournés dans leur compartiment[§]. Et, puisqu'ils y étaient pour sûr à Barentin, il serait nécessaire d'admettre un va-et-vient de leur wagon à celui du président[§], dont les séparaient trois autres voitures, cela pendant les quelques minutes du trajet, lorsque le train était lancé à toute vitesse. Est-ce vraisemblable ? J'ai questionné des mécaniciens[§], des conducteurs. Tous m'ont dit qu'une grande habitude seule pouvait donner assez de sang-froid et d'énergie… La femme n'en aurait pas été en tout cas, le mari se serait risqué sans elle ; et pour quoi faire, pour tuer un protecteur qui venait de les tirer d'un embarras grave ? Non, non, décidément ! L'hypothèse ne tient pas debout, il faut chercher ailleurs… Ah ! un homme qui serait monté à Rouen et descendu à la première station, qui aurait récemment prononcé des menaces de mort contre la victime… »

Dans sa passion, il arrivait à son système nouveau, il allait trop en dire, lorsque la porte, en s'entrouvrant, laissa passer la tête de l'huissier. Mais, avant que celui-ci eût prononcé un mot, une main gantée acheva d'ouvrir la porte toute grande ; et une dame blonde entra, vêtue d'un deuil très élégant, encore belle à cinquante ans passés, d'une beauté opulente et forte de déesse vieillie.

« C'est moi, mon cher juge. Je suis en retard, et vous m'excuserez n'est-ce pas ? Les chemins sont impraticables, les trois lieues[§] de Doinville à Rouen en faisaient bien six aujourd'hui. »

Galamment, M. Denizet s'était levé.

« Votre santé est bonne, Madame, depuis dimanche dernier ?

— Très bonne… Et vous, mon cher juge, vous êtes-vous remis de la peur que mon cocher vous a faite ? Ce garçon m'a raconté qu'il avait failli verser en vous ramenant, à deux kilomètres à peine du château.

— Oh ! une simple secousse, je ne m'en souvenais déjà plus… Asseyez-vous donc, et comme je le disais tout à l'heure à madame de Lachesnaye, pardonnez-moi de réveiller votre douleur, avec cette épouvantable affaire.

— Mon Dieu ! puisqu'il le faut… Bonjour, Berthe ! bonjour, Lachesnaye ! »

C'était madame Bonnehon, la sœur de la victime. Elle avait embrassé sa nièce et serré la main du mari. Veuve, depuis l'âge de trente ans, d'un manufacturier qui lui avait apporté une grosse fortune, déjà fort riche par elle-même, ayant eu dans le partage avec son frère le domaine de Doinville, elle avait mené une existence aimable, toute pleine, disait-on, de coups de cœur, mais si correcte et si franche d'apparence, qu'elle était restée l'arbitre de la société rouennaise. Par occasion et par goût, elle avait aimé dans la magistrature, recevant au château, depuis vingt-cinq ans, le monde judiciaire, tout ce monde du palais que ses voitures amenaient de Rouen et y ramenaient, dans une continuelle fête. Aujourd'hui, elle n'était point calmée encore, on lui prêtait une tendresse maternelle pour un jeune substitut[§], le fils d'un conseiller[§] à la cour, M. Chaumette : elle travaillait à l'avancement du fils, elle comblait le père d'invitations et de prévenances. Et elle avait gardé aussi un bon ami des temps anciens, un conseiller également, un célibataire, M. Desbazeilles, la gloire littéraire de la cour de Rouen, dont on citait des sonnets finement tournés. Pendant des années, il avait eu sa chambre à Doinville. Maintenant, bien qu'il eût dépassé la soixantaine, il y venait dîner[§] toujours, en vieux camarade, auquel ses rhumatismes ne permettaient plus que le souvenir. Elle conservait ainsi sa royauté par sa bonne grâce, malgré la vieillesse menaçante, et personne ne songeait à la lui disputer, elle n'avait senti une rivale que pendant le dernier hiver, chez madame Leboucq, la femme d'un conseiller encore, une grande brune de trente-quatre ans, vraiment très bien, où la magistrature commençait à aller beaucoup. Cela, dans son enjouement habituel, lui donnait une pointe de mélancolie.

«Alors, Madame, si vous le permettez, reprit M. Denizet, je vais vous poser quelques questions.»

L'interrogatoire des Lachesnaye était terminé, mais il ne les congédiait pas : son cabinet[§] si morne, si froid, tournait au salon mondain. Le greffier[§], flegmatique, se prépara de nouveau à écrire.

«Un témoin a parlé d'une dépêche[§] que votre frère aurait reçue, l'appelant tout de suite à Doinville… Nous n'avons pas trouvé trace de cette dépêche. Lui auriez-vous écrit, vous, Madame ?»

Madame Bonnehon, très à l'aise, souriante, se mit à répondre sur le ton d'une amicale causerie.

«Je n'ai pas écrit à mon frère, je l'attendais, je savais qu'il devait venir, mais sans qu'une date fût fixée. D'habitude, il tombait de la sorte, et presque toujours par un train de nuit. Comme il habitait un pavillon isolé dans le parc, ouvrant sur une ruelle déserte, nous ne l'entendions même pas arriver. Il louait à Barentin une voiture, il ne se montrait que le lendemain, fort tard parfois dans la journée, ainsi qu'un voisin en visite, installé chez lui depuis longtemps… Si, cette fois-là, je l'attendais, c'était qu'il devait m'apporter une somme de dix mille francs[§], un règlement de compte entre nous. Il avait certainement les dix mille francs sur lui. C'est pourquoi j'ai toujours cru qu'on l'avait tué pour le voler, simplement.»

Le juge laissa régner un court silence ; puis, la regardant en face :

«Qu'est-ce que vous pensez de madame Roubaud et de son mari ?»

Elle eut un vif mouvement de protestation.

«Ah ! non, mon cher monsieur Denizet, vous n'allez pas encore vous égarer sur le compte de ces braves gens… Séverine était une bonne petite fille, très douce, très docile même, et délicieuse avec ça, ce qui ne gâte rien. Je pense, puisque vous tenez à ce que je le répète, qu'elle et son mari sont incapables d'une mauvaise action.»

Il l'approuvait de la tête, il triomphait, en jetant un coup d'œil vers madame de Lachesnaye. Celle-ci, piquée, se permit d'intervenir.

«Ma tante, je vous trouve bien facile.»

Alors, madame Bonnehon se soulagea, avec son franc-parler ordinaire.

«Laisse donc, Berthe, nous ne nous entendrons jamais là-dessus… Elle était gaie, elle aimait à rire, et elle avait bien raison… Je sais parfaitement ce que ton mari et toi vous pensez. Mais, en vérité, il faut que l'intérêt vous trouble la tête, pour que vous vous étonniez si fort de ce legs de la Croix-de-Maufras, fait par ton père à la bonne Séverine… Il l'avait élevée, il l'avait dotée, il était tout naturel qu'il la mît sur son testament. Ne la considérait-il pas un peu comme sa fille, voyons !… Ah ! ma chère, l'argent compte pour si peu de chose dans le bonheur !»

Elle, en effet, ayant toujours été très riche, se montrait d'un désintéressement absolu. Même, par un raffinement de belle femme adorée, elle affectait de mettre l'unique raison de vivre dans la beauté et dans l'amour.

«C'est Roubaud qui a parlé de la dépêche[§], fit remarquer sèchement M. de Lachesnaye. S'il n'y a pas eu de dépêche, le président[§] n'a pas pu lui dire qu'il en avait reçu une. Pourquoi Roubaud a-t-il menti ?

— Mais, s'écria M. Denizet, se passionnant, le président peut très bien avoir inventé cette dépêche, pour expliquer son départ subit aux Roubaud. Selon leur propre témoignage, il ne devait partir que le lendemain ; et, comme il se trouvait dans le même train qu'eux, il avait besoin d'une raison quelconque, s'il ne voulait pas leur apprendre la raison vraie, que nous ignorons tous, d'ailleurs… Cela n'a pas d'importance, cela ne mène à rien.»

Un nouveau silence se fit. Quand le juge continua, il était très calme, il se montra plein de précautions.

«À présent, Madame, j'aborde un sujet particulièrement délicat, et je vous prie d'excuser la nature de mes questions. Personne plus que moi ne respecte la mémoire de votre frère…

Des bruits couraient, n'est-ce pas ? On lui donnait des maîtresses.»

Madame Bonnehon s'était remise à sourire, avec son infinie tolérance.

«Oh ! cher Monsieur, à son âge !... Mon frère a été veuf de bonne heure, je ne me suis jamais cru le droit de trouver mauvais ce que lui-même trouvait bon. Il a donc vécu à sa guise, sans que je me mêle en rien de son existence. Ce que je sais, c'est qu'il gardait son rang, et qu'il est resté jusqu'au bout un homme du meilleur monde.»

Berthe, suffoquée que, devant elle, on parlât des maîtresses de son père, avait baissé les yeux; pendant que son mari, aussi gêné qu'elle, était allé se planter devant la fenêtre, tournant le dos.

«Pardonnez-moi, si j'insiste, dit M. Denizet. N'y a-t-il pas eu une histoire, avec une jeune femme de chambre, chez vous ?

— Ah ! oui, Louisette... Mais, cher Monsieur, c'était une petite vicieuse qui, à quatorze ans, avait des rapports avec un repris de justice. On a voulu exploiter sa mort contre mon frère. C'est une indignité, je vais vous raconter ça.»

Sans doute elle était de bonne foi. Bien qu'elle sût à quoi s'en tenir sur les mœurs du président[§], et que sa mort tragique ne l'eût pas surprise, elle sentait le besoin de défendre la haute situation de la famille. D'ailleurs, dans cette malheureuse histoire de Louisette, si elle le croyait très capable d'avoir voulu la petite, elle était convaincue également de la débauche précoce de celle-ci.

«Imaginez-vous une gamine, oh ! si petite, si délicate, blonde et rose comme un petit ange, et douce avec ça, d'une douceur de sainte nitouche à lui donner le bon Dieu sans confession... Eh bien ! elle n'avait que quatorze ans qu'elle était la bonne amie d'une sorte de brute, un carrier[§] du nom de Cabuche, qui venait de faire cinq ans de prison, pour avoir tué un homme dans un cabaret. Ce garçon vivait à l'état sauvage, sur la lisière de la forêt de Bécourt, où son père, mort de chagrin, lui avait laissé une masure faite de troncs d'arbres et de terre. Il s'entêtait à y exploiter un coin des carrières abandonnées, qui autrefois, je crois bien, ont fourni la moitié des pierres dont Rouen est bâti. Et c'était au fond de ce terrier que la petite allait retrouver son loup-garou, dont tout le pays avait une si grosse peur, qu'il vivait absolument seul, comme un pestiféré. Souvent, on les rencontrait ensemble, rôdant dans les bois, se tenant par la main, elle si mignonne, lui énorme et bestial. Enfin, une débauche à ne pas croire… Naturellement, je n'ai connu ces choses que plus tard. J'avais pris Louisette chez moi presque par charité, pour faire une bonne œuvre. Sa famille, ces Misard, que je savais pauvres, s'étaient bien gardés de me dire qu'ils avaient roué de coups l'enfant, sans pouvoir l'empêcher de courir chez son Cabuche, dès qu'une porte restait ouverte… Et c'est alors que l'accident est arrivé. Mon frère, à Doinville, n'avait pas de serviteurs à lui. Louisette et une autre femme faisaient le ménage du pavillon écarté qu'il occupait. Un matin qu'elle s'y était rendue seule, elle disparut. Pour moi, elle préméditait sa fuite depuis longtemps, peut-être son amant l'attendait-il et l'avait-il emmenée… Mais l'épouvantable, ce fut que, cinq jours après, le bruit de la mort de Louisette courait, avec des détails sur un viol, tenté par mon frère, dans des circonstances si monstrueuses, que l'enfant, affolée, était allée chez Cabuche, disait-on, mourir d'une fièvre cérébrale. Que s'était-il passé ? Tant de versions ont circulé, qu'il est difficile de le dire. Je crois pour ma part que Louisette, morte réellement d'une mauvaise fièvre, car un médecin l'a constaté, a succombé à quelque imprudence, des nuits à la belle étoile, des vagabondages dans les marais… N'est-ce pas ? mon cher Monsieur, vous ne voyez pas mon frère supplicier cette gamine. C'est odieux, c'est impossible. »

Pendant ce récit, M. Denizet avait écouté attentivement, sans approuver ni désapprouver. Et madame Bonnehon eut un léger embarras à finir ; puis, se décidant :

« Mon Dieu ! je ne dis point que mon frère n'ait pas voulu plaisanter avec elle. Il aimait la jeunesse, il était très gai, sous son apparence rigide. Enfin, mettons qu'il l'ait embrassée. »

Sur ce mot, il y eut une révolte pudique des Lachesnaye.

« Oh ! ma tante, ma tante ! »

Mais elle haussa les épaules : pourquoi mentir à la justice ?

« Il l'a embrassée, chatouillée peut-être. Il n'y a pas de crime là-dedans… Et ce qui me fait admettre cela, c'est que l'invention ne vient pas du carrier[§]. Louisette doit être la menteuse, la vicieuse qui a grossi les choses pour se faire peut-être garder par son amant, de façon que celui-ci, une brute, je vous l'ai dit, a fini de bonne foi par s'imaginer qu'on lui avait tué sa maîtresse… Il était réellement fou de rage, il répétait dans tous les cabarets que, si le président[§] lui tombait sous les mains, il le saignerait comme un cochon… »

Le juge, silencieux jusque-là, l'interrompit vivement.

« Il a dit cela, des témoins pourront-ils l'affirmer ?

— Oh ! cher Monsieur, vous en trouverez tant que vous voudrez… Enfin, une bien triste affaire, nous avons eu beaucoup d'ennuis. Heureusement que la situation de mon frère le mettait au-dessus de tout soupçon. »

Mme Bonnehon venait de comprendre quelle piste nouvelle suivait M. Denizet ; et elle en était assez inquiète, elle préféra ne pas s'engager davantage, en le questionnant à son tour. Il s'était levé, il dit qu'il ne voulait pas abuser plus longtemps de la douloureuse complaisance de la famille. Sur son ordre, le greffier[§] lut les interrogatoires, avant de les faire signer aux témoins. Ils étaient d'une correction parfaite, ces interrogatoires, si bien épluchés des mots inutiles et compromettants, que Mme Bonnehon, la plume à la main, eut un coup d'œil de surprise bienveillante sur ce Laurent, blême, osseux, qu'elle n'avait pas regardé encore.

Puis, comme le juge l'accompagnait, ainsi que son neveu et sa nièce, jusqu'à la porte, elle lui serra les mains.

« À bientôt, n'est-ce pas ? Vous savez qu'on vous attend toujours à Doinville… Et merci, vous êtes un de mes derniers fidèles. »

Son sourire s'était voilé de mélancolie, tandis que sa nièce, sèche, sortie la première, n'avait eu qu'une légère salutation.

Quand il fut seul, M. Denizet respira une minute. Il s'était arrêté, debout, réfléchissant. Pour lui, l'affaire devenait claire, il y avait eu certainement violence de la part de Grandmorin, dont la réputation était connue. Cela rendait l'instruction[§] délicate, il se promettait de redoubler de prudence, jusqu'à ce que les avis qu'il attendait du ministère fussent arrivés. Mais il n'en triomphait pas moins. Enfin, il tenait le coupable.

Lorsqu'il eut repris sa place, devant le bureau, il sonna l'huissier.

«Faites entrer le sieur Jacques Lantier.»

Sur la banquette du couloir, les Roubaud attendaient toujours, avec leurs visages fermés, comme ensommeillés de patience, qu'un tic nerveux, parfois, remuait. Et la voix de l'huissier, appelant Jacques, sembla les réveiller, dans un léger tressaillement. Ils le suivirent de leurs yeux élargis, ils le regardèrent disparaître chez le juge. Puis, ils retombèrent à leur attente, pâlis encore, silencieux.

Toute cette affaire, depuis trois semaines, hantait Jacques d'un malaise, comme si elle avait pu finir par tourner contre lui. Cela était déraisonnable, car il n'avait rien à se reprocher, pas même d'avoir gardé le silence ; et, pourtant, il n'entrait chez le juge qu'avec le petit frisson du coupable, qui craint de voir son crime découvert ; et il se défendait contre les questions, il se surveillait, de peur d'en trop dire. Lui aussi aurait pu tuer : cela ne se lisait-il pas dans ses yeux ? Rien ne lui était plus désagréable que ces citations[§] en justice, il en éprouvait une sorte de colère, ayant hâte, disait-il, qu'on ne le tourmentât plus, avec des histoires qui ne le regardaient pas.

D'ailleurs, ce jour-là, M. Denizet n'insista que sur le signalement de l'assassin. Jacques, étant l'unique témoin qui eût entrevu ce dernier, pouvait seul donner des renseignements précis. Mais il ne sortait pas de sa première déposition, il répétait que la scène du meurtre était restée pour lui la vision d'une seconde à peine, une image si rapide, qu'elle demeurait comme sans forme, abstraite, dans son souvenir. Ce n'était qu'un homme en égorgeant un autre, et rien de plus. Pendant une demi-heure, le juge, avec une obstination lente, le harcela, lui posa la même question sous tous les sens imaginables : était-il grand, était-il petit ? avait-il de la barbe, avait-il des cheveux longs ou courts ? quelle sorte de vêtements portait-il ? à quelle classe paraissait-il appartenir ? Et Jacques, troublé, ne faisait toujours que des réponses vagues.

« Enfin, demanda brusquement M. Denizet en le regardant dans les yeux, si on vous le montrait, le reconnaîtriez-vous ? »

Il eut un léger battement de paupières, envahi d'une angoisse sous ce regard qui fouillait son crâne. Sa conscience s'interrogea tout haut.

« Le reconnaître… oui… peut-être. »

Mais déjà son étrange peur d'une complicité inconsciente le rejetait dans son système évasif.

« Non, pourtant, je ne pense pas, jamais je n'oserais affirmer. Songez donc ! Une vitesse de quatre-vingts kilomètres à l'heure ! »

D'un geste de découragement, le juge allait le faire passer dans la pièce voisine, pour le garder à sa disposition, lorsqu'il se ravisa.

« Restez, asseyez-vous. »

Et, sonnant de nouveau l'huissier :

« Introduisez monsieur et madame Roubaud. »

Dès la porte, en apercevant Jacques, leurs yeux se ternirent d'un vacillement d'inquiétude. Avait-il parlé ? le gardait-on pour le confronter avec eux ? Toute leur assurance s'en allait, de le sentir là ; et ce fut la voix un peu sourde qu'ils répondirent d'abord. Mais le juge avait simplement repris leur premier interrogatoire, ils n'eurent qu'à répéter les mêmes phrases, presque identiques, pendant qu'il les écoutait, la tête basse, sans même les regarder.

Puis, tout d'un coup, il se tourna vers Séverine.

« Madame, vous avez dit au commissaire de surveillance[§], dont j'ai là le procès-verbal[§], que, pour vous, un homme était monté à Rouen, dans le coupé[§], comme le train se mettait en marche. »

Elle resta saisie. Pourquoi rappelait-il cela ? était-ce un piège ? allait-il, en rapprochant ses déclarations, la faire se démentir elle-même ? Aussi, d'un coup d'œil, consulta-t-elle son mari, qui intervint prudemment.

« Je ne crois pas, Monsieur, que ma femme se soit montrée si affirmative.

— Pardon… Comme vous émettiez la possibilité du fait, Madame a dit : “C’est certainement ce qui est arrivé”… Eh bien, Madame, je désire savoir si vous aviez des motifs particuliers pour parler ainsi. »

Elle acheva de se troubler, convaincue que, si elle ne se méfiait pas, il allait, de réponse en réponse, la mener à des aveux. Pourtant, elle ne pouvait garder le silence.

« Oh ! non, Monsieur, aucun motif… J’ai dû dire ça à titre de simple raisonnement, parce qu’en effet il est difficile de s’expliquer les choses d’une autre façon.

— Alors, vous n’avez pas vu l’homme, vous ne pouvez rien nous apprendre sur lui ?

— Non, non, Monsieur, rien ! »

M. Denizet sembla abandonner ce point de l’instruction[§]. Mais il y revint tout de suite avec Roubaud.

« Et vous, comment se fait-il que vous n’ayez pas vu l’homme, s’il est réellement monté, car il résulte de votre déposition même que vous causiez encore avec la victime, lorsqu’on a sifflé le départ ? »

Cette insistance finissait par terrifier le sous-chef de gare, dans l’anxiété où il était de savoir quel parti il devait prendre, lâcher l’invention de l’homme, ou s’y entêter. Si l’on avait des preuves contre lui, l’hypothèse de l’assassin inconnu n’était guère soutenable et pouvait même aggraver son cas. Il attendait de comprendre, il répondit par des explications confuses, longuement.

« Il est vraiment fâcheux, reprit M. Denizet, que vos souvenirs soient restés si peu clairs, car vous nous aideriez à mettre fin aux soupçons qui se sont égarés sur diverses personnes. »

Cela parut si direct à Roubaud, qu’il éprouva un irrésistible besoin de s’innocenter. Il se vit découvert, son parti fut pris tout de suite.

« Il y a là un tel cas de conscience ! On hésite, vous comprenez, rien n’est plus naturel. Quand je vous avouerais que je crois bien l’avoir vu, l’homme… »

Le juge eut un geste de triomphe, croyant devoir ce commencement de franchise à son habileté. Il disait connaître par expérience l'étrange peine que certains témoins ont à confesser ce qu'ils savent ; et, ceux-là, il se flattait de les accoucher malgré eux.

« Parlez donc… Comment est-il ? petit, grand, de votre taille à peu près ?

— Oh ! non, non, beaucoup plus grand… Du moins, j'en ai eu la sensation, car c'est une simple sensation, un individu que je suis presque sûr d'avoir frôlé, en courant pour retourner à mon wagon.

— Attendez », dit M. Denizet.

Et, se tournant vers Jacques, il lui demanda :

« L'homme que vous avez entrevu, le couteau au poing, était-il plus grand que monsieur Roubaud ? »

Le mécanicien[§] qui s'impatientait, car il commençait à craindre de ne pouvoir prendre le train de cinq heures, leva les yeux, examina Roubaud ; et il semblait ne jamais l'avoir regardé, il s'étonnait de le trouver court, puissant, avec un profil singulier, vu ailleurs, rêvé peut-être.

« Non, murmura-t-il, pas plus grand, à peu près de la même taille. »

Mais le sous-chef de gare protestait avec vivacité.

« Oh ! beaucoup plus grand, de toute la tête au moins. »

Jacques restait les yeux largement ouverts sur lui ; et, sous ce regard, où il lisait une surprise croissante, il s'agitait, comme pour échapper à sa propre ressemblance ; tandis que sa femme, elle aussi, suivait, glacée, le travail sourd de mémoire, exprimé par le visage du jeune homme. Clairement, celui-ci s'était étonné d'abord de certaines analogies entre Roubaud et l'assassin ; ensuite, il venait d'avoir la certitude brusque que Roubaud était l'assassin, ainsi que le bruit en avait couru ; puis, maintenant, il semblait tout à l'émotion de cette découverte, la face béante, sans qu'il fût possible de savoir ce qu'il allait faire, sans qu'il le sût lui-même. S'il parlait, le ménage était perdu. Les yeux de Roubaud avaient rencontré les siens, tous deux se regardaient jusqu'à l'âme. Il y eut un silence.

« Alors, vous n'êtes pas d'accord, reprit M. Denizet. Si vous l'avez vu plus petit, vous, c'est sans doute qu'il était courbé, dans la lutte avec sa victime. »

Lui aussi regardait les deux hommes. Il n'avait pas songé à utiliser ainsi cette confrontation ; mais, par instinct de métier, il sentit, à cette minute, que la vérité passait dans l'air. Sa confiance en la piste Cabuche en fut même ébranlée. Est-ce que les Lachesnaye auraient eu raison ? Est-ce que les coupables, contre toute vraisemblance, seraient cet employé honnête et sa jeune femme, si douce ?

« L'homme avait-il sa barbe entière, comme vous ? » demanda-t-il à Roubaud.

Ce dernier eut la force de répondre, sans que sa voix tremblât :

« Sa barbe entière, non, non ! Pas de barbe du tout, je crois. »

Jacques comprit que la même question allait lui être posée. Que dirait-il ? car, il aurait bien juré, lui, que l'homme portait toute sa barbe. En somme, ces gens ne l'intéressaient point, pourquoi ne pas dire la vérité ? Mais, comme il détournait ses yeux du mari, il rencontra le regard de la femme ; et il lut, dans ce regard, une supplication si ardente, un don si entier de toute la personne, qu'il en fut bouleversé. Son frisson ancien le reprenait : l'aimait-il donc, était-ce donc celle-là qu'il pourrait aimer, comme on aime d'amour, sans un monstrueux désir de destruction ? Et, à ce moment, par un singulier contrecoup de son trouble, il lui sembla que sa mémoire s'obscurcissait, il ne retrouvait plus l'assassin dans Roubaud. La vision redevenait vague, un doute le prenait, à ce point qu'il se serait mortellement repenti d'avoir parlé.

M. Denizet posait la question :

« L'homme avait-il sa barbe entière, comme monsieur Roubaud ? »

Et il répondit de bonne foi :

« Monsieur, en vérité, je ne puis pas dire. Encore un coup, cela a été trop rapide. Je ne sais rien, je ne veux rien affirmer. »

Mais M. Denizet s'entêta, car il désirait en finir avec le soupçon sur le sous-chef. Il poussa celui-ci, il poussa le mécanicien[§], arriva à obtenir du premier un signalement complet de l'assassin, grand, fort, sans barbe, vêtu d'une blouse[§], en tout le contraire de son propre signalement ; tandis qu'il ne tirait plus du second que des monosyllabes évasifs, qui donnaient de la force aux affirmations de l'autre. Et le juge en revenait à sa conviction première : il était sur la bonne piste, le portrait que le témoin faisait de l'assassin se trouvait être si exact, que chaque trait nouveau ajoutait à la certitude. C'était ce ménage, soupçonné injustement, qui, par sa déposition accablante, ferait tomber la tête du coupable.

« Entrez là, dit-il aux Roubaud et à Jacques, en les faisant passer dans la pièce voisine, quand ils eurent signé leurs interrogatoires. Attendez que je vous appelle. »

Immédiatement, il donna l'ordre qu'on amenât le prisonnier ; et il était si heureux, qu'il poussa, avec son greffier[§], la belle humeur jusqu'à dire :

« Laurent, nous le tenons. »

Mais la porte s'était ouverte, deux gendarmes[1] avaient paru, conduisant un grand garçon de vingt-cinq à trente ans. Ils se retirèrent sur un signe du juge, et Cabuche resta seul au milieu du cabinet[§], ahuri, avec un hérissement fauve de bête traquée. C'était un gaillard, au cou puissant, aux poings énormes, blond, très blanc de peau, la barbe rare, à peine un duvet doré qui frisait, soyeux. La face massive, le front bas disaient la violence de l'être borné, tout à la sensation immédiate ; mais il y avait comme un besoin de soumission tendre, dans la bouche large et dans le nez carré de bon chien. Saisi brutalement au fond de son trou, de grand matin, arraché à sa forêt, exaspéré des accusations qu'il ne comprenait pas, il avait déjà, avec son effarement et sa blouse déchirée, l'air louche du prévenu[§], cet air de bandit sournois que la prison donne au plus honnête homme. La nuit tombait, la pièce était noire, et il se renfonçait dans l'ombre, lorsque l'huissier apporta une grosse lampe, au globe nu, dont la vive lumière éclaira le visage. Alors, découvert, il demeura immobile.

1 *gendarmes* : militaires chargés du maintien de l'ordre et de la sûreté publique, ainsi que de l'exécution des arrêts judiciaires.

Tout de suite, M. Denizet avait fixé sur lui ses gros yeux clairs, aux paupières lourdes. Et il ne parlait pas, c'était l'engagement muet, l'essai premier de sa puissance, avant la guerre de sauvage, guerre de ruses, de pièges, de tortures morales. Cet homme était le coupable, tout devenait licite contre lui, il n'avait plus que le droit d'avouer son crime.

L'interrogatoire commença, très lent.

« Savez-vous de quel crime vous êtes accusé ? »

Cabuche, la voix empâtée de colère impuissante, grogna :

« On ne me l'a pas dit, mais je m'en doute bien. On en a assez causé !

— Vous connaissiez monsieur Grandmorin ?

— Oui, oui, je le connaissais, trop !

— Une fille Louisette, votre maîtresse, est entrée, comme femme de chambre, chez madame Bonnehon. »

Un sursaut de rage emporta le carrier[§]. Dans la colère, il voyait rouge.

« Nom de Dieu ! ceux qui disent ça sont de sacrés menteurs. Louisette n'était pas ma maîtresse. »

Curieusement, le juge l'avait regardé se fâcher. Et, faisant faire un crochet à l'interrogatoire :

« Vous êtes très violent, vous avez été condamné à cinq ans de prison pour avoir tué un homme, dans une querelle. »

Cabuche baissa la tête. C'était sa honte, cette condamnation. Il murmura :

« Il avait tapé le premier… Je n'ai fait que quatre ans, on m'a gracié d'un an.

— Alors, reprit M. Denizet, vous prétendez que la fille Louisette n'était pas votre maîtresse ? »

De nouveau, il serra les poings. Puis, d'une voix basse, entrecoupée :

« Comprenez donc, elle était gamine, pas quatorze ans encore, quand je suis revenu de là-bas… Alors, tout le monde me fuyait, on m'aurait jeté des pierres. Et elle, dans la forêt, où je la rencontrais toujours, elle s'approchait, elle causait, elle était gentille, oh ! gentille… Nous sommes donc devenus amis comme ça. Nous nous tenions par la main, en nous promenant.

*[…] il avait déjà, avec son effarement et sa blouse déchirée, l'air louche du prévenu […].*

Lignes 3969 et 3970.

Œuvres complètes illustrées d'Émile Zola (1906).

C'était si bon, si bon, dans ce temps-là !… Bien sûr qu'elle grandissait et que je songeais à elle. Je ne peux pas dire le contraire, j'étais comme un fou, tant je l'aimais. Elle m'aimait très fort aussi, et ça aurait fini par arriver, ce que vous dites, quand on l'a séparée de moi, en la mettant à Doinville, chez cette dame… Puis, un soir, en rentrant de la carrière, je l'ai trouvée devant ma porte, à moitié folle, si abîmée, qu'elle brûlait de fièvre. Elle n'avait pas osé rentrer chez ses parents, elle venait mourir chez moi… Ah ! nom de Dieu, le cochon ! j'aurais dû courir le saigner tout de suite ! »

Le juge pinçait ses lèvres fines, étonné de l'accent sincère de cet homme. Décidément, il fallait jouer serré, il avait affaire à plus forte partie qu'il n'avait cru.

« Oui, je sais l'histoire épouvantable que vous et cette fille avez inventée. Remarquez seulement que toute la vie de monsieur Grandmorin le mettait au-dessus de vos accusations. »

Éperdu, les yeux ronds, les mains tremblantes, le carrier[§] bégayait :

« Quoi ? qu'est-ce que nous avons inventé ?… C'est les autres qui mentent, et c'est nous qu'on accuse de menteries !

— Mais oui, ne faites pas l'innocent… J'ai déjà interrogé Misard, l'homme qui a épousé la mère de votre maîtresse. Je le confronterai avec vous, s'il est nécessaire. Vous verrez ce qu'il pense de votre histoire, lui… Et prenez bien garde à vos réponses. Nous avons des témoins, nous savons tout, vous feriez mieux de dire la vérité. »

C'était son ordinaire tactique d'intimidation, même lorsqu'il ne savait rien et qu'il n'avait pas de témoins.

« Ainsi nierez-vous que, publiquement, vous avez crié partout que vous saigneriez monsieur Grandmorin ?

— Ah ! ça, oui, je l'ai dit. Et je le disais de bon cœur, allez ! car la main me démangeait bougrement ! »

Une surprise arrêta net M. Denizet, qui s'attendait à un système de complète dénégation. Comment ! le prévenu[§] avouait ses menaces. Quelle ruse cela cachait-il ? Craignant d'être allé trop vite en besogne, il se recueillit un instant, puis le dévisagea, en lui posant cette question brusque :

« Qu'avez-vous fait pendant la nuit du 14 au 15 février ?

— Je me suis couché à la nuit, vers six heures… J'étais un peu souffrant, et mon cousin Louis m'a même rendu le service de conduire une charge de pierres à Doinville.

— Oui, on a vu votre cousin, avec la voiture, traverser la voie, au passage à niveau. Mais votre cousin, interrogé, n'a pu répondre qu'une chose : c'est que vous l'avez quitté vers midi et qu'il ne vous a plus revu… Prouvez-moi que vous étiez couché à six heures.

— Voyons, c'est bête, je ne peux pas prouver ça. J'habite une maison toute seule, à la lisière de la forêt… J'y étais, je le dis, et c'est tout. »

Alors, M. Denizet se décida à frapper le grand coup de l'affirmation qui s'impose. Sa face s'immobilisait dans une tension de volonté, tandis que sa bouche jouait la scène.

« Je vais vous le dire, moi, ce que vous avez fait, le 14 février au soir… À trois heures, vous avez pris, à Barentin, le train pour Rouen, dans un but que l'instruction[§] n'a pu encore établir. Vous deviez revenir par le train de Paris qui s'arrête à Rouen à neuf heures trois ; et vous étiez sur le quai, au milieu de la foule, lorsque vous avez aperçu monsieur Grandmorin, dans son coupé[§]. Remarquez que j'admets très bien qu'il n'y a pas eu guet-apens, que l'idée du crime vous est venue seulement alors… Vous êtes monté grâce à la bousculade, vous avez attendu d'être sous le tunnel de Malaunay ; mais vous avez mal calculé le temps, car le train sortait du tunnel, lorsque vous avez fait le coup… Et vous avez jeté le cadavre, et vous êtes descendu à Barentin, après vous être débarrassé aussi de la couverture de voyage… Voilà ce que vous avez fait. »

Il épiait les moindres ondes sur la face rose de Cabuche, et il s'irrita lorsque celui-ci, très attentif d'abord, finit par éclater d'un bon rire.

« Qu'est-ce que vous racontez là ?… Si j'avais fait le coup, je le dirais. »

Puis, tranquillement :

« Je ne l'ai pas fait, mais j'aurais dû le faire. Nom de Dieu ! oui, je le regrette. »

Et M. Denizet ne put en tirer autre chose. Vainement, il reprit ses questions, revint dix fois sur les mêmes points, par des tactiques différentes. Non ! toujours non ! ce n'était pas lui. Il haussait les épaules, trouvait ça bête. En l'arrêtant, on avait fouillé la masure, sans découvrir ni l'arme, ni les dix billets de banque, ni la montre ; mais on avait saisi un pantalon taché de quelques gouttelettes de sang, preuve accablante. De nouveau, il s'était mis à rire : encore une belle histoire, un lapin, pris au collet, qui lui avait saigné sur les jambes ! Et, dans son idée fixe du crime, c'était le juge qui perdait pied, par trop de finesse professionnelle, compliquant, allant au-delà de la vérité simple. Cet homme borné, incapable de lutter de ruse, d'une force invincible quand il disait non, toujours non, le jetait peu à peu hors de lui ; car il ne l'admettait que coupable, chaque dénégation nouvelle l'outrait davantage, comme un entêtement dans la sauvagerie et le mensonge. Il le forcerait bien à se couper[1].

« Alors, vous niez ?

— Bien sûr, puisque ce n'est pas moi… Si c'était moi, ah ! j'en serais trop fier, je le dirais. »

D'un brusque mouvement, M. Denizet se leva, alla lui-même ouvrir la porte de la petite pièce voisine. Et, lorsqu'il eut rappelé Jacques :

« Reconnaissez-vous cet homme ?

— Je le connais, répondit le mécanicien[§] surpris. Je l'ai vu autrefois, chez les Misard.

— Non, non… Le reconnaissez-vous pour l'homme du wagon, l'assassin ? »

Du coup, Jacques redevint circonspect. D'ailleurs, il ne le reconnaissait pas. L'autre lui avait semblé plus court, plus noir. Il allait le déclarer, lorsqu'il trouva que c'était trop s'avancer. Et il resta évasif.

« Je ne sais pas, je ne peux pas dire… Je vous assure, Monsieur, que je ne peux pas dire. »

M. Denizet, sans attendre, appela les Roubaud à leur tour. Et il leur posa la question :

1 *se couper* : se trahir, se contredire.

« Reconnaissez-vous cet homme ? »

Cabuche souriait toujours. Il ne s'étonna pas, il adressa un petit signe de tête à Séverine, qu'il avait connue jeune fille, quand elle habitait la Croix-de-Maufras. Mais elle et son mari venaient d'avoir un saisissement, en le voyant là. Ils comprenaient : c'était l'homme arrêté dont leur avait parlé Jacques, le prévenu[§] qui avait motivé leur nouvel interrogatoire. Et Roubaud était stupéfié, effrayé de la ressemblance de ce garçon avec l'assassin imaginaire, dont il avait inventé le signalement, le contraire du sien. Cela se trouvait être purement fortuit, il en restait si troublé, qu'il hésitait à répondre.

« Voyons, le reconnaissez-vous ?

— Mon Dieu ! monsieur le juge, je vous le répète, ç'a été une sensation simplement, un individu qui m'a frôlé… Sans doute, celui-ci est grand comme l'autre, et il est blond, et il n'a pas de barbe…

— Enfin, le reconnaissez-vous ? »

Le sous-chef, oppressé, était tout tremblant d'une sourde lutte intérieure. L'instinct de la conservation l'emporta.

« Je ne peux pas affirmer. Mais il y a de ça, beaucoup de ça, pour sûr. »

Cette fois, Cabuche commença à jurer. À la fin, on l'embêtait, avec ces histoires. Puisque ce n'était pas lui, il voulait partir. Et, sous le flot de sang qui lui montait au crâne, il tapa des poings, il devint si terrible, que les gendarmes[§], rappelés, l'emmenèrent. Mais, en face de cette violence, de ce saut de la bête attaquée qui se jette en avant, M. Denizet triomphait. Maintenant, sa conviction était faite, et il le laissa voir.

« Avez-vous remarqué ses yeux ? Moi, c'est aux yeux que je les reconnais… Ah ! son compte est bon, il est à nous ! »

Les Roubaud, immobiles, se regardèrent. Alors, quoi ? c'était fini, ils étaient sauvés, puisque la justice tenait le coupable. Ils restaient un peu étourdis, la conscience douloureuse, du rôle que les faits venaient de les forcer à jouer. Mais une joie les inondait, emportait leurs scrupules, et ils souriaient à Jacques, ils attendaient, allégés, ayant soif de grand air, que le juge les congédiât tous les trois, lorsque l'huissier apporta une lettre à ce dernier.

Vivement, M. Denizet s'était remis à son bureau, pour la lire avec attention, oubliant les trois témoins. C'était la lettre du ministère, les avis qu'il aurait dû avoir la patience d'attendre, avant de pousser de nouveau l'instruction[§]. Et ce qu'il lisait devait rabattre de son triomphe, car son visage peu à peu se glaçait, reprenait sa morne immobilité. À un moment, il leva la tête, jeta un coup d'œil oblique sur les Roubaud, comme si leur souvenir lui fût revenu, à une des phrases. Ceux-ci, perdant leur courte joie, retombés à leur malaise, se sentaient repris. Pourquoi donc les avait-il regardés ? Avait-on, à Paris, retrouvé les trois lignes d'écriture, ce billet maladroit dont la peur les hantait ? Séverine connaissait bien M. Camy-Lamotte, pour l'avoir vu souvent chez le président[§], et elle savait qu'il était chargé de mettre en ordre les papiers du mort. Un regret cuisant torturait Roubaud, celui de ne s'être pas avisé d'envoyer à Paris sa femme, qui aurait fait des visites utiles, qui se serait tout au moins assuré la protection du secrétaire général[§], dans le cas où la Compagnie, ennuyée des mauvais bruits, songerait à le destituer. Et tous deux ne quittaient plus du regard le juge, sentant leur inquiétude croître à mesure qu'ils le voyaient s'assombrir, visiblement déconcerté par cette lettre, qui dérangeait toute sa besogne de la journée.

Enfin, M. Denizet lâcha la lettre, et il demeura un moment absorbé, les yeux ouverts sur les Roubaud et sur Jacques. Puis, se résignant, se parlant haut à lui-même :

« Eh bien ! on verra, on reprendra tout ça… Vous pouvez vous retirer. »

Mais, comme les trois sortaient, il ne put résister au besoin de savoir, d'éclaircir le point grave qui détruisait son nouveau système, bien qu'on lui recommandât de ne plus rien faire, sans une entente préalable.

« Non, vous, restez un instant, j'ai encore une question à vous poser. »

Dans le couloir, les Roubaud s'arrêtèrent. Les portes étaient ouvertes, et ils ne pouvaient partir : quelque chose les retenait là, l'angoisse de ce qui se passait dans le cabinet[§] du juge, l'impossibilité physique de s'en aller, tant qu'ils n'apprendraient pas de Jacques la question qu'on lui posait encore. Ils revinrent, ils piétinèrent, les jambes cassées. Et ils se retrouvèrent côte à côte sur la banquette, où ils avaient attendu des heures déjà, ils s'y alourdirent, silencieux.

Lorsque le mécanicien[§] reparut, Roubaud se leva, péniblement.

«Nous vous attendions, nous retournerons à la gare ensemble... Eh bien ?»

Mais Jacques détournait la tête, embarrassé, comme s'il voulait éviter le regard de Séverine, fixé sur lui.

«Il ne sait plus, il patauge, dit-il enfin. Voilà, maintenant, qu'il m'a demandé s'ils n'étaient pas deux à faire le coup. Et, comme j'ai parlé, au Havre[§], d'une masse noire pesant sur les jambes du vieux, il m'a questionné là-dessus... Lui semble croire que ce n'était que la couverture. Alors, il a envoyé chercher la couverture, et il a fallu me prononcer... Mon Dieu ! oui, c'était la couverture, peut-être.»

Les Roubaud frémissaient. On était sur leur trace, un mot de ce garçon pouvait les perdre. Il savait sûrement, il finirait par causer. Et tous trois, la femme entre les deux hommes, quittaient en silence le Palais de Justice, lorsque le sous-chef reprit, dans la rue :

«À propos, camarade, ma femme va être forcée d'aller passer un jour à Paris, pour des affaires. Vous serez bien gentil de la piloter, si elle a besoin de quelqu'un.»

# – V –

À onze heures quinze, l'heure précise, le poste du pont de l'Europe signala, des deux sons de trompe réglementaires, l'express[§] du Havre[§], qui débouchait du tunnel des Batignolles ; et bientôt les plaques tournantes[§] furent secouées, le train entra en gare avec un bref coup de sifflet, grinçant sur les freins, fumant, ruisselant, trempé par une pluie battante dont le déluge ne cessait pas depuis Rouen.

Les hommes d'équipe n'avaient pas encore tourné les loquets des portières, qu'une d'elles s'ouvrit et que Séverine sauta vivement sur le quai, avant l'arrêt. Son wagon se trouvait en queue, elle dut se hâter pour arriver à la machine, au milieu du flot brusque des voyageurs, descendus des compartiments[§], dans un embarras d'enfants et de paquets. Jacques était là, debout sur la plate-forme[1], attendant pour rentrer au dépôt[§] ; tandis que Pecqueux, avec un linge, essuyait des cuivres.

« Alors, c'est entendu, dit-elle, haussée sur la pointe des pieds. Je serai rue Cardinet à trois heures, et vous aurez l'obligeance de me présenter à votre chef, pour que je le remercie. »

C'était le prétexte imaginé par Roubaud, un remerciement au chef de dépôt des Batignolles, à la suite d'un vague service rendu. De cette façon, elle se trouverait confiée à la bonne amitié du mécanicien[§], elle pourrait resserrer les liens davantage, agir sur lui.

Mais Jacques, noir de charbon[§], trempé d'eau, épuisé d'avoir lutté contre la pluie et le vent, la regardait de ses yeux durs, sans répondre. Il n'avait pu refuser au mari, en partant du Havre ; et cette idée de se trouver seul avec elle, le bouleversait, car il sentait bien qu'il la désirait maintenant.

« N'est-ce pas ? reprit-elle souriante, avec son doux regard caressant, malgré la surprise et la petite répugnance qu'elle éprouvait à le trouver si sale, reconnaissable à peine, n'est-ce pas ? je compte sur vous. »

---

1 *plate-forme* : plancher qui termine la locomotive à l'arrière et sur lequel se placent le mécanicien et le chauffeur.

Comme elle s'était haussée encore, appuyant sa main gantée sur une poignée de fer, Pecqueux, obligeamment, la prévint.

«Prenez garde, vous allez vous salir.»

Alors, Jacques dut répondre. Il le fit d'un ton bourru.

«Oui, rue Cardinet… À moins que cette sacrée pluie n'achève de me fondre. Quel chien de temps !»

Elle fut touchée de l'état minable où il était, elle ajouta, comme s'il avait souffert uniquement pour elle :

«Oh ! êtes-vous fait, et quand j'étais si bien, moi !… Vous savez que j'ai pensé à vous, ça me désespérait, ce déluge… Moi qui étais si contente, à l'idée que vous m'ameniez ce matin, et que vous me remmèneriez ce soir, par l'express[§] !»

Mais cette familiarité gentille, si tendre, ne semblait que le troubler davantage. Il parut soulagé, quand une voix cria : «En arrière !» D'une main prompte, il tira la tige du sifflet, tandis que le chauffeur[§], du geste, écartait la jeune femme.

«À trois heures !

— Oui, à trois heures !»

Et, pendant que la machine se remettait en marche, Séverine quitta le quai, la dernière. Dehors, dans la rue d'Amsterdam, comme elle allait ouvrir son parapluie, elle fut contente de voir qu'il ne pleuvait plus. Elle descendit jusqu'à la place du Havre[§], se consulta un instant, décida enfin qu'elle ferait mieux de déjeuner[§] tout de suite. Il était onze heures vingt-cinq, elle entra dans un bouillon[1], au coin de la rue Saint-Lazare, où elle commanda des œufs sur le plat et une côtelette. Puis, tout en mangeant très lentement, elle retomba dans les réflexions qui la hantaient depuis des semaines, la face pâle et brouillée, n'ayant plus son docile sourire de séduction.

C'était la veille, deux jours après leur interrogatoire à Rouen, que Roubaud, jugeant dangereux d'attendre, avait résolu de l'envoyer faire une visite à M. Camy-Lamotte, non pas au ministère, mais chez lui, rue du Rocher, où il occupait un hôtel[§], voisin justement de l'hôtel Grandmorin. Elle savait qu'elle l'y trouverait à une heure, et elle ne se pressait pas, elle

1 *bouillon* : établissement où l'on consomme et où l'on vend surtout du bouillon ; restaurant de bas étage.

préparait ce qu'elle dirait, tâchait de prévoir ce qu'il répondrait, pour ne se troubler de rien. La veille, une nouvelle cause d'inquiétude venait de hâter son voyage : ils avaient appris, par les commérages de la gare, que madame Lebleu et Philomène racontaient partout comme quoi la Compagnie allait renvoyer Roubaud, jugé compromettant ; et le pis était que M. Dabadie, directement interrogé, n'avait pas dit non, ce qui donnait beaucoup de poids à la nouvelle. Il devenait dès lors urgent qu'elle courût à Paris plaider leur cause et surtout demander la protection du puissant personnage, comme autrefois celle du président[§]. Mais, sous cette demande, qui servirait tout au moins à expliquer la visite, il y avait un motif plus impérieux, un besoin cuisant et insatiable de savoir, ce besoin qui pousse le criminel à se livrer plutôt que d'ignorer. L'incertitude les tuait, maintenant qu'ils se sentaient découverts, depuis que Jacques leur avait dit le soupçon où l'accusation semblait être d'un second assassin. Ils s'épuisaient à des conjectures, la lettre trouvée, les faits rétablis ; ils s'attendaient d'heure en heure à des perquisitions, à une arrestation ; et leur supplice s'aggravait tellement, les moindres faits autour d'eux prenaient des airs de si inquiétante menace, qu'ils finissaient par préférer la catastrophe à ces continuelles alarmes. Avoir une certitude, et ne plus souffrir.

Séverine acheva sa côtelette, si absorbée qu'elle se réveilla comme en sursaut, étonnée du lieu public où elle se trouvait. Tout lui devenait amer, les morceaux ne passaient pas, et elle n'eut pas même le cœur de prendre du café. Mais elle avait eu beau manger avec lenteur, il était à peine midi un quart, lorsqu'elle sortit du restaurant. Encore trois quarts d'heure à tuer ! Elle qui adorait Paris, qui aimait tant à en courir le pavé, librement, les rares fois où elle y venait, elle s'y sentait perdue, peureuse, dans une impatience d'en finir et de se cacher. Les trottoirs séchaient déjà, un vent tiède achevait de balayer les nuages. Elle descendit la rue Tronchet, se trouva au marché aux fleurs de la Madeleine, un de ces marchés de mars, si fleuris de primevères et d'azalées, dans les jours pâles de l'hiver finissant. Pendant une demi-heure, elle marcha au milieu de ce printemps hâtif, reprise par des songeries vagues, pensant à Jacques comme à un ennemi, qu'elle devait désarmer. Il lui semblait que sa visite rue du Rocher était faite, que tout allait bien de ce côté, qu'il lui restait seulement à obtenir le silence de ce garçon ; et c'était une entreprise compliquée, où elle se perdait, la tête travaillée de plans romanesques. Mais cela était sans fatigue, sans effroi, d'une douceur berçante. Puis, brusquement, elle vit l'heure, à l'horloge d'un kiosque : une heure dix. Sa course n'était pas faite, elle retombait durement dans l'angoisse du réel, elle se hâta de remonter vers la rue du Rocher.

L'hôtel[§] de M. Camy-Lamotte se trouvait au coin de cette rue et de la rue de Naples ; et Séverine dut passer devant l'hôtel Grandmorin, muet, vide, les persiennes closes. Elle leva les yeux, elle pressa le pas. Le souvenir de sa dernière visite lui était revenu, cette grande maison se dressait, terrible. Et, comme, à quelque distance, elle se retournait d'un mouvement instinctif, regardant en arrière, ainsi qu'une personne poursuivie par la voix haute d'une foule, elle aperçut, sur le trottoir d'en face, le juge d'instruction[§] de Rouen, M. Denizet, qui montait aussi la rue. Elle en resta saisie. L'avait-il remarquée, jetant un coup d'œil à la maison ? Mais il marchait tranquillement, elle se laissa devancer, le suivit dans un grand trouble. Et, de nouveau, elle reçut un coup au cœur, lorsqu'elle le vit sonner, au coin de la rue de Naples, chez M. Camy-Lamotte.

Une terreur l'avait prise. Jamais elle n'oserait entrer, maintenant. Elle s'en retourna, enfila la rue d'Édimbourg, descendit jusqu'au pont de l'Europe. Là seulement, elle se crut à l'abri. Et, ne sachant plus où aller ni que faire, éperdue, elle se tint immobile contre une des balustrades, regardant au-dessous d'elle, à travers les charpentes métalliques, le vaste champ de la gare, où des trains évoluaient continuellement. Elle les suivait de ses yeux effarés, elle pensait que, sûrement, le juge était là pour l'affaire, et que les deux hommes causaient d'elle, que son sort se décidait, à la minute même. Alors, envahie d'un désespoir, l'envie la tourmenta, plutôt que de revenir rue du Rocher, de se jeter tout de suite sous un train. Il en sortait justement un de la marquise[§] des grandes lignes, qu'elle regardait venir, et qui passa sous elle, en soufflant jusqu'à sa face un tiède tourbillon de vapeur blanche. Puis, l'inutilité sotte de son voyage, l'angoisse affreuse qu'elle remporterait, si elle n'avait pas l'énergie d'aller chercher une certitude, se présentèrent à son esprit avec tant de force, qu'elle se donna cinq minutes pour retrouver son courage. Des machines sifflaient, elle en suivait une, petite, débranchant un train de banlieue ; et, ses regards s'étant levés vers la gauche, elle reconnut, au-dessus de la cour des messageries, tout en haut de la maison de l'impasse d'Amsterdam, la fenêtre de la mère Victoire, cette fenêtre où elle se revoyait accoudée avec son mari, avant l'abominable scène qui avait causé leur malheur. Cela évoqua le danger de sa situation, dans un élancement de souffrance si aigu, qu'elle se sentit prête soudain à tout affronter, pour en finir. Des sons de trompe, des grondements prolongés l'assourdissaient, tandis que d'épaisses fumées barraient l'horizon, envolées sur le grand ciel clair de Paris. Et elle reprit le chemin de la rue du Rocher, allant là comme on se suicide, précipitant sa marche, dans la crainte brusque de n'y plus trouver personne.

Lorsque Séverine eut tiré le bouton du timbre, une nouvelle terreur la glaça. Mais, déjà, un valet la faisait asseoir dans une antichambre, après avoir pris son nom. Et, par les portes doucement entrebâillées, elle entendit très distinctement la conversation vive de deux voix. Le silence était retombé, profond, absolu. Elle ne distinguait plus que le battement sourd de ses tempes, elle se disait que le juge était encore en conférence, qu'on allait la faire attendre longtemps sans doute ; et cette attente lui devenait intolérable. Puis, tout à coup, elle eut une surprise : le valet l'appelait et l'introduisait. Certainement, le juge n'était pas sorti. Elle le devinait là, caché derrière une porte.

C'était un grand cabinet[§] de travail, avec des meubles noirs, garni d'un tapis épais, de portières lourdes, si sévère et si clos, que pas un bruit du dehors n'y pénétrait. Pourtant, il y avait des fleurs, des roses pâles, dans une corbeille de bronze. Et cela indiquait comme une grâce cachée, un goût de la vie aimable, derrière cette sévérité. Le maître de la maison était debout, très correctement serré dans sa redingote, sévère lui aussi, avec sa figure mince, que ses favoris grisonnants élargissaient un peu, mais d'une élégance d'ancien beau, resté svelte, d'une distinction que l'on sentait souriante, sous la raideur voulue de la tenue officielle. Dans le demi-jour de la pièce, il avait l'air très grand.

Séverine, en entrant, fut oppressée par l'air tiède, étouffé sous les tentures; et elle ne vit que M. Camy-Lamotte, qui la regardait s'approcher. Il ne fit pas un geste pour l'inviter à s'asseoir, il mit une affectation à ne pas ouvrir la bouche le premier, attendant qu'elle expliquât le motif de sa visite. Cela prolongea le silence; et, par l'effet d'une réaction violente, elle se trouva subitement maîtresse d'elle-même dans le péril, très calme, très prudente.

«Monsieur, dit-elle, vous m'excuserez, si j'ai la hardiesse de venir me rappeler à votre bienveillance. Vous savez la perte irréparable que j'ai faite, et dans l'abandon où je me trouve maintenant, j'ai osé songer à vous pour nous défendre, pour nous continuer un peu de la protection de votre ami, de mon protecteur si regretté.»

M. Camy-Lamotte ne put alors que la faire asseoir, d'un geste, car cela était dit sur un ton parfait, sans exagération d'humilité ni de chagrin, avec un art inné de l'hypocrisie féminine. Mais il ne parlait encore. Elle continua, voyant qu'elle devait préciser.

«Je me permets de rafraîchir vos souvenirs, en vous rappelant que j'ai eu l'honneur de vous voir à Doinville. Ah! c'était un heureux temps pour moi!... Aujourd'hui, les jours mauvais sont arrivés, et je n'ai que vous, Monsieur, je vous implore au nom de celui que nous avons perdu. Vous qui l'avez aimé, achevez sa bonne œuvre, remplacez-le auprès de moi.»

Il l'écoutait, il la regardait, et tous ses soupçons étaient ébranlés, tellement elle lui semblait naturelle, charmante dans ses regrets et dans ses supplications. Le billet découvert par lui, au milieu des papiers de Grandmorin, ces deux lignes non signées, lui avait paru ne pouvoir être que d'elle, dont il savait les complaisances pour le président[§]; et, tout à l'heure, l'annonce seule de sa visite avait achevé de le convaincre. Il ne venait d'interrompre son entretien avec le juge que pour confirmer sa certitude. Mais comment la croire coupable, à la voir de la sorte, si paisible et si douce ?

Il voulut en avoir l'intelligence nette. Et, tout en gardant son air de sévérité :

« Expliquez-vous, Madame… Je me souviens parfaitement, je ne demande pas mieux que de vous être utile, si rien ne s'y oppose. »

Alors, très nettement, Séverine conta comme quoi son mari était menacé d'une destitution. On le jalousait beaucoup, à cause de son mérite et de la haute protection qui, jusque-là, l'avait couvert. Maintenant qu'on le croyait sans défense, on espérait triompher, on redoublait d'efforts. Elle ne nommait personne, du reste ; elle parlait en termes mesurés, malgré l'imminence du péril. Pour qu'elle se fût ainsi décidée à faire le voyage de Paris, il fallait qu'elle fût bien convaincue de la nécessité d'agir au plus vite. Peut-être le lendemain ne serait-il plus temps : c'était immédiatement qu'elle réclamait aide et secours. Tout cela avec une telle abondance de faits logiques et de bonnes raisons, qu'il semblait en vérité impossible qu'elle se fût dérangée dans un autre but.

M. Camy-Lamotte étudiait jusqu'aux petits battements imperceptibles de ses lèvres ; et il porta le premier coup :

« Mais enfin pourquoi la Compagnie congédierait-elle votre mari ? Elle n'a rien de grave à lui reprocher. »

Elle aussi ne le quittait pas du regard, épiant les moindres plis de son visage, se demandant s'il avait trouvé la lettre ; et, malgré l'innocence de la question, ce fut brusquement une conviction, chez elle, que la lettre était là, dans un meuble de ce cabinet[§] : il savait, car il lui tendait un piège, désirant voir si elle oserait parler des vraies raisons du renvoi. D'ailleurs, il avait trop accentué le ton, et elle s'était sentie fouillée jusqu'à l'âme par ses yeux pâles d'homme fatigué.

Bravement, elle marcha au péril.

« Mon Dieu ! Monsieur, c'est bien monstrueux, mais on nous a soupçonnés d'avoir tué notre bienfaiteur, à cause de ce

*[…] ce fut brusquement une conviction, chez elle, que la lettre était là, dans un meuble de ce cabinet […].*

**Lignes 4466 à 4468.**

Œuvres complètes illustrées d'Émile Zola (1906).

malheureux testament. Nous n'avons pas eu de peine à démontrer notre innocence. Seulement, il reste toujours quelque chose de ces accusations abominables, et la Compagnie craint sans doute le scandale. »

Il fut de nouveau surpris, démonté, par cette franchise, surtout par la sincérité de l'accent. En outre, l'ayant jugée, au premier coup d'œil, d'une figure médiocre, il commençait à la trouver extrêmement séduisante, avec la soumission complaisante de ses yeux bleus, sous l'énergie noire de sa chevelure. Et il songeait à son ami Grandmorin, saisi d'une jalouse admiration : comment diable ce gaillard-là, son aîné de dix ans, avait-il eu jusqu'à sa mort des créatures pareilles, lorsque lui devait renoncer déjà à ces joujoux, pour ne pas y perdre le reste de ses mœlles ? Elle était vraiment très charmante, très fine, et il laissait percer le sourire de l'amateur aujourd'hui désintéressé, sous son grand air froid de fonctionnaire, ayant sur les bras une affaire si fâcheuse.

Mais Séverine, par une bravade de femme qui sent sa force, eut le tort d'ajouter :

« Des gens comme nous ne tuent pas pour de l'argent. Il aurait fallu un autre motif, et il n'y en avait pas, de motif. »

Il la regarda, vit trembler les coins de sa bouche. C'était elle. Dès lors, sa conviction fut absolue. Et elle-même comprit immédiatement qu'elle s'était livrée, à la façon dont il avait cessé de sourire, le menton nerveusement pincé. Elle en éprouva une défaillance, comme si tout son être l'abandonnait. Pourtant, elle restait le buste droit sur sa chaise, elle entendait sa voix continuer à causer du même ton égal, disant les mots qu'il fallait dire. La conversation se poursuivait, mais désormais ils n'avaient plus rien à s'apprendre ; et, sous les paroles quelconques, tous deux ne parlaient plus que de choses qu'ils ne disaient point. Il avait la lettre, c'était elle qui l'avait écrite. Cela sortait même de leurs silences.

« Madame, reprit-il enfin, je ne refuse pas d'intervenir près de la Compagnie, si vraiment vous êtes digne d'intérêt. J'attends justement ce soir le chef de l'exploitation[§], pour une autre affaire… Seulement, j'aurais besoin de quelques notes.

Tenez ! écrivez-moi le nom, l'âge, les états de service de votre mari, enfin tout ce qui peut me mettre au courant de votre situation. »

Et il poussa devant elle un petit guéridon, en cessant de la regarder, pour ne point l'effrayer trop. Elle avait frémi : il voulait une page d'écriture, afin de la comparer à la lettre. Un instant, elle chercha désespérément un prétexte, résolue à ne pas écrire. Puis, elle réfléchit : à quoi bon ? puisqu'il savait. On aurait toujours quelques lignes d'elle. Sans aucun trouble apparent, de l'air le plus simple du monde, elle écrivit ce qu'il demandait ; tandis que, debout derrière elle, il reconnaissait parfaitement l'écriture, plus haute, moins tremblée que celle du billet. Et il finissait par la trouver très brave, cette petite femme fluette ; il souriait de nouveau, maintenant qu'elle ne pouvait le voir, de son sourire d'homme que le charme seul touchait encore, dans son insouciance expérimentée de toutes choses. Au fond, rien ne valait la figure d'être juste. Il veillait uniquement au décor du régime qu'il servait.

« Eh bien ! Madame, remettez-moi cela, je m'informerai, j'agirai pour le mieux.

— Je vous suis très reconnaissante, Monsieur… Alors, vous obtiendrez le maintien de mon mari, je puis considérer l'affaire comme arrangée ?

— Ah ! par exemple non ! je ne m'engage à rien… Il faut que je voie, que je réfléchisse. »

En effet, il était hésitant, il ne savait quel parti il allait prendre à l'égard du ménage. Et elle n'avait plus qu'une angoisse, depuis qu'elle se sentait à sa merci : cette hésitation, l'alternative d'être sauvée ou perdue par lui, sans pouvoir deviner les raisons qui le décideraient.

« Oh ! Monsieur, songez à notre tourment. Vous ne me laisserez pas partir, avant de m'avoir donné une certitude.

— Mon Dieu ! si, Madame. Je n'y puis rien. Attendez. »

Il la poussait vers la porte. Elle s'en allait, désespérée, bouleversée, sur le point de tout avouer à voix haute, dans un besoin immédiat de le forcer à dire nettement ce qu'il comptait faire d'eux. Pour rester une minute encore, espérant trouver un détour, elle s'écria :

« J'oubliais, je désirais vous demander un conseil, à propos de ce malheureux testament… Pensez-vous que nous devions refuser le legs ?

— La loi est pour vous, répondit-il prudemment. C'est chose d'appréciation et de circonstance. »

Elle était sur le seuil, elle tenta un dernier effort.

« Monsieur, je vous en supplie, ne me laissez pas partir ainsi, dites-moi si je dois espérer. »

D'un geste d'abandon, elle lui avait pris la main. Il se dégagea. Mais elle le regardait avec de beaux yeux, si ardents de prière, qu'il en fut remué.

« Eh bien ! revenez à cinq heures. Peut-être aurai-je quelque chose à vous dire. »

Elle partit, elle quitta l'hôtel§, plus angoissée encore qu'elle n'y était venue. La situation s'était précisée, et son sort demeurait en suspens, sous la menace d'une arrestation peut-être immédiate. Comment vivre jusqu'à cinq heures ? La pensée de Jacques, qu'elle avait oublié, se réveilla en elle tout d'un coup : encore un qui pouvait la perdre, si on l'arrêtait ! Bien qu'il fût à peine deux heures et demie, elle se hâta de monter la rue du Rocher, vers la rue Cardinet.

M. Camy-Lamotte, resté seul, s'était arrêté devant son bureau. Familier des Tuileries§, où sa fonction de secrétaire général§ du ministère de la Justice le faisait mander presque journellement, tout aussi puissant que le ministre, employé même à des besognes plus intimes, il savait combien cette affaire Grandmorin irritait et inquiétait, en haut lieu. Les journaux de l'opposition§ continuaient à mener une campagne bruyante, les uns accusant la police d'être tellement occupée à la surveillance politique qu'elle n'avait plus le temps d'arrêter les assassins, les autres fouillant la vie du président§, donnant à entendre qu'il était de la cour, où régnait la plus basse débauche ; et cette campagne devenait vraiment désastreuse, à mesure que les élections approchaient. Aussi avait-on exprimé au secrétaire général le désir formel d'en finir au plus vite, n'importe comment. Le ministre s'étant déchargé sur lui de cette affaire délicate, il se trouvait être l'unique maître de la décision à prendre, sous sa responsabilité, il est vrai : ce qui méritait examen, car il ne doutait pas de payer pour tout le monde, s'il se montrait maladroit.

Toujours songeur, M. Camy-Lamotte alla ouvrir la porte de la pièce voisine, où M. Denizet attendait. Et celui-ci, qui avait écouté, s'écria, en rentrant :

«Je vous le disais bien, on a eu tort de soupçonner ces gens-là… Cette femme ne songe évidemment qu'à sauver son mari d'un renvoi possible. Elle n'a pas eu une parole suspecte.»

Le secrétaire général[§] ne répondit pas tout de suite. Absorbé, ses regards sur le juge, dont la face lourde, aux minces lèvres, le frappait, il pensait maintenant à cette magistrature, qu'il avait en la main comme chef occulte du personnel, et il s'étonnait qu'elle fût encore si digne dans sa pauvreté, si intelligente dans son engourdissement professionnel. Mais celui-ci, vraiment, si fin qu'il se crût, avec ses yeux voilés d'épaisses paupières, avait la passion tenace, quand il croyait tenir la vérité.

«Alors, reprit M. Camy-Lamotte, vous persistez à voir le coupable dans ce Cabuche ?»

M. Denizet eut un sursaut d'étonnement.

«Oh ! certes !… Tout l'accable. Je vous ai énuméré les preuves, elles sont, j'oserai dire, classiques, car pas une ne manque… J'ai bien cherché s'il y avait un complice, une femme dans le coupé[§], ainsi que vous me le faisiez entendre. Cela semblait s'accorder avec la déposition d'un mécanicien[§], un homme qui a entrevu la scène du meurtre ; mais, habilement interrogé par moi, cet homme n'a pas persisté dans sa déclaration première, et il a même reconnu la couverture de voyage, comme étant la masse noire dont il avait parlé… Oh ! oui, certes, Cabuche est le coupable, d'autant plus que, si nous ne l'avons pas, nous n'avons personne.»

Jusque-là, le secrétaire général avait attendu, pour lui donner connaissance de la preuve écrite qu'il possédait ; et, maintenant que sa conviction était faite, il se hâtait moins encore d'établir la vérité. À quoi bon ruiner la piste fausse de l'instruction[§], si la vraie piste devait conduire à des embarras plus grands ? Tout cela était à examiner d'abord.

«Mon Dieu ! reprit-il avec son sourire d'homme fatigué, je veux bien admettre que vous soyez dans le vrai… Je vous ai seulement fait venir pour étudier avec vous certains points graves. Cette affaire est exceptionnelle, et la voici devenue toute politique : vous le sentez n'est-ce pas ? Nous allons donc nous trouver peut-être forcés d'agir en hommes de gouvernement… Voyons, en toute franchise, d'après vos interrogatoires, cette fille, la maîtresse de ce Cabuche, a été violentée, hein ?»

Le juge eut sa moue d'homme fin, tandis que ses yeux disparaissaient à demi derrière ses paupières.

«Dame ! je crois que le président[§] l'avait mise en un vilain état, et cela ressortira sûrement du procès… Ajoutez que, si la défense est confiée à un avocat de l'opposition[§], on peut s'attendre à un déballage d'histoires fâcheuses, car ce ne sont pas ces histoires qui manquent, là-bas, dans notre pays.»

Ce Denizet n'était pas si bête, quand il n'obéissait plus à la routine du métier, trônant dans l'absolu de sa perspicacité et de sa toute-puissance. Il avait compris pourquoi on le mandait, non au ministère de la Justice, mais au domicile particulier du secrétaire général[§].

«Enfin, conclut-il, voyant que ce dernier ne bronchait pas, nous aurons une affaire assez malpropre.»

M. Camy-Lamotte se contenta de hocher la tête. Il était en train de calculer les résultats de l'autre procès, celui des Roubaud. À coup sûr, si le mari passait aux assises[1], il dirait tout, sa femme débauchée elle aussi, lorsqu'elle était jeune fille, et l'adultère ensuite, et la rage jalouse qui devait l'avoir poussé au meurtre ; sans compter qu'il ne s'agissait plus d'une domestique et d'un repris de justice, que cet employé, marié à cette jolie femme, allait mettre en cause tout un coin de la bourgeoisie et du monde des chemins de fer. Puis, savait-on jamais sur quoi l'on marchait, avec un homme comme le président[§] ?

1 *assises* : la cour d'assises est un tribunal de première instance où sont jugées les affaires criminelles.

Peut-être tomberait-on dans des abominations imprévues. Non, décidément, l'affaire des Roubaud, des vrais coupables, était plus sale encore. C'était chose résolue, il l'écartait, absolument. À en retenir une, il aurait penché pour que l'on gardât l'affaire de l'innocent Cabuche.

« Je me rends à votre système, dit-il enfin à M. Denizet. Il y a, en effet, de fortes présomptions contre le carrier[§], s'il avait à exercer une vengeance légitime… Mais que tout cela est bien triste, mon Dieu ! et que de boue il faudrait remuer !… Je sais bien que la justice doit rester indifférente aux conséquences, et que, planant au-dessus des intérêts… »

Il n'acheva pas, termina du geste, pendant que le juge, silencieux à son tour, attendait d'un air morne les ordres qu'il sentait venir. Du moment où l'on acceptait sa vérité à lui, cette création de son intelligence, il était prêt à faire aux nécessités gouvernementales le sacrifice de l'idée de justice. Mais le secrétaire, malgré son habituelle adresse en ces sortes de transactions, se hâta un peu, parla trop vite, en maître obéi.

« Enfin, on désire un non-lieu[1]… Arrangez les choses pour que l'affaire soit classée.

— Pardon, Monsieur, déclara M. Denizet, je ne suis plus le maître de l'affaire, elle dépend de ma conscience. »

Tout de suite, M. Camy-Lamotte sourit, redevenant correct, avec cet air désabusé et poli qui semblait se moquer du monde.

« Sans doute. Aussi est-ce à votre conscience que je m'adresse. Je vous laisse prendre la décision qu'elle vous dictera, certain que vous pèserez équitablement le pour et le contre, en vue du triomphe des saines doctrines et de la morale publique… Vous savez, mieux que moi, qu'il est parfois héroïque d'accepter un mal, si l'on ne veut pas tomber dans un pire… Enfin, on ne fait appel en vous qu'au bon citoyen, à l'honnête homme. Personne ne songe à peser sur votre indépendance, et c'est pourquoi je répète que vous êtes le maître absolu de l'affaire, comme du reste l'a voulu la loi. »

1 *non-lieu* : décision par laquelle un juge d'instruction déclare qu'il n'y a pas lieu de poursuivre un inculpé.

Jaloux de ce pouvoir illimité, surtout lorsqu'il était près d'en user mal, le juge accueillait chacune de ces phrases d'un hochement de tête satisfait.

« D'ailleurs, continua l'autre, avec un redoublement de bonne grâce dont l'exagération devenait ironique, nous savons à qui nous nous adressons. Voici longtemps que nous suivons vos efforts, et je puis me permettre de vous dire que nous vous appellerions dès maintenant à Paris, s'il y avait une vacance. »

M. Denizet eut un mouvement. Quoi donc ? S'il rendait le service demandé, on n'allait pas combler sa grande ambition, son rêve d'un siège à Paris. Mais, déjà, M. Camy-Lamotte ajoutait, ayant compris :

« Votre place y est marquée, c'est une question de temps… Seulement, puisque j'ai commencé à être indiscret, je suis heureux de vous annoncer que vous êtes porté pour la croix[1], au 15 août prochain. »

Un instant, le juge se consulta. Il aurait préféré l'avancement, car il calculait qu'il y avait au bout une augmentation d'environ cent soixante-six francs[§] par mois ; et, dans la misère décente où il vivait, c'était plus de bien-être, sa garde-robe renouvelée, sa bonne Mélanie mieux nourrie, moins acariâtre. Mais la croix, pourtant, était bonne à prendre. Puis, il avait une promesse. Et lui qui ne se serait pas vendu, nourri dans la tradition de cette magistrature honnête et médiocre, il cédait tout de suite à une simple espérance, à l'engagement vague que l'administration prenait de le favoriser. La fonction judiciaire n'était plus qu'un métier comme un autre, et il traînait le boulet de l'avancement, en solliciteur affamé, toujours prêt à plier sous les ordres du pouvoir.

« Je suis très touché, murmura-t-il, veuillez le dire à monsieur le Ministre. »

Il s'était levé, sentant que, maintenant, tout ce qu'ils pourraient ajouter l'un et l'autre les gênerait.

« Alors, conclut-il, les yeux éteints, la face morte, je vais achever mon enquête, en tenant compte de vos scrupules.

1 *porté pour la croix* : bien placé pour obtenir une décoration honorifique.

Naturellement, si nous n'avons pas des faits absolus prouvés contre Cabuche, il vaudra mieux ne pas risquer le scandale inutile d'un procès… On le relâchera, on continuera de le surveiller.»

Le secrétaire général[§], sur le seuil, acheva de se montrer tout à fait aimable.

«Monsieur Denizet, nous nous en remettons complètement à votre grand tact et à votre haute honnêteté !»

Lorsqu'il se trouva seul, M. Camy-Lamotte eut la curiosité, inutile maintenant d'ailleurs, de comparer la page écrite par Séverine, avec le billet sans signature, qu'il avait découvert dans les papiers du président[§] Grandmorin. La ressemblance était complète. Il replia la lettre, la serra soigneusement, car, s'il n'en avait soufflé mot au juge d'instruction[§], il jugeait qu'une arme pareille était bonne à garder. Et, comme le profil de cette petite femme, si frêle et si forte dans sa résistance nerveuse, s'évoquait devant lui, il eut son haussement d'épaules indulgent et railleur. Ah ! ces créatures, quand elles veulent !

Séverine, à trois heures moins vingt, s'était trouvée en avance, rue Cardinet, au rendez-vous qu'elle avait donné à Jacques. Il habitait là, tout en haut d'une grande maison, une étroite chambre, où il ne montait guère que le soir pour se coucher ; et encore découchait-il deux fois par semaine, les deux nuits qu'il passait au Havre[§], entre l'express[§] du soir et l'express du matin. Ce jour-là pourtant, trempé d'eau, brisé de fatigue, il était rentré se jeter sur son lit. De sorte que Séverine l'aurait peut-être attendu vainement, si la querelle d'un ménage voisin, un mari qui assommait sa femme, hurlante, ne l'avait réveillé. Il s'était débarbouillé et vêtu de fort méchante humeur, l'ayant reconnue en bas, sur le trottoir, en regardant par la fenêtre de sa mansarde.

«Enfin, c'est vous ! s'écria-t-elle, quand elle le vit déboucher de la porte cochère. Je craignais d'avoir mal compris… Vous m'aviez dit au coin de la rue Saussure…»

Et, sans attendre sa réponse, levant les yeux sur la maison :

«C'est donc là que vous demeurez ?»

Il avait, sans le lui dire, fixé ainsi le rendez-vous devant sa porte, parce que le dépôt[§], où ils devaient aller ensemble, se trouvait presque en face. Mais sa question le gêna, il s'imagina qu'elle allait pousser la bonne camaraderie jusqu'à lui demander de voir sa chambre. Celle-ci était si sommairement meublée et si en désordre, qu'il en avait honte.

«Oh ! je ne demeure pas, je perche, répondit-il. Dépêchons-nous, je crains que le chef ne soit déjà sorti.»

En effet, lorsqu'ils se présentèrent à la petite maison que ce dernier occupait, derrière le dépôt, dans l'enceinte de la gare, ils ne le trouvèrent pas ; et, inutilement, ils allèrent de hangar en hangar : partout on leur dit de revenir vers quatre heures et demie, s'ils voulaient être certains de le rencontrer aux ateliers de réparation.

«C'est bien, nous reviendrons», déclara Séverine.

Puis, quand elle fut de nouveau dehors, seule en compagnie de Jacques :

«Si vous êtes libre, ça ne vous fait rien que je reste à attendre avec vous ?»

Il ne pouvait refuser, et d'ailleurs, malgré l'inquiétude sourde qu'elle lui causait, elle exerçait sur lui un charme grandissant et si fort, que la maussaderie volontaire où il s'était promis de s'enfermer, s'en allait à ses doux regards. Celle-là, avec sa longue figure tendre et peureuse, devait aimer comme un chien fidèle, qu'on n'a pas même le courage de battre.

«Sans doute, je ne vous quitte pas, répondit-il d'un ton moins brusque. Seulement, nous avons plus d'une heure à perdre... Voulez-vous entrer dans un café ?»

Elle lui souriait, heureuse de le sentir enfin cordial. Vivement, elle se récria.

«Oh ! non, non, je ne veux pas m'enfermer... J'aime mieux marcher à votre bras, dans les rues, où vous voudrez.»

Et elle lui prit le bras d'elle-même, gentiment. Maintenant qu'il n'était plus noir du voyage, elle le trouvait distingué, avec sa mise d'employé à l'aise, son air bourgeois, que relevait une sorte de fierté libre, l'habitude du grand air et du danger bravé chaque jour. Jamais elle n'avait si bien remarqué qu'il était beau garçon, le visage rond et régulier, les moustaches très brunes sur la peau blanche ; et, seuls, ses yeux fuyants, ses yeux semés de points d'or, qui se détournaient d'elle, continuaient à la mettre en défiance. S'il évitait de la regarder en face, était-ce donc qu'il ne voulait pas s'engager, rester maître d'agir à sa guise, même contre elle ? Dès ce moment, dans l'incertitude où elle était encore, reprise d'un frisson, chaque fois qu'elle songeait à ce cabinet[§] de la rue du Rocher où sa vie se décidait, elle n'eut plus qu'un but, sentir à elle, tout à elle, l'homme qui lui donnait le bras, obtenir que, lorsqu'elle levait la tête, il laissât ses yeux dans les siens, profondément. Alors, il lui appartiendrait. Elle ne l'aimait point, elle ne pensait pas même à cela. Simplement, elle s'efforçait de faire de lui sa chose, pour n'avoir plus à le craindre.

Quelques minutes, ils marchèrent sans parler, dans le continuel flot de passants qui encombre ce quartier populeux. Parfois, ils étaient forcés de descendre du trottoir ; et ils traversaient la chaussée, au milieu des voitures. Puis, ils se trouvèrent devant le square des Batignolles, presque désert à cette époque de l'année. Le ciel pourtant, lavé par le déluge du matin, était d'un bleu très doux ; et, sous le tiède soleil de mars, les lilas bourgeonnaient.

« Entrons-nous ? demanda Séverine. Tout ce monde m'étourdit. »

De lui-même, Jacques allait entrer, inconscient du besoin de l'avoir plus à lui, loin de la foule.

« Là ou ailleurs, dit-il. Entrons. »

Lentement, ils continuèrent de marcher le long des pelouses, entre les arbres sans feuilles. Quelques femmes promenaient des enfants au maillot, et il y avait des passants qui traversaient le jardin pour couper au plus court, hâtant le pas. Ils enjambèrent la rivière, montèrent parmi les rochers ; puis, ils revenaient, désœuvrés, lorsqu'ils passèrent parmi des touffes de sapins, dont les feuillages persistants luisaient au soleil, d'un vert sombre. Et, un banc se trouvant là, dans ce coin solitaire, caché aux regards, ils s'assirent, sans même se consulter cette fois, comme amenés à cette place par une entente.

«Il fait beau tout de même, aujourd'hui, dit-elle après un silence.

— Oui, répondit-il, le soleil a reparu.»

Mais leur pensée n'était point à cela. Lui, qui fuyait les femmes, venait de songer aux événements qui l'avaient rapproché de celle-ci. Elle était là, elle le touchait, elle menaçait d'envahir son existence, et il en éprouvait une continuelle surprise. Depuis le dernier interrogatoire, à Rouen, il n'en doutait plus, cette femme était complice dans le meurtre de la Croix-de-Maufras. Comment ? à la suite de quelles circonstances ? poussée par quelle passion ou quel intérêt ? Il s'était posé ces questions, sans pouvoir clairement les résoudre. Pourtant, il avait fini par arranger une histoire : le mari intéressé, violent, ayant hâte d'entrer en possession du legs ; peut-être la peur que le testament ne fût changé à leur désavantage ; peut-être le calcul d'attacher sa femme à lui, par un lien sanglant. Et il s'en tenait à cette histoire, dont les coins obscurs l'attiraient, l'intéressaient, sans qu'il cherchât à les éclaircir. L'idée que son devoir serait de tout dire à la justice, l'avait hanté aussi. Même c'était cette idée qui le préoccupait, depuis qu'il se trouvait assis sur ce banc, près d'elle, si près, qu'il sentait contre sa hanche la tiédeur de la sienne.

«En mars, reprit-il, c'est étonnant, de pouvoir ainsi rester dehors, comme en été.

— Oh ! dit-elle, dès que le soleil monte, ça se sent bien.»

Et, de son côté, elle réfléchissait qu'il aurait fallu vraiment que ce garçon fût bête, pour ne pas les avoir devinés coupables. Ils s'étaient trop jetés à sa tête, elle continuait à se serrer contre lui, en ce moment même. Aussi, dans le silence coupé de paroles vides, suivait-elle les réflexions qu'il faisait. Leurs yeux s'étant rencontrés, elle venait de lire qu'il en arrivait à se demander si ce n'était pas elle qu'il avait vue, pesant de tout son poids sur les jambes de la victime, ainsi qu'une masse noire. Que faire, que dire, pour le lier d'un lien indestructible ?

«Ce matin, ajouta-t-elle, il faisait très froid au Havre[§].

— Sans compter, dit-il, toute l'eau que nous avons reçue.»

Et, à cet instant, Séverine eut une brusque inspiration. Elle ne raisonna pas, ne discuta pas : cela lui arrivait comme une impulsion instinctive, des profondeurs obscures de son intelligence et de son cœur ; car, si elle avait discuté, elle n'aurait rien dit. Mais elle sentait que cela était très bien, et qu'en parlant, elle le conquérait.

Doucement, elle lui prit la main, elle le regarda. Les touffes d'arbres verts les cachaient aux passants des rues voisines ; ils n'entendaient qu'un lointain roulement de voitures, assourdi dans cette solitude ensoleillée du square ; tandis que, seul, au détour de l'allée, un enfant était là, jouant en silence à emplir de sable un petit seau, avec une pelle. Et, sans transition, de toute son âme, à demi-voix :

« Vous me croyez coupable ? »

Il frémit légèrement, il arrêta ses yeux dans les siens.

« Oui », répondit-il, de la même voix basse et émue.

Alors, elle serra sa main qu'elle avait gardée, d'une étreinte plus étroite ; et elle ne continua pas tout de suite, elle sentait leur fièvre se confondre.

« Vous vous trompez, je ne suis pas coupable. »

Et elle disait cela, non pour le convaincre, lui, mais uniquement pour l'avertir qu'elle devait être innocente, aux yeux des autres. C'était l'aveu de la femme qui dit non, dans le désir que ce soit non, quand même et toujours.

« Je ne suis pas coupable… Vous ne me ferez plus la peine de croire que je suis coupable. »

Et elle était très heureuse, en voyant qu'il laissait ses yeux dans les siens, profondément. Sans doute, ce qu'elle venait de faire là, c'était le don de sa personne ; car elle se livrait, et plus tard, s'il la réclamait, elle ne pourrait plus se refuser. Mais le lien était noué entre eux, indissoluble : elle le défiait bien de parler maintenant, il était à elle comme elle était à lui. L'aveu les avait unis.

« Vous ne me ferez plus de peine, vous me croyez ?

— Oui, je vous crois », répondit-il en souriant.

Pourquoi l'aurait-il forcée à causer brutalement de cette chose affreuse ? Plus tard, elle lui conterait tout, si elle en éprouvait le besoin. Cette façon de se tranquilliser en se confessant à lui, sans rien dire, le touchait beaucoup, ainsi qu'une marque d'infinie tendresse. Elle était si confiante, si fragile, avec ses doux yeux de pervenche ! Elle lui apparaissait si femme, toute à l'homme, toujours prête à le subir, pour être heureuse ! Et, surtout, ce qui le ravissait, tandis que leurs mains restaient jointes et que leurs regards ne se quittaient plus, c'était de ne pas retrouver en lui son malaise, cet effrayant frisson qui l'agitait, près d'une femme, à l'idée de la possession. Les autres, il n'avait pu toucher à leur chair, sans éprouver le désir d'y mordre, dans une abominable faim d'égorgement. Pourrait-il donc l'aimer, celle-là, et ne point la tuer ?

« Vous savez bien que je suis votre ami et que vous n'avez rien à craindre de moi, murmura-t-il à son oreille. Je ne veux pas connaître vos affaires, ce sera comme il vous plaira… Vous m'entendez ? Disposez entièrement de ma personne. »

Il s'était approché si près de son visage, qu'il sentait son haleine chaude dans ses moustaches. Le matin encore, il en aurait tremblé, sous la peur sauvage d'une crise. Que se passait-il, pour qu'il lui restât à peine un frémissement, avec la lassitude heureuse des convalescences ? Cette idée qu'elle avait tué, devenue une certitude, la lui montrait différente, grandie, à part. Peut-être bien n'avait-elle pas aidé seulement, mais frappé. Il en fut convaincu, sans preuve aucune. Et, dès lors, elle sembla lui être sacrée, en dehors de tout raisonnement, dans l'inconscience du désir effrayé qu'elle lui inspirait.

Tous les deux à présent causaient avec gaieté, en couple de rencontre, chez qui l'amour commence.

« Vous devriez me donner votre autre main, pour que je la réchauffe.

— Oh ! non, pas ici. On nous verrait.

— Qui donc ? puisque nous sommes seuls… Et d'ailleurs, il n'y aurait pas grand mal. Les enfants ne se font pas comme ça.

— Je l'espère bien. »

Elle riait franchement, dans la joie d'être sauvée. Elle ne l'aimait pas, ce garçon ; elle croyait en être bien sûre ; et si elle s'était promise, elle rêvait déjà au moyen de ne pas payer. Il avait l'air gentil, il ne la tourmenterait pas, tout s'arrangerait très bien.

« C'est entendu, nous sommes camarades, sans que les autres, ni même mon mari, aient rien à y voir… Maintenant, lâchez-moi la main, et ne me regardez plus comme ça, parce que vous allez vous user les yeux. »

Mais il gardait ses doigts délicats entre les siens. Très bas, il bégaya :

« Vous savez que je vous aime. »

Vivement, elle s'était dégagée, d'une légère secousse. Et, debout devant le banc, où il restait assis :

« En voilà une folie, par exemple ! Soyez convenable, on vient. »

En effet, une nourrice arrivait, avec son poupon endormi entre ses bras. Puis, une jeune fille passa, très affairée. Le soleil baissait, se noyait à l'horizon, dans des vapeurs violâtres, et les rayons s'en allaient des pelouses, mourant en poussière d'or, à la pointe verte des sapins. Il y eut comme un arrêt subit dans le roulement continu des voitures. On entendit sonner cinq heures à une horloge voisine.

« Ah ! mon Dieu ! s'écria Séverine, cinq heures, et j'ai rendez-vous rue du Rocher ! »

Sa joie tombait, elle retrouvait l'angoisse de l'inconnu qui l'attendait, là-bas, en se souvenant qu'elle n'était pas sauvée encore. Elle devint toute pâle, les lèvres tremblantes.

« Mais le chef du dépôt[§] que vous aviez à voir ? dit Jacques, qui s'était levé du banc pour la reprendre à son bras.

— Tant pis ! je le verrai une autre fois… Écoutez, mon ami, je n'ai plus besoin de vous, laissez-moi vite faire ma course. Et merci encore, merci de tout mon cœur. »

Elle lui serrait les mains, elle se hâtait.

« À tout à l'heure, au train.

— Oui, à tout à l'heure. »

Déjà, elle s'éloignait d'un pas rapide, elle disparaissait entre les massifs du square ; tandis que lui, lentement, se dirigeait vers la rue Cardinet.

M. Camy-Lamotte venait d'avoir, chez lui, une longue conférence avec le chef de l'exploitation[§] de la Compagnie de l'Ouest[§]. Mandé sous le prétexte d'une autre affaire, celui-ci avait fini par confesser combien ce procès Grandmorin ennuyait la Compagnie. Il y avait d'abord les plaintes des journaux, au sujet du peu de sécurité pour les voyageurs, dans les voitures de première[§] classe. Puis, tout le personnel se trouvait mêlé à l'aventure, plusieurs employés étaient soupçonnés, sans compter ce Roubaud, le plus compromis, qu'on pouvait arrêter d'un moment à l'autre. Enfin, les bruits de vilaines mœurs qui couraient sur le président[§], membre du conseil d'administration, semblaient rejaillir sur ce conseil tout entier. Et c'était ainsi que le crime présumé d'un petit sous-chef de gare, quelque histoire louche, basse et malpropre, remontait au travers des rouages compliqués, ébranlait cette machine[1] énorme d'une exploitation de voie ferrée, en détraquait jusqu'à l'administration supérieure. La secousse allait même plus haut, gagnait le ministère, menaçait l'État, dans le malaise politique du moment : heure critique, grand corps social dont la moindre fièvre hâtait la décomposition. Aussi, lorsque M. Camy-Lamotte avait su de son interlocuteur que la Compagnie, le matin, avait résolu le renvoi de Roubaud, s'était-il vivement élevé contre cette mesure. Non ! non ! rien ne serait plus maladroit, cela redoublerait le tapage dans la presse, si elle s'avisait de poser le sous-chef en victime politique. Tout craquerait de plus belle, de bas en haut, et Dieu savait à quelles découvertes désagréables on arriverait pour les uns et pour les autres ! Le scandale avait trop duré, il fallait au plus tôt faire le silence. Et le chef de l'exploitation, convaincu, s'était engagé à maintenir Roubaud, à ne pas même le déplacer du Havre[§]. On verrait bien qu'il n'y avait pas de malhonnêtes gens dans tout cela. C'était fini, l'affaire serait classée.

Lorsque Séverine, essoufflée, le cœur battant à grands coups, se retrouva dans le sévère cabinet[§] de la rue du Rocher, devant M. Camy-Lamotte, celui-ci la contempla un instant en silence,

1 *machine* : ensemble complexe dont la marche a la régularité d'une machine.

intéressé par l'extraordinaire effort qu'elle faisait pour paraître calme. Décidément, elle lui était sympathique, cette criminelle délicate, aux yeux de pervenche.

« Eh bien ! Madame… »

Et il s'arrêta pour jouir de son anxiété quelques secondes encore. Mais elle avait un regard si profond, il la sentait élancée toute vers lui, dans un tel besoin de savoir, qu'il fut pitoyable.

« Eh bien ! Madame, j'ai vu le chef de l'exploitation[§], j'ai obtenu que votre mari ne fût pas congédié… L'affaire est arrangée. »

Alors, elle défaillit, sous le flot de joie trop vive qui l'inonda. Ses yeux s'étaient emplis de larmes, et elle ne disait rien, elle souriait.

Il répéta, en insistant sur la phrase, pour lui donner toute sa signification :

« L'affaire est arrangée… Vous pouvez rentrer tranquille au Havre[§]. »

Elle entendait bien : il voulait dire qu'on ne les arrêterait pas, qu'on leur faisait grâce. Ce n'était pas seulement l'emploi maintenu, c'était l'effroyable drame oublié, enterré. D'un mouvement de caresse instinctive, comme une jolie bête domestique qui remercie et flatte, elle se pencha sur ses mains, les baisa, les garda appuyées contre ses joues. Et, cette fois, il ne les avait pas retirées, très ému lui-même du charme tendre de cette gratitude.

« Seulement, reprit-il en tâchant de redevenir sévère, souvenez-vous et conduisez-vous bien.

— Oh ! Monsieur ! »

Mais il désirait les garder à sa merci, la femme et l'homme. Il fit allusion à la lettre.

« Souvenez-vous que le dossier reste là, et qu'à la moindre faute, tout peut être repris… Surtout, recommandez à votre mari de ne plus s'occuper de politique. Sur ce chapitre, nous serions impitoyables. Je sais qu'il s'est déjà compromis, on m'a parlé d'une querelle fâcheuse avec le sous-préfet[§] ; enfin, il passe pour républicain[§], c'est détestable… N'est-ce pas ? Qu'il soit sage, ou nous le supprimerons, simplement. »

Elle était debout, ayant hâte maintenant d'être dehors, pour donner de l'espace à la joie qui la suffoquait.

«Monsieur, nous vous obéirons, nous serons ce qu'il vous plaira… N'importe quand, n'importe où, vous n'aurez qu'à commander : je vous appartiens.»

Il s'était remis à sourire, de son air las, avec la pointe de dédain d'un homme qui avait longuement bu au néant de toutes choses.

«Oh ! je n'abuserai pas, Madame, je n'abuse plus.»

Et lui-même ouvrit la porte du cabinet[§]. Sur le palier, elle se retourna deux fois, avec son visage rayonnant, qui le remerciait encore.

Dans la rue du Rocher, Séverine marcha follement. Elle s'aperçut qu'elle remontait la rue, sans raison ; et elle redescendit la pente, traversant la chaussée pour rien, au risque de se faire écraser. C'était un besoin de mouvement, de gestes, de cris. Déjà, elle comprenait pourquoi on leur faisait grâce, et elle se surprit à dire :

«Parbleu ! ils ont peur, il n'y a pas de danger qu'ils remuent ces choses-là, j'ai été bien bête de me torturer. C'est évident… Ah ! quelle chance ! sauvée, sauvée pour de bon, cette fois !… Et n'importe, je vais effrayer mon mari, afin qu'il se tienne tranquille… Sauvée, sauvée, quelle chance !»

Comme elle débouchait dans la rue Saint-Lazare, elle vit à l'horloge d'un bijoutier, qu'il était six heures moins vingt.

«Tiens ! je vais me payer un bon dîner[§], j'ai le temps.»

En face de la gare, elle choisit le restaurant le plus luxueux ; et, installée seule à une petite table bien blanche, contre la glace sans tain de la devanture, très amusée par le mouvement de la rue, elle se commanda un dîner fin, des huîtres, des filets de sole, une aile de poulet rôti… C'était bien le moins qu'elle se rattrapât de son mauvais déjeuner[§]. Elle dévora, trouva exquis le pain de gruau, se fit encore faire une friandise, des beignets soufflés. Puis, son café bu, elle se pressa, car elle n'avait plus que quelques minutes pour prendre l'express[§].

Jacques, en la quittant, après être allé chez lui remettre ses vêtements de travail, s'était rendu tout de suite au dépôt[§], où il n'arrivait d'ordinaire qu'une demi-heure avant le départ de sa machine. Il avait fini par se reposer sur Pecqueux des soins de visite, bien que le chauffeur[§] fût ivre deux fois sur trois. Mais, ce jour-là, dans l'émotion tendre où il était, un scrupule inconscient venait de l'envahir, il voulait s'assurer par lui-même du bon fonctionnement de toutes les pièces ; d'autant plus que, le matin, en venant du Havre[§], il croyait s'être aperçu d'une dépense de force plus grande pour un travail moindre.

Dans le vaste hangar fermé, noir de charbon[§], et que de hautes fenêtres poussiéreuses éclairaient, parmi les autres machines au repos, celle de Jacques se trouvait déjà en tête d'une voie, destinée à partir la première. Un chauffeur du dépôt[§] venait de charger le foyer[1], des escarbilles[2] rouges tombaient dessous, dans la fosse à piquer le feu[3]. C'était une de ces machines d'express[§], à deux essieux[4] couplés, d'une élégance fine et géante, avec ses grandes roues légères réunies par des bras d'acier, son poitrail large, ses reins allongés et puissants, toute cette logique et toute cette certitude qui font la beauté souveraine des êtres de métal, la précision dans la force. Ainsi que les autres machines de la Compagnie de l'Ouest[§], en dehors du numéro qui la désignait, elle portait le nom d'une gare, celui de Lison, une station du Cotentin. Mais Jacques, par tendresse, en avait fait un nom de femme, la Lison, comme il disait, avec une douceur caressante.

Et, c'était vrai, il l'aimait d'amour, sa machine, depuis quatre ans qu'il la conduisait. Il en avait mené d'autres, des dociles et des rétives, des courageuses et des fainéantes ; il n'ignorait point que chacune avait son caractère, que beaucoup ne valaient pas grand-chose, comme on dit des femmes de chair et d'os ; de sorte que, s'il l'aimait celle-là, c'était en vérité qu'elle

1 *foyer* : partie de la chaudière où brûle le charbon.

2 *escarbilles* : fragments de charbon qui s'échappent des foyers de locomotives.

3 *fosse à piquer le feu* : cavité maçonnée creusée entre les rails et permettant de passer sous la locomotive et de nettoyer le foyer ou encore de se débarrasser des résidus du charbon sans brûler les traverses de bois.

4 *essieux* : pièces placées transversalement sous un véhicule et qui en relient les roues (seules les grosses locomotives ont deux essieux reliés entre eux que l'on nomme « essieux couplés »).

avait des qualités rares de brave femme. Elle était douce, obéissante, facile au démarrage, d'une marche régulière et continue, grâce à sa bonne vaporisation[1]. On prétendait bien que, si elle démarrait avec tant d'aisance, cela provenait de l'excellent bandage[2] des roues et surtout du réglage parfait des tiroirs[3] ; de même que, si elle vaporisait beaucoup avec peu de combustible, on mettait cela sur le compte de la qualité du cuivre des tubes[4] et de la disposition heureuse de la chaudière[5]. Mais lui savait qu'il y avait autre chose, car d'autres machines, identiquement construites, montées avec le même soin, ne montraient aucune de ses qualités. Il y avait l'âme, le mystère de la fabrication, ce quelque chose que le hasard du martelage ajoute au métal, que le tour de main de l'ouvrier monteur donne aux pièces ; la personnalité de la machine, la vie.

Il l'aimait donc en mâle reconnaissant, la Lison, qui partait et s'arrêtait vite, ainsi qu'une cavale[§] vigoureuse et docile ; il l'aimait parce que, en dehors des appointements fixes, elle lui gagnait des sous, grâce aux primes de chauffage. Elle vaporisait si bien, qu'elle faisait en effet de grosses économies de charbon[§]. Et il n'avait qu'un reproche à lui adresser, un trop grand besoin de graissage : les cylindres[6] surtout dévoraient des quantités de graisse déraisonnables, une faim continue, une vraie débauche.

1 *vaporisation* : opération par laquelle l'eau, sous l'effet de la chaleur, passe à l'état de vapeur afin de produire une force motrice (c'est la pression causée par l'expansion de l'eau se transformant en vapeur qui crée cette force). Le verbe « vaporiser » désigne l'action de faire passer un liquide à l'état de vapeur.

2 *bandage* : anneau d'acier qui entoure la jante d'une roue. Le bandage était taillé de manière à ramener constamment l'essieu dans une position symétrique par rapport à l'axe de la voie.

3 *tiroirs* : pièces mobiles qui couvrent et découvrent alternativement les orifices des cylindres de manière à permettre la distribution de la vapeur.

4 *tubes* : la chaudière est composée, entres autres parties, d'un faisceau de tubes par lequel passent les gaz chauds provenant du foyer.

5 *chaudière* : appareil dans lequel l'eau se transforme en vapeur grâce à la chaleur qui se dégage du foyer. Il s'agit de la pièce maîtresse de la locomotive, puisqu'elle détermine la puissance de la machine.

6 *cylindres* : pièces tubulaires, généralement en fonte, dans lesquelles se meuvent des pistons. Ces pistons, en se déplaçant sous l'action de la vapeur dans un mouvement de va-et-vient, actionnent, à leur tour, des bielles qui font bouger les roues de la locomotive.

Vainement, il avait tâché de la modérer. Mais elle s'essoufflait aussitôt, il fallait ça à son tempérament. Il s'était résigné à lui tolérer cette passion gloutonne, de même qu'on ferme les yeux sur un vice, chez les personnes qui sont, d'autre part, pétries de qualités; et il se contentait de dire, avec son chauffeur[§], en manière de plaisanterie, qu'elle avait, à l'exemple des belles femmes, le besoin d'être graissée trop souvent.

Pendant que le foyer[§] ronflait et que la Lison peu à peu entrait en pression[1], Jacques tournait autour d'elle, l'inspectant dans chacune de ses pièces, tâchant de découvrir pourquoi, le matin, elle lui avait mangé plus de graisse que de coutume. Et il ne trouvait rien, elle était luisante et propre, d'une de ces propretés gaies qui annoncent les bons soins tendres d'un mécanicien[§]. Sans cesse, on le voyait l'essuyer, l'astiquer; à l'arrivée surtout, de même qu'on bouchonne les bêtes fumantes d'une longue course, il la frottait vigoureusement, il profitait de ce qu'elle était chaude pour la mieux nettoyer des taches et des bavures. Il ne la bousculait jamais non plus, lui gardait une marche régulière, évitant de se mettre en retard, ce qui nécessite ensuite des sauts de vitesse fâcheux. Aussi tous deux avaient-ils fait toujours si bon ménage, que, pas une fois, en quatre années, il ne s'était plaint d'elle, sur le registre du dépôt[§], où les mécaniciens inscrivent leurs demandes de réparations, les mauvais mécaniciens, paresseux ou ivrognes, sans cesse en querelle avec leurs machines. Mais, vraiment, ce jour-là, il avait sur le cœur sa débauche de graisse; et c'était autre chose aussi, quelque chose de vague et de profond, qu'il n'avait pas éprouvé encore, une inquiétude, une défiance à son égard, comme s'il doutait d'elle et qu'il eût voulu s'assurer qu'elle n'allait pas se mal conduire en route.

Cependant, Pecqueux n'était point là, et Jacques s'emporta, lorsqu'il parut enfin, la langue pâteuse, à la suite d'un déjeuner[§], fait avec un ami. D'habitude, les deux hommes s'entendaient très bien, dans ce long compagnonnage qui les

1 *entrait en pression* : commençait à vaporiser suffisamment.

promenait d'un bout à l'autre de la ligne, secoués côte à côte, silencieux, unis par la même besogne et les mêmes dangers. Bien qu'il fût son cadet de plus de dix ans, le mécanicien[§] se montrait paternel pour son chauffeur[§], couvrait ses vices, le laissait dormir une heure, lorsqu'il était trop ivre ; et celui-ci lui rendait cette complaisance en un dévouement de bon chien, excellent ouvrier d'ailleurs, rompu au métier, en dehors de son ivrognerie. Il faut dire que lui aussi aimait la Lison, ce qui suffisait pour la bonne entente. Eux deux et la machine, ils faisaient un vrai ménage à trois, sans jamais une dispute. Aussi Pecqueux, interloqué d'être si mal reçu, regarda-t-il Jacques avec un redoublement de surprise, lorsqu'il l'entendit grogner ses doutes contre elle.

« Quoi donc ? mais elle va comme une fée !

— Non, non, je ne suis pas tranquille. »

Et, malgré le bon état de chaque pièce, il continuait à hocher la tête. Il fit jouer les manettes[1], s'assura du fonctionnement de la soupape[§]. Il monta sur le tablier[2], alla emplir lui-même les godets graisseurs[3] des cylindres[§] ; pendant que le chauffeur essuyait le dôme[4], où restaient de légères traces de rouille. La tringle de la sablière[5] marchait bien, tout aurait dû le rassurer. C'était que, dans son cœur, la Lison ne se trouvait plus seule. Une autre tendresse y grandissait, cette créature mince, si fragile, qu'il revoyait toujours près de lui, sur le banc du square, avec sa faiblesse câline, qui avait besoin d'être aimée et protégée. Jamais, quand une cause involontaire l'avait mis en retard, qu'il lançait sa machine à une vitesse de quatre-vingts kilomètres, jamais il n'avait songé aux dangers que pouvaient courir les

1 *manettes* : petits leviers, poignées de commande manuelle de certains mécanismes.

2 *tablier* : ensemble des passerelles et des plates-formes permettant de circuler autour de la chaudière.

3 *godets graisseurs* : petits récipients percés au fond et dans lesquels on verse l'huile destinée au graissage de certaines pièces.

4 *dôme (de prise de vapeur)* : réservoir arrondi situé au sommet de la chaudière et d'où partent les tuyaux qui captent la vapeur pour la conduire aux pistons.

5 *sablière* : grand récipient contenant du sable que l'on projette sur les rails au moment du démarrage de la locomotive en vue d'augmenter l'adhérence des roues sur la voie.

voyageurs. Et voilà que la seule idée de reconduire au Havre§ cette femme presque détestée le matin, amenée avec ennui, le travaillait d'une inquiétude, de la crainte d'un accident, où il se l'imaginait blessée par sa faute, mourante entre ses bras. Dès maintenant, il avait charge d'amour. La Lison, soupçonnée, ferait bien de se conduire correctement, si elle voulait garder son renom de bonne marcheuse.

Six heures sonnèrent, Jacques et Pecqueux montèrent sur le petit pont de tôle qui reliait le tender§ à la machine ; et, le dernier ayant ouvert le purgeur sur un signe de son chef, un tourbillon de vapeur blanche emplit le hangar noir. Puis, obéissant à la manette§ du régulateur, lentement tournée par le mécanicien§, la Lison démarra, sortit du dépôt§, siffla pour se faire ouvrir la voie. Presque tout de suite, elle put s'engager dans le tunnel des Batignolles. Mais, au pont de l'Europe, il lui fallut attendre ; et il n'était que l'heure réglementaire, lorsque l'aiguilleur§ l'envoya sur l'express§ de six heures trente, auquel deux hommes d'équipe l'attelèrent solidement.

On allait partir, il n'y avait plus que cinq minutes, et Jacques se penchait, surpris de ne pas voir Séverine au milieu de la bousculade des voyageurs. Il était bien certain qu'elle ne monterait pas, sans être d'abord venue jusqu'à lui. Enfin, elle parut, en retard, courant presque. Et, en effet, elle longea tout le train, ne s'arrêta qu'à la machine, le teint animé, exultante de joie.

Ses petits pieds se haussèrent, sa face se leva, rieuse.

« Ne vous inquiétez pas, me voici. »

Lui, également, se mit à rire, heureux qu'elle fût là.

« Bon, bon ! ça va bien. »

Mais elle se haussa encore, reprit à voix plus basse :

« Mon ami, je suis contente, très contente… Une grande chance qui m'arrive… Tout ce que je désirais. »

Et il comprit parfaitement, il en éprouva un gros plaisir. Puis, comme elle repartait en courant, elle se retourna, pour ajouter par plaisanterie :

« Dites donc, maintenant, n'allez pas me casser les os. »

Il se récria, d'une voix gaie :

« Oh ! par exemple ! n'ayez pas peur ! »

Mais les portières battaient, Séverine n'eut que le temps de monter ; et Jacques, au signal du conducteur chef[§], siffla, puis ouvrit le régulateur. On partit. C'était le même départ que celui du train tragique de février, à la même heure, au milieu des mêmes activités de la gare, dans les mêmes bruits, les mêmes fumées. Seulement, il faisait jour encore, un crépuscule clair, d'une douceur infinie. La tête à la portière, Séverine regardait.

Et, sur la Lison, Jacques, monté à droite, chaudement vêtu d'un pantalon et d'un bourgeron de laine, portant des lunettes à œillères de drap, attachées derrière la tête, sous sa casquette, ne quittait plus la voie des yeux, se penchait à toute seconde, en dehors de la vitre de l'abri, pour mieux voir. Rudement secoué par la trépidation, n'en ayant pas même conscience, il avait la main droite sur le volant du changement de marche[§], comme un pilote sur la roue du gouvernail ; il le manœuvrait d'un mouvement insensible et continu, modérant, accélérant la vitesse ; et, de la main gauche, il ne cessait de tirer la tringle du sifflet, car la sortie de Paris est difficile, pleine d'embûches. Il sifflait aux passages à niveau, aux gares, aux tunnels, aux grandes courbes. Un signal rouge s'étant montré, au loin, dans le jour tombant, il demanda longuement la voie, passa comme un tonnerre. À peine, de temps à autre, jetait-il un coup d'œil sur le manomètre[1], tournant le petit volant de l'injecteur[2], dès que la pression atteignait dix kilogrammes. Et c'était sur la voie toujours, en avant, que revenait son regard, tout à la surveillance des moindres particularités, dans une attention telle, qu'il ne voyait rien autre, qu'il ne sentait même pas le vent souffler en tempête. Le manomètre baissa, il ouvrit la porte du foyer[§], en haussant la crémaillère[3] ; et Pecqueux, habitué au geste, comprit, cassa à coups de marteau du charbon[§], qu'il étala avec la pelle, en une couche bien égale, sur toute la largeur de la grille. Une chaleur ardente leur brûlait les jambes à tous deux ;

1 *manomètre* : appareil servant à indiquer la pression d'un gaz ou d'une vapeur qui se trouve dans un espace clos.

2 *injecteur* : appareil qui sert à alimenter en eau la chaudière à vapeur.

3 *crémaillère* : dispositif à cran destiné à régler la hauteur de certains éléments.

puis, la porte refermée, de nouveau le courant d'air glacé souffla.

La nuit tombait, Jacques redoublait de prudence. Il avait rarement senti la Lison si obéissante ; il la possédait, la chevauchait à sa guise, avec l'absolue volonté du maître ; et, pourtant, il ne se relâchait pas de sa sévérité, la traitait en bête domptée, dont il faut se méfier toujours. Là, derrière son dos, dans le train lancé à grande vitesse, il voyait une figure fine, s'abandonnant à lui, confiante, souriante. Il en avait un léger frisson, il serrait d'une poigne plus rude le volant du changement de marche[§], il perçait les ténèbres croissantes d'un regard fixe, en quête de feux rouges. Après les embranchements d'Asnières et de Colombes, il avait respiré un peu. Jusqu'à Mantes, tout allait bien, la voie était un véritable palier, où le train roulait à l'aise. Après Mantes, il dut pousser la Lison, pour qu'elle montât une rampe assez forte, presque d'une demi-lieue[§]. Puis, sans la ralentir, il la lança sur la pente douce du tunnel de Rolleboise, deux kilomètres et demi de tunnel qu'elle franchit en trois minutes à peine. Il n'y avait plus qu'un autre tunnel, celui du Roule, près de Gaillon, avant la gare de Sotteville, une gare redoutée, que la complication des voies, les continuelles manœuvres, l'encombrement constant, rendent très périlleuse. Toutes les forces de son être étaient dans ses yeux qui veillaient, dans sa main qui conduisait ; et la Lison, sifflante et fumante, traversa Sotteville à toute vapeur, ne s'arrêta qu'à Rouen, d'où elle repartit, calmée un peu, montant avec plus de lenteur la rampe qui va jusqu'à Malaunay.

La lune s'était levée, très claire, d'une lumière blanche, qui permettait à Jacques de distinguer les moindres buissons, et jusqu'aux pierres des chemins, dans leur fuite rapide. Comme, à la sortie du tunnel de Malaunay, il jetait à droite un coup d'œil, inquiet de l'ombre portée d'un grand arbre, barrant la voie, il reconnut le coin reculé, le champ de broussailles, d'où il avait vu le meurtre. Le pays, désert et farouche, défilait avec ses continuelles côtes, ses creux noirs de petits bois, sa désolation ravagée. Ensuite, ce fut, à la Croix-de-Maufras, sous la lune immobile, la brusque apparition de la maison plantée de biais, dans son abandon et sa détresse, les volets éternellement clos, d'une mélancolie affreuse. Et, sans savoir pourquoi, cette fois encore, plus que les précédentes, Jacques eut le cœur serré, comme s'il passait devant son malheur.

Mais, tout de suite, ses yeux emportèrent une autre image. Près de la maison des Misard, contre la barrière du passage à niveau, Flore était là, debout. Maintenant, à chaque voyage, il la voyait à cette place, l'attendant, le guettant. Elle ne remua pas, elle tourna simplement la tête, pour le suivre plus longtemps, dans l'éclair qui l'emportait. Sa haute silhouette se détachait en noir sur la lumière blanche, ses cheveux d'or s'allumaient seuls, à l'or pâle de l'astre.

Et Jacques, ayant poussé la Lison pour lui faire franchir la rampe de Motteville, la laissa souffler un peu le long du plateau de Bolbec, puis la lança enfin, de Saint-Romain à Harfleur, sur la plus forte pente de la ligne, trois lieues[§] que les machines dévorent d'un galop de bêtes folles, sentant l'écurie. Et il était brisé de fatigue, au Havre[§], lorsque, sous la marquise[§], pleine du vacarme et de la fumée de l'arrivée, Séverine, avant de remonter chez elle, accourut lui dire, de son air gai et tendre :

« Merci, à demain. »

# – VI –

Un mois se passa, et un grand calme s'était fait de nouveau dans le logement que les Roubaud occupaient au premier étage de la gare, au-dessus des salles d'attente. Chez eux, chez les voisins de couloir, parmi ce petit monde d'employés, soumis à une existence d'horloge par l'uniforme retour des heures réglementaires, la vie s'était remise à couler, monotone. Et il semblait que rien ne se fût passé de violent ni d'anormal.

La bruyante et scandaleuse affaire Grandmorin, tout doucement, s'oubliait, allait être classée, par l'impuissance où paraissait être la justice de découvrir le coupable. Après une prévention d'une quinzaine de jours encore, le juge d'instruction[§] Denizet avait rendu une ordonnance de non-lieu[§], à l'égard de Cabuche, motivée sur ce qu'il n'existait pas contre lui de charges[1] suffisantes ; et une légende de police était en train de se former, romanesque : celle d'un assassin inconnu, insaisissable, un aventurier du crime, présent partout à la fois, que l'on chargeait de tous les meurtres et qui se dissipait en fumée, à la seule apparition des agents. À peine quelques plaisanteries reparaissaient-elles de loin en loin sur ce légendaire assassin, dans la presse de l'opposition[§], enfiévrée par l'approche des élections générales[§]. La pression du pouvoir, les violences des préfets lui fournissaient quotidiennement d'autres sujets d'articles indignés ; si bien que, les journaux ne s'occupant plus de l'affaire, elle était sortie de la curiosité passionnée de la foule. On n'en causait même plus.

Ce qui avait achevé de ramener le calme chez les Roubaud, c'était l'heureuse façon dont venait de s'aplanir l'autre difficulté, celle que menaçait de soulever le testament du président[§] Grandmorin. Sur les conseils de madame Bonnehon, les Lachesnaye avaient enfin consenti à ne pas attaquer ce testament, dans la crainte de réveiller le scandale, très incertains aussi du résultat d'un procès. Et, mis en possession de leur legs,

1 *charges* : faits qui indiquent la culpabilité de quelqu'un.

les Roubaud se trouvaient, depuis une semaine, propriétaires de la Croix-de-Maufras, la maison et le jardin, évalués à une quarantaine de mille francs[§]. Tout de suite, ils avaient décidé de la vendre, cette maison de débauche et de sang, qui les hantait ainsi qu'un cauchemar, où ils n'auraient point osé dormir, dans l'épouvante des spectres du passé ; et de la vendre en bloc, avec les meubles, telle qu'elle était, sans la réparer ni même en enlever la poussière. Mais, comme, à des enchères publiques, elle aurait trop perdu, les acheteurs étant rares qui consentiraient à se retirer dans cette solitude, ils avaient résolu d'attendre un amateur, ils s'étaient contentés d'accrocher à la façade un immense écriteau, aisément lisible des continuels trains qui passaient. Cet appel en grosses lettres, cette désolation à vendre, ajoutait à la tristesse des volets clos et du jardin envahi par les ronces. Roubaud ayant absolument refusé d'y aller, même en passant, prendre certaines dispositions nécessaires, Séverine s'y était rendue un après-midi ; et elle avait laissé les clefs aux Misard, en les chargeant de montrer la propriété, si des acquéreurs se présentaient. On aurait pu s'y installer en deux heures, car il y avait jusqu'à du linge dans les armoires.

Et, rien dès lors n'inquiétant plus les Roubaud, ils laissaient donc couler chaque journée dans l'attente assoupie du lendemain. La maison finirait par se vendre, ils en placeraient l'argent, tout marcherait très bien. Ils l'oubliaient d'ailleurs, ils vivaient comme s'ils ne devaient jamais sortir des trois pièces qu'ils occupaient : la salle à manger, dont la porte s'ouvrait directement sur le couloir ; la chambre à coucher, assez vaste, à droite ; la cuisine, toute petite et sans air, à gauche. Même, devant leurs fenêtres, la marquise[§] de la gare, cette pente de zinc qui leur barrait la vue, ainsi qu'un mur de prison, au lieu de les exaspérer comme autrefois, semblait les tranquilliser, augmentait la sensation d'infini repos, de paix réconfortante où ils s'endormaient. Au moins, on n'était pas vu des voisins, on n'avait pas toujours devant soi des yeux d'espions à fouiller chez vous ; et ils ne se plaignaient plus, le printemps étant venu, que de la chaleur étouffante, des reflets aveuglants du zinc, chauffé par les premiers soleils. Après la secousse effroyable, qui, pendant près de deux mois, les avait fait vivre dans un continuel frisson, ils jouissaient béatement de cette torpeur envahissante. Ils demandaient à ne plus bouger, heureux d'être, simplement, sans trembler ni souffrir. Jamais Roubaud ne s'était montré un employé si exact, si consciencieux : la semaine de jour, descendu sur le quai à cinq heures du matin, il ne remontait déjeuner[§] qu'à dix, redescendait à onze, allait jusqu'à cinq heures du soir, onze heures pleines de service ; la semaine de nuit, pris de cinq heures du soir à cinq heures du matin, il n'avait même point le court repos d'un repas fait chez lui, car il soupait dans son bureau ; et il portait cette dure servitude avec une sorte de satisfaction, il semblait s'y complaire, descendant aux détails, voulant tout voir, tout faire, comme s'il avait trouvé un oubli à cette fatigue, un recommencement de vie équilibrée, normale. De son côté, Séverine, presque toujours seule, qui était veuve une semaine sur deux, qui l'autre semaine ne le voyait qu'au déjeuner et au dîner[§], paraissait prise d'une fièvre de bonne ménagère. D'habitude, elle s'asseyait, brodait, détestant de toucher au ménage, qu'une vieille femme, la mère Simon, venait faire, de neuf heures à midi. Mais, depuis qu'elle se retrouvait tranquille chez elle, certaine d'y rester, des idées de nettoyage, d'arrangement, l'occupaient. Elle ne reprenait sa chaise qu'après avoir fureté partout. Du reste, tous deux dormaient d'un bon sommeil. Dans leurs rares tête-à-tête, aux repas, ainsi que les nuits où ils couchaient ensemble, jamais ils ne reparlaient de l'affaire ; et ils devaient croire que c'était chose finie, enterrée.

Pour Séverine, surtout, l'existence redevint ainsi très douce. Ses paresses la reprirent, elle abandonna de nouveau le ménage à la mère Simon, en demoiselle faite seulement pour les fins travaux d'aiguille. Elle avait commencé une œuvre interminable, tout un couvre-pied brodé, qui menaçait de l'occuper sa vie entière. Elle se levait assez tard, heureuse de rester seule au lit, bercée par les départs et les arrivées des trains, qui marquaient pour elle la marche des heures, exactement, ainsi qu'une horloge. Dans les premiers temps de son mariage, ces bruits violents de la gare, coups de sifflet, chocs de plaques tournantes[§], roulements de foudre, ces trépidations brusques, pareilles à des tremblements de terre, qui la secouaient avec les meubles, l'avaient affolée. Puis, peu à peu, l'habitude était venue, la gare sonore et frissonnante entrait dans sa vie ; et, maintenant, elle s'y plaisait, son calme était fait de cette agitation et de ce vacarme. Jusqu'au déjeuner[§], elle voyageait d'une pièce dans l'autre, causait avec la femme de ménage, les mains inertes. Puis, elle passait les longs après-midi, assise devant la fenêtre de la salle à manger, son ouvrage le plus souvent tombé sur les genoux, heureuse de ne rien faire. Les semaines où son mari remontait se coucher au petit jour, elle l'entendait ronfler jusqu'au soir ; et, du reste, c'était devenu pour elle les bonnes semaines, celles qu'elle vivait comme autrefois, avant d'être mariée, tenant toute la largeur du lit, se récréant ensuite à son gré, libre de sa journée entière. Elle ne sortait presque jamais, elle n'apercevait du Havre[§] que les fumées des usines voisines, dont les gros tourbillons noirs tachaient le ciel, au-dessus du faîtage de zinc, qui coupait l'horizon, à quelques mètres de ses yeux. La ville était là, derrière cet éternel mur ; elle la sentait toujours présente, son ennui de ne pas la voir avait à la longue pris de la douceur ; cinq ou six pots de giroflées et de verveines, qu'elle cultivait dans le chéneau de la marquise[§], lui faisaient un petit jardin, fleurissant sa solitude. Parfois, elle parlait d'elle comme d'une recluse, au fond d'un bois. Seul, à ses moments de flâne, Roubaud enjambait la fenêtre ; puis, filant le long du chéneau, il allait jusqu'au bout, montait la pente de zinc, s'asseyait en haut du pignon, au-dessus du cours[§] Napoléon ; et là, enfin, il fumait sa pipe, en plein ciel, dominant la ville étalée à ses pieds, les bassins[§] plantés de la haute futaie des mâts, la mer immense, d'un vert pâle, à l'infini.

Il semblait que la même somnolence eût gagné les autres ménages d'employés, voisins des Roubaud. Ce couloir, où soufflait d'ordinaire un si terrible vent de commérages, s'endormait lui aussi. Quand Philomène rendait visite à madame Lebleu, c'était à peine si l'on entendait le léger murmure de leurs voix. Surprises toutes deux de voir comment tournaient les choses, elles ne parlaient plus du sous-chef qu'avec une commisération dédaigneuse : bien sûr que, pour lui conserver sa place, son épouse était allée en faire de belles, à Paris ; enfin, un homme taré maintenant, qui ne se laverait pas de certains soupçons. Et, comme la femme du caissier avait la conviction que désormais ses voisins n'étaient point de force à lui reprendre le logement, elle leur témoignait simplement beaucoup de mépris, passant très raide, ne saluant pas ; si bien qu'elle indisposa même Philomène, qui vint de moins en moins : elle la trouvait trop fière, ne s'amusait plus. Pourtant, madame Lebleu, pour s'occuper, continuait à guetter l'intrigue de mademoiselle Guichon avec le chef de gare, M. Dabadie, sans jamais les surprendre, d'ailleurs. Dans le couloir, il n'y avait plus que le frôlement imperceptible de ses pantoufles de feutre. Tout s'étant ainsi ensommeillé de proche en proche, un mois se passa, de paix souveraine, comme ces grands sommeils qui suivent les grandes catastrophes.

Mais, chez les Roubaud, un point restait, douloureux, inquiétant, un point du parquet de la salle à manger, où leurs yeux ne pouvaient se porter par hasard, sans qu'un malaise, de nouveau, les troublât. C'était, à gauche de la fenêtre, la frise[1] de chêne qu'ils avaient déplacée, puis remise, pour cacher, dessous, la montre et les dix mille francs[§], pris sur le corps de Grandmorin, sans compter environ trois cents francs en or, dans un porte-monnaie. Cette montre et cet argent, Roubaud ne les avait enlevés des poches que pour faire croire au vol. Il n'était pas un voleur, il serait mort de faim à côté, comme il le disait, plutôt que de profiter d'un centime[2] ou de vendre la montre. L'argent de ce vieux, qui avait sali sa femme, dont il avait fait justice, cet argent taché de boue et de sang, non ! non ! ce n'était pas de l'argent assez propre, pour qu'un honnête homme y touchât. Et il ne songeait même point à la maison de la Croix-de-Maufras, dont il acceptait le cadeau : seul, le fait de la victime fouillée, de ces billets emportés dans l'abomination du meurtre, le révoltait, soulevait sa conscience,

1 *frise* : petite lame de parquet.

2 *centime* : un centième de franc. C'est la plus petite unité monétaire française.

d'un mouvement de recul et de peur. Cependant, la volonté ne lui était pas venue de les brûler, puis d'aller un soir jeter la montre et le porte-monnaie à la mer. Si la simple prudence le lui conseillait, un instinct sourd protestait en lui contre cette destruction. Il avait un respect inconscient, jamais il ne se serait résigné à anéantir une telle somme. D'abord, la première nuit, il l'avait enfouie sous son oreiller, ne jugeant aucun coin assez sûr. Les jours suivants, il s'était ingénié à découvrir des cachettes, il en changeait chaque matin, agité au moindre bruit, dans la crainte d'une perquisition judiciaire. Jamais il n'avait fait une pareille dépense d'imagination. Puis, à bout de ruses, las de trembler, il avait eu un jour la paresse de reprendre l'argent et la montre, cachés la veille sous la frise[§] ; et, maintenant, pour rien au monde, il n'aurait fouillé là : c'était comme un charnier, un trou d'épouvante et de mort, où des spectres l'attendaient. Il évitait même, en marchant, de poser les pieds sur cette feuille du parquet ; car la sensation lui en était désagréable, il s'imaginait en recevoir dans les jambes un léger choc. Séverine, l'après-midi, lorsqu'elle s'asseyait devant la fenêtre, reculait sa chaise, pour n'être pas juste au-dessus du cadavre, qu'ils gardaient ainsi dans leur plancher. Ils n'en parlaient pas entre eux, s'efforçaient de croire qu'ils s'y accoutumeraient, finissaient par s'irriter de le retrouver, de le sentir à chaque heure, de plus en plus importun, sous leurs semelles. Et ce malaise était d'autant plus singulier, qu'ils ne souffraient nullement du couteau, le beau couteau neuf acheté par la femme, et que le mari avait planté dans la gorge de l'amant. Simplement lavé, il traînait au fond d'un tiroir, il servait parfois à la mère Simon, pour couper le pain.

D'ailleurs, dans cette paix où il vivait, Roubaud venait d'introduire une autre cause de trouble, peu à peu grandissante, en forçant Jacques à les fréquenter. Le roulement de son service ramenait le mécanicien[§] au Havre[§] trois fois par semaine : le lundi, de dix heures trente-cinq du matin à six heures vingt du soir ; le jeudi et le samedi, de onze heures cinq du soir à six heures quarante du matin. Et, le premier lundi, après le voyage de Séverine, le sous-chef s'était acharné.

«Voyons, camarade, vous ne pouvez refuser de manger un morceau avec nous… Que diable ! vous avez été très gentil pour ma femme, je vous dois bien un remerciement.»

Deux fois en un mois, Jacques avait ainsi accepté à déjeuner[§]. Il semblait que Roubaud, gêné des grands silences qui se faisaient maintenant, quand il mangeait avec sa femme, éprouvât un soulagement, dès qu'il pouvait mettre un convive entre eux. Tout de suite, il retrouvait des histoires, il causait et plaisantait.

«Revenez donc le plus souvent possible ! Vous voyez bien que vous ne nous gênez pas.»

Un soir, un jeudi, comme Jacques, débarbouillé allait se mettre au lit, il avait rencontré le sous-chef flânant autour du dépôt[§] ; et, malgré l'heure tardive, ce dernier, ennuyé de rentrer seul, s'était fait accompagner jusqu'à la gare, puis avait entraîné le jeune homme chez lui. Séverine, levée encore, lisait. On avait pris un petit verre, on avait même joué aux cartes jusqu'à minuit passé.

Et, désormais, les déjeuners du lundi, les petites soirées du jeudi et du samedi tournaient à l'habitude. C'était Roubaud lui-même, lorsque le camarade manquait un jour, qui le guettait pour le ramener, en lui reprochant sa négligence. Il s'assombrissait de plus en plus, il n'était vraiment gai qu'avec son nouvel ami. Ce garçon qui l'avait si cruellement inquiété d'abord, qui aurait dû maintenant lui être en exécration, comme le témoin, l'évocation vivante des choses affreuses qu'il voulait oublier, lui était au contraire devenu nécessaire, peut-être justement parce qu'il savait et qu'il n'avait point parlé. Cela restait entre eux, ainsi qu'un lien très fort, une complicité. Souvent, le sous-chef regardait l'autre d'un air d'intelligence, lui serrait la main avec un subit emportement, dont la violence dépassait la simple expression de leur camaraderie.

Mais surtout Jacques, dans le ménage, demeurait une distraction. Séverine, elle aussi, l'accueillait gaiement, poussait un léger cri dès son entrée, en femme qu'un plaisir réveille. Elle lâchait tout, sa broderie, son livre, s'échappait, en paroles et en rires, de la grise somnolence où elle passait les journées.

«Ah ! que c'est gentil d'être venu ! J'ai entendu l'express[§], j'ai pensé à vous.»

Quand il déjeunait, c'était fête. Elle connaissait déjà ses goûts, sortait elle-même pour lui avoir des œufs frais, tout cela très gentiment, en bonne ménagère qui reçoit l'ami de la maison, sans qu'il pût y voir encore autre chose que l'envie d'être aimable et le besoin de se distraire.

«Vous savez, lundi, revenez ! il y aura de la crème.»

Seulement, lorsque, au bout d'un mois, il fut là, installé, la séparation s'aggrava entre les Roubaud. La femme, de plus en plus, se plaisait au lit toute seule, s'arrangeait pour s'y rencontrer le moins possible avec son mari ; et ce dernier, si ardent, si brutal aux premiers temps du mariage, ne faisait rien pour l'y retenir. Il l'avait aimée sans délicatesse, elle s'y était résignée avec sa soumission de femme complaisante, pensant que les choses devaient être ainsi, n'y goûtant du reste aucun plaisir. Mais, depuis le crime, cela, sans qu'elle sût pourquoi, lui répugnait beaucoup. Elle en était énervée, effrayée. Un soir, comme la bougie n'était pas éteinte, elle cria : sur elle, dans cette face rouge, convulsée, elle avait cru revoir la face de l'assassin ; et, dès lors, elle trembla chaque fois, elle eut l'horrible sensation du meurtre, comme s'il l'eût renversée, un couteau au poing. C'était fou, mais son cœur battait d'épouvante. De moins en moins, d'ailleurs, il abusait d'elle, la sentant trop rétive pour s'y plaire. Une fatigue, une indifférence, ce que l'âge amène, il semblait que la crise affreuse, le sang répandu, l'eût produit entre eux. Les nuits où ils ne pouvaient éviter le lit commun, ils se tenaient aux deux bords. Et Jacques, certainement, aidait à consommer ce divorce, en les tirant par sa présence de l'obsession où ils étaient d'eux-mêmes. Il les délivrait l'un de l'autre.

Roubaud, cependant, vivait sans remords. Il avait eu seulement peur des suites, avant que l'affaire fût classée ; et sa grande inquiétude était surtout de perdre sa place. À cette heure, il ne regrettait rien. Peut-être, pourtant, s'il avait dû recommencer l'affaire, n'y aurait-il point mêlé sa femme ; car les femmes s'effarent tout de suite, la sienne lui échappait, parce qu'il lui avait mis aux épaules un poids trop lourd. Il serait resté le maître, en ne descendant pas avec elle jusqu'à la camaraderie terrifiée et querelleuse du crime. Mais les choses étaient ainsi, il fallait s'y accommoder ; d'autant plus qu'il devait faire un véritable effort pour se replacer dans l'état d'esprit où il était, lorsque, après l'aveu, il avait jugé le meurtre nécessaire à sa vie. S'il n'avait pas tué l'homme, il lui semblait alors qu'il n'aurait pas pu vivre. Aujourd'hui que sa flamme jalouse était morte, qu'il n'en retrouvait pas l'intolérable brûlure, envahi d'un engourdissement, comme si le sang de son cœur se fût épaissi de tout le sang versé, cette nécessité du meurtre ne lui apparaissait plus si évidente. Il en arrivait à se demander si cela valait vraiment la peine de tuer. Ce n'était, d'ailleurs, pas même un repentir, une désillusion au plus, l'idée qu'on fait souvent des choses inavouables pour être heureux, sans le devenir davantage. Lui, si bavard, tombait à de longs silences, à des réflexions confuses, d'où il sortait plus sombre. Tous les jours, à présent, pour éviter après les repas de rester face à face avec sa femme, il montait sur la marquise[§], allait s'asseoir en haut du pignon ; et, dans les souffles du large, bercé de vagues rêveries, il fumait des pipes, en regardant, par-dessus la ville, les paquebots se perdre à l'horizon, vers les mers lointaines.

Un soir, Roubaud eut un réveil de sa jalousie farouche d'autrefois. Comme il était allé chercher Jacques au dépôt[§], et qu'il le ramenait prendre chez lui un petit verre, il rencontra, descendant l'escalier, Henri Dauvergne, le conducteur chef[§]. Celui-ci parut troublé, expliqua qu'il venait de voir madame Roubaud, pour une commission dont l'avaient chargée ses sœurs. La vérité était que, depuis quelque temps, il poursuivait Séverine, dans l'espoir de la vaincre.

Dès la porte, le sous-chef apostropha violemment sa femme.

« Qu'est-il encore monté faire, celui-là ? Tu sais qu'il m'embête !

— Mais, mon ami, c'est pour un dessin de broderie...

— De la broderie, on lui en fichera ! Est-ce que tu me crois assez bête pour ne pas comprendre ce qu'il vient chercher ici ?... Et toi, prends garde ! »

Il marchait sur elle, les poings serrés, et elle reculait, toute blanche, étonnée de l'éclat de son emportement, dans la calme indifférence où ils vivaient l'un et l'autre. Mais il s'apaisait déjà, il s'adressait à son compagnon.

« C'est vrai, des gaillards qui tombent dans un ménage, avec l'air de croire que la femme va tout de suite se jeter à leur tête, et que le mari, très honoré, fermera les yeux ! Moi, ça me fait bouillir le sang… Voyez-vous, dans un cas pareil, j'étranglerais ma femme, oh ! du coup ! Et que ce petit monsieur n'y revienne pas, ou je lui règle son affaire… N'est-ce pas ? C'est dégoûtant. »

Jacques, très gêné de la scène, ne savait quelle contenance tenir. Était-ce pour lui, cette exagération de colère ? le mari voulait-il lui donner un avertissement ? Il se rassura, lorsque ce dernier reprit d'une voix gaie :

« Grande bête, je sais bien que tu le flanquerais toi-même à la porte… Va, donne-nous des verres, trinque avec nous. »

Il tapait sur l'épaule de Jacques, et Séverine, remise elle aussi, souriait aux deux hommes. Puis, ils burent ensemble, ils passèrent une heure très douce.

Ce fut ainsi que Roubaud rapprocha sa femme et le camarade, d'un air de bonne amitié, sans paraître songer aux suites possibles. Cette question de la jalousie devint justement la cause d'une intimité plus étroite, de toute une tendresse secrète, resserrée de confidences, entre Jacques et Séverine ; car celui-ci, l'ayant revue, le surlendemain, la plaignit d'avoir été si brutalement traitée, tandis qu'elle, les yeux noyés, confessait, par le débordement involontaire de ses plaintes, combien peu elle avait trouvé de bonheur dans son ménage. Dès ce moment, ils eurent un sujet de conversation à eux seuls, une complicité d'amitié, où ils finissaient par s'entendre sur un signe. À chaque visite, il l'interrogeait du regard, pour savoir si elle n'avait eu aucun sujet nouveau de tristesse. Elle répondait de même, d'un simple mouvement des paupières. Puis, leurs mains se cherchèrent derrière le dos du mari, ils s'enhardirent, ils correspondirent par de longues pressions, en se disant, du bout de leurs doigts tièdes, l'intérêt croissant qu'ils prenaient aux moindres petits faits de leur existence. Rarement, ils avaient la fortune de se rencontrer une minute, en dehors de la présence de Roubaud. Toujours ils le retrouvaient là, entre eux, dans cette salle à manger mélancolique ; et ils ne faisaient rien pour lui échapper, n'ayant pas même la pensée de se donner un rendez-vous, au fond de quelque coin reculé de la gare. C'était, jusque-là, une affection véritable, un entraînement de sympathie vive, qu'il gênait à peine, puisqu'un regard, un serrement de main, leur suffisait encore pour se comprendre.

La première fois que Jacques chuchota à l'oreille de Séverine qu'il l'attendrait le jeudi suivant, à minuit, derrière le dépôt[§], elle se révolta, elle retira sa main violemment. C'était sa semaine de liberté, celle du service de nuit. Mais un grand trouble l'avait prise, à la pensée de sortir de chez elle, d'aller retrouver ce garçon si loin, à travers les ténèbres de la gare. Elle éprouvait une confusion qu'elle n'avait jamais eue, la peur des vierges ignorantes dont le cœur bat ; et elle ne céda point tout de suite, il dut la prier pendant près de quinze jours, avant qu'elle consentît, malgré l'ardent désir où elle était elle-même de cette promenade nocturne. Juin commençait, les soirées devenaient brûlantes, à peine rafraîchies par la brise de la mer. Trois fois déjà, il l'avait attendue, espérant toujours qu'elle le rejoindrait, malgré son refus. Ce soir-là, elle avait dit non encore ; mais la nuit était sans lune, une nuit de ciel couvert, où pas une étoile ne luisait, sous la brume ardente qui alourdissait le ciel. Et, comme il était debout, dans l'ombre, il la vit enfin venir, vêtue de noir, d'un pas muet. Il faisait si sombre, qu'elle l'aurait frôlé sans le reconnaître, s'il ne l'avait arrêtée dans ses bras, en lui donnant un baiser. Elle eut un léger cri, frissonnante. Puis, rieuse, elle laissa ses lèvres sur les siennes. Seulement, ce fut tout, jamais elle n'accepta de s'asseoir, sous un des hangars qui les entouraient. Ils marchèrent, ils causèrent à voix très basse, serrés l'un contre l'autre. Il y avait là un vaste espace occupé par le dépôt et ses dépendances, tout le terrain compris entre la rue Verte et la rue François-Mazeline, qui coupent chacune la ligne d'un passage à niveau : sorte d'immense terrain vague, encombré de voies de garage, de réservoirs, de prises d'eau, de constructions de toutes sortes, les deux grandes remises pour les machines, la petite maison des Sauvagnat entourée d'un potager large comme la main, les masures où étaient installés les ateliers de réparation, le corps de garde[1] où dormaient les mécaniciens[§] et les chauffeurs[§] ; et rien n'était plus facile que de se dissimuler, de se perdre ainsi qu'au fond d'un bois, parmi ces ruelles désertes, aux inextricables détours. Pendant une heure, ils y goûtèrent une solitude délicieuse, à soulager leurs cœurs des paroles amies amassées depuis si longtemps ; car elle ne voulait entendre parler que d'affection, elle lui avait tout de suite déclaré qu'elle ne serait jamais à lui, que cela serait trop vilain de salir cette pure amitié dont elle était si fière, ayant le besoin de s'estimer. Puis, il l'accompagna jusqu'à la rue Verte, leurs bouches se rejoignirent, en un baiser profond. Et elle rentra.

À cette même heure, dans le bureau des sous-chefs, Roubaud commençait à sommeiller, au fond du vieux fauteuil de cuir, d'où il se levait vingt fois par nuit, les membres rompus. Jusqu'à neuf heures, il avait à recevoir et à expédier les trains du soir. Le train de marée[2] l'occupait particulièrement : c'étaient les manœuvres, les attelages, les feuilles d'expédition à surveiller de près. Puis, lorsque l'express[§] de Paris était arrivé et débranché, il soupait seul dans le bureau, sur un coin de table, avec un morceau de viande froide, descendu de chez lui, entre deux tranches de pain. Le dernier train, un omnibus[§] de Rouen, entrait en gare à minuit et demi. Et les quais déserts tombaient à un grand silence, on ne laissait allumés que de rares becs de gaz[§], la gare entière s'endormait, dans ce frissonnement des demi-ténèbres. De tout le personnel, il ne restait que deux surveillants et quatre ou cinq hommes d'équipe, sous les ordres du sous-chef. Encore ronflaient-ils à poings fermés, sur les planches du corps de garde ; tandis que Roubaud, forcé de les réveiller à la moindre alerte, ne sommeillait que l'oreille

1 *corps de garde* : local où se tient habituellement un groupe de soldats chargé d'assurer la garde d'un poste, d'un bâtiment de l'armée.

2 *train de marée* : train express reliant un port de pêche à un grand centre de consommation afin d'approvisionner ce dernier en poisson frais.

aux aguets. De peur que la fatigue ne l'assommât, vers le jour, il réglait son réveille-matin à cinq heures, heure à laquelle il devait être debout, pour recevoir le premier train de Paris. Mais, parfois, depuis quelque temps surtout, il ne pouvait dormir, pris d'insomnie, se retournant dans son fauteuil. Alors, il sortait, faisait une ronde, poussait jusqu'au poste de l'aiguilleur§, où il causait un instant. Le vaste ciel noir, la paix souveraine de la nuit finissaient par calmer sa fièvre. À la suite d'une lutte avec des maraudeurs, on l'avait armé d'un revolver, qu'il portait tout chargé dans sa poche. Et, jusqu'à l'aube souvent, il se promenait ainsi, s'arrêtant dès qu'il croyait voir remuer la nuit, reprenant sa marche avec le vague regret de n'avoir pas à faire le coup de feu, soulagé lorsque le ciel blanchissait et tirait de l'ombre le grand fantôme pâle de la gare. Maintenant que le jour se levait dès trois heures, il rentrait se jeter dans son fauteuil, où il dormait d'un sommeil de plomb, jusqu'à ce que son réveille-matin le mît debout, effaré.

Tous les quinze jours, le jeudi et le samedi, Séverine rejoignait Jacques ; et, une nuit, comme elle lui parlait du revolver dont son mari était armé, ils s'en inquiétèrent. Jamais, à la vérité, Roubaud n'allait jusqu'au dépôt§. Cela n'en donna pas moins à leurs promenades une apparence de danger, qui en troublait le charme. Ils avaient surtout trouvé un coin adorable : c'était, derrière la maison des Sauvagnat, une sorte d'allée, entre des tas énormes de charbon§ de terre, qui en faisaient la rue solitaire d'une ville étrange, aux grands palais carrés de marbre noir. On s'y trouvait absolument caché et il y avait, au bout, une petite remise à outils, dans laquelle un empilement de sacs vides aurait fait une couche très molle. Mais, un samedi qu'une averse brusque les forçait à s'y réfugier, elle s'était obstinée à rester debout, n'abandonnant toujours que ses lèvres, dans des baisers sans fin. Elle ne mettait pas là sa pudeur, elle donnait à boire son souffle, goulûment, comme par amitié. Et, lorsque, brûlant de cette flamme, il tentait de la prendre, elle se défendait, elle pleurait, en répétant chaque fois les mêmes raisons. Pourquoi voulait-il lui faire tant de peine ? Cela lui semblait si tendre, de s'aimer, sans toute cette saleté du sexe ! Souillée à seize ans par la débauche de ce vieux dont le spectre sanglant la hantait, violentée plus tard par les appétits brutaux de son mari, elle avait gardé une candeur d'enfant, une virginité, toute la honte charmante de la passion qui s'ignore. Ce qui la ravissait, chez Jacques, c'était sa douceur, son obéissance à ne pas égarer ses mains sur elle, dès qu'elle les prenait simplement entre les siennes, si faibles. Pour la première fois, elle aimait, et elle ne se livrait point, parce que, justement, cela lui aurait gâté son amour, d'être tout de suite à celui-ci de la même façon qu'elle avait appartenu aux deux autres. Son désir inconscient était de prolonger à jamais cette sensation si délicieuse, de redevenir toute jeune, avant la souillure, d'avoir un bon ami, ainsi qu'on en a à quinze ans, et qu'on s'embrasse à pleine bouche derrière les portes. Lui, en dehors des instants de fièvre, n'avait point d'exigence, se prêtait à ce bonheur voluptueusement différé. Ainsi qu'elle, il semblait retourner à l'enfance, commençant l'amour, qui, jusque-là, était resté pour lui une épouvante. S'il se montrait docile, retirant ses mains, dès qu'elle les écartait, c'était qu'une peur sourde demeurait au fond de sa tendresse, un grand trouble, où il craignait de confondre le désir avec son ancien besoin de meurtre. Celle-ci, qui avait tué, était comme le rêve de sa chair. Sa guérison, chaque jour, lui paraissait plus certaine, puisqu'il l'avait tenue des heures à son cou, que sa bouche, sur la sienne, buvait son âme, sans que sa furieuse envie se réveillât d'en être le maître en l'égorgeant. Mais il n'osait toujours pas ; et cela était si bon d'attendre, de laisser à leur amour même le soin de les unir, quand la minute viendrait, dans l'évanouissement de leur volonté, aux bras l'un de l'autre. Ainsi, les rendez-vous heureux se succédaient, ils ne se lassaient pas de se retrouver pour un moment, de marcher ensemble par les ténèbres, entre les grands tas de charbon[§] qui assombrissaient la nuit, autour d'eux.

Une nuit de juillet, Jacques pour arriver au Havre[§] à onze heures cinq, l'heure réglementaire, dut pousser la Lison, comme si la chaleur étouffante l'eût rendue paresseuse. Depuis Rouen, sur sa gauche, un orage l'accompagnait, suivant la vallée de la Seine, avec de larges éclairs éblouissants ; et, de temps à autre, il se retournait, pris d'inquiétude, car Séverine, ce soir-là, devait venir le rejoindre. Sa peur était que cet orage, s'il éclatait trop tôt, ne l'empêchât de sortir. Aussi, lorsqu'il eut réussi à entrer en gare, avant la pluie, s'impatienta-t-il contre les voyageurs, qui n'en finissaient point de débarrasser les wagons. Roubaud était là, sur le quai, cloué pour la nuit.

« Diable ! dit-il en riant, vous êtes bien pressé d'aller vous coucher… Dormez bien.

— Merci. »

Et Jacques, après avoir refoulé le train, siffla et se rendit au dépôt[§]. Les vantaux de l'immense porte étaient ouverts, la Lison s'engouffra sous le hangar fermé, une sorte de galerie à deux voies, longue environ de soixante-dix mètres, et qui pouvait contenir six machines. Il y faisait très sombre, quatre becs de gaz[§] éclairaient à peine les ténèbres, qu'ils semblaient accroître de grandes ombres mouvantes ; et seuls, par moments, les larges éclairs enflammaient le vitrage du toit et les hautes fenêtres, à droite et à gauche : on distinguait alors, comme dans une flambée d'incendie, les murs lézardés, les charpentes noires de charbon[§], toute la misère caduque de cette bâtisse, devenue insuffisante. Deux machines étaient déjà là, froides, endormies.

Tout de suite, Pecqueux se mit à éteindre le foyer[§]. Il tisonnait violemment, et des braises, s'échappant du cendrier[1], tombaient dessous, dans la fosse.

« J'ai trop faim, je vas casser une croûte, dit-il. Est-ce que vous en êtes ? »

Jacques ne répondit pas. Malgré sa hâte, il ne voulait pas quitter la Lison, avant que les feux fussent renversés et la chaudière[§] vidée. C'était un scrupule, une habitude de bon mécanicien[§], dont il ne se départait jamais. Lorsqu'il avait le temps, il ne s'en allait même qu'après l'avoir visitée, essuyée, avec le soin qu'on met à panser une bête favorite.

L'eau coula dans la fosse, à gros bouillons, et il dit seulement alors :

« Dépêchons, dépêchons. »

1 *cendrier* : récipient placé en dessous du foyer pour en recueillir les cendres.

Un formidable coup de tonnerre lui coupa la parole. Cette fois, les hautes fenêtres, sur le ciel en flamme, s'étaient détachées si nettement, qu'on aurait pu en compter les vitres cassées, très nombreuses. À gauche, le long des étaux, qui servaient pour les réparations, une feuille de tôle, laissée debout, résonna avec la vibration persistante d'une cloche. Toute l'antique charpente du comble avait craqué.

«Bougre !» dit simplement le chauffeur[§].

Le mécanicien[§] eut un geste de désespoir. C'était fini, d'autant plus que, maintenant, une pluie diluvienne s'abattait sur le hangar. Le roulement de l'averse menaçait de crever le vitrage du toit. Là-haut, également, des carreaux devaient être brisés, car il pleuvait sur la Lison, de grosses gouttes, en paquets. Un vent furieux entrait par les portes laissées ouvertes, on aurait dit que la carcasse de la vieille bâtisse allait être emportée.

Pecqueux achevait d'accommoder la machine.

«Voilà ! on verra clair demain… Pas besoin de lui faire davantage la toilette…»

Et, revenant à son idée :

«Faut manger… Il pleut trop, pour aller se coller sur sa paillasse.»

La cantine, en effet, se trouvait là, contre le dépôt[§] même ; tandis que la Compagnie avait dû louer une maison, rue François-Mazeline, où étaient installés des lits pour les mécaniciens et les chauffeurs qui passaient la nuit au Havre[§]. Par un tel déluge, on aurait eu le temps d'être trempé jusqu'aux os.

Jacques dut se décider à suivre Pecqueux, qui avait pris le petit panier de son chef, comme pour lui éviter le soin de le porter. Il savait que ce panier contenait encore deux tranches de veau froid, du pain, une bouteille entamée à peine ; et c'était ce qui lui donnait faim, simplement. La pluie redoublait, un coup de tonnerre encore venait d'ébranler le hangar. Quand les deux hommes s'en allèrent, à gauche, par la petite porte qui conduisait à la cantine, la Lison se refroidissait déjà. Elle s'endormit, abandonnée, dans les ténèbres que les violents éclairs illuminaient, sous les grosses gouttes qui trempaient ses reins. Près d'elle, une prise d'eau, mal fermée, ruisselait et entretenait une mare, coulant entre ses roues, dans la fosse.

Mais, avant d'entrer à la cantine, Jacques voulut se débarbouiller. Il y avait toujours là, dans une pièce, de l'eau chaude, avec des baquets. Il tira un savon de son panier, il se décrassa les mains et la face, noires du voyage ; et, comme il avait la précaution, recommandée aux mécaniciens[§], d'emporter un vêtement de rechange, il put se changer des pieds à la tête, ainsi qu'il le faisait du reste, par coquetterie, chaque soir de rendez-vous, en arrivant au Havre[§]. Déjà, Pecqueux attendait dans la cantine, ne s'étant lavé que le bout du nez et le bout des doigts.

Cette cantine consistait simplement en une petite salle nue, peinte en jaune, où il n'y avait qu'un fourneau pour faire chauffer les aliments, et qu'une table, scellée au sol, recouverte d'une feuille de zinc, en guise de nappe. Deux bancs complétaient le mobilier. Les hommes devaient apporter leur nourriture, et mangeaient sur du papier, avec la pointe de leur couteau. Une large fenêtre éclairait la pièce.

« En voilà une sale pluie ! » cria Jacques en se plantant à la fenêtre.

Pecqueux s'était assis sur un banc, devant la table.

« Vous ne mangez pas, alors ?

— Non, mon vieux, finissez mon pain et ma viande, si le cœur vous en dit… Je n'ai pas faim. »

L'autre, sans se faire prier, se jeta sur le veau, acheva la bouteille. Souvent, il avait de pareilles aubaines, car son chef était petit mangeur ; et il l'aimait davantage, dans son dévouement de chien, pour toutes les miettes qu'il ramassait derrière lui. La bouche pleine, il reprit, après un silence :

« La pluie, qu'est-ce que ça fiche, puisque nous voilà garés ? C'est vrai que, si ça continue, moi, je vous lâche, je vas à côté. »

Il se mit à rire, car il ne se cachait pas, il avait dû lui confier sa liaison avec Philomène Sauvagnat, pour qu'il ne s'étonnât point de le voir découcher si souvent, les nuits où il allait la retrouver. Comme elle occupait, chez son frère, une pièce du rez-de-chaussée, près de la cuisine, il n'avait qu'à taper au volet : elle ouvrait, il entrait d'une enjambée, simplement.

C'était par là, disait-on, que toutes les équipes de la gare avaient sauté. Mais, maintenant, elle s'en tenait au chauffeur[§], qui suffisait, semblait-il.

«Nom de Dieu de nom de Dieu !» jura sourdement Jacques, en voyant le déluge reprendre avec plus de violence, après une accalmie.

Pecqueux, qui tenait au bout de son couteau la dernière bouchée de viande, eut de nouveau un rire bon enfant.

«Dites, c'est donc que vous aviez de l'occupation, ce soir ? Hein ! à nous deux, on ne peut guère nous reprocher d'user les matelas, là-bas, rue François-Mazeline.»

Vivement, Jacques quitta la fenêtre.

«Pourquoi ça ?

— Dame, vous voilà comme moi, depuis ce printemps, à n'y entrer qu'à des deux ou trois heures du matin.»

Il devait savoir quelque chose, peut-être avait-il surpris un rendez-vous. Dans chaque dortoir, les lits allaient par couple, celui du chauffeur près de celui du mécanicien[§] ; car on resserrait le plus possible l'existence de ces deux hommes, destinés à une entente de travail si étroite. Aussi n'était-il pas étonnant que celui-ci s'aperçût de la conduite irrégulière de son chef, très rangé jusque-là.

«J'ai des maux de tête, dit le mécanicien au hasard. Ça me fait du bien, de marcher la nuit.»

Mais déjà le chauffeur se récriait.

«Oh ! vous savez, vous êtes bien libre… Ce que j'en dis, c'est pour la farce… Même que, si vous aviez de l'ennui un jour, faut pas se gêner de vous adresser à moi ; parce que je suis bon là, pour tout ce que vous voudrez.»

Sans s'expliquer plus clairement, il se permit de lui prendre la main, la serra à l'écraser, dans le don entier de sa personne. Puis, il froissa et jeta le papier gras qui avait enveloppé la viande, remit la bouteille vide dans le panier, fit ce petit ménage en serviteur soigneux, habitué au balai et à l'éponge. Et, comme la pluie s'entêtait, bien que les coups de tonnerre eussent cessé :

«Alors, je file, je vous laisse à vos affaires.

— Oh ! dit Jacques, puisque ça continue, je vais aller m'étendre sur le lit de camp. »

C'était à côté du dépôt[§], une salle avec des matelas, protégés par des housses de toile, où les hommes venaient se reposer tout vêtus lorsqu'ils n'avaient à attendre, au Havre[§], que trois ou quatre heures. En effet, dès qu'il eut vu disparaître le chauffeur[§] dans le ruissellement, vers la maison des Sauvagnat, il se risqua à son tour, courut au corps de garde[§]. Mais il ne se coucha pas, se tint sur le seuil de la porte grande ouverte, étouffé par l'épaisse chaleur qui régnait là. Dans le fond, un mécanicien[§], allongé sur le dos, ronflait, la bouche élargie.

Quelques minutes encore passèrent, et Jacques ne pouvait se résigner à perdre son espoir. Dans son exaspération contre ce déluge imbécile, grandissait une folle envie d'aller quand même au rendez-vous, d'avoir au moins la joie d'y être, lui, s'il ne comptait plus y trouver Séverine. C'était un élancement de tout son corps, il finit par sortir sous l'averse, il arriva à leur coin préféré, suivit l'allée noire que formaient les tas de charbon[§]. Et, comme les grosses gouttes, cinglant de face, l'aveuglaient, il poussa jusqu'à la remise aux outils, où, une fois déjà, il s'était abrité avec elle. Il lui semblait qu'il y serait moins seul.

Jacques entrait dans l'obscurité profonde de ce réduit, lorsque deux bras légers l'enveloppèrent, et des lèvres chaudes se posèrent sur ses lèvres. Séverine était là.

« Mon Dieu ! vous étiez venue ?

— Oui, j'ai vu monter l'orage, je suis accourue ici, avant la pluie… Comme vous avez tardé ! »

Elle soupirait d'une voix défaillante, jamais il ne l'avait eue si abandonnée à son cou. Elle glissa, elle se trouva assise sur les bancs vides, sur cette couche molle qui occupait tout un angle. Et lui, tombé près d'elle, sans que leurs bras se fussent dénoués, sentait ses jambes en travers des siennes. Ils ne pouvaient se voir, leurs haleines les enveloppaient comme d'un vertige, dans l'anéantissement de tout ce qui les entourait.

Mais, sous l'ardent appel de leur baiser, le tutoiement était monté à leur bouche, comme le sang mêlé de leurs cœurs.

« Tu m'attendais…

— Oh ! je t'attendais, je t'attendais… »

Et, tout de suite, dès la première minute, presque sans paroles, ce fut elle qui l'attira d'une secousse, qui le força à la prendre. Elle n'avait point prévu cela. Quand il était arrivé, elle ne comptait même plus qu'elle le verrait ; et elle venait d'être emportée dans la joie inespérée de le tenir, dans un brusque et irrésistible besoin d'être à lui, sans calcul ni raisonnement. Cela était parce que cela devait être. La pluie redoublait sur le toit de la remise, le dernier train de Paris qui entrait en gare passa, grondant et sifflant, ébranlant le sol.

Lorsque Jacques se releva, il écouta avec surprise le roulement de l'averse. Où était-il donc ? Et, comme il retrouvait par terre, sous sa main, le manche d'un marteau qu'il avait senti en s'asseyant, il fut inondé de félicité. Alors, c'était fait, il avait possédé Séverine et il n'avait pas pris ce marteau pour lui casser le crâne. Elle était à lui sans bataille, sans cette envie instinctive de la jeter sur son dos, morte, ainsi qu'une proie qu'on arrache aux autres. Il ne sentait plus sa soif de venger des offenses très anciennes dont il aurait perdu l'exacte mémoire, cette rancune amassée de mâle en mâle, depuis la première tromperie au fond des cavernes. Non, la possession de celle-ci était d'un charme puissant, elle l'avait guéri, parce qu'il la voyait autre, violente dans sa faiblesse, couverte du sang d'un homme qui lui faisait comme une cuirasse d'horreur. Elle le dominait, lui qui n'avait point osé. Et ce fut avec une reconnaissance attendrie, un désir de se fondre en elle, qu'il la reprit dans ses bras.

Séverine, elle aussi, s'abandonnait, bien heureuse, délivrée d'une lutte dont elle ne comprenait plus la raison. Pourquoi s'était-elle donc refusée si longtemps ? Elle s'était promise, elle aurait dû se donner puisqu'il ne devait y avoir que plaisir et douceur. Maintenant, elle comprenait bien qu'elle en avait toujours eu l'envie, même lorsqu'il lui semblait si bon d'attendre. Son cœur, son corps ne vivaient que d'un besoin d'amour absolu, continu, et c'était une cruauté affreuse, ces événements qui la jetaient effarée, à toutes ces abominations. Jusque-là,

*« Tu m'attendais…*
*— Oh ! Je t'attendais, je t'attendais… »*

Lignes 6016 et 6017.

Œuvres complètes illustrées d'Émile Zola (1906).

l'existence avait abusé d'elle, dans la boue, dans le sang, avec une violence telle, que ses beaux yeux bleus, restés naïfs, en gardaient un élargissement de terreur, sous son casque tragique de cheveux noirs. Elle était restée vierge malgré tout, elle venait de se donner, pour la première fois, à ce garçon, qu'elle adorait, dans le désir de disparaître en lui, d'être sa servante. Elle lui appartenait, il pouvait disposer d'elle à son caprice.

«Oh ! mon chéri, prends-moi, garde-moi, je ne veux que ce que tu veux.

— Non, non ! chérie, c'est toi la maîtresse, je ne suis là que pour t'aimer et t'obéir.»

Des heures se passèrent. La pluie avait cessé depuis longtemps, un grand silence enveloppait la gare, que troublait seule une voix lointaine, indistincte, montant de la mer. Ils étaient encore aux bras l'un de l'autre, lorsqu'un coup de feu les mit debout, frémissants. Le jour allait paraître, une tache pâle blanchissait le ciel, au-dessus de l'embouchure de la Seine. Qu'était-ce donc que ce coup de feu ? Leur imprudence, cette folie de s'être ainsi attardés, leur montrait, dans une brusque imagination, le mari les poursuivant à coups de revolver.

«Ne sors pas ! Attends, je vais voir.»

Jacques, prudemment, s'était avancé jusqu'à la porte. Et là, dans l'ombre épaisse encore, il entendit approcher un galop d'hommes, il reconnut la voix de Roubaud, qui poussait les surveillants en leur criant que les maraudeurs étaient trois, qu'il les avait parfaitement vus volant du charbon[§]. Depuis quelques semaines surtout, pas de nuit ne se passait sans qu'il eût de la sorte des hallucinations de brigands imaginaires. Cette fois, sous l'empire d'une frayeur soudaine, il avait tiré au hasard, dans les ténèbres.

«Vite, vite ! ne restons pas là, murmura le jeune homme. Ils vont visiter la remise… Sauve-toi !»

D'un grand élan, ils s'étaient repris, s'étouffant à pleins bras, à pleines lèvres. Puis, Séverine, légère, fila le long du dépôt[§], protégée par le vaste mur ; tandis que lui, doucement, se dissimulait au milieu des tas de charbon. Et il était temps, en vérité, car Roubaud voulait en effet visiter la remise. Il jurait que les maraudeurs devaient y être. Les lanternes des surveillants dansaient au ras du sol. Il y eut une querelle. Tous finirent par reprendre le chemin de la gare, irrités de cette poursuite inutile.

Et, comme Jacques, rassuré, se décidait à aller enfin se coucher rue François-Mazeline, il fut surpris de se heurter presque dans Pecqueux, qui achevait de rattacher ses vêtements, avec de sourds jurons.

«Quoi donc, mon vieux?

— Ah! nom de Dieu! ne m'en parlez pas! Ce sont ces imbéciles qui ont réveillé Sauvagnat. Il m'a entendu avec sa sœur, il est descendu en chemise, et je me suis dépêché de sauter par la fenêtre… Tenez! écoutez un peu.»

Des cris, des sanglots de femme qu'on corrige s'élevaient, pendant qu'une grosse voix d'homme grondait des injures.

«Hein? ça y est, il lui allonge sa raclée. Elle a beau avoir trente-deux ans, il lui donne le fouet comme à une petite fille, quand il la surprend… Ah! tant pis, je ne m'en mêle pas: c'est son frère!

— Mais, dit Jacques, je croyais qu'il vous tolérait, vous, qu'il ne se fâchait que lorsqu'il la trouvait avec un autre.

— Oh! on ne sait jamais. Des fois, il fait semblant de ne pas me voir. Puis, vous entendez, des fois, il cogne… Ça ne l'empêche pas d'aimer sa sœur. Elle est sa sœur, il préférerait tout lâcher que de se séparer d'elle. Seulement, il veut de la conduite… Nom de Dieu! je crois qu'elle a son compte, aujourd'hui.»

Les cris cessaient, dans de grands soupirs de plainte, et les deux hommes s'éloignèrent. Dix minutes plus tard, ils dormaient profondément, côte à côte, au fond du petit dortoir badigeonné de jaune, meublé simplement de quatre lits, de quatre chaises et d'une table, où il y avait une seule cuvette en zinc.

Alors, chaque nuit de rendez-vous, Jacques et Séverine goûtèrent de grandes félicités. Ils n'eurent pas toujours, autour d'eux, cette protection de la tempête. Des cieux étoilés, des lunes éclatantes, les gênèrent, mais, à ces rendez-vous-là, ils filaient dans les raies d'ombre, ils cherchaient les coins d'obscurité, où il était si bon de se serrer l'un contre l'autre. Et il y eut ainsi, en août et en septembre, des nuits adorables, d'une telle douceur, qu'ils se seraient laissé surprendre par le soleil, alanguis, si le réveil de la gare, de lointains souffles de machine, ne les avaient séparés. Même les premiers froids d'octobre ne leur déplurent pas. Elle venait plus couverte, enveloppée d'un grand manteau, dans lequel lui-même disparaissait à moitié. Puis, ils se barricadaient au fond de la remise aux outils, qu'il avait trouvé le moyen de fermer à l'intérieur, à l'aide d'une barre de fer. Ils y étaient comme chez eux, les ouragans de novembre, les coups de vent pouvaient arracher les ardoises des toitures, sans même leur effleurer la nuque. Cependant, lui, depuis le premier soir, avait une envie, celle de la posséder chez elle, dans cet étroit logement où elle lui semblait autre, plus désirable, avec son calme souriant de bourgeoise honnête ; et elle s'y était toujours refusée, moins par crainte de l'espionnage du couloir, que dans un scrupule dernier de vertu, réservant le lit conjugal. Mais, un lundi, en plein jour, comme il devait déjeuner[§] là et que le mari tardait à monter, retenu par le chef de gare, il plaisanta, la porta sur ce lit, dans une folie de témérité dont ils riaient tous les deux ; si bien qu'ils s'y oublièrent. Dès lors, elle ne résista plus, il monta la rejoindre, après minuit sonné, les jeudis et les samedis. Cela était horriblement dangereux : ils n'osaient bouger, à cause des voisins ; ils y éprouvèrent un redoublement de tendresse, des jouissances nouvelles. Souvent, un caprice de courses nocturnes, un besoin de fuir en bêtes échappées, les ramenait au-dehors, dans la solitude noire des nuits glacées. En décembre, par une gelée terrible, ils s'y aimèrent.

Depuis quatre mois déjà, Jacques et Séverine vivaient ainsi, d'une passion croissante. Ils étaient véritablement neufs tous les deux, dans l'enfance de leur cœur, cette innocence étonnée du premier amour, ravie des moindres caresses. En eux, continuait le combat de soumission, à qui se sacrifierait davantage. Lui, n'en doutait plus, avait trouvé la guérison de son affreux mal héréditaire ; car, depuis qu'il la possédait, la pensée du meurtre ne l'avait plus troublé. Était-ce donc que la possession physique contentait ce besoin de mort ? Posséder, tuer, cela s'équivalait-il, dans le fond sombre de la bête humaine ? Il ne raisonnait pas, trop ignorant, n'essayait pas d'entrouvrir la porte d'épouvante. Parfois, entre ses bras, il retrouvait la brusque mémoire de ce qu'elle avait fait, de cet assassinat, avoué du regard seul, sur le banc du square des Batignolles ; et il n'éprouvait même pas l'envie d'en connaître les détails. Elle, au contraire, semblait de plus en plus tourmentée du besoin de tout dire. Lorsqu'elle le serrait d'une étreinte, il sentait bien qu'elle était gonflée et haletante de son secret, qu'elle ne voulait ainsi entrer en lui que pour se soulager de la chose dont elle étouffait. C'était un grand frisson qui lui partait des reins, qui soulevait sa gorge d'amoureuse, dans le flot confus de soupirs montant à ses lèvres. La voix expirante, au milieu d'un spasme, n'allait-elle point parler ? Mais, vite, d'un baiser, il fermait sa bouche, y scellait l'aveu, saisi d'une inquiétude. Pourquoi mettre cet inconnu entre eux ? Pouvait-on affirmer que cela ne changerait rien à leur bonheur ? Il flairait un danger, un frémissement le reprenait, à l'idée de remuer avec elle ces histoires de sang. Et elle le devinait sans doute, elle redevenait, contre lui, caressante et docile, en créature d'amour, uniquement faite pour aimer et être aimée. Une folie de possession les emportait, ils demeuraient parfois évanouis aux bras l'un de l'autre.

Roubaud, depuis l'été, s'était encore épaissi, et à mesure que sa femme retournait à la gaieté, à la fraîcheur de ses vingt ans, lui vieillissait, semblait plus sombre. En quatre mois, comme il le disait, il avait beaucoup changé. Il donnait toujours de cordiales poignées de main à Jacques, l'invitait, n'était heureux que lorsqu'il l'avait à sa table. Seulement, cette distraction ne lui suffisait plus, il sortait souvent, dès la dernière bouchée, laissait parfois le camarade avec sa femme, sous le prétexte qu'il étouffait et qu'il avait besoin d'aller prendre l'air. La vérité était que, maintenant, il fréquentait un petit café du cours[§] Napoléon, où il retrouvait M. Cauche, le commissaire de surveillance[§]. Il buvait peu, des petits verres de rhum ; mais un goût du jeu lui était venu, qui tournait à la passion. Il ne se ranimait, n'oubliait tout que les cartes à la main, enfoncé dans des parties de piquet[§] interminables. M. Cauche, un effréné joueur, avait décidé qu'on intéresserait les parties; on en était venu à jouer cent sous[§]; et, dès lors, Roubaud, étonné de ne pas se connaître, avait brûlé de la rage du gain, cette fièvre chaude de l'argent gagné, qui ravage un homme jusqu'à lui faire risquer sa situation, sa vie, dans un coup de dés. Jusque-là, son service n'en avait pas souffert : il s'échappait dès qu'il était libre, ne rentrait qu'à des deux ou trois heures du matin, les nuits où il ne veillait pas. Sa femme ne s'en plaignait point, elle lui reprochait uniquement de rentrer plus maussade; car il avait une déveine extraordinaire, il finissait par s'endetter.

Un soir, une première querelle éclata entre Séverine et Roubaud. Sans le haïr encore, elle en arrivait à le supporter difficilement, car elle le sentait peser sur sa vie, elle aurait été si légère, si heureuse, s'il ne l'avait pas accablée de sa présence! Du reste, elle n'éprouvait aucun remords à le tromper : n'était-ce pas sa faute, ne l'avait-il pas presque poussée à la chute? Dans leur lente désunion, pour guérir de ce malaise qui les désorganisait, chacun d'eux se consolait, s'égayait à sa guise. Puisqu'il avait le jeu, elle pouvait bien avoir un amant. Mais, ce qui la fâchait surtout, ce qu'elle n'acceptait pas sans révolte, c'était la gêne où la mettaient ses pertes continuelles. Depuis que les pièces de cent sous du ménage filaient au café du cours[§] Napoléon, elle ne savait parfois comment payer sa blanchisseuse. Toutes sortes de douceurs, de petits objets de toilette, lui manquaient. Et, ce soir-là, ce fut justement à propos de l'achat nécessaire d'une paire de bottines, qu'ils en vinrent à se quereller. Lui, sur le point de sortir, ne trouvant pas de couteau sur la table pour se couper un morceau de pain, avait pris le grand couteau, l'arme, qui traînait dans un tiroir du buffet. Elle le regardait, tandis qu'il refusait les quinze francs[§] des bottines, ne les ayant pas, ne sachant où les prendre; elle répétait sa demande, obstinément, le forçait à répéter son refus, peu à peu exaspéré; mais, tout d'un coup, elle lui montra du doigt l'endroit du parquet où dormaient des spectres, elle lui dit qu'il y en avait là, de l'argent, et qu'elle en voulait. Il devint très pâle, il lâcha le couteau, qui retomba dans le tiroir. Un instant, elle crut qu'il allait la battre, car il s'était approché, bégayant que cet argent pouvait bien pourrir, qu'il se trancherait la main plutôt que de le reprendre ; et il serrait les poings, il menaçait de l'assommer, si elle s'avisait, pendant son absence, de soulever la frise[§], pour voler seulement un centime[§]. Jamais, jamais ! C'était mort et enterré ! Mais elle, d'ailleurs, avait blêmi, également défaillante à la pensée de fouiller là. La misère pouvait venir, tous deux crèveraient de faim à côté. En effet, ils n'en parlèrent plus, même les jours de grande gêne. Quand ils posaient le pied à cette place, la sensation de brûlure avait grandi, si intolérable, qu'ils finissaient par faire un détour.

Alors, d'autres disputes se produisirent, au sujet de la Croix-de-Maufras. Pourquoi ne vendaient-ils pas la maison ? Et ils s'accusaient mutuellement de ne rien faire de ce qu'il aurait fallu, pour hâter cette vente. Lui, violemment, refusait toujours de s'en occuper ; tandis qu'elle, les rares fois où elle écrivait à Misard, n'en obtenait que des réponses vagues : aucun acquéreur ne se présentait, les fruits avaient coulé, les légumes ne poussaient pas, faute d'arrosage. Peu à peu, le grand calme où était tombé le ménage, après la crise, se troublait ainsi, semblait emporté par un recommencement terrible de fièvre. Tous les germes de malaise, l'argent caché, l'amant introduit, s'étaient développés, les séparaient maintenant, les irritaient l'un contre l'autre. Et, dans cette agitation croissante, la vie allait devenir un enfer.

D'ailleurs, comme par un contrecoup fatal, tout se gâtait de même autour des Roubaud. Une nouvelle bourrasque de commérages et de discussions soufflait dans le couloir. Philomène venait de rompre violemment avec madame Lebleu, à la suite d'une calomnie de cette dernière, qui l'accusait de lui avoir vendu une poule morte de maladie. Mais la vraie raison de rupture était dans un rapprochement de Philomène et de Séverine. Pecqueux ayant, une nuit, reconnu celle-ci au bras de Jacques, elle avait fait taire ses scrupules d'autrefois, elle s'était montrée aimable pour la maîtresse du chauffeur[§] ; et Philomène, très flattée de cette liaison avec une dame qui était la beauté et la distinction sans conteste de la gare, venait de se retourner contre la femme du caissier, cette vieille gueuse, disait-elle, capable de faire battre les montagnes. Elle lui donnait tous les torts, elle criait partout, à cette heure, que le logement sur la rue appartenait aux Roubaud, que c'était une abomination de ne pas le leur rendre. Les choses commençaient donc à tourner très mal pour madame Lebleu, d'autant plus que son acharnement à guetter mademoiselle Guichon, afin de la surprendre avec le chef de gare, menaçait aussi de lui causer des ennuis sérieux : elle ne les surprenait toujours pas, mais elle avait le tort de se laisser surprendre, elle, l'oreille tendue, collée aux portes ; si bien que M. Dabadie, exaspéré d'être ainsi espionné, avait dit au sous-chef Moulin que, si Roubaud réclamait encore le logement, il était prêt à contresigner la lettre. Et Moulin, peu bavard d'habitude, ayant répété cela, on avait failli se battre de porte en porte, d'un bout du couloir à l'autre, tellement les passions s'étaient rallumées.

Au milieu de ces secousses croissantes, Séverine n'avait qu'un bon jour, le vendredi. Depuis octobre, elle avait eu la tranquille audace d'inventer un prétexte, le premier venu, une douleur au genou, qui nécessitait les soins d'un spécialiste ; et, chaque vendredi, elle partait par l'express[§] de six heures quarante du matin, que conduisait Jacques, elle passait la journée avec lui à Paris, puis revenait par l'express de six heures trente. D'abord, elle s'était crue obligée de donner à son mari des nouvelles de son genou : il allait mieux, il allait plus mal ; ensuite, voyant qu'il ne l'écoutait même pas, elle avait carrément cessé de lui en parler. Et, parfois, elle le regardait, elle se demandait s'il savait. Comment ce jaloux féroce, cet homme qui avait tué, aveuglé de sang, dans une rage imbécile, en arrivait-il à lui tolérer un amant ? Elle ne pouvait le croire, elle pensait simplement qu'il devenait stupide.

Dans les premiers jours de décembre, par une nuit glaciale, Séverine attendit son mari très tard. Le lendemain, un vendredi, avant l'aube, elle devait prendre l'express ; et, ces soirs-là, elle faisait d'habitude une toilette soigneuse, préparait ses vêtements, pour être tout de suite habillée, au saut du lit.

Enfin, elle se coucha, finit par s'endormir, vers une heure. Roubaud n'était pas rentré. Déjà deux fois, il n'avait reparu qu'au petit jour, tout à sa passion grandissante, ne pouvant plus s'arracher du café, dont une petite salle, au fond, se changeait peu à peu en un véritable tripot : on y jouait maintenant de grosses sommes, à l'écarté[1]. Heureuse du reste de coucher seule, bercée par l'attente de sa bonne journée du lendemain, la jeune femme dormait profondément, dans la chaleur douce des couvertures.

Mais trois heures allaient sonner, lorsqu'un bruit singulier l'éveilla. D'abord, elle ne put comprendre, crut rêver, se rendormit. C'étaient des pesées sourdes, des craquements de bois, comme si l'on avait voulu forcer une porte. Un éclat, une déchirure plus violente, la mit sur son séant. Et une peur la bouleversa : quelqu'un, à coup sûr, faisait sauter la serrure du couloir. Pendant une minute, elle n'osa bouger, écoutant, les oreilles bourdonnantes. Puis, elle eut le courage de se lever, pour voir ; elle marcha sans bruit, pieds nus, elle entrouvrit la porte de sa chambre doucement, saisie d'un tel froid, qu'elle en était toute pâle et amincie encore, sous la chemise ; et le spectacle qu'elle aperçut, dans la salle à manger, la cloua de surprise et d'effroi.

Par terre, Roubaud, vautré sur le ventre, soulevé sur les coudes, venait d'arracher la frise[§], à l'aide d'un ciseau. Une bougie, posée près de lui, l'éclairait, en projetant son ombre énorme jusqu'au plafond. Et, à cette minute, le visage penché au-dessus du trou qui creusait le parquet d'une fente noire, il regardait, les yeux élargis. Le sang violaçait ses joues, il avait sa face d'assassin. Brutalement, il plongea la main, ne trouva rien, dans le frisson qui l'agitait, dut approcher la bougie. Au fond, apparurent le porte-monnaie, les billets, la montre.

Séverine eut un cri involontaire, et Roubaud, terrifié, se retourna. Un moment, il ne la reconnut pas, crut sans doute à un spectre, en la voyant toute blanche, avec ses regards d'épouvante.

---

1 *écarté* : jeu de cartes.

« Qu'est-ce que tu fais donc ? » demanda-t-elle.

Alors, comprenant, évitant de répondre, il ne lâcha qu'un grognement sourd. Il la regardait, gêné par sa présence, désireux de la renvoyer au lit. Mais pas une parole raisonnable ne lui venait, il la trouvait simplement à gifler, ainsi grelottante, toute nue.

« N'est-ce pas ? continua-t-elle, tu me refuses des bottines, et tu prends l'argent pour toi, parce que tu as perdu. »

Cela, du coup, l'enragea. Est-ce qu'elle allait lui gâter la vie encore, se mettre en travers de son plaisir, cette femme, qu'il ne désirait plus, dont la possession n'était plus qu'une secousse désagréable ? Puisqu'il s'amusait ailleurs, il n'avait aucun besoin d'elle. De nouveau, il fouilla, ne prit que le porte-monnaie, contenant les trois cents francs[§] d'or. Et, lorsque, du talon, il eut remis la frise[§] en place, il vint lui jeter au visage, les dents serrées :

« Tu m'embêtes, je fais ce que je veux. Est-ce que je te demande, moi, ce que tu vas faire, tout à l'heure, à Paris ? »

Puis, avec un furieux haussement d'épaules, il retourna au café, en laissant la bougie par terre.

Séverine la ramassa, alla se remettre au lit, glacée jusqu'au cœur ; et elle la garda allumée, ne pouvant se rendormir, attendant l'heure de l'express[§], peu à peu brûlante, les yeux grands ouverts. C'était certain maintenant, il y avait une désorganisation progressive, comme une infiltration du crime, qui décomposait cet homme, et qui avait pourri tout lien, entre eux. Roubaud savait.

# – VII –

Ce vendredi-là, les voyageurs qui devaient, au Havre[§], prendre l'express[§] de six heures quarante, eurent à leur réveil un cri de surprise : la neige tombait depuis minuit, en flocons si drus, si gros, qu'il y en avait dans les rues une couche de trente centimètres.

Déjà, sous la halle[§] couverte, la Lison soufflait, fumante, attelée à un train de sept wagons, trois de deuxième classe et quatre de première[§]. Lorsque, vers cinq heures et demie, Jacques et Pecqueux étaient arrivés au dépôt[§], pour la visite, ils avaient eu un grognement d'inquiétude, devant cette neige entêtée, dont crevait le ciel noir. Et, maintenant, à leur poste, ils attendaient le coup de sifflet, les yeux au loin, au-delà du porche béant de la marquise[§], regardant la tombée muette et sans fin des flocons rayer les ténèbres d'un frisson livide.

Le mécanicien[§] murmura :

« Le diable m'emporte si l'on voit un signal !

— Encore si l'on peut passer ! » dit le chauffeur[§].

Roubaud était sur le quai, avec sa lanterne, rentré à la minute précise pour prendre son service. Par instants, ses paupières meurtries se fermaient de fatigue, sans qu'il cessât sa surveillance. Jacques lui ayant demandé s'il ne savait rien de l'état de la voie, il venait de s'approcher et de lui serrer la main, en répondant qu'il n'avait pas de dépêche[§] encore ; et, comme Séverine descendait, enveloppée d'un grand manteau, il la conduisit lui-même à un compartiment[§] de première classe, où il l'installa. Sans doute avait-il surpris le regard de tendresse inquiète, échangé entre les deux amants ; mais il ne se soucia seulement pas de dire à sa femme qu'il était imprudent de partir par un temps pareil, et qu'elle ferait mieux de remettre son voyage.

Des voyageurs arrivèrent, emmitouflés, chargés de valises, toute une bousculade dans le froid terrible du matin. La neige des chaussures ne se fondait même pas ; et les portières se refermaient aussitôt, chacun se barricadait, le quai restait désert, mal éclairé par les lueurs louches de quelques becs de gaz[§] ; tandis que le fanal[1] de la machine, accroché à la base de la cheminée, flambait seul, comme un œil géant, élargissant au loin, dans l'obscurité, sa nappe d'incendie.

Mais Roubaud éleva sa lanterne, donnant le signal. Le conducteur chef[§] siffla, et Jacques répondit, après avoir ouvert le régulateur et mis en avant le petit volant du changement de marche[§]. On partait. Pendant une minute encore, le sous-chef suivit tranquillement du regard le train qui s'éloignait sous la tempête.

« Et attention ! dit Jacques à Pecqueux. Pas de farce, aujourd'hui ! »

Il avait bien remarqué que son compagnon semblait, lui aussi, tomber de lassitude, le résultat, sûrement, de quelque noce de la veille.

« Oh ! Pas de danger, pas de danger ! » bégaya le chauffeur[§].

Tout de suite, dès la sortie de la halle[§] couverte, les deux hommes étaient entrés dans la neige. Le vent soufflait de l'est, la machine avait ainsi le vent debout, fouettée de face par les rafales ; et, derrière l'abri, ils n'en souffrirent pas trop d'abord, vêtus de grosses laines, les yeux protégés par des lunettes. Mais, dans la nuit, la lumière éclatante du fanal[§] était comme mangée par ces épaisseurs blafardes qui tombaient. Au lieu de s'éclairer à deux ou trois cents mètres, la voie apparaissait sous une sorte de brouillard laiteux, où les choses ne surgissaient que très rapprochées, ainsi que du fond d'un rêve. Et, selon sa crainte, ce qui porta l'inquiétude du mécanicien[§] à son comble, ce fut de constater, dès le feu du premier poste de cantonnement, qu'il ne verrait certainement pas, à la distance réglementaire, les signaux rouges, fermant la voie. Dès lors, il avança avec une extrême prudence, sans pouvoir cependant ralentir la vitesse, car le vent lui opposait une résistance énorme, et tout retard serait devenu un danger aussi grand.

Jusqu'à la station d'Harfleur, la Lison fila d'une bonne marche continue. La couche de neige tombée ne préoccupait

1 *fanal* : grosse lanterne placée à l'avant de la locomotive ou à l'arrière du dernier wagon.

pas encore Jacques, car il y en avait au plus soixante centimètres, et le chasse-neige[1] en déblayait aisément un mètre. Il était tout au souci de garder sa vitesse, sachant bien que la vraie qualité d'un mécanicien[§], après la tempérance et l'amour de sa machine, consistait à marcher d'une façon régulière, sans secousse, à la plus haute pression possible. Même, son unique défaut était là, dans un entêtement à ne pas s'arrêter, désobéissant aux signaux, croyant toujours qu'il aurait le temps de dompter la Lison : aussi, parfois, allait-il trop loin, écrasait les pétards[2], «les cors au pied», comme on dit, ce qui lui avait valu deux fois des mises à pied de huit jours. Mais, en ce moment, dans le grand danger où il se sentait, la pensée que Séverine était là, qu'il avait charge de cette chère existence, décuplait la force de sa volonté, tendue toute là-bas, jusqu'à Paris, le long de cette double ligne de fer, au milieu des obstacles qu'il devait franchir.

Et, debout sur la plaque de tôle qui reliait la machine au tender[§], dans les continuels cahots de la trépidation, Jacques, malgré la neige, se penchait à droite, pour mieux voir. Par la vitre de l'abri, brouillée d'eau, il ne distinguait rien; et il restait la face sous les rafales, la peau flagellée de milliers d'aiguilles, pincée d'un tel froid, qu'il y sentait comme des coupures de rasoir. De temps à autre, il se retirait, pour reprendre haleine; il ôtait ses lunettes, les essuyait; puis, il revenait à son poste d'observation, en plein ouragan, les yeux fixes, dans l'attente des feux rouges, si absorbé en son vouloir, qu'à deux reprises il eut l'hallucination de brusques étincelles sanglantes, tachant le rideau pâle qui tremblait devant lui.

Mais, tout d'un coup, dans les ténèbres, une sensation l'avertit que son chauffeur[§] n'était plus là. Seule, une petite lanterne éclairait le niveau d'eau, pour que nulle lumière n'aveuglât le mécanicien; et, sur le cadran du manomètre[§], dont l'émail semblait garder une lueur propre, il avait vu que

1 *chasse-neige* : appareillage que l'on installe à l'avant d'une locomotive et qui sert à déblayer les voies rendues impraticables par l'abondance de la neige tombée.

2 *pétards* : dispositifs détonants placés sur le rail et dont l'explosion prévient le mécanicien qu'il doit arrêter immédiatement sa locomotive.

l'aiguille bleue, tremblante, baissait rapidement. C'était le feu qui tombait. Le chauffeur[§] venait de s'étaler sur le coffre, vaincu par le sommeil.

«Sacré noceur !» cria Jacques, furieux, le secouant.

Pecqueux se releva, s'excusa, d'un grognement inintelligible. Il tenait à peine debout; mais la force de l'habitude le remit tout de suite à son feu, le marteau en main, cassant le charbon[§], l'étalant sur la grille avec la pelle, en une couche bien égale; puis, il donna un coup de balai. Et, pendant que la porte du foyer[§] restait ouverte, un reflet de fournaise, en arrière sur le train, comme une queue flamboyante de comète, avait incendié la neige, pleuvant au travers, en larges gouttes d'or.

Après Harfleur, commença la grande rampe de trois lieues[§] qui va jusqu'à Saint-Romain, la plus forte de toute la ligne. Aussi le mécanicien[§] se remit-il à la manœuvre, très attentif, s'attendant à un fort coup de collier, pour monter cette côte, déjà rude par les beaux temps. La main sur le volant du changement de marche[§], il regardait fuir les poteaux télégraphiques, tâchant de se rendre compte de la vitesse. Celle-ci diminuait beaucoup, la Lison s'essoufflait, tandis qu'on devinait le frottement des chasse-neige[§], à une résistance croissante. Du bout du pied, il rouvrit la porte; et le chauffeur, ensommeillé, comprit, poussa le feu encore, afin d'augmenter la pression. Maintenant, la porte rougissait, éclairait leurs jambes à tous deux d'une lueur violette. Mais ils n'en sentaient pas l'ardente chaleur, dans le courant d'air glacé qui les enveloppait. Sur un geste de son chef, le chauffeur venait aussi de lever la tige du cendrier[§], ce qui activait le tirage. Rapidement, l'aiguille du manomètre[§] était remontée à dix atmosphères[1], la Lison donnait toute la force dont elle était capable. Même, un instant, voyant le niveau d'eau baisser, le mécanicien dut faire mouvoir le petit volant de l'injecteur[§], bien que cela diminuât la pression. Elle se releva d'ailleurs, la machine ronflait, crachait, comme une bête qu'on surmène, avec des sursauts, des coups de reins, où l'on aurait cru entendre craquer ses membres. Et il la rudoyait, en femme

1 *atmosphères* : l'atmosphère est une unité de mesure de la pression des gaz.

vieillie et moins forte, n'ayant plus pour elle la même tendresse qu'autrefois.

« Jamais elle ne montera, la fainéante ! » dit-il, les dents serrées, lui qui ne parlait pas en route.

Pecqueux, étonné, dans sa somnolence, le regarda. Qu'avait-il donc maintenant contre la Lison ? Est-ce qu'elle n'était pas toujours la brave machine obéissante, d'un démarrage si aisé, que c'était un plaisir de la mettre en route, et d'une si bonne vaporisation[§], qu'elle épargnait son dixième de charbon[§], de Paris au Havre[§] ? Quand une machine avait des tiroirs[§] comme les siens, d'un réglage parfait, coupant à miracle la vapeur, on pouvait lui tolérer toutes les imperfections, comme qui dirait à une ménagère quinteuse, ayant pour elle la conduite et l'économie. Sans doute qu'elle dépensait trop de graisse. Et puis, après ? On la graissait, voilà tout !

Justement, Jacques répétait, exaspéré :

« Jamais elle ne montera, si on ne la graisse pas. »

Et, ce qu'il n'avait pas fait trois fois dans sa vie, il prit la burette, pour la graisser en marche. Enjambant la rampe, il monta sur le tablier[§] qu'il suivit tout le long de la chaudière[§]. Mais c'était une manœuvre des plus périlleuses : ses pieds glissaient sur l'étroite bande de fer, mouillée par la neige ; et il était aveuglé, et le vent terrible menaçait de le balayer comme une paille. La Lison, avec cet homme accroché à son flanc, continuait sa course haletante, dans la nuit, parmi l'immense couche blanche, où elle s'ouvrait profondément un sillon. Elle le secouait, l'emportait. Parvenu à la traverse d'avant, il s'accroupit devant le godet graisseur[§] du cylindre[§] de droite, il eut toutes les peines du monde à l'emplir, en se tenant d'une main à la tringle. Puis, il lui fallut faire le tour, ainsi qu'un insecte rampant, pour aller graisser le cylindre de gauche. Et, quand il revint, exténué, il était tout pâle, ayant senti passer la mort.

« Sale rosse ! » murmura-t-il.

Saisi de cette violence inaccoutumée à l'égard de leur Lison, Pecqueux ne put s'empêcher de dire, en hasardant une fois de plus son habituelle plaisanterie :

« Fallait m'y laisser aller : ça me connaît, moi, de graisser les dames. »

Réveillé un peu, il s'était remis, lui aussi, à son poste, surveillant le côté gauche de la ligne. D'ordinaire, il avait de bons yeux, meilleurs que ceux de son chef. Mais, dans cette tourmente, tout avait disparu, à peine pouvaient-ils, eux pourtant à qui chaque kilomètre de la route était si familier, reconnaître les lieux qu'ils traversaient : la voie sombrait sous la neige, les haies, les maisons elles-mêmes semblaient s'engloutir, ce n'était plus qu'une plaine rase et sans fin, un chaos de blancheurs vagues, où la Lison paraissait galoper à sa guise, prise de folie. Et jamais les deux hommes n'avaient senti si étroitement le lien de fraternité qui les unissait, sur cette machine en marche, lâchée à travers tous les périls, où ils se trouvaient plus seuls, plus abandonnés du monde, que dans une chambre close, avec l'aggravante, l'écrasante responsabilité des vies humaines qu'ils traînaient derrière eux.

Aussi Jacques, que la plaisanterie de Pecqueux avait achevé d'irriter, finit-il par en sourire, retenant la colère qui l'emportait. Ce n'était, certes, pas le moment de se quereller. La neige redoublait, le rideau s'épaississait à l'horizon. On continuait de monter, lorsque le chauffeur[§], à son tour, crut voir étinceler un feu rouge, au loin. D'un mot, il avertit son chef. Mais déjà il ne le retrouvait plus, ses yeux avaient rêvé, comme il disait parfois. Et le mécanicien[§], qui n'avait rien vu, restait le cœur battant, troublé par cette hallucination d'un autre, perdant confiance en lui-même. Ce qu'il s'imaginait distinguer, au-delà du pullulement pâle des flocons, c'étaient d'immenses formes noires, des masses considérables, comme des morceaux géants de la nuit, qui semblaient se déplacer et venir au-devant de la machine. Étaient-ce donc des coteaux éboulés, des montagnes barrant la voie, où allait se briser le train ? Alors, pris de peur, il tira la tringle du sifflet, il siffla longuement, désespérément ; et cette lamentation traînait, lugubre, au travers de la tempête. Puis, il fut tout étonné d'avoir sifflé à propos, car le train traversait à grande vitesse la gare de Saint-Romain, dont il se croyait éloigné de deux kilomètres.

Cependant, la Lison, qui avait franchi la terrible rampe, se mit à rouler plus à l'aise, et Jacques put respirer un moment. De Saint-Romain à Bolbec, la ligne monte d'une façon insensible, tout irait bien sans doute jusqu'à l'autre bout du plateau. Quand il fut à Beuzeville, pendant l'arrêt de trois minutes, il n'en appela pas moins le chef de gare qu'il aperçut sur le quai, tenant à lui dire ses craintes, en face de cette neige dont la couche augmentait toujours : jamais il n'arriverait à Rouen, le mieux serait de doubler l'attelage, en ajoutant une seconde machine, tandis qu'on se trouvait à un dépôt[§], où des machines à disposition étaient toujours prêtes. Mais le chef de gare répondit qu'il n'avait pas d'ordre et qu'il ne croyait pas devoir prendre cette mesure sur lui. Tout ce qu'il offrit, ce fut de donner cinq ou six pelles de bois, pour déblayer les rails, en cas de besoin. Et Pecqueux prit les pelles, qu'il rangea dans un coin du tender[§].

Sur le plateau, en effet, la Lison continua sa marche avec une bonne vitesse, sans trop de peine. Elle se lassait pourtant. À toute minute, le mécanicien[§] devait faire son geste, ouvrir la porte du foyer[§], pour que le chauffeur[§] mît du charbon[§] ; et, chaque fois, au-dessus du train morne, noir dans tout ce blanc, recouvert d'un linceul, flambait l'éblouissante queue de comète, trouant la nuit. Il était sept heures trois quarts ; le jour naissait ; mais, à peine en distinguait-on la pâleur au ciel, dans l'immense tourbillon blanchâtre qui emplissait l'espace, d'un bout de l'horizon à l'autre. Cette clarté louche, où rien ne se distinguait encore, inquiétait davantage les deux hommes, qui, les yeux pleins de larmes, malgré leurs lunettes, s'efforçaient de voir au loin. Sans lâcher le volant du changement de marche[§], le mécanicien ne quittait plus la tringle du sifflet, sifflant d'une façon presque continue, par prudence, d'un sifflement de détresse qui pleurait au fond de ce désert de neige.

On traversa Bolbec, puis Yvetot, sans encombre. Mais, à Motteville, Jacques, de nouveau, interpella le sous-chef, qui ne put lui donner des renseignements précis sur l'état de la voie. Aucun train n'était encore venu, une dépêche[§] annonçait simplement que l'omnibus[§] de Paris se trouvait bloqué à

Rouen, en sûreté. Et la Lison repartit, descendant de son allure alourdie et lasse les trois lieues[§] de pente douce qui vont à Barentin. Maintenant, le jour se levait, très pâle; et il semblait que cette lueur livide vînt de la neige elle-même. Elle tombait plus dense, ainsi qu'une chute d'aube brouillée et froide, noyant la terre des débris du ciel. Avec le jour grandissant, le vent redoublait de violence, les flocons étaient chassés comme des balles, il fallait qu'à chaque instant le chauffeur[§] prît sa pelle, pour déblayer le charbon[§], au fond du tender[§], entre les parois du récipient d'eau. À droite et à gauche, la campagne apparaissait, à ce point méconnaissable que les deux hommes avaient la sensation de fuir dans un rêve: les vastes champs plats, les gras pâturages clos de haies vives, les cours plantées de pommiers, n'étaient plus qu'une mer blanche, à peine renflée de courtes vagues, une immensité blême et tremblante, où tout défaillait, dans cette blancheur. Et le mécanicien[§], debout, la face coupée par les rafales, la main sur le volant, commençait à souffrir terriblement du froid.

Enfin, à l'arrêt de Barentin, le chef de gare, M. Bessière, s'approcha lui-même de la machine, pour prévenir Jacques qu'on signalait des quantités considérables de neige, du côté de la Croix-de-Maufras.

«Je crois qu'on peut encore passer, ajouta-t-il. Mais vous aurez de la peine.»

Alors, le jeune homme s'emporta.

«Tonnerre de Dieu! Je l'ai bien dit, à Beuzeville! Qu'est-ce que ça pouvait leur faire, de doubler l'attelage?… Ah! nous allons être gentils!»

Le conducteur chef[§] venait de descendre de son fourgon[§], et lui aussi se fâchait. Il était gelé dans sa vigie[1], il déclarait qu'il était incapable de distinguer un signal d'un poteau télégraphique. Un vrai voyage à tâtons, dans tout ce blanc!

«Enfin, vous voilà prévenus», reprit M. Bessière.

Cependant, les voyageurs s'étonnaient déjà de cet arrêt prolongé, au milieu du grand silence de la station ensevelie,

1 *vigie*: cabine surélevée et vitrée installée sur un wagon en tête ou en queue de train et constituant un poste d'observation.

sans un cri d'employé, sans un battement de portière. Quelques glaces furent baissées, des têtes apparurent : une dame très forte, avec deux jeunes filles blondes, charmantes, ses filles sans doute, toutes trois Anglaises à coup sûr ; et, plus loin, une jeune femme brune, très jolie, qu'un monsieur âgé forçait à rentrer ; tandis que deux hommes, un jeune, un vieux, causaient d'une voiture à l'autre, le buste à moitié sorti des portières. Mais, comme Jacques jetait un coup d'œil en arrière, il n'aperçut que Séverine, penchée elle aussi, regardant de son côté, d'un air anxieux. Ah ! la chère créature, qu'elle devait être inquiète, et quel crève-cœur il éprouvait, à la savoir là, si près et loin de lui, dans ce danger ! Il aurait donné tout son sang pour être à Paris déjà, et l'y déposer saine et sauve.

« Allons, partez, conclut le chef de gare. Il est inutile d'effrayer le monde. »

Lui-même avait donné le signal. Remonté dans son fourgon[§], le conducteur chef[§] siffla ; et, une fois encore, la Lison démarra, après avoir répondu d'un long cri de plainte.

Tout de suite, Jacques sentit que l'état de la voie changeait. Ce n'était plus la plaine, le déroulement à l'infini de l'épais tapis de neige, où la machine filait comme un paquebot, laissant un sillage. On entrait dans le pays tourmenté, les côtes et les vallons dont la houle énorme allait jusqu'à Malaunay, bossuant le sol ; et la neige s'était massée là d'une façon irrégulière, la voie se trouvait déblayée par places, tandis que des masses considérables avaient bouché certains passages. Le vent, qui balayait les remblais, comblait au contraire les tranchées. C'était ainsi une continuelle succession d'obstacles à franchir, des bouts de voie libre que barraient de véritables remparts. Il faisait plein jour maintenant, et la contrée dévastée, ces gorges étroites, ces pentes raides, prenaient, sous leur couche de neige, la désolation d'un océan de glace, immobilisé dans la tourmente.

Jamais encore Jacques ne s'était senti pénétrer d'un tel froid. Sous les mille aiguilles de la neige, son visage lui semblait en sang ; et il n'avait plus conscience de ses mains, paralysées par l'onglée, devenues si insensibles, qu'il frémit en s'apercevant qu'il perdait, entre ses doigts, la sensation du petit volant du changement de marche[§]. Quand il levait le coude, pour tirer la tringle du sifflet, son bras pesait à son épaule comme un bras de mort. Il n'aurait pu dire si ses jambes le portaient, dans les secousses continues de la trépidation, qui lui arrachaient les entrailles. Une immense fatigue l'avait envahi, avec ce froid, dont le gel gagnait son crâne, et sa peur était de n'être plus, de ne plus savoir s'il conduisait, car il ne tournait déjà le volant que d'un geste machinal, il regardait, hébété, le manomètre[§] descendre. Toutes les histoires connues d'hallucinations lui traversaient la tête. N'était-ce pas un arbre abattu, là-bas, en travers de la voie ? N'avait-il pas aperçu un drapeau rouge flottant au-dessus de ce buisson ? Des pétards[§], à chaque minute, n'éclataient-ils pas, dans le grondement des roues ? Il n'aurait pu le dire, il se répétait qu'il devrait arrêter, et il n'en trouvait pas la volonté nette. Pendant quelques minutes, cette crise le tortura ; puis, brusquement, la vue de Pecqueux, retombé endormi sur le coffre, terrassé par cet accablement du froid dont lui-même souffrait, le jeta dans une colère telle, qu'il en fut comme réchauffé.

« Ah ! nom de Dieu de salop ! »

Et lui, si doux d'ordinaire aux vices de cet ivrogne, le réveilla à coups de pied, tapa jusqu'à ce qu'il fût debout. L'autre, engourdi, se contenta de grogner, en reprenant sa pelle.

« Bon, bon ! on y va ! »

Quand le foyer[§] fut chargé, la pression remonta ; et il était temps, la Lison venait de s'engager au fond d'une tranchée, où elle avait à fendre une épaisseur de plus d'un mètre. Elle avançait dans un effort extrême, dont elle tremblait toute. Un instant, elle s'épuisa, il sembla qu'elle allait s'immobiliser, ainsi qu'un navire qui a touché un banc de sable. Ce qui la chargeait, c'était la neige dont une couche pesante avait peu à peu couvert la toiture des wagons. Ils filaient ainsi, noirs dans le sillage blanc, avec ce drap blanc tendu sur eux ; et elle-même n'avait que des bordures d'hermine, habillant ses reins sombres, où les flocons fondaient et ruisselaient en pluie. Une fois de plus, malgré le poids, elle se dégagea, elle passa. Le long d'une large courbe, sur un remblai, on put suivre encore le train, qui s'avançait à l'aise, pareil à un ruban d'ombre, perdu au milieu d'un pays des légendes éclatant de blancheur.

Mais, plus loin, les tranchées recommençaient, et Jacques, et Pecqueux, qui avaient senti toucher la Lison, se raidirent contre le froid, debout à ce poste que, même mourants, ils ne pouvaient déserter. De nouveau, la machine perdait de sa vitesse. Elle s'était engagée entre deux talus, et l'arrêt se produisit lentement, sans secousse. Il sembla qu'elle s'engluait, prise par toutes ses roues, de plus en plus serrée, hors d'haleine. Elle ne bougea plus. C'était fait, la neige la tenait, impuissante.

«Ça y est, gronda Jacques. Tonnerre de Dieu!»

Quelques secondes encore, il resta à son poste, la main sur le volant, ouvrant tout, pour voir si l'obstacle ne céderait pas. Puis, entendant la Lison cracher et s'essouffler en vain, il ferma le régulateur, il jura plus fort, furieux.

Le conducteur chef[§] s'était penché à la porte de son fourgon[§], et Pecqueux s'étant montré, lui cria à son tour:

«Ça y est, nous sommes collés!»

Vivement, le conducteur sauta dans la neige, dont il avait jusqu'aux genoux. Il s'approcha, les trois hommes tinrent conseil.

«Nous ne pouvons qu'essayer de déblayer, finit par dire le mécanicien[§]. Heureusement, nous avons des pelles. Appelez votre conducteur d'arrière[1], et à nous quatre nous finirons bien par dégager les roues.»

On fit signe au conducteur d'arrière, qui, lui aussi, était descendu du fourgon. Il arriva à grand-peine, noyé par instants. Mais cet arrêt en pleine campagne, au milieu de cette solitude blanche, ce bruit clair des voix discutant ce qu'il y avait à faire, cet employé sautant le long du train, à pénibles enjambées, avaient inquiété les voyageurs. Des glaces se baissèrent. On criait, on questionnait, toute une confusion, vague encore et grandissante.

1 *conducteur d'arrière*: employé placé sous les ordres du conducteur chef, occupant une place en queue du train et chargé, entre autres, des signaux arrière.

«Où sommes-nous?... Pourquoi a-t-on arrêté?... Qu'y a-t-il donc?... Mon Dieu! est-ce un malheur?»

Le conducteur sentit la nécessité de rassurer le monde. Justement, comme il s'avançait, la dame anglaise, dont l'épaisse face rouge s'encadrait des deux charmants visages de ses filles, lui demanda avec un fort accent:

«Monsieur, ce n'est pas dangereux?

— Non, non, Madame, répondit-il. Un peu de neige simplement. On repart tout de suite.»

Et la glace se releva, au milieu du frais gazouillis des jeunes filles, cette musique des syllabes anglaises, si vives sur des lèvres roses. Toutes deux riaient, très amusées.

Mais, plus loin, le monsieur âgé appelait le conducteur, tandis que sa jeune femme risquait derrière lui sa jolie tête brune.

«Comment n'a-t-on pas pris des précautions? C'est insupportable... Je rentre de Londres, mes affaires m'appellent à Paris ce matin, et je vous préviens que je rendrai la Compagnie responsable de tout retard.

— Monsieur, ne put que répéter l'employé, on va repartir dans trois minutes.»

Le froid était terrible, la neige entrait, et les têtes disparurent, les glaces se relevèrent. Mais, au fond des voitures closes, une agitation persistait, une anxiété, dont on sentait le sourd bourdonnement. Seules, deux glaces restaient baissées; et, accoudés, à trois compartiments[§] de distance, deux voyageurs causaient, un Américain d'une quarantaine d'années, un jeune homme habitant Le Havre[§], très intéressés l'un et l'autre par le travail de déblaiement.

«En Amérique, Monsieur, tout le monde descend et prend des pelles.

— Oh! ce n'est rien, j'ai été bloqué deux fois, l'année dernière. Mes occupations m'appellent toutes les semaines à Paris.

— Et moi toutes les trois semaines environ, Monsieur.

— Comment, de New York?

— Oui, Monsieur, de New York.»

Jacques menait le travail. Ayant aperçu Séverine à une portière du premier wagon, où elle se mettait toujours pour être plus près de lui, il l'avait suppliée du regard ; et, comprenant, elle s'était retirée, pour ne pas rester à ce vent glacial qui lui brûlait la figure. Lui, dès lors, songeant à elle, avait travaillé de grand cœur. Mais il remarquait que la cause de l'arrêt, l'empâtement dans la neige, ne provenait pas des roues : celles-ci coupaient les couches les plus épaisses ; c'était le cendrier[§], placé entre elles, qui faisait obstacle, roulant la neige, la durcissant en paquets énormes. Et une idée lui vint.

« Il faut dévisser le cendrier. »

D'abord, le conducteur chef[§] s'y opposa. Le mécanicien[§] était sous ses ordres, il ne voulait pas l'autoriser à toucher à la machine. Puis il se laissa convaincre.

« Vous en prenez la responsabilité, c'est bon ! »

Seulement, ce fut une dure besogne. Allongés sous la machine, le dos dans la neige qui fondait, Jacques et Pecqueux durent travailler pendant près d'une demi-heure. Heureusement que, dans le coffre à outils, ils avaient des tournevis de rechange. Enfin, au risque de se brûler et de s'écraser vingt fois, ils parvinrent à détacher le cendrier. Mais ils ne l'avaient pas encore, il s'agissait de le sortir de là-dessous. D'un poids énorme, il s'embarrassait dans les roues et les cylindres[§]. Pourtant, à quatre, ils le tirèrent, le traînèrent en dehors de la voie, jusqu'au talus.

« Maintenant, achevons de déblayer », dit le conducteur.

Depuis près d'une heure, le train était en détresse, et l'angoisse des voyageurs avait grandi. À chaque minute, une glace se baissait, une voix demandait pourquoi l'on ne partait pas. C'était la panique, des cris, des larmes, dans une crise montante d'affolement.

« Non, non, c'est assez déblayé, déclara Jacques. Montez, je me charge du reste. »

Il était de nouveau à son poste, avec Pecqueux, et lorsque les deux conducteurs eurent regagné leurs fourgons[§], il tourna lui-même le robinet du purgeur. Le jet de vapeur brûlante, assourdi, acheva de fondre les paquets qui adhéraient encore aux rails. Puis, la main au volant, il fit machine arrière. Lentement, il recula d'environ trois cents mètres, pour prendre du champ. Et, ayant poussé au feu, dépassant même la pression permise, il revint contre le mur qui barrait la voie, il y jeta la Lison, de toute sa masse, de tout le poids du train qu'elle traînait. Elle eut un han ! terrible du bûcheron qui enfonce la cognée, sa forte charpente de fer et de fonte en craqua. Mais elle ne put passer encore, elle s'était arrêtée, fumante, toute vibrante du choc. Alors, à deux autres reprises, il dut recommencer la manœuvre, recula, fonça sur la neige, pour l'emporter ; et, chaque fois, la Lison, raidissant les reins, buta du poitrail, avec son souffle enragé de géante. Enfin, elle parut reprendre haleine, elle banda ses muscles de métal en un suprême effort, et elle passa, et lourdement le train la suivit, entre les deux murs de la neige éventrée. Elle était libre.

« Bonne bête tout de même ! » grogna Pecqueux.

Jacques, aveuglé, ôta ses lunettes, les essuya. Son cœur battait à grands coups, il ne sentait plus le froid. Mais, brusquement, la pensée lui vint d'une tranchée profonde, qui se trouvait à trois cents mètres environ de la Croix-de-Maufras : elle s'ouvrait dans la direction du vent, la neige devait s'y être accumulée en quantité considérable ; et, tout de suite, il eut la certitude que c'était là l'écueil marqué où il naufragerait. Il se pencha. Au loin, après une dernière courbe, la tranchée lui apparut, en ligne droite, ainsi qu'une longue fosse, comblée de neige. Il faisait plein jour, la blancheur était sans bornes et éclatante, sous la tombée continue des flocons.

Cependant, la Lison filait à une vitesse moyenne, n'ayant plus rencontré d'obstacle. On avait, par précaution, laissé allumés les feux d'avant et d'arrière ; et le fanal[§] blanc, à la base de la cheminée, luisait dans le jour, comme un œil vivant de cyclope. Elle roulait, elle approchait de la tranchée, avec cet œil largement ouvert. Alors, il sembla qu'elle se mît à souffler d'un petit souffle court, ainsi qu'un cheval qui a peur. De profonds tressaillements la secouaient, elle se cabrait, ne continuait sa marche que sous la main volontaire du mécanicien[§]. D'un geste, celui-ci avait ouvert la porte du foyer[§], pour que le chauffeur[§]

activât le feu. Et, maintenant, ce n'était plus une queue d'astre incendiant la nuit, c'était un panache de fumée noire, épaisse, qui salissait le grand frisson pâle du ciel.

La Lison avançait. Enfin, il lui fallut entrer dans la tranchée. À droite et à gauche, les talus étaient noyés, et l'on ne distinguait plus rien de la voie, au fond. C'était comme un creux de torrent, où la neige dormait, à pleins bords. Elle s'y engagea, roula pendant une cinquantaine de mètres, d'une haleine éperdue, de plus en plus lente. La neige qu'elle repoussait, faisait une barre devant elle, bouillonnait et montait, en un flot révolté qui menaçait de l'engloutir. Un instant, elle parut débordée, vaincue. Mais, d'un dernier coup de reins, elle se délivra, avança de trente mètres encore. C'était la fin, la secousse de l'agonie : des paquets de neige retombaient, recouvraient les roues, toutes les pièces du mécanisme étaient envahies, liées une à une par des chaînes de glace. Et la Lison s'arrêta définitivement, expirante, dans le grand froid. Son souffle s'éteignit, elle était immobile, et morte.

« Là, nous y sommes, dit Jacques. Je m'y attendais. »

Tout de suite, il voulut faire machine arrière, pour tenter de nouveau la manœuvre. Mais, cette fois, la Lison ne bougea pas. Elle refusait de reculer comme d'avancer, elle était bloquée de toutes parts, collée au sol, inerte, sourde. Derrière elle, le train, lui aussi, mort, enfoncé dans l'épaisse couche jusqu'aux portières. La neige ne cessait pas, tombait plus drue, par longues rafales. Et c'était un enlisement, où machine et voitures allaient disparaître, déjà recouvertes à moitié, sous le silence frissonnant de cette solitude blanche. Plus rien ne bougeait, la neige filait son linceul.

« Eh bien ! ça recommence ? demanda le conducteur chef[§], en se penchant en dehors du fourgon[§].

— Foutus ! » cria simplement Pecqueux.

Cette fois, en effet, la position devenait critique. Le conducteur d'arrière[§] courut poser les pétards[§] qui devaient protéger le train, en queue ; tandis que le mécanicien[§] sifflait éperdument, à coups pressés, le sifflet haletant et lugubre de la détresse. Mais la neige assourdissait l'air, le son se perdait, ne devait pas même arriver à Barentin. Que faire ? Ils n'étaient que quatre, jamais ils ne déblaieraient de pareils amas. Il aurait fallu toute une équipe. La nécessité s'imposait de courir chercher du secours. Et le pis était que la panique se déclarait de nouveau parmi les voyageurs.

Une portière s'ouvrit, la jolie dame brune sauta, affolée, croyant à un accident. Son mari, le négociant âgé, qui la suivit, criait :

« J'écrirai au ministre, c'est une indignité ! »

Des pleurs de femmes, des voix furieuses d'hommes sortaient des voitures, dont les glaces se baissaient violemment. Et il n'y avait que les deux petites Anglaises qui s'égayaient, l'air tranquille, souriantes. Comme le conducteur chef[§] tâchait de rassurer tout le monde, la cadette lui demanda, en français, avec un léger zézaiement britannique :

« Alors, Monsieur, c'est ici qu'on s'arrête ? »

Plusieurs hommes étaient descendus, malgré l'épaisse couche où l'on enfonçait jusqu'au ventre. L'Américain se retrouva ainsi avec le jeune homme du Havre[§], tous deux s'étant avancés vers la machine, pour voir. Ils hochèrent la tête.

« Nous en avons pour quatre ou cinq heures, avant qu'on la débarbouille de là-dedans.

— Au moins, et encore faudrait-il une vingtaine d'ouvriers. »

Jacques venait de décider le conducteur chef à envoyer le conducteur d'arrière[§] à Barentin, pour demander du secours. Ni lui, ni Pecqueux, ne pouvaient quitter la machine.

L'employé s'éloigna, on le perdit bientôt de vue, au bout de la tranchée. Il avait quatre kilomètres à faire, il ne serait pas de retour avant deux heures peut-être. Et Jacques, désespéré, lâcha un instant son poste, courut à la première voiture, où il apercevait Séverine qui avait baissé la glace.

« N'ayez pas peur, dit-il rapidement. Vous ne craignez rien. »

Elle répondit de même, sans le tutoyer, de crainte d'être entendue :

« Je n'ai pas peur. Seulement, j'ai été bien inquiète, à cause de vous. »

Et cela était d'une douceur telle, qu'ils furent consolés et qu'ils se sourirent. Mais, comme Jacques se retournait, il eut une surprise à voir, le long du talus, Flore, puis Misard, suivi de deux autres hommes, qu'il ne reconnut pas d'abord. Eux avaient entendu le sifflet de détresse, et Misard, qui n'était pas de service, accourait, avec les deux camarades, auxquels il offrait justement le vin blanc, le carrier[§] Cabuche que la neige faisait chômer, et l'aiguilleur[§] Ozil, venu de Malaunay par le tunnel, pour faire sa cour à Flore, qu'il poursuivait toujours, malgré le mauvais accueil. Elle, curieusement, en grande fille vagabonde, brave et forte comme un garçon, les accompagnait. Et, pour elle, pour son père, c'était un événement considérable, une extraordinaire aventure, ce train s'arrêtant ainsi à leur porte. Depuis cinq années qu'ils habitaient là, à chaque heure de jour et de nuit, par les beaux temps, par les orages, que de trains ils avaient vus passer, dans le coup de vent de leur vitesse ! Tous semblaient emportés par ce vent qui les apportait, jamais un seul n'avait même ralenti sa marche, ils les regardaient fuir, se perdre, disparaître, avant d'avoir rien pu savoir d'eux. Le monde entier défilait, la foule humaine charriée à toute vapeur, sans qu'ils en connussent autre chose que des visages entrevus dans un éclair, des visages qu'ils ne devaient jamais revoir, parfois des visages qui leur devenaient familiers, à force de les retrouver à jours fixes, et qui pour eux restaient sans noms. Et voilà que, dans la neige, un train débarquait à leur porte : l'ordre naturel était perverti, ils dévisageaient ce monde inconnu qu'un accident jetait sur la voie, ils le contemplaient avec des yeux ronds de sauvages, accourus sur une côte où des Européens naufrageraient. Ces portières ouvertes montrant des femmes enveloppées de fourrures, ces hommes descendus en paletots épais, tout ce luxe confortable, échoué parmi cette mer de glace les immobilisaient d'étonnement.

Mais Flore avait reconnu Séverine. Elle, qui guettait chaque fois le train de Jacques, s'était aperçue, depuis quelques semaines, de la présence de cette femme, dans l'express[§] du vendredi matin ; d'autant plus que celle-ci, lorsqu'elle approchait du passage à niveau, mettait la tête à la portière, pour donner un coup d'œil à sa propriété de la Croix-de-Maufras. Les yeux de Flore noircirent, en la voyant causer à demi-voix, avec le mécanicien[§].

«Ah ! madame Roubaud ! s'écria Misard, qui venait aussi de la reconnaître, et qui prit immédiatement son air obséquieux. En voilà une mauvaise chance !… Mais vous n'allez pas rester là, il faut descendre chez nous.»

Jacques, après avoir serré la main du garde-barrière[§], appuya son offre.

«Il a raison… On en a peut-être pour des heures, vous auriez le temps de mourir de froid.»

Séverine refusait, bien couverte, disait-elle. Puis, les trois cents mètres dans la neige l'effrayaient un peu. Alors, s'approchant, Flore, qui la regardait de ses grands yeux fixes, dit enfin :

«Venez, Madame, je vous porterai.»

Et, avant que celle-ci eût accepté, elle l'avait saisie dans ses bras vigoureux de garçon, elle la soulevait ainsi qu'un petit enfant. Ensuite, elle la déposa de l'autre côté de la voie, à une place déjà foulée, où les pieds n'enfonçaient plus. Des voyageurs s'étaient mis à rire, émerveillés. Quelle gaillarde ! Si l'on en avait eu une douzaine comme ça, le déblaiement n'aurait pas demandé deux heures.

Cependant, la proposition de Misard, cette maison de garde-barrière, où l'on pouvait se réfugier, trouver du feu, peut-être du pain et du vin, courait d'une voiture à une autre. La panique s'était calmée, lorsqu'on avait compris qu'on ne courait aucun danger immédiat ; seulement, la situation n'en restait pas moins lamentable : les bouillottes se refroidissaient, il était neuf heures, on allait souffrir de la faim et de la soif, pour peu que les secours se fissent attendre. Et cela pouvait s'éterniser, qui savait si l'on ne coucherait pas là ? Deux camps se formèrent : ceux qui, de désespoir, ne voulaient pas quitter les wagons, et qui s'y installaient comme pour y mourir, enveloppés dans leurs couvertures, allongés rageusement sur les banquettes ; et ceux qui préféraient risquer la course à travers la neige, espérant trouver mieux là-bas, désireux surtout d'échapper au cauchemar de ce train échoué, mort de froid. Tout un groupe se forma, le négociant âgé et sa jeune femme, la dame anglaise avec ses deux filles, le jeune homme du Havre[§], l'Américain, une douzaine d'autres, prêts à se mettre en marche.

Jacques, à voix basse, avait décidé Séverine, en jurant d'aller lui donner des nouvelles, s'il pouvait s'échapper. Et, comme Flore les regardait toujours de ses yeux sombres, il lui parla doucement, en vieil ami :

« Eh bien, c'est entendu, tu vas conduire ces dames et ces messieurs… Moi, je garde Misard, avec les autres. Nous allons nous y mettre, nous ferons ce que nous pourrons, en attendant. »

Tout de suite, en effet, Cabuche, Ozil, Misard avaient pris des pelles, pour se joindre à Pecqueux et au conducteur chef[§], qui attaquaient déjà la neige. La petite équipe s'efforçait de dégager la machine, fouillant sous les roues, rejetant les pelletées contre le talus. Personne n'ouvrait plus la bouche, on n'entendait que cet enragement silencieux, dans le morne étouffement de la campagne blanche. Et, lorsque la petite troupe des voyageurs s'éloigna, elle eut un dernier regard vers le train, qui restait seul, ne montrant plus qu'une mince ligne noire, sous l'épaisse couche qui l'écrasait. On avait refermé les portières, relevé les glaces. La neige tombait toujours, l'ensevelissait lentement, sûrement, avec une obstination muette.

Flore avait voulu reprendre Séverine dans ses bras. Mais celle-ci s'y était refusée, tenant à marcher comme les autres. Les trois cents mètres furent très pénibles à franchir : dans la tranchée surtout, on enfonçait jusqu'aux hanches ; et, à deux reprises, il fallut opérer le sauvetage de la grosse dame anglaise, submergée à demi. Ses filles riaient toujours, enchantées. La jeune femme du vieux monsieur, ayant glissé, dut accepter la main du jeune homme du Havre ; tandis que son mari déblatérait contre la France, avec l'Américain. Lorsqu'on fut sorti de la tranchée, la marche devint plus commode ; mais on suivait un remblai, la petite troupe s'avança sur une ligne, battue par le vent, en évitant soigneusement les bords, vagues et dangereux sous la neige. Enfin, l'on arriva, et Flore installa les voyageurs dans la cuisine, où elle ne put même leur donner un siège à chacun, car ils étaient bien une vingtaine encombrant la pièce, assez vaste heureusement. Tout ce qu'elle inventa, ce fut d'aller chercher des planches et d'établir deux bancs, à l'aide des chaises qu'elle avait. Elle jeta ensuite une bourrée dans l'âtre, puis elle eut un geste, comme pour dire qu'on ne devait point lui en demander davantage. Elle n'avait pas prononcé une parole, elle demeura debout, à regarder ce monde de ses larges yeux verdâtres, avec son air farouche et hardi de grande sauvagesse blonde. Deux visages seulement lui étaient connus, pour les avoir souvent remarqués aux portières, depuis des mois : celui de l'Américain et celui du jeune homme du Havre[§] ; et elle les examinait, ainsi qu'on étudie l'insecte bourdonnant, posé enfin, qu'on ne pouvait suivre dans son vol. Ils lui semblaient singuliers, elle ne se les était pas précisément imaginés ainsi sans rien savoir d'eux d'ailleurs, au-delà de leurs traits. Quant aux autres gens, ils lui paraissaient être d'une race différente, des habitants d'une terre inconnue, tombés du ciel, apportant chez elle, au fond de sa cuisine, des vêtements, des mœurs, des idées, qu'elle n'aurait jamais cru y voir. La dame anglaise confiait à la jeune femme du négociant qu'elle allait rejoindre aux Indes son fils aîné, haut fonctionnaire ; et celle-ci plaisantait de sa mauvaise chance, pour la première fois qu'elle avait eu le caprice d'accompagner à Londres son mari, qui s'y rendait deux fois l'an. Tous se lamentaient, à l'idée d'être bloqués dans ce désert : il faudrait manger, il faudrait se coucher, comment ferait-on, mon Dieu ! Et Flore, qui les écoutait immobile, ayant rencontré le regard de Séverine, assise sur une chaise, devant le feu, lui fit un signe, pour la faire passer dans la chambre, à côté.

« Maman, annonça-t-elle en y entrant, c'est Mme Roubaud… Tu n'as rien à lui dire ? »

Phasie était couchée, la face jaunie, les jambes envahies par l'enflure, si malade, qu'elle ne quittait plus le lit depuis quinze jours ; et, dans la chambre pauvre, où un poêle de fonte entretenait une chaleur étouffante, elle passait les heures à rouler l'idée fixe de son entêtement, n'ayant d'autre distraction que la secousse des trains, à toute vitesse.

« Ah ! Mme Roubaud, murmura-t-elle, bon, bon ! »

Flore lui conta l'accident, lui parla de ce monde qu'elle avait amené et qui était là. Mais tout cela ne la touchait plus.

« Bon, bon ! » répétait-elle, de la même voix lasse.

Pourtant, elle se souvint, elle leva un instant la tête, pour dire :

« Si madame veut aller voir sa maison, tu sais que les clefs sont accrochées près de l'armoire. »

Mais Séverine refusait. Un frisson l'avait prise, à la pensée de rentrer à la Croix-de-Maufras, par cette neige, sous ce jour livide. Non, non, elle n'avait rien à y voir, elle préférait rester là, à attendre, chaudement.

« Asseyez-vous donc, Madame, reprit Flore. Il fait encore meilleur ici qu'à côté. Et puis, nous ne trouverons jamais assez de pain pour tous ces gens ; tandis que, si vous avez faim, il y en aura toujours un morceau pour vous. »

Elle avait avancé une chaise, elle continuait à se montrer prévenante, en faisant un visible effort pour corriger sa rudesse ordinaire. Mais ses yeux ne quittaient pas la jeune femme, comme si elle voulait lire en elle, se faire une certitude sur une question qu'elle se posait depuis quelque temps ; et, sous son empressement, il y avait ce besoin de l'approcher, de la dévisager, de la toucher, afin de savoir.

Séverine remercia, s'installa près du poêle, préférant, en effet, être seule avec la malade, dans cette chambre, où elle espérait que Jacques trouverait le moyen de la rejoindre. Deux heures se passèrent, elle cédait à la grosse chaleur, et s'endormait, après avoir causé du pays, lorsque Flore, appelée à chaque instant dans la cuisine, rouvrit la porte, en disant, de sa voix dure :

« Entre, puisqu'elle est par ici ! »

C'était Jacques, qui s'échappait, pour apporter de bonnes nouvelles. L'homme, envoyé à Barentin, venait de ramener toute une équipe, une trentaine de soldats que l'administration avait dirigés sur les points menacés, en prévision des accidents ; et tous étaient à l'œuvre, avec des pioches et des pelles. Seulement, ce serait long, on ne repartirait peut-être pas avant la nuit.

«Enfin, vous n'êtes pas trop mal, prenez patience, ajouta-t-il. N'est-ce pas, tante Phasie, vous n'allez pas laisser Mme Roubaud mourir de faim ?»

Phasie, à la vue de son grand garçon, comme elle le nommait, s'était péniblement mise sur son séant, et elle le regardait, elle l'écoutait parler, ranimée, heureuse. Quand il se fut approché de son lit :

«Bien sûr, bien sûr ! déclara-t-elle. Ah ! mon grand garçon, te voilà ! C'est toi qui t'es fait prendre par la neige !... Et cette bête qui ne me prévient pas !»

Elle se tourna vers sa fille, elle l'apostropha :

«Sois polie au moins, va retrouver ces messieurs et ces dames, occupe-toi d'eux pour qu'ils ne disent pas à l'administration que nous sommes des sauvages.»

Flore était restée plantée entre Jacques et Séverine. Un instant, elle parut hésiter, se demandant si elle n'allait pas s'entêter là, malgré sa mère. Mais elle ne verrait rien, la présence de celle-ci empêcherait les deux autres de se trahir ; et elle sortit, sans une parole, en les enveloppant d'un long regard.

«Comment ! tante Phasie, reprit Jacques d'un air chagrin, vous voilà tout à fait au lit, c'est donc sérieux ?»

Elle l'attira, le força même à s'asseoir sur le bord du matelas, et sans plus se soucier de la jeune femme, qui s'était écartée par discrétion, elle se soulagea, à voix très basse.

«Oh ! oui, sérieux ! c'est miracle si tu me retrouves en vie... Je n'ai pas voulu t'écrire, parce que ces choses-là, ça ne s'écrit pas... J'ai failli y passer ; mais, maintenant, ça va déjà mieux, et je crois que j'en réchapperai, cette fois-ci encore.»

Il l'examinait, effrayé des progrès du mal, ne retrouvant plus rien en elle de la belle et saine créature d'autrefois.

«Alors, toujours vos crampes et vos vertiges, ma pauvre tante Phasie.»

Mais elle lui serrait la main à la briser, elle continua, en baissant la voix davantage :

«Imagine-toi que je l'ai surpris... Tu sais que j'en donnais ma langue aux chiens, de ne pas savoir dans quoi il pouvait bien me flanquer sa drogue. Je ne buvais, je ne mangeais rien de

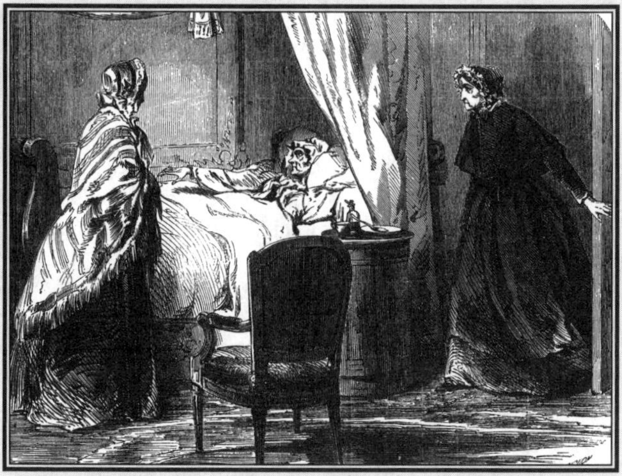

*«Ah ! M$^{me}$ Roubaud, murmura-t-elle, bon, bon !»*

**Ligne 7094.**

Œuvres complètes illustrées d'Émile Zola (1906).

ce qu'il touchait, et tout de même, chaque soir, j'avais le ventre en feu… Eh bien ! il me la collait dans le sel, sa drogue ! Un soir, je l'ai vu… Moi qui en mettais sur tout, des quantités, pour purifier ! »

Jacques, depuis que la possession de Séverine semblait l'avoir guéri, songeait parfois à cette histoire d'empoisonnement, lent et obstiné, comme on songe à un cauchemar, avec des doutes. Il serra tendrement à son tour les mains de la malade, il voulut la calmer.

« Voyons, est-ce possible, tout ça ?… Pour dire des choses pareilles, il faut être vraiment bien sûr… Et puis, ça traîne trop ! Allez, c'est plutôt une maladie à laquelle les médecins ne comprennent rien.

— Une maladie, reprit-elle en ricanant, une maladie qu'il m'a fichue dans la peau, oui !… Pour les médecins, tu as raison : il en est venu deux qui n'ont rien compris, et qui ne sont pas seulement tombés d'accord. Je ne veux pas qu'un seul de ces oiseaux remette les pieds ici… Entends-tu, il me collait ça dans le sel. Puisque je te jure que je l'ai vu ! C'est pour mes mille francs[§], les mille francs que papa m'a laissés. Il se dit que, lorsqu'il m'aura détruite, il les trouvera bien. Ça, je l'en défie : ils sont dans un endroit où personne ne les découvrira, jamais, jamais !… Je puis m'en aller, je suis tranquille, personne ne les aura jamais, mes mille francs !

— Mais, tante Phasie, moi, à votre place, j'enverrais chercher les gendarmes[§], si j'étais si certain que ça. »

Elle eut un geste de répugnance.

« Oh ! non, pas les gendarmes… Ça ne regarde que nous, cette affaire ; c'est entre lui et moi. Je sais qu'il veut me manger, et moi je ne veux pas qu'il me mange, naturellement. Alors, n'est-ce pas ? je n'ai qu'à me défendre, à ne pas être aussi bête que je l'ai été, avec son sel… Hein ? qui le croirait ? Un avorton pareil, un bout d'homme qu'on mettrait dans sa poche, ça finirait par venir à bout d'une grosse femme comme moi, si on le laissait faire, avec ses dents de rat ! »

Un petit frisson l'avait prise. Elle respira péniblement avant d'achever.

«N'importe, ce ne sera pas pour ce coup-ci. Je vais mieux, je serai sur mes pattes avant quinze jours… Et, cette fois, il faudra qu'il soit bien malin pour me repincer. Ah ! oui, je suis curieuse de voir ça. S'il trouve le moyen de me redonner de sa drogue, c'est que, décidément, il est le plus fort, et alors, tant pis ! je claquerai… Qu'on ne s'en mêle pas !»

Jacques pensait que la maladie lui hantait le cerveau de ces imaginations noires; et, pour la distraire, il tâchait de plaisanter, lorsqu'elle se mit à trembler sous la couverture.

«Le voici, souffla-t-elle. Je le sens, quand il approche.»

En effet, quelques secondes après, Misard entra. Elle était devenue livide, en proie à cette terreur involontaire des colosses devant l'insecte qui les ronge; car, dans son obstination à se défendre seule, elle avait de lui une épouvante croissante, qu'elle n'avouait pas. Misard, d'ailleurs, dès la porte, les avait enveloppés, elle et le mécanicien[§], d'un vif regard, ne parut même pas ensuite les avoir vus, côte à côte; et, les yeux ternes, la bouche mince, avec son air doux d'homme chétif, il se confondait en prévenances devant Séverine.

«J'ai pensé que Madame voudrait peut-être profiter de l'occasion pour donner un coup d'œil à sa propriété. Alors, je me suis échappé un instant… Si Madame désire que je l'accompagne.»

Et, comme la jeune femme refusait de nouveau, il continua d'une voix dolente :

«Madame a peut-être été étonnée, à cause des fruits… Ils étaient tous véreux, et ça ne valait vraiment pas l'emballage… Avec ça, il est venu un coup de vent qui a fait bien du mal… Ah ! c'est triste que Madame ne puisse pas vendre ! Il s'est présenté un monsieur qui a demandé des réparations… Enfin, je suis à la disposition de Madame, et Madame peut compter que je la remplace ici comme un autre elle-même.»

Puis, il voulut absolument lui servir du pain et des poires, des poires de son jardin à lui, et qui, celles-là, n'étaient pas véreuses. Elle accepta.

En traversant la cuisine, Misard avait annoncé aux voyageurs que le travail de déblaiement marchait, mais qu'il y en avait encore pour quatre ou cinq heures. Midi était sonné, et ce fut une nouvelle lamentation, car il commençait à faire grand-faim. Flore, justement, déclarait qu'elle n'aurait pas de pain pour tout le monde. Elle avait bien du vin, elle était remontée de la cave avec dix litres, qu'elle venait d'aligner sur la table. Seulement, les verres manquaient aussi : il fallait boire par groupe, la dame anglaise avec ses deux filles, le vieux monsieur avec sa jeune femme. Celle-ci, d'ailleurs, trouvait dans le jeune homme du Havre[§], un serviteur zélé, inventif, qui veillait sur son bien-être. Il disparut, revint avec des pommes et un pain, découvert au fond du bûcher. Flore se fâchait, disait que c'était du pain pour sa mère malade. Mais, déjà, il le coupait, le distribuait aux dames, en commençant par la jeune femme, qui lui souriait, flattée. Son mari ne décolérait pas, ne s'occupait même plus d'elle, en train d'exalter avec l'Américain les mœurs commerciales de New York. Jamais les jeunes Anglaises n'avaient croqué des pommes de si bon cœur. Leur mère, très lasse, sommeillait à demi. Il y avait, par terre, devant l'âtre, deux dames assises, vaincues par l'attente. Des hommes, qui étaient sortis fumer devant la maison, pour tuer un quart d'heure, rentraient gelés, frissonnants. Peu à peu, le malaise grandissait, la faim mal satisfaite, la fatigue doublée par la gêne et l'impatience. Cela tournait au campement de naufragés, à la désolation d'une bande de civilisés jetée par un coup de mer dans une île déserte.

Et, comme les allées et venues de Misard laissaient la porte ouverte, tante Phasie, de son lit de malade, regardait. C'était donc là ce monde, qu'elle aussi voyait passer dans un coup de foudre, depuis un an bientôt qu'elle se traînait de son matelas à sa chaise. Elle ne pouvait même plus que rarement aller sur le quai, elle vivait ses jours et ses nuits, seule, clouée là, les yeux sur la fenêtre, sans autre compagnie que ces trains qui filaient si vite. Toujours elle s'était plainte de ce pays de loups, où l'on n'avait jamais une visite; et voilà qu'une vraie troupe débarquait de l'inconnu. Dire que, là-dedans, parmi ces gens pressés de courir à leurs affaires, pas un ne se doutait de la chose, de cette saleté qu'on lui avait mise dans son sel ! Elle l'avait sur le cœur, cette invention-là, elle se demandait s'il était Dieu permis d'avoir tant de coquinerie sournoise, sans que personne s'en aperçût. Enfin, il passait pourtant assez de foule devant chez eux, des milliers et des milliers de gens ; mais tout ça galopait, pas un qui se serait imaginé que, dans cette petite maison basse, on tuait à son aise, sans faire de bruit. Et tante Phasie les regardait les uns après les autres, ces gens tombés de la lune, en réfléchissant que, lorsqu'on est si occupé, il n'était pas étonnant de marcher dans des choses malpropres et de n'en rien savoir.

« Est-ce que vous retournez là-bas ? demanda Misard à Jacques.

— Oui, oui, répondit ce dernier, je vous suis. »

Misard s'en alla, en refermant la porte. Et Phasie, retenant le jeune homme par la main, lui dit encore à l'oreille :

« Si je claque, tu verras sa tête, lorsqu'il ne trouvera pas le magot… C'est ça qui m'amuse, quand j'y songe. Je m'en irai contente tout de même.

— Et alors, tante Phasie, ce sera perdu pour tout le monde ? Vous ne le laisserez donc pas à votre fille ?

— À Flore ! pour qu'il le lui prenne ! Ah bien, non !… Pas même à toi, mon garçon, parce que tu es trop bête aussi : il en aurait quelque chose… À personne, à la terre où j'irai le rejoindre ! »

Elle s'épuisait, et Jacques la recoucha, la calma, en l'embrassant, en lui promettant de venir la revoir bientôt. Puis, comme elle semblait s'assoupir, il passa derrière Séverine, toujours assise près du poêle ; il leva un doigt, souriant, pour lui recommander d'être prudente ; et, d'un joli mouvement silencieux, elle renversa la tête, offrant ses lèvres, et lui se pencha, colla sa bouche à la sienne, en un baiser profond et discret. Leurs yeux s'étaient fermés, ils buvaient leur souffle. Mais, quand ils les rouvrirent, éperdus, Flore, qui avait ouvert la porte, était là, debout devant eux, les regardant.

« Madame n'a plus besoin de pain ? » demanda-t-elle d'une voix rauque.

Séverine, confuse, très ennuyée, balbutia de vagues paroles : « Non, non, merci. »

Un instant, Jacques fixa sur Flore des yeux de flamme. Il hésitait, ses lèvres tremblaient, comme s'il voulait parler ; puis, avec un grand geste furieux qui la menaçait, il préféra partir. Derrière lui, la porte battit rudement.

Flore était restée debout, avec sa haute taille de vierge guerrière, coiffée de son lourd casque de cheveux blonds. Son angoisse, chaque vendredi, à voir cette dame dans le train qu'il conduisait, ne l'avait donc pas trompée. La certitude qu'elle cherchait depuis qu'elle les tenait là, ensemble, elle l'avait enfin, absolue. Jamais l'homme qu'elle aimait, ne l'aimerait : c'était cette femme mince, cette rien du tout, qu'il avait choisie. Et son regret de s'être refusée, la nuit où il avait tenté brutalement de la prendre, s'irritait encore, si douloureux, qu'elle en aurait sangloté ; car, dans son raisonnement simple, ce serait elle qu'il embrasserait maintenant, si elle s'était donnée à lui avant l'autre. Où le trouver seul, à cette heure, pour se jeter à son cou, en criant : « Prends-moi, j'ai été bête, parce que je ne savais pas ! » Mais, dans son impuissance, une rage montait en elle contre la créature frêle qui était là, gênée, balbutiante. D'une étreinte de ses durs bras de lutteuse, elle pouvait l'étouffer, ainsi qu'un petit oiseau. Pourquoi donc n'osait-elle pas ? Elle jurait de se venger pourtant, sachant des choses sur cette rivale, qui l'auraient fait mettre en prison, elle qu'on laissait libre, comme toutes les gueuses vendues à des vieux, puissants et riches. Et, torturée de jalousie, gonflée de colère, elle se mit à enlever le reste du pain et des poires, avec ses grands gestes de belle fille sauvage.

« Puisque Madame n'en veut plus, je vais donner ça aux autres. »

Trois heures sonnèrent, puis quatre heures. Le temps traînait, démesuré, dans un écrasement de lassitude et d'irritation grandissantes. Voici la nuit qui revenait, livide sur la vaste campagne blanche ; et, de dix minutes en dix minutes, les hommes qui sortaient pour regarder de loin où en était le travail, rentraient dire que la machine ne semblait toujours pas dégagée. Les deux petites Anglaises elles-mêmes en arrivaient à pleurer d'énervement. Dans un coin, la jolie femme brune s'était endormie contre l'épaule du jeune homme du Havre[§], ce que le vieux mari ne voyait même pas, au milieu de l'abandon général, emportant les convenances. La pièce se refroidissait, on grelottait sans même songer à remettre du bois au feu, si bien que l'Américain s'en alla, trouvant qu'il serait mieux allongé sur la banquette d'une voiture. C'était maintenant l'idée, le regret de tous : on aurait dû rester là-bas, on ne se serait pas au moins dévoré, dans l'ignorance de ce qui se passait. Il fallut retenir la dame anglaise, qui parlait, elle aussi, de regagner son compartiment[§] et de s'y coucher. Quand on eut planté une chandelle sur un coin de la table, pour éclairer le monde, au fond de cette cuisine noire, le découragement fut immense, tout sombra dans un morne désespoir.

Là-bas, cependant, le déblaiement s'achevait; et, tandis que l'équipe de soldats, qui avait dégagé la machine, balayait la voie devant elle, le mécanicien[§] et le chauffeur[§] venaient de remonter à leur poste.

Jacques, en voyant que la neige cessait enfin, reprenait confiance. L'aiguilleur[§] Ozil lui avait affirmé qu'au-delà du tunnel, du côté de Malaunay, les quantités tombées étaient bien moins considérables. De nouveau, il le questionna :

« Vous êtes venu à pied par le tunnel, vous avez pu y entrer et en sortir librement ?

— Quand je vous le dis ! Vous passerez, j'en réponds. »

Cabuche, qui avait travaillé avec une ardeur de bon géant, se reculait déjà, de son air timide et farouche, que ses derniers démêlés avec la justice n'avaient fait qu'accroître ; et il fallut que Jacques l'appelât.

« Dites donc, camarade, passez-nous les pelles qui sont à nous, là, contre le talus. En cas de besoin, nous les retrouverions. »

Et, lorsque le carrier[§] lui eut rendu ce dernier service, il lui donna une vigoureuse poignée de main, pour lui montrer qu'il l'estimait malgré tout, l'ayant vu au travail.

« Vous êtes un brave homme, vous ! »

Cette marque d'amitié émut Cabuche d'une extraordinaire façon.

« Merci », dit-il simplement, en étranglant des larmes.

Misard, qui s'était remis avec lui, après l'avoir chargé devant le juge d'instruction[§], approuva de la tête, les lèvres pincées d'un mince sourire. Depuis longtemps, il ne travaillait plus, les mains dans les poches, enveloppant le train d'un regard jaune, ayant l'air d'attendre, pour voir, sous les roues, s'il ne ramasserait pas des objets perdus.

Enfin, le conducteur chef[§] venait de décider avec Jacques qu'on pouvait essayer de repartir, lorsque Pecqueux, redescendu sur la voie, appela le mécanicien[§].

« Voyez donc. Il y a un cylindre qui a reçu une tape. »

Jacques s'approcha, se baissa à son tour. Déjà, il avait constaté en examinant avec soin la Lison, qu'elle était blessée là. En déblayant, on s'était aperçu que des traverses de chêne, laissées le long du talus par des cantonniers[1], avaient glissé, barrant les rails, sous l'action de la neige et du vent ; et même l'arrêt, en partie, devait provenir de cet obstacle, car la machine avait buté contre les traverses. On voyait l'éraflure sur la boîte du cylindre, dans lequel le piston paraissait légèrement faussé. Mais c'était tout le mal apparent ; ce qui avait rassuré le mécanicien d'abord. Peut-être existait-il de graves désordres intérieurs, rien n'est plus délicat que le mécanisme compliqué des tiroirs[§], où bat le cœur, l'âme vivante. Il remonta, siffla, ouvrit le régulateur, pour tâter les articulations de la Lison. Elle fut longue à s'ébranler, comme une personne meurtrie par une chute, qui ne retrouve plus ses membres. Enfin, avec un souffle pénible, elle démarra, fit quelques tours de roue, étourdie encore, pesante. Ça irait, elle pourrait marcher, ferait le voyage. Seulement, il hocha la tête, car lui qui la connaissait à fond, venait de la sentir singulière sous sa main, changée, vieillie, touchée quelque part d'un coup mortel. C'était dans cette neige qu'elle devait avoir pris ça, un coup au cœur, un froid de mort, ainsi que ces femmes jeunes, solidement bâties, qui s'en vont de la poitrine, pour être rentrées un soir de bal, sous une pluie glacée.

1 *cantonniers* : employés occupés aux travaux et à l'entretien de la voie et des installations annexes, ainsi qu'à la manutention de matériaux et d'outillage.

De nouveau, Jacques siffla, après que Pecqueux eut ouvert le purgeur. Les deux conducteurs étaient à leur poste. Misard, Ozil et Cabuche montèrent sur le marchepied du fourgon[§] de tête. Et, doucement, le train sortit de la tranchée, entre les soldats armés de leurs pelles, qui s'étaient rangés à droite et à gauche, le long du talus. Puis, il s'arrêta devant la maison du garde-barrière[§], pour prendre les voyageurs.

Flore était là, dehors. Ozil et Cabuche la rejoignirent, se tinrent près d'elle ; tandis que Misard s'empressait maintenant, saluait les dames et les messieurs qui sortaient de chez lui, ramassait des pièces blanches. Enfin, c'était donc la délivrance ! Mais on avait trop attendu, tout ce monde grelottait de froid, de faim et d'épuisement. La dame anglaise emporta ses deux filles à moitié endormies, le jeune homme du Havre[§] monta dans le même compartiment[§] que la jolie femme brune, très languissante, en se mettant à la disposition du mari. Et l'on eût dit dans le gâchis de la neige piétinée, l'embarquement d'une troupe en déroute, se bousculant, s'abandonnant, ayant perdu jusqu'à l'instinct de la propreté. Un instant, à la fenêtre de la chambre, derrière les vitres, apparut tante Phasie, que la curiosité avait jetée bas de son matelas, et qui s'était traînée, pour voir. Ses grands yeux caves de malade regardaient cette foule inconnue, ces passants du monde en marche, qu'elle ne reverrait jamais, apportés par la tempête et remportés par elle.

Mais Séverine était sortie la dernière. Elle tourna la tête, elle sourit à Jacques, qui se penchait pour la suivre jusqu'à sa voiture. Et Flore, qui les attendait, blêmit encore à cet échange tranquille de leur tendresse. D'un mouvement brusque, elle se rapprocha d'Ozil, qu'elle avait repoussé jusque-là, comme si, maintenant, dans sa haine, elle sentait le besoin d'un homme.

Le conducteur chef[§] donna le signal, la Lison répondit d'un sifflement plaintif, et Jacques, cette fois, démarra pour ne plus s'arrêter qu'à Rouen. Il était six heures, la nuit achevait de tomber du ciel noir sur la campagne blanche ; mais un reflet pâle, d'une mélancolie affreuse, demeurait au ras de la terre, éclairant la désolation de ce pays ravagé. Et là, dans cette lueur louche, la maison de la Croix-de-Maufras se dressait de biais, plus délabrée et toute noire au milieu de la neige, avec son écriteau : «À vendre», cloué sur sa façade close.

# – VIII –

À Paris, le train n'entra en gare qu'à dix heures quarante du soir. Il y avait eu un arrêt de vingt minutes à Rouen, pour donner aux voyageurs le temps de dîner[§] ; et Séverine s'était empressée d'envoyer une dépêche[§] à son mari, en le prévenant qu'elle ne rentrerait au Havre[§] que par l'express[§] du lendemain soir. Toute une nuit à être avec Jacques, la première qu'ils passeraient ensemble, dans une chambre close, libres d'eux-mêmes, sans crainte d'y être dérangés !

Comme on venait de quitter Mantes, Pecqueux avait eu une idée. Sa femme, la mère Victoire, était à l'hôpital depuis huit jours, pour une foulure grave du pied, à la suite d'une chute ; et, lui, ayant en ville un autre lit où coucher, ainsi qu'il le disait en ricanant, il avait trouvé d'offrir leur chambre à madame Roubaud : elle y serait beaucoup mieux que dans un hôtel[§] du voisinage, elle pourrait y rester jusqu'au lendemain soir, comme chez elle. Tout de suite, Jacques s'était rendu compte du côté pratique de l'arrangement, d'autant plus qu'il ne savait où mener la jeune femme. Et, sous la marquise[§], parmi le flot des voyageurs débarquant enfin, lorsqu'elle s'approcha de la machine, il lui conseilla d'accepter, en lui tendant la clef que le chauffeur[§] lui avait remise. Mais elle hésitait, refusait, gênée par le sourire gaillard de celui-ci, qui savait sûrement.

« Non, non, j'ai une cousine. Elle me mettra bien un matelas par terre.

— Acceptez donc, finit par dire Pecqueux, de son air de noceur bon enfant. Le lit est tendre, allez ! et il est grand, on y coucherait quatre ! »

Jacques la regardait, si pressant, qu'elle prit la clef. Il s'était penché, il lui avait soufflé à voix très basse :

« Attends-moi. »

Séverine n'avait qu'à remonter un bout de la rue d'Amsterdam et à tourner dans l'impasse ; mais la neige était si glissante, qu'elle dut marcher avec de grandes précautions. Elle eut la chance de trouver la maison ouverte encore, elle monta l'escalier, sans même être vue de la concierge, enfoncée dans une partie de dominos avec une voisine ; et, au quatrième, elle ouvrit la porte, la referma si doucement, que nul voisin, à coup sûr, ne pouvait la soupçonner là. Pourtant, en passant sur le palier du troisième, elle avait très distinctement entendu des rires, des chants, chez les Dauvergne : sans doute une des petites réceptions des deux sœurs, qui faisaient ainsi de la musique avec des amies, une fois par semaine. Et, maintenant que Séverine avait refermé la porte, dans les ténèbres lourdes de la pièce, elle percevait encore, à travers le plancher, la gaieté vive de toute cette jeunesse. Un instant, l'obscurité lui parut complète ; et elle tressaillit, lorsque le coucou[§], au milieu du noir, se mit à sonner onze heures, à coups profonds, d'une voix qu'elle reconnaissait. Puis, ses yeux s'habituèrent, les deux fenêtres se découpèrent en deux carrés pâles, éclairant le plafond du reflet de la neige. Déjà, elle s'orientait, cherchait sur le buffet les allumettes, dans un coin où elle se souvenait de les avoir vues. Mais elle eut plus de peine à trouver une bougie ; enfin, elle en découvrit un bout, au fond d'un tiroir ; et, l'ayant allumé, la pièce s'éclaira, elle y jeta un regard inquiet et rapide, comme pour voir si elle y était bien seule. Elle reconnaissait chaque chose, la table ronde, où elle avait déjeuné avec son mari, le lit drapé de cotonnade rouge, au bord duquel il l'avait abattue d'un coup de poing. C'était bien là, rien n'avait été changé dans la chambre, depuis dix mois qu'elle n'y était venue.

Lentement, Séverine ôta son chapeau. Mais, comme elle allait aussi enlever son manteau, elle grelotta. On gelait dans cette chambre. Près du poêle, dans une petite caisse, il y avait du charbon[§] et du menu bois. Tout de suite, sans se dévêtir davantage, l'idée lui vint d'allumer du feu ; et cela l'amusa, fut une distraction au malaise qu'elle avait éprouvé d'abord. Ce ménage qu'elle faisait d'une nuit d'amour, cette pensée qu'ils auraient bien chaud tous les deux, la rendit à la joie tendre de leur escapade : depuis si longtemps, sans espoir de jamais l'obtenir, ils rêvaient une nuit pareille ! Lorsque le poêle ronfla, elle s'ingénia à d'autres préparatifs, rangea les chaises à sa guise, chercha des draps blancs et refit complètement le lit, ce qui lui donna un vrai mal, car il était en effet très large. Son ennui fut de ne rien trouver à manger ni à boire, dans le buffet : sans doute, depuis trois jours qu'il était le maître, Pecqueux avait balayé jusqu'aux miettes, sur les planches. C'était comme pour la lumière, il n'y avait que ce bout de bougie ; mais, quand on se couche, on n'a pas besoin de voir clair. Et, ayant très chaud maintenant, animée, elle s'arrêta au milieu de la pièce, donnant un coup d'œil, pour s'assurer que rien ne manquait.

Puis, comme elle s'étonnait que Jacques ne fût pas là encore, un coup de sifflet l'attira près d'une des fenêtres. C'était le train de onze heures vingt, un direct pour Le Havre, qui partait. En bas, le vaste champ, la tranchée qui va de la gare au tunnel des Batignolles, n'était plus qu'une nappe de neige, où l'on distinguait seulement l'éventail des rails, aux branches noires. Les machines, les wagons des garages faisaient des amoncellements blancs, comme endormis sous de l'hermine. Et, entre les vitrages immaculés des grandes marquises[§] et les charpentes du pont de l'Europe, bordées de guipures, les maisons de la rue de Rome, en face, se voyaient malgré la nuit, sales, brouillées de jaune, au milieu de tout ce blanc. Le direct du Havre apparut, rampant et sombre, avec son fanal[§] d'avant, qui trouait les ténèbres d'une flamme vive ; et elle le regarda disparaître sous le pont, tandis que les trois feux d'arrière ensanglantaient la neige. Quand elle se retourna vers la chambre, un court frisson la reprit : était-elle vraiment bien seule ? il lui avait semblé sentir un souffle ardent lui chauffer la nuque, le frôlement d'un geste brutal venait de passer sur sa chair, à travers son vêtement. Ses yeux élargis firent de nouveau le tour de la pièce. Non, personne.

À quoi Jacques s'amusait-il donc, pour s'attarder ainsi ? Dix minutes encore se passèrent. Un léger grattement, un bruit d'ongles égratignant du bois, l'inquiéta. Puis, elle comprit, elle courut ouvrir. C'était lui, avec une bouteille de malaga et un gâteau.

Toute secouée de rires, d'un mouvement emporté de caresse, elle se pendit à son cou.

« Oh ! es-tu mignon ! Tu y as songé ! »

Mais lui, vivement, la fit taire.

«Chut ! chut !»

Alors, elle baissa la voix, croyant qu'il était poursuivi par la concierge. Non, il avait eu la chance, comme il allait sonner, de voir la porte s'ouvrir pour une dame et sa fille, qui descendaient de chez les Dauvergne sans doute ; et il avait pu monter sans que personne s'en doutât. Seulement, là, sur le palier, il venait d'apercevoir une porte entrebâillée, la marchande de journaux qui terminait un petit savonnage, dans une cuvette.

«Ne faisons pas de bruit, veux-tu ? Parlons doucement.»

Elle répondit en le serrant entre ses bras, d'une étreinte passionnée, et en lui couvrant le visage de baisers muets. Cela l'égayait, de jouer au mystère, de ne plus chuchoter que très bas.

«Oui, oui, tu vas voir : on ne nous entendra pas plus que deux petites souris.»

Et elle mit la table avec toutes sortes de précautions, deux assiettes, deux verres, deux couteaux, s'arrêtant avec une envie d'éclater de rire dès qu'un objet sonnait, posé trop vite.

Lui, qui la regardait faire, amusé aussi, reprit à demi-voix :

«J'ai pensé que tu aurais faim.

— Mais je meurs ! On a si mal dîné à Rouen !

— Dis donc alors, si je redescendais chercher un poulet ?

— Ah ! non, pour que tu ne puisses plus remonter !... Non, non, c'est assez du gâteau.»

Tout de suite, ils s'assirent côte à côte, presque sur la même chaise, et le gâteau fut partagé, mangé avec une gaminerie d'amoureux. Elle se plaignait d'avoir soif, elle but coup sur coup deux verres de malaga, ce qui acheva de faire monter le sang à ses joues. Le poêle rougissait derrière leur dos, ils en sentaient l'ardent frisson. Mais, comme il lui posait sur la nuque des baisers trop bruyants, elle l'arrêta à son tour.

«Chut ! chut !»

Elle lui faisait signe d'écouter ; et, dans le silence, ils entendirent de nouveau monter, de chez les Dauvergne, un branle sourd, rythmé par un bruit de musique : ces demoiselles venaient d'organiser une sauterie. À côté, la marchande de journaux jetait, dans le plomb du palier[1], l'eau savonneuse de sa cuvette. Elle referma sa porte, la danse en bas cessa un instant, il n'y eut plus, au-dehors, sous la fenêtre, dans l'étouffement de la neige, qu'un roulement sourd, le départ d'un train, qui semblait pleurer à faibles coups de sifflet.

«Un train d'Auteuil, murmura-t-il. Minuit moins dix.»

Puis, d'une voix de caresse, légère comme un souffle :

«Au dodo, chérie, veux-tu ?»

Elle ne répondit pas, reprise par le passé dans sa fièvre heureuse, revivant malgré elle les heures qu'elle avait vécues là, avec son mari. N'était-ce pas le déjeuner[§] d'autrefois qui se continuait par ce gâteau, mangé sur la même table, au milieu des mêmes bruits ? Une excitation croissante se dégageait des choses, les souvenirs la débordaient, jamais encore elle n'avait éprouvé un si cuisant besoin de tout dire à son amant, de se livrer toute. Elle en avait comme le désir physique, qu'elle ne distinguait plus de son désir sensuel ; et il lui semblait qu'elle lui appartiendrait davantage, qu'elle y épuiserait la joie d'être à lui, si elle se confessait à son oreille, dans un embrassement. Les faits s'évoquaient, son mari était là, elle tourna la tête, en s'imaginant qu'elle venait de voir sa courte main velue passer par-dessus son épaule, pour prendre le couteau.

«Veux-tu ? chérie, au dodo !» répéta Jacques.

Elle frissonna, en sentant les lèvres du jeune homme qui écrasaient les siennes, comme si, une fois de plus, il eût voulu y sceller l'aveu. Et, muette, elle se leva, se dévêtit rapidement, se coula sous la couverture, sans même relever ses jupes, traînant sur le parquet. Lui, non plus, ne rangea rien : la table resta avec la débandade du couvert, tandis que le bout de bougie achevait de brûler, la flamme déjà vacillante. Et, lorsque, à son tour, déshabillé, il se coucha, ce fut un brusque enlacement, une possession emportée, qui les étouffa tous les deux, hors d'haleine. Dans l'air mort de la chambre, pendant que la musique continuait en bas, il n'y eut pas un cri, pas un

1 *plomb du palier* : cuvette de plomb installée, anciennement, à chacun des étages d'une maison pour recevoir et faire écouler les eaux ménagères.

bruit, rien qu'un grand tressaillement éperdu, un spasme profond jusqu'à l'évanouissement.

Jacques, déjà, ne reconnaissait plus en Séverine, la femme des premiers rendez-vous, si douce, si passive, avec la limpidité de ses yeux bleus. Elle semblait s'être passionnée chaque jour, sous le casque sombre de ses cheveux noirs ; et il l'avait sentie peu à peu s'éveiller, dans ses bras, de cette longue virginité froide, dont ni les pratiques séniles de Grandmorin, ni la brutalité conjugale de Roubaud n'avaient pu la tirer. La créature d'amour, simplement docile autrefois, aimait à cette heure, et se donnait sans réserve, et gardait du plaisir une reconnaissance brûlante. Elle en était arrivée à une violente passion, à de l'adoration pour cet homme qui lui avait révélé ses sens. C'était ce grand bonheur, de le tenir enfin à elle, librement, de le garder contre sa gorge, lié de ses deux bras, qui venait ainsi de serrer ses dents, à ne pas laisser échapper un soupir.

Quand ils rouvrirent les yeux, lui, le premier, s'étonna.

« Tiens ! la bougie s'est éteinte. »

Elle eut un léger mouvement, comme pour dire qu'elle s'en moquait bien. Puis, avec un rire étouffé :

« J'ai été sage, hein ?

— Oh ! oui, personne n'a entendu... deux vraies petites souris ! »

Lorsqu'ils se furent recouchés, elle le reprit tout de suite dans ses bras, se pelotonna contre lui, enfonça le nez dans son cou. Et, soupirant d'aise :

« Mon Dieu ! qu'on est bien ! »

Ils ne parlèrent plus. La chambre était noire, on distinguait à peine les carrés pâles des deux fenêtres ; et il n'y avait, au plafond, qu'un rayon du poêle, une tache ronde et sanglante. Ils la regardaient tous les deux, les yeux grands ouverts. Les bruits de musique avaient cessé, des portes battaient, toute la maison tombait à la paix lourde du sommeil. En bas, le train de Caen qui arrivait, ébranla les plaques tournantes[§], dont les chocs assourdis montaient à peine, comme très lointains.

Mais, à tenir ainsi Jacques, bientôt Séverine brûla de nouveau. Et, avec le désir, se réveilla en elle le besoin de l'aveu.

Depuis de si longues semaines, il la tourmentait ! La tache ronde, au plafond, s'élargissait, semblait s'étendre comme une tache de sang. Ses yeux s'hallucinaient à la regarder, les choses autour du lit reprenaient des voix, contaient l'histoire tout haut. Elle sentait les mots lui en monter aux lèvres, avec l'onde nerveuse qui soulevait sa chair. Comme cela serait bon, de ne plus rien cacher, de se fondre en lui tout entière !

« Tu ne sais pas, chéri... »

Jacques, qui, lui non plus, ne quittait pas du regard la tache saignante, entendait bien ce qu'elle allait dire. Contre lui, dans ce corps délicat noué à son corps, il venait de suivre le flot montant de cette chose obscure, énorme, à laquelle tous deux pensaient, sans jamais en parler. Jusque-là, il l'avait fait taire, craignant le frisson précurseur de son mal de jadis, tremblant que cela ne changeât leur existence, de causer de sang entre eux. Mais, cette fois il était sans force, même pour pencher la tête et lui fermer la bouche d'un baiser, tellement une langueur délicieuse l'avait envahi, dans ce lit tiède, aux bras souples de cette femme. Il crut que c'était fait, qu'elle dirait tout. Aussi fut-il soulagé de son attente anxieuse, lorsqu'elle parut se troubler, hésiter, puis reculer et dire :

« Tu ne sais pas, chéri, mon mari se doute que je couche avec toi. »

À la dernière seconde, sans qu'elle l'eût voulu, c'était le souvenir de la nuit d'auparavant, au Havre[§], qui sortait de ses lèvres, au lieu de l'aveu.

« Oh ! tu crois ? murmura-t-il, incrédule. Il a l'air si gentil. Il m'a encore tendu la main ce matin.

— Je t'assure qu'il sait tout. En ce moment, il doit se dire que nous sommes comme ça, l'un dans l'autre, à nous aimer ! J'ai des preuves. »

Elle se tut, le serra plus étroitement, d'une étreinte où le bonheur de la passion s'aiguisait de rancune. Puis, après une rêverie frémissante :

« Oh ! je le hais, je le hais ! »

Jacques fut surpris. Lui, n'en voulait aucunement à Roubaud. Il le trouvait très accommodant.

«Tiens! pourquoi donc? demanda-t-il. Il ne nous gêne guère.»

Elle ne répondit point, elle répéta :

«Je le hais... Maintenant, rien qu'à le sentir à côté de moi, c'est un supplice. Ah! si je pouvais, comme je me sauverais, comme je resterais avec toi!»

À son tour, touché de cet élan d'ardente tendresse, il la ramena davantage, l'eut contre sa chair, de ses pieds à son épaule, toute sienne. Mais, de nouveau, blottie de la sorte, sans presque détacher les lèvres collées à son cou, elle dit doucement :

«C'est que tu ne sais pas, chéri...»

C'était l'aveu qui revenait, fatal, inévitable. Et, cette fois, il en eut la nette conscience, rien au monde ne le retarderait, car il montait en elle du désir éperdu d'être reprise et possédée. On n'entendait plus un souffle dans la maison, la marchande de journaux elle-même devait dormir profondément. Au-dehors, Paris sous la neige n'avait pas un roulement de voiture, enseveli, drapé de silence; et le dernier train du Havre[§], qui était parti à minuit vingt, paraissait avoir emporté la vie dernière de la gare. Le poêle ne ronflait plus, le feu achevait de se consumer en braise, avivant encore la tache rouge du plafond arrondie là-haut comme un œil d'épouvante. Il faisait si chaud, qu'une brume lourde, étouffante, semblait peser sur le lit, où tous deux, pâmés, confondaient leurs membres.

«Chéri, c'est que tu ne sais pas...»

Alors, il parla lui aussi, irrésistiblement.

«Si, si, je sais.

— Non, tu te doutes peut-être, mais tu ne peux pas savoir.

— Je sais qu'il a fait ça pour l'héritage.»

Elle eut un mouvement, un petit rire nerveux, involontaire.

«Ah! oui, l'héritage!»

Et tout bas, si bas, qu'un insecte de nuit frôlant les vitres aurait bourdonné plus haut, elle conta son enfance chez le président[§] Grandmorin, voulut mentir, ne pas confesser ses rapports avec celui-ci, puis céda à la nécessité de la franchise, trouva un soulagement, un plaisir presque, en disant tout. Son murmure léger, dès lors, coula, intarissable.

«Imagine-toi, c'était ici, dans cette chambre, en février dernier, tu te rappelles, au moment de son affaire avec le sous-préfet[§]… Nous avions déjeuné, très gentiment, comme nous venons de souper, là, sur cette table. Naturellement, il ne savait rien, je n'étais pas allé lui conter l'histoire… Et voilà qu'à propos d'une bague, un ancien cadeau, à propos de rien, je ne sais comment il s'est fait qu'il a tout compris… Ah ! mon chéri, non, non, tu ne peux pas te figurer de quelle façon il m'a traitée !»

Elle frémissait, il sentait ses petites mains qui s'étaient crispées sur sa peau nue.

«D'un coup de poing, il m'a abattue par terre… Et puis, il m'a traînée par les cheveux… Et puis, il levait son talon sur ma figure, comme s'il voulait l'écraser… Non ! vois-tu, tant que je vivrai, je me souviendrai de ça… Encore les coups, mon Dieu ! Mais si je répétais toutes les questions qu'il m'a faites, enfin ce qu'il m'a forcée à lui raconter ! Tu vois, je suis franche, puisque je t'avoue les choses, lorsque rien, n'est-ce pas ? ne m'oblige à te les dire. Eh bien ! jamais je n'oserai te donner même une simple idée des sales questions auxquelles il m'a fallu répondre, car il m'aurait assommée, c'est certain… Sans doute, il m'aimait, il a dû avoir un gros chagrin en apprenant tout ça ; et j'accorde que j'aurais agi plus honnêtement, si je l'avais prévenu avant le mariage. Seulement, il faut comprendre. C'était ancien, c'était oublié. Il n'y a qu'un vrai sauvage pour se rendre ainsi fou de jalousie… Voyons, toi, mon chéri, est-ce que tu vas ne plus m'aimer, parce que tu sais ça, maintenant ?»

Jacques n'avait pas bougé, inerte, réfléchissant, entre ces bras de femme qui se resserraient à son cou, à ses reins, ainsi que des nœuds de couleuvres vives. Il était très surpris, le soupçon d'une pareille histoire ne lui était jamais venu. Comme tout se compliquait, lorsque le testament aurait suffi à expliquer si bien les choses ! Du reste, il aimait mieux ça, la certitude que le ménage n'avait pas tué pour de l'argent le soulageait d'un mépris, dont il avait parfois la conscience brouillée, même sous les baisers de Séverine.

« Moi, ne plus t'aimer, pourquoi ?… Je me moque de ton passé. Ce sont des affaires qui ne me regardent pas… Tu es la femme de Roubaud, tu as bien pu être celle d'un autre. »

Il y eut un silence. Tous deux s'étreignaient à s'étouffer, et il sentait sa gorge ronde, gonflée et dure, dans son flanc.

« Ah ! tu as été la maîtresse de ce vieux. Tout de même, c'est drôle. »

Mais elle se traîna le long de lui, jusqu'à sa bouche, balbutiant dans un baiser :

« Il n'y a que toi que j'aime, jamais je n'ai aimé que toi… Oh ! les autres, si tu savais ! Avec eux, vois-tu, je n'ai pas seulement appris ce que ça pouvait être ; tandis que toi, mon chéri, tu me rends si heureuse ! »

Elle l'enflammait de ses caresses, s'offrant, le voulant, le reprenant de ses mains égarées. Et, pour ne pas céder tout de suite, lui qui brûlait comme elle, il dut la retenir, à pleins bras.

« Non, non, attends, tout à l'heure… Et, alors, ce vieux ? »

Très bas, dans une secousse de tout son être, elle avoua :

« Oui, nous l'avons tué. »

Le frisson du désir se perdait dans un autre frisson de mort, revenu en elle. C'était, comme au fond de toute volupté, une agonie qui recommençait. Un instant, elle resta suffoquée par une sensation ralentie de vertige. Puis, le nez de nouveau dans le cou de son amant, du même léger souffle :

« Il m'a fait écrire au président[§] de partir par l'express[§], en même temps que nous, et de ne se montrer qu'à Rouen… Moi, je tremblais dans mon coin, éperdue en songeant au malheur où nous allions. Et il y avait, en face de moi, une femme en noir qui ne disait rien et qui me faisait grand-peur. Je ne la voyais même pas, je m'imaginais qu'elle lisait clairement dans nos crânes, qu'elle savait très bien ce que nous voulions faire… C'est ainsi que se sont passées les deux heures, de Paris à Rouen. Je n'ai pas dit un mot, je n'ai pas remué, fermant les yeux, pour faire croire que je dormais. À mon côté, je le sentais, immobile lui aussi, et ce qui m'épouvantait, c'était de connaître les choses terribles qu'il roulait dans sa tête, sans pouvoir deviner exactement ce qu'il avait résolu de faire… Ah ! quel voyage, avec ce flot tourbillonnant de pensées, au milieu des coups de sifflet, des cahots et du grondement des roues ! »

Jacques, qui avait sa bouche dans l'épaisse toison odorante de sa chevelure, la baisait, à intervalles réguliers, de longs baisers inconscients.

« Mais, puisque vous n'étiez pas dans le même compartiment[§], comment avez-vous fait pour le tuer ?

— Attends, tu vas comprendre… C'était le plan de mon mari. Il est vrai que, s'il a réussi, c'est bien le hasard qui l'a voulu… À Rouen, il y avait dix minutes d'arrêt. Nous sommes descendus, il m'a forcée de marcher jusqu'au coupé[§] du président[§], d'un air de gens qui se dégourdissent les jambes. Et là, il a affecté la surprise, en le voyant à la portière, comme s'il eût ignoré qu'il fût dans le train. Sur le quai, on se bousculait, un flot de monde prenait d'assaut les secondes classes, à cause d'une fête qui avait lieu au Havre[§], le lendemain. Lorsqu'on a commencé à refermer les portières, c'est le président lui-même qui nous a demandé de monter avec lui. Moi, j'ai balbutié, j'ai parlé de notre valise ; mais il se récriait, il disait qu'on ne la volerait certainement pas, que nous pourrions retourner dans notre compartiment, à Barentin, puisqu'il descendait là. Un instant, mon mari, inquiet, parut vouloir courir la chercher. À cette minute le conducteur sifflait, et il se décida, me poussa dans le coupé, monta, referma la portière et la glace. Comment ne nous a-t-on pas vus ? C'est ce que je ne puis m'expliquer encore. Beaucoup de gens couraient, les employés perdaient la tête, enfin il ne s'est pas trouvé un témoin ayant vu clair. Et le train, lentement, quitta la gare. »

Elle se tut quelques secondes, revivant la scène. Sans qu'elle en eût conscience, dans l'abandon de ses membres, un tic agitait sa cuisse gauche, la frottait d'un mouvement rythmique contre un genou du jeune homme.

« Ah ! le premier moment, dans ce coupé, lorsque j'ai senti le sol fuir ! J'étais comme étourdie, je n'ai pensé d'abord qu'à notre valise : de quelle façon la ravoir ? et n'allait-elle pas nous vendre, si nous la laissions là-bas ? Tout cela me paraissait stupide, impossible, un meurtre de cauchemar imaginé par un enfant, qu'il faudrait être fou pour mettre à exécution. Dès le lendemain, nous serions arrêtés, convaincus[1]. Aussi essayai-je de me rassurer, en me disant que mon mari reculerait, que cela ne serait pas, ne pouvait pas être. Mais non, rien qu'à le voir causer avec le président[§], je comprenais que sa résolution restait immuable et farouche. Pourtant, il restait calme, il parlait même avec gaieté, de son air habituel ; et ce devait être dans son clair regard seul, fixé par moments sur moi, que je lisais l'obstination de sa volonté. Il le tuerait, à un kilomètre encore, à deux peut-être, au point juste qu'il avait fixé, et que j'ignorais : cela était certain, cela éclatait jusque dans les coups d'œil tranquilles dont il enveloppait l'autre, celui qui, tout à l'heure, ne serait plus. Je ne disais rien, j'avais un grand tremblement intérieur que je m'efforçais de cacher, en affectant de sourire, dès qu'on me regardait. Pourquoi, alors, n'ai-je pas même songé à empêcher tout ça ? Ce n'est que plus tard, lorsque j'ai voulu comprendre, que je me suis étonnée de ne m'être pas mise à crier par la portière, ou de ne pas avoir tiré le bouton d'alarme. En ce moment-là, j'étais comme paralysée, je me sentais radicalement impuissante. Sans doute mon mari me semblait dans son droit ; et, puisque je te dis tout, chéri, il faut bien que je confesse aussi cela : j'étais malgré moi, de tout mon être, avec lui contre l'autre parce que les deux m'avaient eue, n'est-ce pas ? et que lui était jeune, tandis que l'autre, oh ! les caresses de l'autre… Enfin, est-ce qu'on sait ? On fait des choses qu'on ne croirait jamais pouvoir faire. Quand je pense que je n'oserais pas saigner un poulet ! Ah ! cette sensation de nuit de tempête, ah ! ce soir épouvantable qui hurlait au fond de moi ! »

Et cette créature frêle, si mince entre ses bras, Jacques la trouvait maintenant impénétrable, sans fond, de cette profondeur noire dont elle parlait. Il avait beau la nouer à lui plus étroitement, il n'entrait pas en elle. Une fièvre le prenait, à ce récit de meurtre, bégayé dans leur étreinte.

1 *convaincus* : reconnus coupables.

«Dis-moi, l'as-tu donc aidé à tuer le vieux ?

— J'étais dans un coin, continua-t-elle sans répondre. Mon mari me séparait du président[§], qui occupait l'autre coin. Ils causaient ensemble des élections prochaines… Par moments, je voyais mon mari se pencher, jeter un coup d'œil au-dehors, pour s'assurer où nous étions, comme pris d'impatience… Chaque fois, je suivais son regard, je me rendais compte aussi du chemin parcouru. La nuit était pâle, les masses noires des arbres défilaient furieusement. Et toujours ce grondement des roues que jamais je n'ai entendu pareil, un affreux tumulte de voix enragées et gémissantes, des plaintes lugubres de bêtes hurlant à la mort ! À toute vitesse, le train courait… Brusquement, il y a eu des clartés, un écho répercuté du train entre les bâtiments d'une gare. Nous étions à Maromme, déjà à deux lieues[§] et demie de Rouen. Encore Malaunay, et puis Barentin. Où donc la chose allait-elle se faire ? Faudrait-il attendre la dernière minute ? Je n'avais plus conscience du temps ni des distances, je m'abandonnais, ainsi que la pierre qui tombe, à cette chute assourdissante au travers des ténèbres, lorsque, en traversant Malaunay, tout d'un coup je compris : la chose se ferait dans le tunnel, à un kilomètre de là… Je me tournai vers mon mari, nos yeux se rencontrèrent : oui, dans le tunnel, encore deux minutes… Le train courait, l'embranchement de Dieppe fut dépassé, j'aperçus l'aiguilleur[§] à son poste. Il y a là des coteaux, où j'ai cru voir distinctement des hommes, les bras levés, qui nous chargeaient d'injures. Puis la machine siffla longuement : c'était l'entrée du tunnel… Et, lorsque le train s'y engouffra, oh ! quel retentissement sous cette voûte basse ! tu sais, ces bruits de fer remué, pareils à des volées de marteau sur l'enclume, et que moi, à cette seconde d'affolement, je transformais en roulements de tonnerre.»

Elle grelottait, elle s'interrompit pour dire d'une voix changée, presque rieuse :

«Est-ce bête, hein ? chéri, d'en avoir encore froid dans les os. J'ai pourtant bien chaud, là, avec toi, et je suis si contente !… Et puis, tu sais, il n'y a plus rien du tout à craindre : l'affaire est classée, sans compter que les gros bonnets du gouvernement ont encore moins envie que nous de tirer ça au clair… Oh ! j'ai compris, je suis tranquille.»

Puis, elle ajouta, en riant tout à fait :

«Par exemple, toi, tu peux te vanter de nous avoir fait une jolie peur !… Et dis-moi donc, ça m'a toujours intriguée : au juste, qu'avais-tu vu ?

— Mais ce que j'ai dit chez le juge, rien de plus : un homme qui en égorgeait un autre… Vous étiez si drôles avec moi, que j'avais fini par me douter. Un instant, j'avais même reconnu ton mari… Ce n'est que plus tard, pourtant, que j'ai été absolument certain…»

Elle l'interrompit gaiement.

«Oui, dans le square, le jour où je t'ai dit non, tu te rappelles ? la première fois que nous nous sommes trouvés seuls à Paris… Est-ce singulier ! Je te disais que ce n'était pas nous, et je savais parfaitement que tu entendais le contraire. N'est-ce pas, c'était comme si je t'avais tout raconté ?… Oh ! chéri, j'y ai songé souvent, et je crois bien, vois-tu, que c'est depuis ce jour-là que je t'aime.»

Ils eurent un élan, une pression où ils semblèrent se fondre. Et elle reprit :

«Sous le tunnel, le train courait… Il est très long, le tunnel. On reste là-dessous trois minutes. J'ai bien cru que nous y avions roulé une heure… Le président[§] ne causait plus, à cause du bruit assourdissant de ferraille remuée. Et mon mari, à ce dernier moment, devait avoir une défaillance, car il ne bougeait toujours pas. Je voyais seulement, sous la clarté dansante de la lampe, ses oreilles devenir violettes… Allait-il donc attendre d'être de nouveau en rase campagne ? La chose était désormais pour moi si fatale, si inévitable, que je n'avais qu'un désir : ne plus souffrir à ce point de l'attente, être débarrassée. Pourquoi donc ne le tuait-il pas, puisqu'il le fallait ? J'aurais pris le couteau pour en finir, tant j'étais exaspérée de peur et de souffrance… Il me regarda. J'avais sans doute ça sur la figure. Et, tout d'un coup, il se rua, saisit aux épaules le président, qui s'était tourné du côté de la portière. Celui-ci, effaré, se dégagea d'une secousse instinctive, allongea le bras vers le bouton d'alarme, juste au-dessus de sa tête. Il le toucha, fut repris par l'autre et abattu sur la banquette, d'une telle poussée, qu'il s'y trouva comme plié en deux. Sa bouche ouverte de stupeur et d'épouvante lâchait des cris confus, étouffés par le vacarme; tandis que j'entendais distinctement mon mari répéter le mot : Cochon ! cochon ! cochon ! d'une voix sifflante, qui s'enrageait. Mais le bruit tomba, le train sortait du tunnel, la campagne pâle reparut, avec les arbres noirs qui défilaient… Moi, j'étais restée dans mon coin, raidie, collée contre le drap du dossier, le plus loin possible. Combien la lutte dura-t-elle ? Quelques secondes à peine. Et il me semblait qu'elle n'en finissait plus, que tous les voyageurs maintenant écoutaient les cris, que les arbres nous voyaient. Mon mari, qui tenait son couteau ouvert, ne pouvait frapper, repoussé à coups de pied, trébuchant sur le plancher mouvant de la voiture. Il faillit tomber sur les genoux, et le train courait, nous emportait à toute vitesse, pendant que la machine sifflait, à l'approche du passage à niveau de la Croix-de-Maufras… C'est alors que, sans que j'aie pu ensuite me souvenir comment cela s'est fait, je me suis jetée sur les jambes de l'homme qui se débattait. Oui, je me suis laissée tomber ainsi qu'un paquet, lui écrasant les jambes de tout mon poids, pour qu'il ne les remuât plus. Et je n'ai rien vu, mais j'ai tout senti : le choc du couteau dans la gorge, la longue secousse du corps, la mort qui est venue en trois hoquets, avec un déroulement d'horloge qu'on a cassée… Oh ! ce frisson d'agonie dont j'ai encore l'écho dans les membres !»

Jacques, avide, voulut l'interrompre pour la questionner. Mais, à présent, elle avait hâte de finir.

«Non, attends… Comme je me relevais, nous passions à toute vapeur devant la Croix-de-Maufras. J'ai aperçu distinctement la façade close de la maison, puis le poste du garde-barrière[§]. Encore quatre kilomètres, cinq minutes au plus, avant d'être à Barentin… Le corps était plié sur la banquette, le sang coulait en mare épaisse. Et mon mari, debout, hébété, balancé par les cahots du train, regardait, en essuyant le couteau avec son mouchoir. Cela a duré une minute, sans que ni l'un ni l'autre nous fissions rien pour notre salut… Si nous gardions ce corps avec nous, si nous restions là, on allait tout découvrir peut-être, à l'arrêt de Barentin… Mais il avait remis le couteau dans sa poche, il semblait s'éveiller. Je l'ai vu qui fouillait le corps, prenait la montre, l'argent, tout ce qu'il trouvait ; et, ayant ouvert la portière, il s'efforça de le pousser sur la voie, sans le saisir à pleins bras, de peur du sang. “Aide-moi donc ! Pousse avec moi.” Je n'essayai même pas, je ne sentais plus mes membres. “Nom de Dieu ! veux-tu bien pousser avec moi !” La tête, sortie la première, pendait jusqu'au marchepied, tandis que le tronc, roulé en boule, refusait de passer. Et le train courait… Enfin, sous une poussée plus forte, le cadavre bascula, disparut dans le grondement des roues. “Ah ! le cochon, c'est donc fini !” Puis, il ramassa la couverture, la jeta aussi. Il n'y avait plus que nous deux, debout, avec la mare de sang sur la banquette, où nous n'osions pas nous asseoir… La portière battait toujours, grande ouverte, et je ne compris pas d'abord, anéantie, affolée, lorsque je vis mon mari descendre, disparaître à son tour. Il revint. “Allons, vite, suis-moi, si tu ne veux pas qu'on nous coupe le cou !” Je ne bougeais pas, il s'impatientait.

« “Viens donc, nom de Dieu ! notre compartiment[§] est vide, nous y retournons.” Vide, notre compartiment, il y était donc allé ? La femme en noir, celle qui ne parlait pas, qu'on ne voyait pas, était-il bien certain qu'elle ne fût pas restée dans un coin ?… “Veux-tu venir, ou je te fous sur la voie comme l'autre !” Il était remonté, il me poussait, brutal, fou. Et je me trouvai dehors, sur le marchepied, les deux mains cramponnées à la tringle de cuivre. Lui, descendu derrière moi, avait refermé soigneusement la portière. “Va donc, va donc !” Mais je n'osais pas, emportée dans le vertige de la course, flagellée par le vent qui soufflait en tempête. Mes cheveux se dénouèrent, je croyais que mes doigts raidis allaient laisser échapper la tringle. “Va donc, nom de Dieu !” Il me poussait toujours, je dus marcher, lâchant une main après l'autre, me collant contre les voitures, au milieu du tourbillon de mes jupes, dont le claquement me liait les jambes. Déjà, au loin, après une courbe, on apercevait les lumières de la station de Barentin. La machine se

*Et je n'ai rien vu, mais j'ai tout senti : le choc du couteau dans la gorge, la longue secousse du corps […].*

Lignes 7992 à 7994.

Œuvres complètes illustrées d'Émile Zola (1906).

mit à siffler. “Va donc, nom de Dieu !” Oh ! ce bruit d’enfer, cette trépidation violente dans laquelle je marchais ! Il me semblait qu’un orage m’avait prise, me roulait comme une paille, pour aller, là-bas, m’écraser contre un mur. Derrière mon dos, la campagne fuyait, les arbres me suivaient d’un galop enragé, tournant sur eux-mêmes, tordus, jetant chacun une plainte brève, au passage. À l’extrémité du wagon, lorsqu’il me fallut enjamber pour atteindre le marchepied du wagon suivant et saisir l’autre tringle, je m’arrêtai, à bout de courage. Jamais je n’aurais la force. “Va donc, nom de Dieu !” Il était sur moi, il me poussait, et je fermai les yeux, et je ne sais comment je continuai à avancer, par la seule force de l’instinct, ainsi qu’une bête qui a planté ses griffes et qui ne veut pas tomber. Comment aussi ne nous a-t-on pas vus ? Nous avons passé devant trois voitures, dont une, de deuxième classe, était absolument bondée. Je me souviens des têtes rangées à la file, sous la clarté de la lampe ; je crois que je les reconnaîtrais, si je les rencontrais un jour : celle d’un gros homme avec des favoris rouges, celles surtout de deux jeunes filles, qui se sont penchées en riant. “Va donc, nom de Dieu ! Va donc, nom de Dieu !” Et je ne sais plus, les lumières de Barentin se rapprochaient, la machine sifflait, ma dernière sensation a été d’être traînée, charriée, enlevée par les cheveux. Mon mari a dû m’empoigner, ouvrir la portière par-dessus mes épaules, me jeter au fond du compartiment[§]. Haletante, j’étais à demi évanouie dans un coin, lorsque nous nous sommes arrêtés ; et je l’ai entendu, sans faire un mouvement, qui échangeait quelques mots avec le chef de gare de Barentin. Puis, le train reparti, il est tombé sur la banquette, épuisé lui-même. Jusqu’au Havre[§], nous n’avons pas rouvert la bouche… Oh ! je le hais, je le hais, vois-tu, pour toutes ces abominations qu’il m’a fait souffrir ! et toi, je t’aime, mon chéri, toi qui me donnes tant de bonheur ! »

Chez Séverine, après la montée ardente de ce long récit, ce cri était comme l’épanouissement même de son besoin de joie, dans l’exécration de ses souvenirs. Mais Jacques, qu’elle avait bouleversé et qui brûlait comme elle, la retint encore.

«Non, non, attends… Et tu étais aplatie sur ses jambes, et tu l'as senti mourir ?»

En lui, l'inconnu se réveillait, une onde farouche montait des entrailles, envahissait la tête d'une vision rouge. Il était repris de la curiosité du meurtre.

«Et alors, le couteau, tu as senti le couteau entrer ?

— Oui, un coup sourd.

— Ah ! un coup sourd… Pas un déchirement, tu es sûre ?

— Non, non, rien qu'un choc.

— Et, ensuite, il a eu une secousse, hein ?

— Oui, trois secousses, oh ! d'un bout à l'autre de son corps, si longues, que je les ai suivies jusque dans ses pieds.

— Des secousses qui le raidissaient, n'est-ce pas ?

— Oui, la première très forte, les deux autres plus faibles.

— Et il est mort, et à toi qu'est-ce que ça t'a fait, de le sentir mourir comme ça, d'un coup de couteau ?

— À moi, oh ! je ne sais pas.

— Tu ne sais pas, pourquoi mens-tu ? Dis-moi, dis-moi ce que ça t'a fait, bien franchement… De la peine ?

— Non non, pas de la peine !

— Du plaisir ?

— Du plaisir, ah ! non, pas du plaisir !

— Quoi donc, mon amour ? Je t'en prie, dis-moi tout… Si tu savais… Dis-moi ce qu'on éprouve.

— Mon Dieu ! est-ce qu'on peut dire ça ?… C'est affreux, ça vous emporte, oh ! si loin, si loin ! J'ai plus vécu dans cette minute-là que dans toute ma vie passée.»

Les dents serrées, n'ayant plus qu'un bégaiement, Jacques cette fois l'avait prise ; et Séverine aussi le prenait. Ils se possédèrent, retrouvant l'amour au fond de la mort, dans la même volupté douloureuse des bêtes qui s'éventrent pendant le rut. Leur souffle rauque, seul, s'entendit. Au plafond, le reflet saignant avait disparu ; et, le poêle éteint, la chambre commençait à se glacer, dans le grand froid du dehors. Pas une voix ne montait de Paris ouaté de neige. Un instant, des ronflements étaient venus de chez la marchande de journaux, à côté. Puis, tout s'était abîmé au gouffre noir de la maison endormie.

Jacques, qui avait gardé Séverine dans ses bras, la sentit tout de suite qui cédait à un sommeil invincible, comme foudroyée. Le voyage, l'attente prolongée chez les Misard, cette nuit de fièvre, l'accablaient. Elle bégaya un bonsoir enfantin, elle dormait déjà, d'un souffle égal. Le coucou[$] venait de sonner trois heures.

Et, pendant près d'une heure encore, Jacques la garda sur son bras gauche, qui, peu à peu, s'engourdissait. Lui, ne pouvait fermer les yeux, qu'une main invisible, obstinément, semblait rouvrir dans les ténèbres. Maintenant, il ne distinguait plus rien de la chambre, noyée de nuit, où tout avait sombré, le poêle, les meubles, les murs ; et il fallait qu'il se tournât, pour retrouver les deux carrés pâles des fenêtres, immobiles, d'une légèreté de rêve. Malgré sa fatigue écrasante, une activité cérébrale prodigieuse le tenait vibrant, dévidant sans cesse le même écheveau d'idées. Chaque fois que, par un effort de volonté, il croyait glisser au sommeil, la même hantise recommençait, les mêmes images défilaient, éveillant les mêmes sensations. Et ce qui se déroulait ainsi, avec une régularité mécanique, pendant que ses yeux fixes et grands ouverts s'emplissaient d'ombre, c'était le meurtre, détail à détail. Toujours il renaissait, identique, envahissant, affolant. Le couteau entrait dans la gorge d'un choc sourd, le corps avait trois longues secousses, la vie s'en allait en un flot de sang tiède, un flot rouge qu'il croyait sentir lui couler sur les mains. Vingt fois, trente fois, le couteau entra, le corps s'agita. Cela devenait énorme, l'étouffait, débordait, faisait éclater la nuit. Oh ! donner un coup de couteau pareil, contenter ce lointain désir, savoir ce qu'on éprouve, goûter cette minute où l'on vit davantage que dans toute une existence !

Comme son étouffement augmentait, Jacques pensa que le poids de Séverine sur son bras l'empêchait seul de dormir. Doucement, il se dégagea, la posa près de lui, sans l'éveiller. D'abord soulagé, il respira plus à l'aise, croyant que le sommeil allait venir enfin. Mais, malgré son effort, les invisibles doigts rouvrirent ses paupières ; et, dans le noir, le meurtre reparut en traits sanglants, le couteau entra, le corps s'agita. Une pluie rouge rayait les ténèbres, la plaie de la gorge, démesurée, bâillait comme une entaille faite à la hache. Alors, il ne lutta plus, resta sur le dos, en proie à cette vision obstinée. Il entendait en lui le labeur décuplé du cerveau, un grondement de toute la machine. Cela venait de très loin, de sa jeunesse. Pourtant, il s'était cru guéri, car ce désir était mort depuis des mois, avec la possession de cette femme ; et voilà que jamais il ne l'avait ressenti si intense, sous l'évocation de ce meurtre, que, tout à l'heure, serrée contre sa chair, liée à ses membres, elle lui chuchotait. Il s'était écarté, il évitait qu'elle ne le touchât, brûlé par le moindre contact de sa peau. Une chaleur insupportable montait le long de son échine, comme si le matelas, sous ses reins, se fût changé en brasier. Des picotements, des pointes de feu lui trouaient la nuque. Un moment, il essaya de sortir ses mains de la couverture ; mais tout de suite elles se glaçaient, lui donnaient un frisson. La peur le prit de ses mains, et il les rentra, les joignit d'abord sur son ventre, finit par les glisser, par les écraser sous ses fesses, les emprisonnant là, comme s'il eût redouté quelque abomination de leur part, un acte qu'il ne voudrait pas et qu'il commettait quand même.

Chaque fois que le coucou[§] sonnait, Jacques comptait les coups. Quatre heures, cinq heures, six heures. Il aspirait après le jour, il espérait que l'aube chasserait ce cauchemar. Aussi, maintenant, se tournait-il vers les fenêtres, guettant les vitres. Mais il n'y avait toujours là que le vague reflet de la neige. À cinq heures moins un quart, avec un retard de quarante minutes seulement, il avait entendu arriver le direct du Havre[§], ce qui prouvait que la circulation devait être rétablie. Et ce ne fut pas avant sept heures passées, qu'il vit blanchir les vitres, une pâleur laiteuse, très lente. Enfin, la chambre s'éclaira, de cette lumière confuse où les meubles semblaient flotter. Le poêle reparut, l'armoire, le buffet. Il ne pouvait toujours fermer les paupières, ses yeux au contraire s'irritaient, dans un besoin de voir. Tout de suite, avant qu'il fît assez clair, il avait plutôt deviné qu'aperçu, sur la table, le couteau dont il s'était servi, le soir, pour couper le gâteau. Il ne voyait plus que ce couteau, un petit couteau à bout pointu. Le jour qui grandissait, toute la lumière blanche des deux fenêtres n'entrait maintenant que pour se refléter dans cette mince lame. Et la terreur de ses mains les lui fit enfoncer davantage sous son corps, car il les sentait bien qui s'agitaient, révoltées, plus fortes que son vouloir. Est-ce qu'elles allaient cesser de lui appartenir ? Des mains qui lui viendraient d'un autre, des mains léguées par quelque ancêtre, au temps où l'homme, dans les bois, étranglait les bêtes !

Pour ne plus voir le couteau, Jacques se tourna vers Séverine. Elle dormait très calme, avec un souffle d'enfant, dans sa grosse fatigue. Ses lourds cheveux noirs, dénoués, lui faisaient un oreiller sombre, coulant jusqu'aux épaules ; et, sous le menton, entre les boucles, on apercevait sa gorge, d'une délicatesse de lait, à peine rosée. Il la regarda comme s'il ne la connaissait point. Il l'adorait cependant, il emportait partout son image, dans un désir d'elle, qui, souvent, l'angoissait, même lorsqu'il conduisait sa machine ; à ce point, qu'un jour il s'était éveillé, comme d'un rêve, au moment où il passait une station à toute vapeur, malgré les signaux. Mais la vue de cette gorge blanche le prenait tout entier, d'une fascination soudaine, inexorable ; et, en lui, avec une horreur consciente encore, il sentait grandir l'impérieux besoin d'aller chercher le couteau, sur la table, de revenir l'enfoncer jusqu'au manche, dans cette chair de femme. Il entendait le choc sourd de la lame qui entrait, il voyait le corps sursauter par trois fois, puis la mort le raidir, sous un flot rouge. Luttant, voulant s'arracher de cette hantise, il perdait à chaque seconde un peu de sa volonté, comme submergé par l'idée fixe, à ce bord extrême où, vaincu, l'on cède aux poussées de l'instinct. Tout se brouilla, ses mains révoltées, victorieuses de son effort à les cacher, se dénouèrent, s'échappèrent. Et il comprit si bien que, désormais, il n'était plus le maître, et qu'elles allaient brutalement se satisfaire, s'il continuait à regarder Séverine, qu'il mit ses dernières forces à se jeter hors du lit, roulant par terre ainsi qu'un homme ivre. Là, il se ramassa, faillit tomber de nouveau, en s'embarrassant les pieds parmi les jupes restées sur le parquet. Il chancelait, cherchait ses vêtements d'un geste égaré, avec la pensée unique de s'habiller vite, de prendre le couteau et de descendre tuer une autre femme, dans la rue. Cette fois, son désir le torturait trop, il fallait qu'il en tuât une. Il ne trouvait plus son pantalon, le toucha à trois reprises, avant de savoir qu'il le tenait. Ses souliers à mettre lui donnèrent un mal infini. Bien qu'il fît grand jour maintenant, la chambre lui paraissait pleine de fumée rousse, une aube de brouillard glacial où tout se noyait. Il grelottait de fièvre, et il était habillé enfin, il avait pris le couteau, en le cachant dans sa manche, certain d'en tuer une, la première qu'il rencontrerait sur le trottoir, lorsqu'un froissement de linge, un soupir prolongé qui venait du lit, l'arrêta, cloué près de la table, pâlissant.

C'était Séverine qui s'éveillait.

«Quoi donc, chéri, tu sors déjà ?»

Il ne répondait pas, il ne la regardait pas, espérant qu'elle se rendormirait.

«Où vas-tu donc, chéri ?

— Rien, balbutia-t-il, une affaire de service… Dors, je vais revenir.»

Alors, elle eut des mots confus, reprise de torpeur, les yeux déjà refermés.

«Oh ! j'ai sommeil, j'ai sommeil… Viens m'embrasser, chéri.»

Mais il ne bougeait pas, car il savait que, s'il se retournait, avec ce couteau dans la main, s'il la revoyait seulement, si fine, si jolie, en sa nudité et son désordre, c'en était fait de la volonté qui le raidissait là, près d'elle. Malgré lui, sa main se lèverait, lui planterait le couteau dans le cou.

«Chéri, viens m'embrasser…»

Sa voix s'éteignait, elle se rendormit, très douce, avec un murmure de caresse. Et, lui, éperdu, ouvrit la porte, s'enfuit.

Il était huit heures, lorsque Jacques se trouva sur le trottoir de la rue d'Amsterdam. La neige n'avait pas encore été balayée, on entendait à peine le piétinement des rares passants. Tout de suite, il avait aperçu une vieille femme ; mais elle tournait le coin de la rue de Londres, il ne la suivit pas. Des hommes le coudoyèrent, il descendit vers la place du Havre[§], en serrant le couteau, dont la pointe relevée disparaissait sous sa manche.

Comme une fillette d'environ quatorze ans sortait d'une maison d'en face, il traversa la chaussée ; et il n'arriva que pour la voir entrer, à côté, dans une boulangerie. Son impatience était telle, qu'il n'attendit pas, cherchant plus loin, continuant à descendre. Depuis qu'il avait quitté la chambre, avec ce couteau, ce n'était plus lui qui agissait, mais l'autre, celui qu'il avait senti si fréquemment s'agiter au fond de son être, cet inconnu venu de très loin, brûlé de la soif héréditaire du meurtre. Il avait tué jadis, il voulait tuer encore. Et les choses, autour de Jacques, n'étaient plus que dans un rêve, car il les voyait à travers son idée fixe. Sa vie de chaque jour se trouvait comme abolie, il marchait en somnambule, sans mémoire du passé, sans prévoyance de l'avenir, tout à l'obsession de son besoin. Dans son corps qui allait, sa personnalité était absente. Deux femmes qui le frôlèrent en le devançant, lui firent précipiter sa marche ; et il les rattrapait, lorsqu'un homme les arrêta. Tous trois riaient, causaient. Cet homme le dérangeant, il se mit à suivre une autre femme qui passait, chétive et noire, l'air pauvre sous un mince châle. Elle avançait à petits pas, vers quelque besogne exécrée sans doute, dure et payée chichement, car elle n'avait pas de hâte, la face désespérément triste. Lui non plus, maintenant qu'il en tenait une, ne se pressait point, attendant de choisir l'endroit, pour la frapper à l'aise. Sans doute, elle s'aperçut que ce garçon la suivait, et ses yeux se tournèrent vers lui, avec un navrement indicible, étonnée qu'on pût vouloir d'elle. Déjà, elle l'avait mené au milieu de la rue du Havre[§], elle se retourna deux fois encore, l'empêchant à chaque fois de lui planter dans la gorge le couteau, qu'il sortait de sa manche. Elle avait des yeux de misère, si implorants ! Là-bas, lorsqu'elle descendrait du trottoir, il frapperait. Et, brusquement, il fit un crochet, en se mettant à la poursuite d'une autre femme qui marchait en sens inverse. Cela sans raison, sans volonté, parce qu'elle passait à cette minute, et que c'était ainsi.

Jacques, derrière elle, revint vers la gare. Celle-ci, très vive, marchait d'un petit pas sonore ; et elle était adorablement jolie, vingt ans au plus, grasse déjà, blonde, avec de beaux yeux de gaieté qui riaient à la vie. Elle ne remarqua même pas qu'un homme la suivait; elle devait être pressée, car elle gravit lestement le perron de la cour du Havre[§], monta dans la grande salle, qu'elle longea en courant presque, pour se précipiter vers les guichets de la ligne de Ceinture[§]. Et, comme elle demandait un billet de première[§] classe pour Auteuil, Jacques en prit également un, l'accompagna à travers les salles d'attente, sur le quai, jusque dans le compartiment[§], où il s'installa, à côté d'elle. Le train, tout de suite, partit.

«J'ai le temps, pensait-il, je la tuerai sous un tunnel.»

Mais, en face d'eux, une vieille dame, la seule personne qui fût montée, venait de reconnaître la jeune femme.

«Comment, c'est vous! Où allez-vous donc, de si bonne heure?»

L'autre éclata d'un bon rire, avec un geste de comique désespoir.

«Dire qu'on ne peut rien faire sans être rencontrée! J'espère que vous n'irez pas me vendre… C'est demain la fête de mon mari, et dès qu'il a été sorti pour ses affaires, j'ai pris ma course, je vais à Auteuil chez un horticulteur, où il a vu une orchidée dont il a une envie folle… Une surprise, vous comprenez.»

La vieille dame hochait la tête, d'un air de bienveillance attendrie.

«Et bébé va bien?

— La petite, oh! un vrai charme… Vous savez que je l'ai sevrée il y a huit jours. Il faut la voir manger sa soupe… Nous nous portons tous trop bien, c'est scandaleux.»

Elle riait plus haut, montrant ses dents blanches, entre le sang pur de ses lèvres. Et Jacques, qui s'était mis à sa droite, le couteau au poing, caché derrière sa cuisse, se disait qu'il serait très bien pour frapper. Il n'avait qu'à lever le bras et à faire demi-tour, pour l'avoir à sa main. Mais, sous le tunnel des Batignolles, l'idée des brides du chapeau l'arrêta.

«Il y a là, songeait-il, un nœud qui va me gêner. Je veux être sûr.»

Les deux femmes continuaient à causer gaiement.

«Alors, je vois que vous êtes heureuse.

— Heureuse, ah ! si je pouvais dire ! C'est un rêve que je fais… Il y a deux ans, je n'étais rien du tout. Vous vous rappelez, on ne s'amusait guère chez ma tante ; et pas un sou de dot… Quand il venait, lui, je tremblais, tant je m'étais mise à l'aimer. Mais il était si beau, si riche… Et il est à moi, il est mon mari, et nous avons bébé à nous deux ! Je vous dis que c'est trop ! »

En étudiant le nœud des brides, Jacques venait de constater qu'il y avait dessous, attaché à un velours noir, un gros médaillon d'or ; et il calculait tout.

« Je l'empoignerai au cou de la main gauche, et j'écarterai le médaillon en lui renversant la tête, pour avoir la gorge nue. »

Le train s'arrêtait, repartait à chaque minute. De courts tunnels s'étaient succédé, à Courcelles, à Neuilly. Tout à l'heure, une seconde suffirait.

« Vous êtes allée à la mer, cet été ? reprit la vieille dame.

— Oui, en Bretagne, six semaines, au fond d'un trou perdu, un paradis. Puis, nous avons passé septembre dans le Poitou, chez mon beau-père, qui possède par là de grands bois.

— Et ne devez-vous pas vous installer dans le Midi pour l'hiver ?

— Si, nous serons à Cannes vers le 15… La maison est louée. Un bout de jardin délicieux, la mer en face. Nous avons envoyé là-bas quelqu'un qui installe tout, pour nous recevoir… Ce n'est pas que nous soyons frileux, ni l'un ni l'autre ; mais cela est si bon, le soleil !… Puis, nous serons de retour en mars. L'année prochaine, nous resterons à Paris. Dans deux ans, lorsque bébé sera grande fille, nous voyagerons. Est-ce que je sais, moi ! c'est toujours fête ! »

Elle débordait d'une telle félicité, que, cédant à son besoin d'expansion, elle se tourna vers Jacques, vers cet inconnu, pour lui sourire. Dans ce mouvement, le nœud des brides se déplaça, le médaillon s'écarta, le cou apparut, vermeil, avec une fossette légère, que l'ombre dorait.

Les doigts de Jacques s'étaient raidis sur le manche du couteau, pendant qu'il prenait une résolution irrévocable.

«C'est là, à cette place, que je frapperai. Oui, tout à l'heure, sous le tunnel, avant Passy.»

Mais, à la station du Trocadéro, un employé monta, qui, le connaissant, se mit à lui parler du service, d'un vol de charbon[§] dont on venait de convaincre un mécanicien[§] et son chauffeur[§]. Et, à partir de ce moment, tout se brouilla, il ne put jamais, plus tard, rétablir les faits, exactement. Les rires avaient continué, un rayonnement de bonheur tel, qu'il en était comme pénétré et assoupi. Peut-être était-il allé jusqu'à Auteuil avec les deux femmes; seulement, il ne se rappelait pas qu'elles y fussent descendues. Lui-même avait fini par se trouver au bord de la Seine, sans s'expliquer comment. Ce dont il gardait la sensation très nette, c'était d'avoir jeté, du haut de la berge, le couteau, resté dans sa manche, à son poing. Puis, il ne savait plus, hébété, absent de son être, d'où l'autre s'en était allé aussi, avec le couteau. Il devait avoir marché pendant des heures, par les rues et les places, au hasard de son corps. Des gens, des maisons défilaient, très pâles. Sans doute il était entré quelque part, manger au fond d'une salle pleine de monde, car il revoyait distinctement des assiettes blanches. Il avait aussi l'impression persistante d'une affiche rouge, sur une boutique fermée. Et tout sombrait ensuite à un gouffre noir, à un néant, où il n'y avait plus ni temps ni espace, où il gisait inerte, depuis des siècles peut-être.

Lorsqu'il revint à lui, Jacques était dans son étroite chambre de la rue Cardinet, tombé en travers de son lit, tout habillé. L'instinct l'avait ramené là, ainsi qu'un chien fourbu qui se traîne à sa niche. D'ailleurs, il ne se souvenait ni d'avoir monté l'escalier ni de s'être endormi. Il s'éveillait d'un sommeil de plomb, effaré de rentrer brusquement en possession de lui-même, comme après un évanouissement profond. Peut-être avait-il dormi trois heures, peut-être trois jours. Et, tout d'un coup, la mémoire lui revint : la nuit passée avec Séverine, l'aveu du meurtre, son départ de bête carnassière, en quête de sang. Il n'avait plus été en lui, il s'y retrouvait, avec la stupeur des choses qui s'étaient faites en dehors de son vouloir. Puis, le souvenir que la jeune femme l'attendait, le mit debout, d'un saut. Il regarda sa montre, vit qu'il était quatre heures déjà ; et, la tête vide, très calme comme après une forte saignée, il se hâta de retourner à l'impasse d'Amsterdam.

Jusqu'à midi, Séverine avait dormi profondément. Ensuite, réveillée, surprise de ne pas le voir là encore, elle avait rallumé le poêle ; et, vêtue enfin, mourant d'inanition, elle s'était décidée, vers deux heures, à descendre manger dans un restaurant du voisinage. Lorsque Jacques parut, elle venait de remonter, après avoir fait quelques courses.

« Oh ! mon chéri, que j'étais inquiète ! »

Et elle s'était pendue à son cou, elle le regardait de tout près, dans les yeux.

« Qu'est-il donc arrivé ? »

Lui, épuisé, la chair froide, la rassurait tranquillement, sans un trouble.

« Mais rien, une corvée embêtante. Quand ils vous tiennent, ils ne vous lâchent plus. »

Alors, baissant la voix, elle se fit humble, câline.

« Figure-toi que je m'imaginais… Oh ! une vilaine idée qui me causait une peine !… Puis, je me disais que peut-être, après ce que je t'avais avoué, tu n'allais plus vouloir de moi… Et voilà que je t'ai cru parti pour ne pas revenir, jamais, jamais ! »

Les larmes la gagnaient, elle éclata en sanglots, en le serrant éperdument entre ses bras.

« Ah ! mon chéri, si tu savais comme j'ai besoin qu'on soit gentil avec moi !… Aime-moi, aime-moi bien, parce que, vois-tu, il n'y a que ton amour qui puisse me faire oublier… Maintenant que je t'ai dit tous mes malheurs, n'est-ce pas ? il ne faut pas me quitter, oh ! je t'en conjure ! »

Jacques était envahi par cet attendrissement. Une détente invincible l'amollissait peu à peu. Il bégaya :

« Non, non, je t'aime, n'aie pas peur. »

Et, débordé, il pleura aussi, sous la fatalité de ce mal abominable qui venait de le reprendre, dont jamais il ne guérirait. C'était une honte, un désespoir sans bornes.

« Aime-moi, aime-moi bien aussi, oh ! de toute ta force, car j'en ai autant besoin que toi ! »

Elle frissonna, voulut savoir.

«Tu as des chagrins, il faut me les dire.

— Non, non, pas des chagrins, des choses qui n'existent pas, des tristesses qui me rendent horriblement malheureux, sans qu'il soit même possible d'en causer.»

Tous deux s'étreignirent, confondirent l'affreuse mélancolie de leur peine. C'était une infinie souffrance, sans oubli possible, sans pardon. Ils pleuraient, et ils sentaient sur eux les forces aveugles de la vie, faite de lutte et de mort.

«Allons, dit Jacques, en se dégageant, il est l'heure de songer au départ… Ce soir, tu seras au Havre[§].»

Séverine, sombre, les regards perdus, murmura, après un silence :

«Encore, si j'étais libre, si mon mari n'était plus là !… Ah ! comme nous oublierions vite !»

Il eut un geste violent, il pensa tout haut.

«Nous ne pouvons pourtant pas le tuer.»

Fixement, elle le regarda, et lui tressaillit, étonné d'avoir dit cette chose, à laquelle il n'avait jamais songé. Puisqu'il voulait tuer, pourquoi donc ne le tuait-il pas, cet homme gênant ? Et, comme il la quittait enfin, pour courir au dépôt[§], elle le reprit entre ses bras, le couvrit de baisers.

«Oh ! mon chéri, aime-moi bien. Je t'aimerai plus fort, plus fort encore… Va, nous serons heureux.»

# – IX –

Au Havre[§], dès les jours suivants, Jacques et Séverine se montrèrent d'une grande prudence, pris d'inquiétude. Puisque Roubaud savait tout, n'allait-il pas les guetter, les surprendre, pour se venger d'eux, dans un éclat ? Ils se rappelaient ses emportements jaloux d'autrefois, ses brutalités d'ancien homme d'équipe, tapant à poings fermés. Et, justement, il leur semblait, à le voir, si sourd, si muet, avec ses yeux troubles, qu'il devait méditer quelque farouche sournoiserie, un guet-apens, où il les tiendrait en sa puissance. Aussi, pendant le premier mois, ne se virent-ils qu'avec mille précautions, toujours en alerte.

Roubaud, cependant, de plus en plus, s'absentait. Peut-être ne disparaissait-il ainsi que pour revenir à l'improviste et les trouver aux bras l'un de l'autre. Mais cette crainte ne se réalisait pas. Au contraire, ces absences se prolongeaient à un tel point, qu'il n'était plus jamais là, s'échappant dès qu'il était libre, ne rentrant qu'à la minute précise où le service le réclamait. Les semaines de jour, il trouvait le moyen, à dix heures, de déjeuner[§] en cinq minutes, puis de ne pas reparaître avant onze heures et demie ; et, le soir, à cinq heures, lorsque son collègue descendait le remplacer, il filait, souvent pour la nuit entière. À peine prenait-il quelques heures de sommeil. Il en était de même des semaines de nuit, libre alors dès cinq heures du matin, mangeant et dormant dehors sans doute, en tout cas ne revenant qu'à cinq heures du soir. Longtemps, dans ce désarroi, il avait gardé une ponctualité d'employé modèle, toujours présent à la minute exacte, si éreinté parfois, qu'il ne tenait pas sur ses jambes, mais debout pourtant, consciencieux à sa besogne. Puis, maintenant, des trous se produisaient. Deux fois déjà, l'autre sous-chef, Moulin, avait dû l'attendre une heure ; même, un matin, après le déjeuner, apprenant qu'il ne reparaissait pas, il était venu le suppléer, en brave homme, pour lui éviter une réprimande. Et tout le service de Roubaud commençait ainsi à se ressentir de cette désorganisation lente. Le jour, ce n'était plus l'homme actif, n'expédiant ou ne recevant un train qu'après avoir tout vu par ses yeux, consignant les moindres faits dans son rapport au chef de gare, dur aux autres et à lui-même. La nuit, il s'endormait d'un sommeil de plomb, au fond du grand fauteuil de son bureau. Éveillé, il semblait sommeiller encore, allait et venait sur le quai, les mains croisées derrière le dos, donnait d'une voix blanche les ordres, dont il ne vérifiait pas l'exécution. Tout marchait quand même, par la force acquise de l'habitude, sauf un tamponnement dû à une négligence de sa part, un train de voyageurs lancé sur une voie de garage. Ses collègues, simplement, s'égayaient, en contant qu'il faisait la noce.

La vérité était que Roubaud, à présent, vivait au premier étage du café du Commerce, dans la petite salle écartée, devenue peu à peu un tripot. On racontait que des femmes s'y rendaient, chaque nuit; mais on n'y en aurait trouvé réellement qu'une, la maîtresse d'un capitaine en retraite, âgée d'au moins quarante ans, joueuse enragée elle-même, sans sexe. Le sous-chef ne satisfaisait là que la morne passion du jeu, éveillée en lui, au lendemain du meurtre, par le hasard d'une partie de piquet[§], grandie ensuite et changée en une habitude impérieuse, pour l'absolue distraction, l'anéantissement qu'elle lui procurait. Elle l'avait possédé jusqu'à chasser le désir de la femme, chez ce mâle brutal; elle le tenait désormais tout entier, comme l'assouvissement unique, où il se contentait. Ce n'était pas que le remords l'eût jamais tourmenté du besoin de l'oubli; mais, dans la secousse dont se détraquait son ménage, au milieu de son existence gâtée, il avait trouvé la consolation, l'étourdissement de bonheur égoïste, qu'il pouvait goûter seul; et tout sombrait maintenant, au fond de cette passion, qui achevait de le désorganiser. L'alcool ne lui aurait pas donné des heures plus légères, plus rapides, affranchies à ce point. Il était dégagé du souci même de la vie, il lui semblait vivre avec une intensité extraordinaire, mais ailleurs, désintéressé, sans que plus rien le touchât des ennuis dont jadis il crevait de rage. Et il se portait fort bien, en dehors de la fatigue des nuits passées; il engraissait même, d'une graisse lourde et jaune, les paupières pesantes sur ses yeux troubles. Quand il rentrait, avec la lenteur de ses gestes ensommeillés, il n'apportait plus, chez lui, sur toutes choses, qu'une souveraine indifférence.

La nuit où Roubaud était revenu prendre les trois cents francs[§] d'or, sous le parquet, il voulait payer M. Cauche, le commissaire de surveillance[§], à la suite de plusieurs pertes successives. Celui-ci, vieux joueur, avait un beau sang-froid, qui le rendait redoutable. D'ailleurs, il disait ne jouer que pour son plaisir, il était tenu par ses fonctions de magistrat à garder les apparences de l'ancien militaire, resté garçon et vivant au café, en habitué tranquille : ce qui ne l'empêchait pas de battre souvent les cartes la soirée entière, et de ramasser tout l'argent des autres. Des bruits avaient circulé, on l'accusait aussi d'être si inexact à son poste, qu'il était question de le forcer à se démettre. Mais les choses traînaient, il y avait si peu de besogne, pourquoi exiger plus de zèle ? Et il se contentait toujours de paraître un instant sur les quais de la gare, où chacun le saluait.

Trois semaines plus tard, Roubaud dut encore près de quatre cents francs à M. Cauche. Il avait expliqué que l'héritage fait par sa femme les mettait fort à leur aise; mais il ajoutait en riant que celle-ci gardait les clefs de la caisse, ce qui excusait sa lenteur à payer ses dettes de jeu. Puis, un matin qu'il était seul, harcelé, il souleva de nouveau la frise[§] et prit dans la cachette un billet de mille francs. Il tremblait de tous ses membres, il n'avait pas éprouvé une émotion pareille, la nuit des pièces d'or : sans doute, ce n'était encore là pour lui qu'un appoint de hasard, tandis que le vol commençait, avec ce billet. Un malaise lui hérissait la chair, lorsqu'il songeait à cet argent sacré, auquel il s'était promis de ne toucher jamais. Autrefois, il jurait de mourir plutôt de faim, et il y touchait pourtant, et il n'aurait pu dire comment s'en étaient allés ses scrupules, un peu chaque jour sans doute, dans la lente fermentation du meurtre. Au fond du trou, il croyait avoir senti une humidité, quelque chose de mou et de nauséabond, dont il eut horreur. Vivement, il replaça la frise, en refaisant le serment de se couper le poing, plutôt que de la déplacer encore. Sa femme ne l'avait pas vu, il respira, soulagé, but un grand verre d'eau pour se remettre.

Maintenant, son cœur battait d'allégresse, à l'idée de sa dette payée et de toute cette somme, qu'il jouerait.

Mais, lorsqu'il fallut changer le billet, l'angoisse de Roubaud recommença. Jadis, il était brave, il se serait livré, s'il n'avait pas commis la bêtise de mêler sa femme à l'affaire ; tandis que, à présent, la seule pensée des gendarmes[§] lui donnait une sueur froide. Il avait beau savoir que la justice ne possédait pas les numéros des billets disparus, et que, d'ailleurs, le procès dormait, à jamais enterré dans les cartons de classement : une épouvante le prenait, dès qu'il projetait d'entrer quelque part, pour demander de la monnaie. Pendant cinq jours, il garda le billet sur lui ; et c'était une continuelle habitude, un besoin de le tâter, de le déplacer, de ne pas s'en séparer la nuit. Il bâtissait des plans très compliqués, se heurtait toujours à des craintes imprévues. D'abord, il avait cherché dans la gare : pourquoi un collègue, chargé d'une recette[§], ne le lui prendrait-il pas ? Puis, cela lui avait paru extrêmement dangereux, il avait imaginé d'aller à l'autre bout du Havre[§], sans sa casquette d'uniforme, acheter n'importe quoi. Seulement, ne s'étonnerait-on pas de le voir, pour un petit objet, remuer une si grosse somme ? Et il s'était arrêté à ce moyen, de donner le billet au bureau de tabac[1] du cours[§] Napoléon, où il entrait chaque jour : n'était-ce pas le plus simple ? On savait bien qu'il avait hérité, la buraliste[§] ne pouvait avoir de surprise. Il marcha jusqu'à la porte, se sentit défaillir et descendit vers le bassin[§] Vauban, pour s'exciter au courage. Après une demi-heure de promenade, il revint, sans se décider encore. Et, le soir, au café du Commerce, comme M. Cauche était là, une bravade brusque lui fit tirer le billet de sa poche, en priant la patronne de le lui changer ; mais elle n'avait pas de monnaie, elle dut envoyer un garçon le porter au bureau de tabac. Même on plaisanta sur le billet, qui semblait tout neuf, bien qu'il fût daté de dix ans. Le commissaire de surveillance[§] l'avait pris, et il le retournait, en disant que celui-là, pour sûr, avait dormi au fond de quelque trou ; ce qui jeta

1 *bureau de tabac* : boutique très achalandée, car elle détient l'exclusivité de la vente de tabac.

la maîtresse du capitaine retraité dans une histoire interminable de fortune cachée, puis retrouvée sous le marbre d'une commode.

Des semaines s'écoulèrent, et cet argent que Roubaud avait dans les mains, achevait d'enfiévrer sa passion. Ce n'était pas qu'il jouât gros jeu, mais une déveine le poursuivait, si constante, si noire, que les petites pertes de chaque jour additionnées arrivaient à se chiffrer par de grosses sommes. Vers la fin du mois, il se retrouva sans un sou, devant déjà sur parole quelques louis[1], malade de ne plus oser toucher une carte. Pourtant, il lutta, faillit s'aliter. L'idée des neuf billets qui dormaient là, sous le parquet de la salle à manger, tournait chez lui à une obsession de chaque minute : il les voyait à travers le bois, il les sentait chauffer ses semelles. Dire que, s'il avait voulu, il en aurait pris un encore ! Mais, c'était bien juré cette fois, il aurait plutôt mis sa main dans le feu que de fouiller de nouveau. Et, un soir, comme Séverine s'était endormie de bonne heure, il souleva la frise[§], cédant avec rage, éperdu d'une telle tristesse, que ses yeux s'emplissaient de larmes. À quoi bon résister ainsi ? Ce ne serait que de la souffrance inutile, car il comprenait qu'il les prendrait maintenant jusqu'au dernier, un à un.

Le lendemain matin, Séverine remarqua, par hasard, une écorchure toute fraîche, à une arête de la frise. Elle se baissa, constata les traces d'une pesée. Évidemment, son mari continuait à prendre de l'argent. Et elle s'étonna du mouvement de colère qui l'emportait, car elle n'était pas intéressée d'habitude ; sans compter qu'elle aussi se croyait résolue à mourir de faim, plutôt que de toucher à ces billets tachés de sang. Mais n'étaient-ils pas à elle autant qu'à lui ? pourquoi en disposait-il, en se cachant, en évitant même de la consulter ? Jusqu'au dîner[§], elle fut tourmentée du besoin d'une certitude, et elle aurait à son tour déplacé la frise, pour voir, si elle n'avait senti un petit souffle froid dans ses cheveux, à la pensée de fouiller là toute seule. Le mort n'allait-il pas se lever de ce trou ? Cette

1 *louis* : pièces d'or de vingt francs frappées à l'effigie de Napoléon.

*Même on plaisanta sur le billet, qui semblait tout neuf, bien qu'il fût daté de dix ans.*

Lignes 8610 et 8611.

Œuvres complètes illustrées d'Émile Zola (1906).

peur d'enfant lui rendit la salle à manger si désagréable, qu'elle emporta son ouvrage et s'enferma dans sa chambre.

Puis, le soir, comme tous deux mangeaient en silence un reste de ragoût, une nouvelle irritation la souleva, en le voyant jeter des coups d'œil involontaires dans l'angle du parquet.

«Tu en as repris, hein ?» demanda-t-elle brusquement.

Il leva la tête, étonné.

«De quoi donc ?

— Oh ! ne fais pas l'innocent, tu me comprends bien… Mais écoute : je ne veux pas que tu en reprennes, parce que ce n'est pas plus à toi qu'à moi, et que cela me rend malade, de savoir que tu y touches.»

D'habitude, il évitait les querelles. La vie commune n'était plus que le contact obligé de deux êtres liés l'un à l'autre, passant des journées entières sans échanger une parole, allant et venant côte à côte, comme étrangers désormais, indifférents et solitaires. Aussi se contentait-il de hausser les épaules, refusant toute explication.

Mais elle était très excitée, elle entendait en finir avec la question de cet argent caché là, dont elle souffrait depuis le jour du crime.

«Je veux que tu me répondes… Ose me dire que tu n'y as pas touché.

— Qu'est-ce que ça te fiche ?

— Ça me fiche que ça me retourne. Aujourd'hui encore, j'ai eu peur, je n'ai pas pu rester ici. Toutes les fois que tu remues ça, j'en ai pour trois nuits à faire des rêves affreux… Nous n'en parlons jamais. Alors, reste tranquille, ne me force pas à en parler.»

Il la contemplait de ses gros yeux fixes, il répéta lourdement :

«Qu'est-ce que ça te fiche que j'y touche, si je ne te force pas à y toucher ? C'est pour moi, ça me regarde.»

Elle eut un geste violent, qu'elle réprima. Puis, bouleversée, avec un visage de souffrance et de dégoût :

«Ah ! tiens ! Je ne te comprends pas… Tu étais un honnête homme pourtant. Oui, tu n'aurais jamais pris un sou à personne… Et ce que tu as fait, ça pourrait se pardonner, car tu étais fou, comme tu m'avais rendue folle moi-même… Mais cet argent, ah ! cet argent abominable, qui ne devait plus exister pour toi, et que tu voles sou à sou, pour ton plaisir… Qu'est-ce qui se passe donc, comment peux-tu être descendu si bas ? »

Il l'écoutait, et, dans une minute de lucidité, il s'étonna aussi d'en être arrivé au vol. Les phases de la lente démoralisation s'effaçaient, il ne pouvait renouer ce que le meurtre avait tranché autour de lui, il ne s'expliquait plus comment une autre existence, presque un nouvel être, avait commencé, avec son ménage détruit, sa femme écartée et hostile. Tout de suite, d'ailleurs, l'irréparable le reprit, il eut un geste, comme pour se débarrasser des réflexions importunes.

« Quand on s'embête chez soi, grogna-t-il, on va se distraire dehors. Puisque tu ne m'aimes plus…

— Oh ! non, je ne t'aime plus. »

Il la regarda, donna un coup de poing sur la table, la face envahie d'un flot de sang.

« Alors, fous-moi la paix ! Est-ce que je t'empêche de t'amuser ? est-ce que je te juge ?… Il y a bien des choses qu'un honnête homme ferait à ma place, et que je ne fais pas. D'abord, je devrais te flanquer à la porte, avec mon pied au derrière. Ensuite, je ne volerais peut-être pas. »

Elle était devenue toute pâle, car elle aussi avait souvent pensé, lorsqu'un homme, un jaloux, est ravagé par un mal intérieur, au point de tolérer un amant à sa femme, il y a là l'indice d'une gangrène morale, à marche envahissante, tuant les autres scrupules, désorganisant la conscience entière. Mais elle se débattait, elle refusait d'être responsable. Et, balbutiante, elle cria :

« Je te défends de toucher à l'argent. »

Il avait fini de manger. Tranquillement, il plia sa serviette, puis se leva, en disant d'un air goguenard :

« Si c'est ça que tu veux, nous allons partager. »

Déjà, il se baissait, comme pour soulever la frise[§]. Elle dut se précipiter, poser le pied sur le parquet.

« Non, non ! Tu sais que j'aimerais mieux mourir… N'ouvre pas ça. Non, non ! pas devant moi ! »

Séverine, ce soir-là, devait se rencontrer avec Jacques, derrière la gare des marchandises. Lorsqu'elle revint, après minuit, la scène de la soirée s'évoqua, et elle s'enferma à double tour, dans sa chambre. Roubaud était de service de nuit, elle ne craignait même pas qu'il rentrât se coucher, ainsi que cela arrivait rarement. Mais, la couverture au menton, la lampe laissée en veilleuse, elle ne put s'endormir. Pourquoi avait-elle refusé de partager ? Et elle ne retrouvait plus si vive la révolte de son honnêteté, à l'idée de profiter de cet argent. N'avait-elle pas accepté le legs de la Croix-de-Maufras ? Elle pouvait bien prendre l'argent aussi. Puis, le frisson revenait. Non, non, jamais ! L'argent, elle l'aurait pris ; ce qu'elle n'osait pas toucher sans crainte d'en avoir les doigts brûlés, c'était cet argent volé sur un mort, l'abominable argent du meurtre. Elle se calmait de nouveau, elle raisonnait : ce n'était pas pour le dépenser qu'elle l'aurait pris ; au contraire, elle l'aurait caché ailleurs, enterré dans un endroit connu d'elle seule, où il aurait dormi l'éternité ; et, à cette heure, ce serait toujours une moitié de la somme sauvée des mains de son mari. Il ne triompherait pas en gardant le tout, il n'irait pas jouer ce qui lui appartenait, à elle. Lorsque la pendule sonna trois heures, elle regrettait mortellement d'avoir refusé le partage. Une pensée lui venait bien, confuse, lointaine encore : se lever, fouiller sous le parquet, pour que lui n'eût plus rien. Seulement, un tel froid la glaçait qu'elle ne voulait pas y songer. Prendre tout, garder tout, sans qu'il osât même se plaindre ! Et ce projet, peu à peu, s'imposait à elle, tandis qu'une volonté plus forte que sa résistance, grandissait des profondeurs inconscientes de son être. Elle ne voulait pas, et elle sauta brusquement du lit, car elle ne pouvait faire autrement. Elle haussa la mèche de la lampe, elle passa dans la salle à manger.

Dès lors, Séverine ne trembla plus. Ses terreurs s'en étaient allées, elle procéda froidement, avec des gestes lents et précis de somnambule. Elle dut chercher le tisonnier, qui servait à soulever la frise[§]. Quand le trou fut découvert, comme elle voyait mal, elle approcha la lampe. Mais une stupeur la cloua, penchée, immobile : le trou était vide. Évidemment, pendant qu'elle courait à son rendez-vous, Roubaud était remonté, travaillé, avant elle, de la même envie : prendre tout, garder tout ; et, d'un coup, il avait empoché les billets, pas un ne restait. Elle s'agenouilla, elle n'apercevait, au fond, que la montre et la chaîne, dont l'or luisait dans la poussière des lambourdes. Une rage froide la tint là un instant, raidie, demi-nue, répétant tout haut, à vingt reprises :

« Voleur ! voleur ! voleur ! »

Puis, d'un mouvement furieux, elle empoigna la montre, tandis qu'une grosse araignée noire, dérangée, fuyait le long du plâtre. À coups de talon, elle replaça la frise[§], et elle revint se coucher, posant la lampe sur la table de nuit. Quand elle eut chaud, elle regarda la montre, qu'elle tenait dans son poing fermé, la retourna, l'examina longuement. Sur le boîtier, les deux initiales du président[§], entrelacées, l'intéressaient. À l'intérieur, elle lut le numéro 2516, un chiffre de fabrication. C'était un bijou fort dangereux à garder, car la justice connaissait ce chiffre. Mais, dans sa colère de n'avoir pu sauver que ça, elle n'avait plus peur. Même elle sentait que c'en était fini de ses cauchemars, maintenant qu'il n'y avait plus de cadavre sous son parquet. Enfin, elle marcherait tranquille chez elle, où elle voudrait. Elle glissa la montre à son chevet, éteignit la lampe et s'endormit.

Le lendemain, Jacques, qui avait un congé, devait attendre que Roubaud fût parti s'installer au café du Commerce, selon son habitude, et monter alors déjeuner[§] avec elle. Parfois, lorsqu'ils osaient, ils faisaient cette partie. Et, ce jour-là, en mangeant, frémissante encore, elle lui parla de l'argent, lui conta comment elle avait trouvé la cachette vide. Sa rancune contre son mari ne s'apaisait pas, le même cri revenait, incessant :

« Voleur ! voleur ! voleur ! »

Puis, elle apporta la montre, elle voulut absolument la donner à Jacques, malgré la répugnance qu'il montrait.

« Comprends donc, mon chéri, personne n'ira la chercher chez toi. Si je la garde, il me la prendra encore. Et ça, vois-tu, j'aimerais mieux lui laisser arracher un lambeau de ma chair… Non, il a eu trop. Je n'en voulais pas, de cet argent. Il me faisait horreur, jamais je n'en aurais dépensé un sou. Mais est-ce qu'il avait le droit d'en profiter, lui ? Oh ! je le hais !»

Elle pleurait, elle insistait, avec de telles supplications, que le jeune homme finit par mettre la montre dans la poche de son gilet.

Une heure se passa, et Jacques avait gardé Séverine sur ses genoux, à moitié dévêtue encore. Elle se renversait contre son épaule, un bras à son cou, dans une caresse alanguie, lorsque Roubaud, qui avait une clef entra. D'un saut brusque, elle fut debout. Mais c'était le flagrant délit, inutile de nier. Le mari s'était arrêté net, ne pouvant passer outre, tandis que l'amant restait assis, stupéfié. Alors, elle ne s'embarrassa même pas dans une explication quelconque, elle s'avança et répéta rageusement :

«Voleur ! voleur ! voleur !»

Une seconde, Roubaud hésita. Puis, avec le haussement d'épaules dont il écartait tout maintenant, il entra dans la chambre, prit un calepin de service, qu'il y avait oublié. Mais elle le poursuivait, l'accablait.

«Tu as fouillé, ose donc dire que tu n'as pas fouillé !… Et tu as tout pris, voleur ! voleur ! voleur !»

Sans une parole, il traversa la salle à manger. À la porte seulement, il se retourna, l'enveloppa de son morne regard.

«Fous-moi la paix, hein !»

Et il partit, la porte ne claqua même pas. Il ne semblait pas avoir vu, il n'avait fait aucune allusion à cet amant qui était là.

Au bout d'un grand silence, Séverine se tourna vers Jacques.

«Crois-tu !»

Celui-ci, qui n'avait pas dit un mot, se leva enfin. Et il donna son opinion.

«C'est un homme fini.»

Tous deux en tombèrent d'accord. À leur surprise de l'amant toléré, après l'amant assassiné, succédait un dégoût pour le mari complaisant. Quand un homme en arrive là, il est dans la boue, il peut rouler à tous les ruisseaux.

Dès ce jour, Séverine et Jacques eurent liberté entière. Ils en usèrent sans se soucier davantage de Roubaud. Mais, à présent que le mari ne les inquiétait plus, leur grand souci fut l'espionnage de madame Lebleu, la voisine, toujours aux aguets. Certainement, elle se doutait de quelque chose. Jacques avait beau étouffer le bruit de ses pas, à chacune de ses visites, il voyait la porte d'en face s'entrebâiller imperceptiblement, tandis que, par la fente, un œil le dévisageait. Cela devenait intolérable, il n'osait plus monter; car, s'il se risquait, on le savait là, une oreille venait se coller à la serrure; de sorte qu'il n'était pas possible de s'embrasser, ni même de causer librement. Et ce fut alors que Séverine, exaspérée devant ce nouvel obstacle à sa passion, reprit contre les Lebleu son ancienne campagne pour avoir leur logement. Il était notoire que, de tous temps, le sous-chef l'avait occupé. Mais ce n'était plus la vue superbe, les fenêtres donnant sur la cour du départ[§] et sur les hauteurs d'Ingouville, qui la tentait. L'unique raison de son désir, qu'elle ne disait pas, était que le logement avait une seconde entrée, une porte ouvrant sur l'escalier de service. Jacques pourrait monter et s'en aller par là, sans que madame Lebleu soupçonnât même ses visites. Enfin, ils seraient libres.

La bataille fut terrible. Cette question, qui avait déjà passionné tout le corridor, se réveilla, s'envenima d'heure en heure. Madame Lebleu, menacée, se défendait désespérément, certaine d'en mourir, si on l'enfermait dans le noir logement du derrière, barré par le faîtage de la marquise[§], d'une tristesse de cachot. Comment voulait-on qu'elle vécût au fond de ce trou, elle habituée à sa chambre si claire, ouverte sur le vaste horizon, égayée du continuel mouvement des voyageurs ? Et ses jambes lui défendaient toute promenade, elle n'aurait plus jamais que la vue d'un toit de zinc, autant la tuer tout de suite. Malheureusement, ce n'étaient là que des raisons sentimentales, et elle était bien forcée d'avouer qu'elle tenait le logement de l'ancien sous-chef, le prédécesseur de Roubaud, qui, célibataire, le lui avait cédé par galanterie; même il devait exister une lettre de son mari s'engageant à le rendre, si un nouveau chef le réclamait. Comme on n'avait pas retrouvé la lettre encore, elle en niait l'existence. À mesure que sa cause se gâtait, elle se faisait plus violente, plus agressive. Un moment, elle avait tâché de mettre avec elle, en la compromettant, la femme de Moulin, l'autre sous-chef, qui avait vu, disait-elle, des hommes embrasser madame Roubaud, dans l'escalier ; et Moulin s'était fâché, car sa femme, une douce et très insignifiante créature, qu'on ne rencontrait jamais, jurait en pleurant n'avoir rien vu et n'avoir rien dit. Pendant huit jours, ce commérage souffla la tempête, d'un bout à l'autre du corridor. Mais la grande faute de madame Lebleu, celle qui devait entraîner sa défaite, était toujours d'irriter mademoiselle Guichon, la buraliste[§], par son espionnage entêté : c'était une manie, l'idée fixe que celle-ci allait chaque nuit retrouver le chef de gare, le besoin de la surprendre, devenu maladif, d'autant plus aigu, que depuis deux ans elle l'épiait, sans avoir absolument rien surpris, pas un souffle. Et elle était certaine qu'ils couchaient ensemble, ça la rendait folle. Aussi mademoiselle Guichon, furieuse de ne pouvoir rentrer ni sortir sans être épiée, poussait-elle maintenant à ce qu'on la reléguât sur la cour : un logement les séparerait, elle ne l'aurait plus au moins en face d'elle, ne serait plus forcée de passer devant sa porte. Il devenait évident que M. Dabadie, le chef de gare, jusqu'ici désintéressé dans la lutte, prenait parti contre les Lebleu chaque jour davantage ; ce qui était un signe grave.

Des querelles encore compliquèrent la situation. Philomène, qui apportait maintenant ses œufs frais à Séverine, se montrait très insolente, chaque fois qu'elle rencontrait madame Lebleu ; et, comme celle-ci laissait exprès sa porte ouverte, pour ennuyer tout le monde, c'étaient continuellement, au passage, des paroles désagréables entre les deux femmes. Cette intimité de Séverine et de Philomène en étant venue à des confidences, la dernière avait fini par faire les commissions de Jacques près de sa maîtresse, lorsqu'il n'osait monter lui-même. Elle arrivait avec ses œufs, changeait les rendez-vous, disait pourquoi il avait dû être prudent la veille, racontait l'heure qu'il était resté chez elle, à causer. Jacques parfois, lorsqu'un obstacle l'arrêtait, s'oubliait volontiers ainsi dans la petite maison de Sauvagnat, le chef du dépôt[§]. Il y suivait son chauffeur[§] Pecqueux, comme si, par un besoin de s'étourdir, il redoutait de vivre toute une soirée seul. Même, quand le chauffeur disparaissait, en bordée[1] dans les cabarets de matelots, il entrait chez Philomène, la chargeait d'un mot à dire, s'asseyait, ne partait plus. Et elle, peu à peu, mêlée à cet amour, s'attendrissait, car elle n'avait connu, jusque-là, que des amants brutaux. Les petites mains, les façons polies de ce garçon si triste, qui avait l'air très doux, lui semblaient des friandises auxquelles elle n'avait pas mordu encore. Avec Pecqueux c'était maintenant le ménage, des saouleries, plus de rudesses que de caresses ; tandis que, lorsqu'elle portait une parole gentille du mécanicien[§] à la femme du sous-chef, elle en goûtait, pour elle-même, le goût délicat de fruit défendu. Un jour, elle lui fit ses confidences, se plaignit du chauffeur, un sournois, disait-elle, sous son air de rire, très capable d'un mauvais coup, les jours où il était ivre. Il remarqua qu'elle soignait davantage son grand corps brûlé de maigre cavale[§], désirable malgré tout, avec ses beaux yeux de passion, buvant moins, tenant la maison moins sale. Son frère Sauvagnat, ayant un soir entendu une voix d'homme, était entré la main haute, pour la corriger ; mais, en reconnaissant le garçon qui causait avec elle, il avait simplement offert une bouteille de cidre. Jacques, bien reçu, guéri là de son frisson, paraissait s'y plaire. Aussi Philomène montrait-elle une amitié de plus en plus vive pour Séverine, s'emportant contre madame Lebleu, qu'elle traitait partout de vieille gueuse.

Une nuit qu'elle avait rencontré les deux amants derrière son petit jardin, elle les accompagna dans l'ombre, jusqu'à la remise, où ils se cachaient d'habitude.

« Ah bien ! vous êtes trop bonne. Puisque le logement est à vous, c'est moi qui l'en tirerais par les cheveux… Tapez dessus donc ! »

Mais Jacques n'était pas pour un éclat.

« Non, non, monsieur Dabadie s'en occupe, il vaut mieux attendre que les choses se fassent régulièrement.

1 *en bordée* : pour une longue débauche.

— Avant la fin du mois, déclara Séverine, je coucherai dans sa chambre, et nous pourrons nous y voir à toute heure.»

Malgré les ténèbres, Philomène l'avait sentie, qui, à cet espoir, serrait le bras de son amant d'une pression tendre. Et elle les laissa pour rentrer chez elle, mais, cachée dans l'ombre, à trente pas, elle s'arrêta, se retourna. Cela lui causait une grosse émotion, de les savoir ensemble. Elle n'était pas jalouse pourtant, elle avait le besoin ignorant d'aimer et d'être aimée ainsi.

Jacques, chaque jour, s'assombrissait davantage. À deux reprises, pouvant voir Séverine, il avait inventé des prétextes; et, s'il s'attardait parfois chez les Sauvagnat, c'était également pour l'éviter. Il l'aimait pourtant toujours, d'un désir exaspéré qui n'avait fait que s'accroître. Mais, dans ses bras, maintenant, l'affreux mal le reprenait, un tel vertige, qu'il s'en dégageait vite, glacé, terrifié de n'être plus lui, de sentir la bête prête à mordre. Il avait tâché de se rejeter dans la fatigue des longs parcours, sollicitant des corvées supplémentaires, passant des douze heures debout sur sa machine, le corps brisé par la trépidation, les poumons brûlés par le vent. Ses camarades, eux, se plaignaient de ce dur métier de mécanicien[§], qui, disaient-ils, en vingt années, mangeait un homme; lui, aurait voulu être mangé tout de suite, il ne tombait jamais assez de lassitude, il n'était heureux que lorsque la Lison l'emportait, ne pensant plus, n'ayant plus que des yeux pour voir les signaux. À l'arrivée, le sommeil le foudroyait, sans qu'il eût même le temps de se débarbouiller. Seulement, avec le réveil, revenait le tourment de l'idée fixe. Il avait également essayé de se reprendre de tendresse pour la Lison, passant de nouveau des heures à la nettoyer, exigeant de Pecqueux des aciers luisant comme de l'argent. Les inspecteurs, qui, en route, montaient près de lui, le félicitaient. Il hochait la tête, restait mécontent; car, lui, savait bien que sa machine, depuis l'arrêt dans la neige, n'était plus la bien portante, la vaillante d'autrefois. Sans doute, dans la réparation des pistons, elle avait perdu de son âme, ce mystérieux équilibre de vie, dû au hasard du montage. Il en souffrait, cette déchéance tournait à une amertume chagrine, au point qu'il poursuivait ses supérieurs de plaintes déraisonnables, demandant des réparations inutiles, imaginant des améliorations impraticables. On les lui refusait, il en devenait plus sombre, convaincu que la Lison était très malade et qu'il n'y avait désormais rien à faire de propre avec elle. Sa tendresse s'en décourageait : à quoi bon aimer, puisqu'il tuerait tout ce qu'il aimerait ? Et il apportait à sa maîtresse cette rage d'amour désespérée, que ne pouvait user ni la souffrance ni la fatigue.

Séverine l'avait bien senti changer, et elle se désolait elle aussi, croyant qu'il s'attristait à cause d'elle, depuis qu'il savait. Lorsqu'elle le voyait frémir à son cou, éviter son baiser d'un brusque recul, n'était-ce pas qu'il se souvenait et qu'elle lui faisait horreur ? Jamais elle n'avait osé remettre la conversation sur ces choses. Elle se repentait d'avoir parlé, surprise de l'emportement de son aveu, dans ce lit étranger, où ils avaient brûlé tous deux, ne se souvenant même plus de son lointain besoin de confidence, comme satisfaite aujourd'hui de l'avoir avec elle, au fond de ce secret. Et elle l'aimait, elle le désirait certainement davantage, depuis qu'il n'ignorait plus rien. C'était une passion insatiable, la femme enfin éveillée, une créature faite uniquement pour la caresse, tout entière amante, et qui n'était point mère. Elle ne vivait plus que par Jacques, elle ne mentait pas, lorsqu'elle disait son effort pour se fondre en lui, car elle n'avait qu'un rêve, qu'il l'emportât, qu'il la gardât dans sa chair. Très douce toujours, très passive, ne tenant son plaisir que de lui, elle aurait voulu des sommeils de chatte sur ses genoux, du matin au soir. De l'affreux drame, elle avait simplement gardé l'étonnement d'y avoir été mêlée ; de même qu'elle semblait être restée vierge et candide, au sortir des souillures de sa jeunesse. Cela était loin, elle souriait, elle n'aurait pas même eu de colère contre son mari, s'il ne l'avait pas gênée. Mais son exécration pour cet homme augmentait, à mesure que grandissait sa passion, son besoin de l'autre. Maintenant que l'autre savait et qu'il l'avait absoute, c'était lui le maître, celui qu'elle suivrait, qui pouvait disposer d'elle comme de sa chose. Elle s'était fait donner son portrait, une carte photographique ; et elle couchait avec, elle s'endormait la bouche collée sur l'image, très malheureuse depuis qu'elle le voyait malheureux, sans arriver à deviner au juste ce dont il souffrait ainsi.

Cependant, leurs rendez-vous continuaient au-dehors, en attendant qu'ils pussent se voir tranquillement chez elle, dans le nouveau logis conquis. L'hiver finissait, le mois de février était très doux. Ils prolongeaient leurs promenades, marchaient pendant des heures, à travers les terrains vagues de la gare ; car lui évitait de s'arrêter, et lorsqu'elle se pendait à ses épaules, qu'il était forcé de s'asseoir et de la posséder, il exigeait que ce fût sans lumière, dans sa terreur de frapper, s'il apercevait un coin de sa peau nue : tant qu'il ne verrait pas, il résisterait peut-être. À Paris, où elle le suivait toujours, chaque vendredi, il fermait soigneusement les rideaux, en racontant que la pleine clarté lui coupait son plaisir. Ce voyage hebdomadaire, elle le faisait maintenant sans même donner d'explication à son mari. Pour les voisins, l'ancien prétexte, son mal au genou, servait ; et elle disait aussi qu'elle allait embrasser sa nourrice, la mère Victoire, dont la convalescence traînait à l'hôpital. Tous deux encore y prenaient une grande distraction, lui très attentif ce jour-là à la bonne conduite de sa machine, elle ravie de le voir moins sombre, amusée elle-même par le trajet, bien qu'elle commençât à connaître les moindres coteaux, les moindres bouquets d'arbres du parcours. Du Havre[§] à Motteville, c'étaient des prairies, des champs plats, coupés de haies vives, plantés de pommiers ; et, jusqu'à Rouen ensuite, le pays se bossuait, désert. Après Rouen, la Seine se déroulait. On la traversait à Sotteville, à Oissel, à Pont-de-l'Arche ; puis, au travers des vastes plaines, sans cesse elle reparaissait, largement déployée. Dès Gaillon, on ne la quittait plus, elle coulait à gauche, ralentie entre ses rives basses, bordée de peupliers et de saules. On filait à flanc de coteau, on ne l'abandonnait à Bonnières, que pour la retrouver brusquement à Rosny, au sortir du tunnel de Rolleboise. Elle était comme la compagne amicale du voyage. Trois fois encore, on la franchissait, avant l'arrivée. Et c'était Mantes et son clocher dans les arbres, Triel avec les taches blanches de ses plâtrières, Poissy que l'on coupait en plein cœur, les deux murailles vertes de la forêt de

Saint-Germain, les talus de Colombes débordant de lilas, la banlieue enfin, Paris deviné, aperçu du pont d'Asnières, l'Arc de triomphe lointain, au-dessus des constructions lépreuses, hérissées de cheminées d'usine. La machine s'engouffrait sous les Batignolles, on débarquait dans la gare retentissante ; et, jusqu'au soir, ils s'appartenaient, ils étaient libres. Au retour, il faisait nuit, elle fermait les yeux, revivait son bonheur. Mais, le matin comme le soir, chaque fois qu'elle passait à la Croix-de-Maufras, elle avançait la tête, jetait un coup d'œil prudent, sans se montrer, certaine de trouver là, devant la barrière, Flore debout, présentant le drapeau dans sa gaine, enveloppant le train de son regard de flamme.

Depuis que cette fille, le jour de la neige, les avait vus s'embrasser, Jacques avait averti Séverine de se méfier d'elle. Il n'ignorait plus de quelle passion d'enfant sauvage elle le poursuivait, du fond de sa jeunesse, et il la sentait jalouse, d'une énergie virile, d'une rancune débridée et meurtrière. D'autre part, elle devait connaître beaucoup de choses, car il se rappelait son allusion aux rapports du président[§] avec une demoiselle, que personne ne soupçonnait, qu'il avait mariée. Si elle savait cela, elle avait sûrement deviné le crime : sans doute allait-elle parler, écrire, se venger par une dénonciation. Mais les journées, les semaines s'étaient écoulées, et rien ne se produisait, il ne la trouvait toujours que plantée à son poste, au bord de la voie, avec son drapeau, raidie. De plus loin qu'elle apercevait la machine, il avait sur lui la sensation de ses yeux ardents. Elle le voyait malgré la fumée, le prenait tout entier, l'accompagnait dans l'éclair de la vitesse, au milieu du tonnerre des roues. Et le train, en même temps, était sondé, transpercé, visité, de la première à la dernière voiture. Toujours, elle découvrait l'autre, la rivale que maintenant elle savait là, chaque vendredi. L'autre avait beau n'avancer qu'un peu la tête, par un besoin impérieux de voir : elle était vue, leurs regards à toutes deux se croisaient comme des épées. Déjà le train fuyait, dévorant, et il y en avait une qui restait par terre, impuissante à le suivre, dans la rage de ce bonheur qu'il emportait. Elle semblait grandir, Jacques la retrouvait plus haute, à chaque voyage, inquiet désormais de ce qu'elle ne faisait rien, se demandant quel projet allait mûrir dans cette grande fille sombre, dont il ne pouvait éviter l'immobile apparition.

Un employé aussi, Henri Dauvergne, le conducteur chef[§] gênait Séverine et Jacques. Il avait justement la conduite de ce train du vendredi, et il se montrait d'une amabilité importune pour la jeune femme. S'étant aperçu de sa liaison avec le mécanicien[§], il se disait que son tour viendrait peut-être. Au départ du Havre[§], les matins qu'il était de service, Roubaud en ricanait, tellement les attentions d'Henri devenaient claires : il réservait tout un compartiment[§] pour elle, il l'installait, tâtait la bouillotte. Un jour même, le mari, qui continuait tranquillement de parler à Jacques, lui avait montré, d'un clignement d'yeux, le manège du jeune homme, comme pour lui demander s'il tolérait ça. D'ailleurs, dans les querelles, il accusait carrément sa femme de coucher avec les deux. Elle s'était imaginé un instant que Jacques le croyait et que, de là, venaient ses tristesses. Au milieu d'une crise de sanglots, elle avait protesté de son innocence, en lui disant de la tuer, si elle était infidèle. Alors, il avait plaisanté, très pâle, l'embrassant, lui répondant qu'il la savait honnête et qu'il espérait bien ne jamais tuer personne.

Mais les premières soirées de mars furent affreuses, ils durent interrompre leurs rendez-vous ; et les voyages à Paris, les quelques heures de liberté, cherchées si loin, ne suffisaient plus à Séverine. C'était, en elle, un besoin grandissant d'avoir Jacques à elle, tout à elle, de vivre ensemble, les jours, les nuits, sans jamais plus se quitter. Son exécration pour son mari s'aggravait, la simple présence de cet homme la jetait dans une excitation maladive, intolérable. Si docile, d'une complaisance de femme tendre, elle s'irritait dès qu'il s'agissait de lui, s'emportait au moindre obstacle qu'il mettait à ses volontés. Alors, il semblait que l'ombre de ses cheveux noirs assombrissait le bleu limpide de ses yeux. Elle devenait farouche, elle l'accusait d'avoir gâté son existence, à ce point que la vie était désormais impossible, côte à côte. N'était-ce pas lui qui avait tout fait ? Si plus rien n'existait de leur ménage, si elle avait un amant, n'était-ce pas sa faute ? La tranquillité pesante où elle le voyait, le coup d'œil indifférent dont il accueillait ses colères, son dos rond, son ventre élargi, toute cette graisse morne qui ressemblait à du bonheur, achevait de l'exaspérer, elle qui souffrait. Rompre, s'éloigner, aller recommencer de vivre ailleurs, elle ne songeait plus qu'à cela. Oh ! recommencer, faire surtout que le passé ne fût pas, recommencer la vie avant toutes ces abominations, se retrouver telle qu'elle était à quinze ans, et aimer, et être aimée, et vivre comme elle rêvait de vivre alors ! Pendant huit jours, elle caressa un projet de fuite : elle partait avec Jacques, ils se cachaient en Belgique, ils s'y installaient en jeune ménage laborieux. Mais elle ne lui en parla même pas, tout de suite des empêchements s'étaient produits, l'irrégularité de la situation, le tremblement continuel où ils seraient, surtout l'ennui de laisser à son mari sa fortune, l'argent, la Croix-de-Maufras. Par une donation au dernier vivant[1], ils s'étaient tout légué ; et elle se trouvait en sa puissance, dans cette tutelle légale de la femme[2], qui liait ses mains. Plutôt que de partir en abandonnant un sou, elle aurait préféré mourir là. Un jour qu'il remonta, livide, dire qu'en traversant devant une locomotive, il avait senti le tampon lui effleurer le coude, elle songea que, s'il était mort, elle serait libre. Elle le regardait de ses grands yeux fixes : pourquoi donc ne mourait-il pas, puisqu'elle ne l'aimait plus, et qu'il gênait tout le monde, maintenant ?

Dès lors, le rêve de Séverine changea. Roubaud était mort d'accident, et elle partait avec Jacques pour l'Amérique. Mais ils étaient mariés, ils avaient vendu la Croix-de-Maufras, réalisé toute la fortune. Derrière eux, ils ne laissaient aucune crainte. S'ils s'expatriaient, c'était pour renaître, aux bras l'un de l'autre. Là-bas, rien ne serait plus de ce qu'elle voulait oublier, elle pourrait croire que la vie était neuve. Puisqu'elle s'était trompée, elle reprendrait au commencement l'expérience du

1 *donation au dernier vivant* : contrat passé entre deux conjoints et prévoyant qu'à la mort d'un des époux tous ses biens deviendront la propriété de l'époux survivant.

2 *tutelle légale de la femme* : système juridique dans lequel la femme est considérée comme une personne mineure placée sous l'autorité de son mari (en 1869, le divorce était interdit en France).

bonheur. Lui, trouverait bien une occupation ; elle-même entreprendrait quelque chose ; ce serait la fortune, des enfants sans doute, une existence nouvelle de travail et de félicité. Dès qu'elle était seule, le matin au lit, la journée en brodant, elle retombait dans cette imagination, la corrigeait, l'élargissait, y ajoutait sans cesse des détails heureux, finissait par se croire comblée de joie et de biens. Elle, qui autrefois sortait si rarement, avait à cette heure la passion d'aller voir les paquebots partir : elle descendait sur la jetée, s'accoudait, suivait la fumée du navire jusqu'à ce qu'elle se fût confondue avec les brumes du large ; et elle se dédoublait, se croyait sur le pont avec Jacques, déjà loin de France, en route pour le paradis rêvé.

Un soir du milieu de mars, le jeune homme, s'étant risqué à monter la voir chez elle, lui conta qu'il venait d'amener à Paris, dans son train, un de ses anciens camarades d'école, qui partait pour New York, exploiter une invention nouvelle, une machine à fabriquer des boutons ; et, comme il lui fallait un associé, un mécanicien[§], il lui avait même offert de le prendre avec lui. Oh ! une affaire superbe, qui ne nécessiterait guère qu'un apport d'une trentaine de mille francs[§], et où il y avait peut-être des millions à gagner. Il disait cela pour causer simplement, ajoutant d'ailleurs qu'il avait, bien entendu, refusé l'offre. Cependant, il en restait le cœur un peu gros, car il était dur tout de même de renoncer à la fortune, quand elle se présente.

Séverine l'écoutait, debout, les regards perdus. N'était-ce pas son rêve qui allait se réaliser ?

« Ah ! murmura-t-elle enfin, nous partirions demain… »

Il leva la tête, surpris.

« Comment, nous partirions ?

— Oui, s'il était mort. »

Elle n'avait pas nommé Roubaud, ne le désignant que d'un mouvement du menton. Mais il avait compris, il eut un geste vague, pour dire que, par malheur, il n'était pas mort.

« Nous partirions, reprit-elle de sa voix lente et profonde, nous serions si heureux, là-bas ! Les trente mille francs, je les aurais en vendant la propriété ; et j'aurais encore de quoi nous installer… Toi, tu ferais valoir tout ça ; moi, j'arrangerais un petit intérieur, où nous nous aimerions de toute notre force… Oh ! ce serait bon, ce serait si bon ! »

Et elle ajouta très bas :

« Loin de tout souvenir, rien que des jours nouveaux devant nous ! »

Il était envahi d'une grande douceur, leurs mains se joignirent, se serrèrent instinctivement, et ni l'un ni l'autre ne causait plus, absorbés tous deux en cet espoir. Puis, ce fut elle encore qui parla.

« Tu devrais quand même revoir ton ami avant son départ, et le prier de ne pas prendre un associé sans te prévenir. »

De nouveau, il s'étonnait.

« Pourquoi donc ?

— Mon Dieu ! est-ce qu'on sait ? L'autre jour, avec cette locomotive, une seconde de plus, et j'étais libre… On est vivant le matin, n'est-ce pas ? on est mort le soir. »

Elle le regardait fixement, elle répéta :

« Ah ! s'il était mort !

— Tu ne veux pourtant pas que je le tue ? » demanda-t-il, en essayant de sourire.

À trois reprises, elle dit non ; mais ses yeux disaient oui, ses yeux de femme tendre, toute à l'inexorable cruauté de sa passion. Puisqu'il en avait tué un autre, pourquoi ne l'aurait-on pas tué ? Cela venait de pousser en elle, brusquement, comme une conséquence, une fin nécessaire. Le tuer et s'en aller, rien de si simple. Lui mort, tout finirait, elle pourrait tout recommencer. Déjà, elle ne voyait plus d'autre dénouement possible, sa résolution était prise, absolue ; tandis que, d'un branle léger, elle continuait à dire non, n'ayant pas le courage de sa violence.

Lui, adossé au buffet, affectait toujours de sourire. Il venait d'apercevoir le couteau qui traînait là.

« Si tu veux que je le tue, il faut que tu me donnes le couteau… J'ai déjà la montre, ça me fera un petit musée. »

Il riait plus fort. Elle répondit gravement :

« Prends le couteau. »

Et, lorsqu'il l'eut mis dans sa poche, comme pour pousser la plaisanterie jusqu'au bout, il l'embrassa.

« Eh bien ! maintenant, bonsoir… Je vais tout de suite voir mon ami, je lui dirai d'attendre… Samedi, s'il ne pleut pas, viens donc me rejoindre derrière la maison des Sauvagnat. Hein ? c'est entendu… Et sois tranquille, nous ne tuerons personne, c'est pour rire. »

Cependant, malgré l'heure tardive, Jacques descendit vers le port, pour trouver, à l'hôtel[§] où il devait coucher, le camarade qui partait le lendemain. Il lui parla d'un héritage possible, demanda quinze jours, avant de lui donner une réponse définitive. Puis, en revenant vers la gare, par les grandes avenues noires, il s'étonna de sa démarche. Avait-il donc résolu de tuer Roubaud, puisqu'il disposait déjà de sa femme et de son argent ? Non, certes, il n'avait rien décidé, il ne se précautionnait sans doute ainsi, que dans le cas où il se déciderait. Mais le souvenir de Séverine s'évoqua, la pression brûlante de sa main, son regard fixe qui disait oui, lorsque sa bouche disait non. Évidemment, elle voulait qu'il tuât l'autre. Il fut pris d'un grand trouble, qu'allait-il faire ?

Rentré rue François-Mazeline, couché près de Pecqueux, qui ronflait, Jacques ne put dormir. Malgré lui, son cerveau travaillait sur cette idée de meurtre, ce canevas d'un drame qu'il arrangeait, dont il calculait les plus lointaines conséquences. Il cherchait, il discutait les raisons pour, les raisons contre. En somme, à la réflexion, froidement, sans fièvre aucune, toutes étaient pour. Roubaud n'était-il pas l'unique obstacle à son bonheur ? Lui mort, il épousait Séverine qu'il adorait, il ne se cachait plus, la possédait à jamais, tout entière. Puis, il y avait l'argent, une fortune. Il quittait son dur métier, devenait patron à son tour, dans cette Amérique, dont il entendait les camarades causer comme d'un pays où les mécaniciens[§] remuaient l'or à la pelle. Son existence nouvelle, là-bas, se déroulait en un rêve : une femme qui l'aimait passionnément, des millions à gagner tout de suite, la vie large, l'ambition illimitée, ce qu'il voudrait. Et, pour réaliser ce rêve, rien qu'un geste à faire, rien qu'un homme à supprimer, la bête, la plante qui gêne la marche, et qu'on écrase. Il n'était pas même intéressant, cet homme, engraissé, alourdi à cette heure, enfoncé dans cet amour stupide du jeu, où sombraient ses anciennes énergies. Pourquoi l'épargner ? Aucune circonstance, absolument aucune ne plaidait en sa faveur. Tout le condamnait, puisque, en réponse à chaque question, l'intérêt des autres était qu'il mourût. Hésiter serait imbécile et lâche.

Mais Jacques, dont le dos brûlait, et qui s'était mis sur le ventre, se retourna d'un bond, dans le sursaut d'une pensée, vague jusque-là, brusquement si aiguë, qu'il l'avait sentie comme une pointe, en son crâne. Lui, qui, dès l'enfance, voulait tuer, qui était ravagé jusqu'à la torture par l'horreur de cette idée fixe, pourquoi donc ne tuait-il pas Roubaud ? Peut-être, sur cette victime choisie, assouvirait-il à jamais son besoin de meurtre ; et, de la sorte, il ne ferait pas seulement une bonne affaire, il serait en outre guéri. Guéri, mon Dieu ! ne plus avoir ce frisson du sang, pouvoir posséder Séverine, sans cet éveil farouche de l'ancien mâle, emportant à son cou les femelles éventrées ! Une sueur l'inonda, il se vit le couteau au poing, frappant à la gorge Roubaud, comme celui-ci avait frappé le président[§], et satisfait, et rassasié, à mesure que la plaie saignait sur ses mains. Il le tuerait, il était résolu, puisque là était la guérison, la femme adorée, la fortune. À en tuer un, s'il devait tuer, c'était celui-là qu'il tuerait, sachant au moins ce qu'il faisait, raisonnablement, par intérêt et par logique.

Cette décision prise, comme trois heures du matin venaient de sonner, Jacques tâcha de dormir. Il perdait déjà connaissance, lorsqu'une secousse profonde le souleva, le fit asseoir dans son lit, étouffant. Tuer cet homme, mon Dieu ! en avait-il le droit ? Quand une mouche l'importunait, il la broyait d'une tape. Un jour qu'un chat s'était embarrassé dans ses jambes, il lui avait cassé les reins d'un coup de pied, sans le vouloir, il est vrai. Mais cet homme, son semblable ! Il dut reprendre tout son raisonnement, pour se prouver son droit au meurtre, le droit des forts que gênent les faibles, et qui les mangent. C'était lui, à cette heure, que la femme de l'autre aimait, et elle-même voulait être libre de l'épouser, de lui apporter son bien. Il ne faisait qu'écarter l'obstacle, simplement. Est-ce que, dans les bois, si deux loups se rencontrent, lorsqu'une louve est là, le plus solide ne se débarrasse pas de l'autre, d'un coup de gueule ? Et, anciennement, quand les hommes s'abritaient, comme les loups, au fond des cavernes, est-ce que la femme désirée n'était pas à celui de la bande qui la pouvait conquérir, dans le sang des rivaux ? Alors, puisque c'était la loi de la vie, on devait y obéir, en dehors des scrupules qu'on avait inventés plus tard, pour vivre ensemble. Peu à peu, son droit lui sembla absolu, il sentit renaître sa résolution entière : dès le lendemain, il choisirait le lieu et l'heure, il préparerait l'acte. Le mieux, sans doute, serait de poignarder Roubaud la nuit, dans la gare, pendant une de ses rondes, de façon à faire croire que des maraudeurs, surpris, l'avaient tué. Là-bas, derrière les tas de charbon[§], il savait un bon endroit, si l'on pouvait l'y attirer. Malgré son effort pour s'endormir, maintenant il arrangeait la scène, discutait où il se placerait, comment il frapperait, afin de l'étendre raide ; et, sourdement, invinciblement, tandis qu'il descendait aux plus petits détails, sa répugnance revenait, une protestation intérieure qui le souleva tout entier. Non, non, il ne frapperait pas ! Cela lui paraissait monstrueux, inexécutable, impossible. En lui, l'homme civilisé se révoltait, la force acquise de l'éducation, le lent et indestructible échafaudage des idées transmises. On ne devait pas tuer, il avait sucé cela avec le lait des générations ; son cerveau affiné, meublé de scrupules, repoussait le meurtre avec horreur, dès qu'il se mettait à le raisonner. Oui, tuer dans un besoin, dans un emportement de l'instinct ! Mais tuer en le voulant, par calcul et par intérêt, non, jamais, jamais il ne pourrait !

Le jour naissait, lorsque Jacques parvint à s'assoupir, et d'une somnolence si légère, que le débat continuait confusément en lui, abominable. Les journées qui suivirent furent les plus douloureuses de son existence. Il évitait Séverine, il lui avait fait dire de ne pas se trouver au rendez-vous du samedi, craignant ses yeux. Mais, le lundi, il dut la revoir ; et, comme il le redoutait, ses grands yeux bleus, si doux, si profonds, l'emplirent d'angoisse. Elle ne parla pas de cela, elle n'eut pas un geste, pas une parole pour le pousser. Seulement, ses yeux n'étaient pleins que de la chose, l'interrogeaient, le suppliaient.

Il ne savait comment en éviter l'impatience et le reproche, toujours il les retrouvait fixés sur les siens, avec l'étonnement qu'il pût hésiter à être heureux. Quand il la quitta, il l'embrassa, d'une étreinte brusque, pour lui faire entendre qu'il était résolu. Il l'était en effet, il le fut jusqu'au bas de l'escalier, retomba dans la lutte de sa conscience. Lorsqu'il la revit, le surlendemain, il avait la pâleur confuse, le regard furtif d'un lâche, qui recule devant un acte nécessaire. Elle éclata en sanglots, sans rien dire, pleurant à son cou, horriblement malheureuse ; et lui, bouleversé, débordait du mépris de lui-même. Il fallait en finir.

« Jeudi, là-bas, veux-tu ? demanda-t-elle à voix basse.

— Oui, jeudi, je t'attendrai. »

Ce jeudi-là, la nuit fut très noire, un ciel sans étoiles, opaque et sourd, chargé des brumes de la mer. Comme d'habitude, Jacques, arrivé le premier, debout derrière la maison des Sauvagnat, guetta la venue de Séverine. Mais les ténèbres étaient si épaisses, et elle accourait d'un pas si léger, qu'il tressaillit, frôlé par elle sans l'avoir aperçue. Déjà, elle était dans ses bras, inquiète de le sentir tremblant.

« Je t'ai fait peur, murmura-t-elle.

— Non, non, je t'attendais… Marchons, personne ne peut nous voir. »

Et, les bras liés à la taille, doucement, ils se promenèrent par les terrains vagues. De ce côté du dépôt[§], les becs de gaz[§] étaient rares ; certains enfoncements d'ombre en manquaient tout à fait ; tandis qu'ils pullulaient au loin, vers la gare, pareils à des étincelles vives.

Longtemps, ils allèrent ainsi, sans une parole. Elle avait posé la tête à son épaule, elle la haussait parfois, le baisait au menton ; et, se penchant, il lui rendait ce baiser sur la tempe, à la racine des cheveux. Le coup grave et unique d'une heure du matin venait de sonner aux églises lointaines. S'ils ne parlaient pas, c'étaient qu'ils s'entendaient penser, dans leur étreinte. Ils ne pensaient qu'à cela, ils ne pouvaient plus être ensemble, sans en être obsédés. Le débat continuait, à quoi bon dire tout haut des mots inutiles, puisqu'il fallait agir ? Lorsqu'elle se haussait contre lui, pour une caresse, elle sentait le couteau, bossuant la poche du pantalon. Était-ce donc qu'il fût résolu ?

Mais ses pensées la débordaient, ses lèvres s'ouvrirent, d'un souffle à peine distinct.

« Tout à l'heure, il est remonté, je ne savais pas pourquoi… Puis, je l'ai vu prendre son revolver, qu'il avait oublié… C'est, à coup sûr, qu'il va faire une ronde. »

Le silence retomba, et vingt pas plus loin seulement, il dit à son tour :

« Des maraudeurs, la nuit dernière, ont enlevé du plomb[1] par ici… Il viendra tout à l'heure, c'est certain. »

Alors, elle eut un petit frémissement, et tous deux redevinrent muets, marchant d'un pas ralenti. Un doute l'avait prise : était-ce bien le couteau qui renflait sa poche ? À deux reprises, elle le baisa, pour mieux se rendre compte. Puis, comme, à se frotter ainsi, le long de sa jambe, elle restait incertaine, elle laissa pendre sa main, tâta en le baisant encore. C'était bien le couteau. Mais lui, ayant compris, l'avait brusquement étouffée sur sa poitrine ; et il lui bégaya à l'oreille :

« Il va venir, tu seras libre. »

Le meurtre était décidé, il leur sembla qu'ils ne marchaient plus, qu'une force étrangère les portait au ras du sol. Leurs sens avaient pris subitement une acuité extrême, le toucher surtout, car leurs mains l'une dans l'autre s'endolorissaient, le moindre effleurement de leurs lèvres devenait pareil à un coup d'ongle. Ils entendaient aussi les bruits qui se perdaient tout à l'heure, le roulement, le souffle lointain des machines, des chocs assourdis, des pas errants, au fond des ténèbres. Et ils voyaient la nuit, ils distinguaient les taches noires des choses, comme si un brouillard s'en était allé de leurs paupières : une chauve-souris passa, dont ils purent suivre les crochets brusques. Au coin d'un tas de charbon[§], ils s'étaient arrêtés, immobiles, les

1 *plomb* : métal fusible utilisé notamment pour faire des bouchons placés dans certains tubes des locomotives. Quand la température est trop élevée, ces bouchons fondent, laissant échapper de la vapeur, faisant diminuer la pression et évitant ainsi des explosions.

oreilles et les yeux aux aguets, dans une tension de tout leur être. Maintenant, ils chuchotaient.

«N'as-tu pas entendu, là-bas, un cri d'appel ?

— Non, c'est un wagon qu'on remise.

— Mais là, sur notre gauche, quelqu'un marche. Le sable a crié.

— Non, non, des rats courent dans les tas, le charbon[§] déboule.»

Des minutes s'écoulèrent. Soudain, ce fut elle qui l'étreignit plus fort.

«Le voici.

— Où donc ? je ne vois rien.

— Il a tourné le hangar de la petite vitesse[§], il vient droit à nous… Tiens ! son ombre qui passe sur le mur blanc !

— Tu crois, ce point sombre… Il est donc seul ?

— Oui, seul, il est seul.»

Et, à ce moment décisif, elle se jeta éperdument à son cou, elle colla sa bouche ardente contre la sienne. Ce fut un baiser de chair vive, prolongé, où elle aurait voulu lui donner son sang. Comme elle l'aimait et comme elle exécrait l'autre ! Ah ! si elle avait osé, déjà vingt fois elle-même aurait fait la besogne, pour lui en éviter l'horreur ; mais ses mains défaillaient, elle se sentait trop douce, il fallait la poigne d'un homme. Et ce baiser qui n'en finissait pas, c'était tout ce qu'elle pouvait lui souffler de son courage, la possession pleine qu'elle lui promettait, la communion de son corps. Au loin, une machine sifflait, jetant à la nuit une plainte de mélancolique détresse ; à coups réguliers, on entendait un fracas, le choc d'un marteau géant, venu on ne savait d'où ; tandis que les brumes, montées de la mer, mettaient au ciel le défilé d'un chaos en marche, dont les déchirures errantes semblaient par moments éteindre les étincelles vives des becs de gaz[§]. Lorsqu'elle ôta sa bouche enfin, elle n'avait plus rien à elle, tout entière elle crut être passée en lui.

D'un geste prompt, il avait déjà ouvert le couteau. Mais il eut un juron étouffé.

«Nom de Dieu ! c'est fichu, il s'en va !»

C'était vrai, l'ombre mouvante, après s'être approchée d'eux, à une cinquantaine de pas, venait de tourner à gauche et s'éloignait, du pas régulier d'un surveillant de nuit, que rien n'inquiète.

Alors, elle le poussa.

« Va, va donc ! »

Et tous deux partirent, lui devant, elle dans ses talons, tous deux filèrent, se glissèrent derrière l'homme, en chasse, évitant le bruit. Un instant, au coin des ateliers de réparation, ils le perdirent de vue ; puis, comme ils coupaient court en traversant une voie de garage, ils le retrouvèrent, à vingt pas au plus. Ils durent profiter des moindres bouts de mur pour s'abriter, un simple faux pas les aurait trahis.

« Nous ne l'aurons pas, gronda-t-il, sourdement. S'il atteint le poste de l'aiguilleur[§], il s'échappe. »

Elle, toujours, répétait dans son cou :

« Va, va donc ! »

À cette minute, par ces vastes terrains plats, noyés de ténèbres, au milieu de cette désolation nocturne d'une grande gare, il était résolu, comme dans la solitude complice d'un coupe-gorge. Et, tout en hâtant furtivement le pas, il s'excitait, se raisonnait encore, se donnait les arguments qui allaient faire de ce meurtre une action sage, légitime, logiquement débattue et décidée. C'était bien un droit qu'il exerçait, le droit même de vie, puisque ce sang d'un autre était indispensable à son existence même. Rien que ce couteau à enfoncer, et il avait conquis le bonheur.

« Nous ne l'aurons pas, nous ne l'aurons pas, répéta-t-il furieusement, en voyant l'ombre dépasser le poste de l'aiguilleur. C'est fichu, le voilà qui file. »

Mais, de sa main nerveuse, brusquement elle l'empoigna au bras, l'immobilisa contre elle.

« Vois, il revient ! »

Roubaud, en effet, revenait. Il avait tourné à droite, puis il redescendit. Peut-être, derrière son dos, avait-il eu la sensation vague des meurtriers lancés sur sa piste. Pourtant, il continuait à marcher de son pas tranquille, en gardien consciencieux, qui ne veut pas rentrer, sans avoir donné son coup d'œil partout.

Arrêtés net dans leur course, Jacques et Séverine ne bougeaient plus. Le hasard les avait plantés à l'angle même d'un tas de charbon[§]. Ils s'y adossèrent, semblèrent y entrer, l'échine collée au mur noir, confondus, perdus dans cette mare d'encre. Ils étaient sans souffle.

Et Jacques regardait Roubaud venir droit à eux. Trente mètres à peine les séparaient, chaque pas diminuait la distance, régulièrement, rythmé comme par le balancier inexorable du destin. Encore vingt pas, encore dix pas : il l'aurait devant lui, il lèverait le bras de cette façon, lui planterait le couteau dans la gorge, en tirant de droite à gauche, pour étouffer le cri. Les secondes lui semblaient interminables, un tel flot de pensées traversait le vide de son crâne, que la mesure du temps en était abolie. Toutes les raisons qui le déterminaient défilèrent une fois de plus, il revit nettement le meurtre, les causes et les conséquences. Encore cinq pas. Sa résolution, tendue à se rompre, restait inébranlable. Il voulait tuer, il savait pourquoi il tuerait.

Mais, à deux pas, à un pas, ce fut une débâcle. Tout croula en lui, d'un coup. Non, non ! il ne tuerait point, il ne pouvait tuer ainsi cet homme sans défense. Le raisonnement ne ferait jamais le meurtre, il fallait l'instinct de mordre, le saut qui jette sur la proie, la faim ou la passion qui la déchire. Qu'importait si la conscience n'était faite que des idées transmises par une lente hérédité de justice ! Il ne se sentait pas le droit de tuer, et il avait beau faire, il n'arrivait pas à se persuader qu'il pouvait le prendre.

Roubaud, tranquillement, passa. Son coude effleura les deux autres dans le charbon. Une haleine les eut décelés ; mais ils restèrent comme morts. Le bras ne se leva point, n'enfonça point le couteau. Rien ne fit frémir les ténèbres épaisses, pas même un frisson. Déjà, il était loin, à dix pas, qu'immobiles encore, le dos cloué au tas noir, tous deux demeuraient sans souffle, dans l'épouvante de cet homme seul, désarmé, qui venait de les frôler, d'une marche si paisible.

Jacques eut un sanglot étouffé de rage et de honte.

« Je ne peux pas ! Je ne peux pas ! »

Il voulut reprendre Séverine, s'appuyer à elle, dans un besoin d'être excusé, consolé. Sans dire une parole, elle s'échappa. Il avait allongé les mains, n'avait senti que sa jupe glisser entre ses doigts ; et il entendait seulement sa fuite légère. En vain, il la poursuivit un instant, car cette brusque disparition achevait de le bouleverser. Était-elle donc si fâchée de sa faiblesse ? Le méprisait-elle ? La prudence l'empêcha de la rejoindre. Mais, quand il se retrouva seul dans ces vastes terrains plats, tachés des petites larmes jaunes du gaz, un affreux désespoir le prit, il se hâta d'en sortir, d'aller abîmer sa tête au fond de son oreiller, pour y anéantir l'abomination de son existence.

Ce fut une dizaine de jours plus tard, vers la fin de mars, que les Roubaud triomphèrent enfin des Lebleu. L'administration avait reconnu juste leur demande, appuyée par M. Dabadie ; d'autant plus que la fameuse lettre du caissier, s'engageant à rendre le logement, si un nouveau sous-chef le réclamait, venait d'être retrouvée par mademoiselle Guichon, en cherchant d'anciens comptes dans les archives de la gare. Et, tout de suite, madame Lebleu, exaspérée de sa défaite, parla de déménager : puisqu'on voulait sa mort, autant valait-il en finir sans attendre. Pendant trois jours, ce déménagement mémorable enfiévra le couloir. La petite madame Moulin elle-même, si effacée, qu'on ne voyait jamais ni entrer ni sortir, s'y compromit, en portant la table à ouvrage de Séverine d'un logement dans l'autre. Mais Philomène surtout souffla la discorde, venue là pour aider dès la première heure, faisant les paquets, bousculant les meubles, envahissant le logement du devant, avant que la locataire l'eût quitté ; et ce fut elle qui l'en expulsa, au milieu de la débandade des deux mobiliers, mêlés, confondus, dans le transbordement. Elle en était arrivée à montrer, pour Jacques, et pour tout ce qu'il aimait, un tel zèle, que Pecqueux, étonné, pris de soupçon, lui avait demandé de son mauvais air sournois, son air d'ivrogne vindicatif, si c'était à cette heure qu'elle couchait avec son mécanicien[§], en l'avertissant qu'il leur réglerait leur compte à tous les deux, le jour où il les surprendrait. Son coup de cœur pour le jeune homme en avait grandi, elle se faisait leur servante, à lui et à sa maîtresse, dans l'espoir de l'avoir aussi un peu à elle, en se mettant entre eux. Lorsqu'elle eut emporté la dernière chaise, les portes battirent. Puis, ayant aperçu un tabouret oublié par la caissière, elle rouvrit, le jeta à travers le corridor. C'était fini.

Alors, lentement, l'existence reprit son train monotone. Pendant que madame Lebleu, sur le derrière, clouée par ses rhumatismes au fond de son fauteuil, se mourait d'ennui, avec de grosses larmes dans les yeux, à ne plus voir que le zinc de la marquise[§] barrant le ciel, Séverine travaillait à son interminable couvre-pied, installée près d'une fenêtre du devant. Elle avait, sous elle, l'agitation gaie de la cour du départ[§], le continuel flot des piétons et des voitures ; déjà, le printemps hâtif verdissait les bourgeons des grands arbres, au bord des trottoirs ; et, au-delà, les coteaux lointains d'Ingouville déroulaient leurs pentes boisées, que piquaient les taches blanches des maisons de campagne. Mais elle s'étonnait de prendre si peu de plaisir à réaliser enfin ce rêve, être là, dans ce logement convoité, avoir devant soi de l'espace, du jour, du soleil. Même, comme sa femme de ménage, la mère Simon, grognait, furieuse de ne pas retrouver ses habitudes, elle en était impatientée, elle regrettait par moments son ancien trou, ainsi qu'elle disait, où la saleté se voyait moins. Roubaud, lui, avait simplement laissé faire. Il ne semblait pas savoir qu'il eût changé de niche : souvent encore il se trompait, ne s'apercevait de sa méprise que lorsque sa nouvelle clef n'entrait pas dans l'ancienne serrure. D'ailleurs, il s'absentait de plus en plus, la désorganisation continuait. Un instant, cependant, il parut se ranimer, sous le réveil de ses idées politiques ; non qu'elles fussent très nettes, très ardentes ; mais il gardait à cœur son affaire avec le sous-préfet[§], qui avait failli lui coûter son emploi. Depuis que l'Empire, ébranlé par les élections générales[§], traversait une crise terrible, il triomphait, il répétait que ces gens-là ne seraient pas toujours les maîtres. Un avertissement amical de M. Dabadie, prévenu par mademoiselle Guichon, devant laquelle le propos révolutionnaire avait été tenu, suffit du reste à le calmer. Puisque le couloir était tranquille et que l'on vivait d'accord, maintenant que madame Lebleu s'affaiblissait, tuée de tristesse, pourquoi des ennuis nouveaux, avec les affaires du gouvernement ? Il eut un simple geste, il s'en moquait bien de la politique, comme de tout ! Et, plus gras chaque jour, sans un remords, il s'en allait de son pas alourdi, le dos indifférent.

Entre Jacques et Séverine, la gêne avait grandi, depuis qu'ils pouvaient se rencontrer à toute heure. Plus rien ne les empêchait d'être heureux, il la montait voir par l'autre escalier, quand il lui plaisait, sans crainte d'être espionné ; et le logement leur appartenait, il aurait couché là, s'il en avait eu l'audace. Mais c'était l'irréalisé, l'acte voulu, consenti par eux deux, qu'il n'accomplissait pas et dont la pensée, désormais, mettait entre eux un malaise, un mur infranchissable. Lui, qui apportait la honte de sa faiblesse, la trouvait chaque fois plus sombre, malade d'inutile attente. Leurs lèvres ne se cherchaient même plus, car cette demi-possession, ils l'avaient épuisée ; c'était tout le bonheur qu'ils voulaient, le départ, le mariage là-bas, l'autre vie.

Un soir, Jacques trouva Séverine en larmes ; et, lorsqu'elle l'aperçut, elle ne s'arrêta pas, elle sanglota plus fort, pendue à son cou. Déjà elle avait pleuré ainsi, mais il l'apaisait d'une étreinte ; tandis que, sur son cœur, il la sentait cette fois ravagée d'un désespoir grandissant, à mesure qu'il la pressait davantage. Il fut bouleversé, il finit par lui prendre la tête entre ses deux mains ; et, la regardant de tout près, au fond de ses yeux noyés, il jura, comprenant bien que, si elle se désespérait ainsi, c'était d'être femme, de ne point oser frapper elle-même, dans sa douceur passive.

« Pardonne-moi, attends encore… Je te le jure, bientôt, dès que je pourrai. »

Tout de suite, elle avait collé sa bouche à la sienne, comme pour sceller ce serment, et ils eurent un de ces baisers profonds, où ils se confondaient, dans la communion de leur chair.

# – X –

Tante Phasie était morte, le jeudi soir, à neuf heures, dans une dernière convulsion; et, vainement, Misard, qui attendait près de son lit, avait essayé de lui fermer les paupières : les yeux obstinés restaient ouverts, la tête s'était raidie, penchée un peu sur l'épaule, comme pour regarder dans la chambre, tandis qu'un retrait des lèvres semblait les retrousser, d'un rire goguenard. Une seule chandelle brûlait, plantée au coin d'une table, près d'elle. Et les trains qui, depuis neuf heures, passaient là, à toute vitesse, dans l'ignorance de cette mort tiède encore, l'ébranlaient une seconde, sous la flamme vacillante de la chandelle.

Tout de suite, Misard, pour se débarrasser de Flore, l'envoya déclarer le décès à Doinville. Elle ne pouvait pas être de retour avant onze heures, il avait deux heures devant lui. Tranquillement, il se coupa d'abord un morceau de pain, car il se sentait le ventre vide, n'ayant pas dîné, à cause de cette agonie qui n'en finissait plus. Et il mangeait debout, allant et venant, rangeant les choses. Des quintes de toux l'arrêtaient, plié en deux, à moitié mort lui-même, si maigre, si chétif, avec ses yeux ternes et ses cheveux décolorés, qu'il ne paraissait pas devoir jouir longtemps de sa victoire. N'importe, il l'avait mangée, cette gaillarde, cette grande et belle femme, comme l'insecte mange le chêne : elle était sur le dos, finie, réduite à rien, et lui durait encore. Mais une idée le fit s'agenouiller, afin de prendre sous le lit une terrine, où se trouvait un reste d'eau de son, préparée pour un lavement : depuis qu'elle se doutait du coup, ce n'était plus dans le sel, c'était dans ses lavements qu'il mettait de la mort aux rats[1]; et, trop bête, ne se méfiant pas de ce côté-là, elle l'avait avalée tout de même, pour de bon cette fois-ci. Dès qu'il eut vidé la terrine dehors, il rentra, lava avec une éponge le carreau de la chambre, souillé de taches. Aussi pourquoi s'étaitelle obstinée ? Elle avait voulu faire la maligne, tant pis ! Lorsque, dans un ménage, on joue à qui enterrera l'autre, sans mettre le

1 *mort aux rats* : substance empoisonnée destinée à exterminer les rats.

monde dans la dispute, on ouvre l'œil. Il en était fier, il en ricanait comme d'une bonne histoire, de la drogue avalée si innocemment par en bas, quand elle surveillait avec tant de soin tout ce qui entrait par en haut. À ce moment, un express[§] qui passa, enveloppa la maison basse d'un tel souffle de tempête, que, malgré l'habitude, il se tourna vers la fenêtre, en tressaillant. Ah ! oui, ce continuel flot, ce monde venu de partout, qui ne savait rien de ce qu'il écrasait en route, qui s'en moquait, tant il était pressé d'aller au diable ! Et, derrière le train, dans le lourd silence, il rencontra les yeux grands ouverts de la morte, dont les prunelles fixes semblaient suivre chacun de ses mouvements, pendant que le coin retroussé des lèvres riait.

Misard, si flegmatique, fut pris d'un petit mouvement de colère. Il entendait bien, elle lui disait : Cherche ! cherche ! Mais sûrement qu'elle ne les emportait pas avec elle, ses mille francs[§] ; et, maintenant qu'elle n'y était plus, il finirait par les trouver. Est-ce qu'elle n'aurait pas dû les donner de bon cœur ? Ça aurait évité tous ces ennuis. Les yeux partout le suivaient. Cherche ! cherche ! Cette chambre, où il n'avait point osé fouiller, tant qu'elle y avait vécu, il la parcourait du regard. Dans l'armoire, d'abord : il prit les clefs sous le traversin, bouleversa les planches chargées de linge, vida les deux tiroirs, les enleva même, pour voir s'il n'y avait pas de cachette. Non, rien ! Ensuite, il songea à la table de nuit. Il en décolla le marbre, le retourna, inutilement. Derrière la glace de la cheminée, une mince glace de foire, fixée par deux clous, il pratiqua aussi un sondage, glissa une règle plate, ne retira qu'un floconnement noir de poussière. Cherche ! cherche ! Alors, pour échapper aux grands yeux ouverts qu'il sentait sur lui, il se mit à quatre pattes, tapant le carreau à légers coups de poing, écoutant si quelque résonance ne lui révélerait pas un vide. Plusieurs carreaux étaient descellés, il les arracha. Rien, toujours rien ! Lorsqu'il fut debout de nouveau, les yeux le reprirent, il se tourna, voulut planter son regard dans le regard fixe de la morte ; tandis que, du coin de ses lèvres retroussées, elle accentuait son terrible rire. Il n'en doutait plus, elle se moquait de lui. Cherche ! cherche ! La fièvre le gagnait, il s'approcha d'elle, envahi d'un soupçon, d'une idée sacrilège, qui pâlissait encore sa face blême. Pourquoi avait-il cru que, sûrement, elle ne les emportait pas, ses mille francs[§] ? Peut-être bien tout de même qu'elle les emportait. Et il osa la découvrir, la dévêtir, il la visita, chercha à tous les plis de ses membres puisqu'elle lui disait de chercher. Sous elle, derrière sa nuque, derrière ses reins, il chercha. Le lit fut bouleversé, il enfonça son bras jusqu'à l'épaule dans la paillasse. Il ne trouva rien. Cherche ! cherche ! Et la tête, retombée sur l'oreiller en désordre, le regardait toujours de ses prunelles goguenardes.

Comme Misard, furieux et tremblant, tâchait d'arranger le lit, Flore rentra, de retour de Doinville.

« Ce sera pour après-demain samedi, onze heures. »

Elle parlait de l'enterrement. Mais, d'un coup d'œil, elle avait compris à quelle besogne Misard s'était essoufflé, pendant son absence. Elle eut un geste d'indifférence dédaigneuse.

« Laissez donc, vous ne les trouverez pas. »

Il s'imagina qu'elle aussi le bravait. Et, s'avançant, les dents serrées :

« Elle te les a donnés, tu sais où ils sont. »

L'idée que sa mère avait pu donner ses mille francs à quelqu'un, même à elle, sa fille, lui fit hausser les épaules.

« Ah ! ouitche ! donnés… Donnés à la terre, oui !… Tenez, ils sont par là, vous pouvez chercher. »

Et, d'un geste large, elle indiqua la maison entière, le jardin avec son puits, la ligne ferrée, toute la vaste campagne. Oui, par là, au fond d'un trou, quelque part où jamais plus personne ne les découvrirait. Puis, pendant que, hors de lui, anxieux, il se remettait à bousculer les meubles, à taper dans les murs, sans se gêner devant elle, la jeune fille, debout près de la fenêtre, continua à demi-voix :

« Oh ! il fait doux dehors, la belle nuit… J'ai marché vite, les étoiles éclairent comme en plein jour… Demain, quel beau temps, au lever du soleil ! »

Un instant, Flore resta devant la fenêtre, les yeux dans cette campagne sereine, attendrie par les premières tiédeurs d'avril, et dont elle revenait songeuse, souffrant davantage de la plaie avivée de son tourment. Mais, lorsqu'elle entendit Misard quitter la chambre et s'acharner dans les pièces voisines, elle s'approcha du lit à son tour, elle s'assit, les regards sur sa mère. Au coin de la table, la chandelle brûlait toujours d'une flamme haute et immobile. Un train passa, qui secoua la maison.

La résolution de Flore était de rester la nuit là, et elle réfléchissait. D'abord, la vue de la morte la tira de son idée fixe, de la chose qui la hantait, qu'elle avait débattue sous les étoiles, dans la paix des ténèbres, tout le long de la route de Doinville. Une surprise, maintenant, endormait sa souffrance : pourquoi n'avait-elle pas eu plus de chagrin, à la mort de sa mère ? et pourquoi, à cette heure encore, ne pleurait-elle pas ? Elle l'aimait pourtant bien, malgré sa sauvagerie de grande fille muette, s'échappant sans cesse, battant les champs, dès qu'elle n'était pas de service. Vingt fois, pendant la dernière crise qui devait la tuer, elle était venue s'asseoir là, pour la supplier de faire appeler un médecin ; car elle se doutait du coup de Misard, elle espérait que la peur l'arrêterait. Mais elle n'avait jamais obtenu de la malade qu'un « non » furieux, comme si cette dernière eût mis l'orgueil de la lutte à n'accepter de secours de personne, certaine quand même de la victoire, puisqu'elle emporterait l'argent ; et, alors, elle n'intervenait point, reprise elle-même de son mal, disparaissant, galopant pour oublier. C'était cela, certainement, qui lui barrait le cœur : lorsqu'on a un trop gros chagrin, il n'y a plus de place pour un autre ; sa mère était partie, elle la voyait là, détruite, si pâle, sans pouvoir être plus triste, en dépit de son effort. Appeler les gendarmes[§], dénoncer Misard, à quoi bon, puisque tout allait crouler ? Et, peu à peu, invinciblement, bien que son regard restât fixé sur la morte, elle cessa de l'apercevoir, elle retourna à sa vision intérieure, reconquise tout entière par l'idée qui lui avait planté son clou dans le crâne, n'ayant plus que la sensation de la secousse profonde des trains, dont le passage, pour elle, sonnait les heures.

Depuis un instant, au loin, grondait l'approche d'un omnibus[§] de Paris. Lorsque la machine enfin passa devant la fenêtre, avec son fanal[§], ce fut, dans la chambre, un éclair, un coup d'incendie.

« Une heure dix-huit, pensa-t-elle. Encore sept heures. Ce matin, à huit heures seize, ils passeront. »

Chaque semaine, depuis des mois, cette attente l'obsédait. Elle savait que, le vendredi matin, l'express[§], conduit par Jacques, emmenait aussi Séverine à Paris ; et elle ne vivait plus, dans une torture jalouse, que pour les guetter, les voir, se dire qu'ils allaient se posséder librement, là-bas. Oh ! ce train qui fuyait, cette abominable sensation de ne pouvoir s'accrocher au dernier wagon, afin d'être emportée elle aussi ! Il lui semblait que toutes ces roues lui coupaient le cœur. Elle avait tant souffert, qu'un soir elle s'était cachée, voulant écrire à la justice ; car ce serait fini, si elle pouvait faire arrêter cette femme ; et elle qui avait surpris autrefois ses saletés avec le président[§] Grandmorin, se doutait qu'en apprenant ça aux juges, elle la livrerait. Mais, la plume à la main, jamais elle ne put tourner la chose. Et puis, est-ce que la justice l'écouterait ? Tout ce beau monde devait s'entendre. Peut-être bien que ce serait elle qu'on mettrait en prison, comme on y avait mis Cabuche. Non ! elle voulait se venger, elle se vengerait seule, sans avoir besoin de personne. Ce n'était même pas une pensée de vengeance, ainsi qu'elle en entendait parler, la pensée de faire du mal pour se guérir du sien ; c'était un besoin d'en finir, de culbuter tout, comme si le tonnerre les eût balayés. Elle était très fière, plus forte et plus belle que l'autre, convaincue de son bon droit à être aimée ; et, quand elle s'en allait solitaire, par les sentiers de ce pays de loups, avec son lourd casque de cheveux blonds, toujours nus, elle aurait voulu la tenir, l'autre, pour vider leur querelle au coin d'un bois, comme deux guerrières ennemies. Jamais encore un homme ne l'avait touchée, elle battait les mâles ; et c'était sa force invincible, elle serait victorieuse.

La semaine d'auparavant, l'idée brusque s'était plantée, enfoncée en elle, comme sous un coup de marteau venu elle ne savait d'où : les tuer, pour qu'ils ne passent plus, qu'ils n'aillent plus là-bas ensemble. Elle ne raisonnait pas, elle obéissait à l'instinct sauvage de détruire. Quand une épine restait dans sa chair, elle l'en arrachait, elle aurait coupé le doigt. Les tuer, les tuer la première fois qu'ils passeraient, et, pour cela, culbuter le train, traîner une poutre sur la voie, arracher un rail, enfin tout casser, tout engloutir. Lui, certainement, sur sa machine, y resterait, les membres aplatis ; la femme, toujours dans la première voiture, pour être plus près, n'en pouvait réchapper ; quant aux autres, à ce flot continuel de monde, elle n'y songeait seulement pas. Ce n'était personne, est-ce qu'elle les connaissait ? Et cet écrasement d'un train, ce sacrifice de tant de vies, devenait l'obsession de chacune de ses heures, l'unique catastrophe, assez large, assez profonde de sang et de douleur humaine, pour qu'elle y pût baigner son cœur énorme, gonflé de larmes.

Pourtant, le vendredi matin, elle avait faibli, n'ayant pas encore décidé à quel endroit, ni de quelle façon elle enlèverait un rail. Mais, le soir, n'étant plus de service, elle eut une idée, elle s'en alla, par le tunnel, rôder jusqu'à la bifurcation de Dieppe. C'était une de ses promenades, ce souterrain long d'une grande demi-lieue[§], cette avenue voûtée, toute droite, où elle avait l'émotion des trains roulant sur elle, avec leur fanal[§] aveuglant : chaque fois, elle manquait de s'y faire broyer, et ce devait être ce péril qui l'y attirait, dans un besoin de bravade. Mais, ce soir-là, après avoir échappé à la surveillance du gardien et s'être avancée jusqu'au milieu du tunnel, en tenant la gauche, de façon à être certaine que tout train arrivant de face passerait à droite, elle avait eu l'imprudence de se retourner, justement pour suivre les lanternes d'un train allant au Havre[§] ; et, quand elle s'était remise en marche, un faux pas l'ayant de nouveau fait virer sur elle-même, elle n'avait plus su de quel côté les feux rouges venaient de disparaître. Malgré son courage, étourdie encore par le vacarme des roues, elle s'était arrêtée, les mains froides, ses cheveux nus soulevés d'un souffle d'épouvante. Maintenant, lorsqu'un autre train passerait, elle s'imaginait qu'elle ne saurait plus s'il était montant ou descendant, elle se jetterait à droite ou à gauche, et serait coupée au petit bonheur. D'un effort, elle tâchait de retenir sa raison, de se souvenir, de discuter. Puis, tout d'un coup, la terreur l'avait emportée, au hasard, droit devant elle, dans un galop furieux. Non, non ! elle ne voulait pas être tuée, avant d'avoir tué les deux autres ! Ses pieds s'embarrassaient dans les rails, elle glissait, tombait, courait plus fort. C'était la folie du tunnel, les murs qui semblaient se resserrer pour l'étreindre, la voûte qui répercutait des bruits imaginaires, des voix de menace, des grondements formidables. À chaque instant, elle tournait la tête, croyant sentir sur son cou l'haleine brûlante d'une machine. Deux fois, une subite certitude qu'elle se trompait, qu'elle serait tuée du côté où elle fuyait, lui avait fait, d'un bond, changer la direction de sa course. Et elle galopait, elle galopait, lorsque, devant elle, au loin, avait paru une étoile, un œil rond et flambant, qui grandissait. Mais elle s'était bandée contre l'irrésistible envie de retourner encore sur ses pas. L'œil devenait un brasier, une gueule de four dévorante. Aveuglée, elle avait sauté à gauche, sans savoir ; et le train passait, comme un tonnerre, en ne la souffletant que de son vent de tempête. Cinq minutes après, elle sortait du côté de Malaunay, saine et sauve.

Il était neuf heures, encore quelques minutes, et l'express[§] de Paris serait là. Tout de suite, elle avait continué, d'un pas de promenade, jusqu'à la bifurcation de Dieppe, à deux cents mètres, examinant la voie, cherchant si quelque circonstance ne pouvait la servir. Justement, sur la voie de Dieppe, en réparation, stationnait un train de ballast[§], que son ami Ozil venait d'y aiguiller ; et, dans une illumination subite, elle trouva, arrêta un plan : empêcher simplement l'aiguilleur[§] de remettre l'aiguille sur la voie du Havre[§], de sorte que l'express irait se briser contre le train de ballast. Cet Ozil, depuis le jour où il s'était rué sur elle, ivre de désir, et où elle lui avait à demi fendu le crâne d'un coup de bâton, elle lui gardait de l'amitié, aimait à lui rendre ainsi des visites imprévues, à travers le tunnel, en chèvre échappée de sa montagne. Ancien militaire, très maigre et peu bavard, tout à la consigne, il n'avait pas encore une négligence à se reprocher, l'œil ouvert de jour et de nuit. Seulement, cette sauvage, qui l'avait battu, forte comme un garçon, lui retournait la chair, rien que d'un appel de son petit doigt. Bien qu'il eût quatorze ans de plus qu'elle, il la voulait, et s'était juré de l'avoir, en patientant, en étant aimable, puisque la violence n'avait pas réussi. Aussi, cette nuit-là, dans l'ombre, lorsqu'elle s'était approchée de son poste, l'appelant au-dehors, l'avait-il rejointe, oubliant tout. Elle l'étourdissait, l'emmenait vers la campagne, lui contait des histoires compliquées, que sa mère était malade, qu'elle ne resterait pas à la Croix-de-Maufras, si elle la perdait. Son oreille, au loin, guettait le grondement de l'express[§], quittant Malaunay, s'approchant à toute vapeur. Et, quand elle l'avait senti là, elle s'était retournée, pour voir. Mais elle n'avait pas songé aux nouveaux appareils d'enclenchement : la machine, en s'engageant sur la voie de Dieppe, venait, d'elle-même, de mettre le signal à l'arrêt ; et le mécanicien[§] avait eu le temps d'arrêter, à quelques pas du train de ballast[§]. Ozil, avec le cri d'un homme qui s'éveille sous l'effondrement d'une maison, regagnait son poste en courant ; tandis qu'elle, raidie, immobile, suivait, du fond des ténèbres, la manœuvre nécessitée par l'accident. Deux jours après, l'aiguilleur[§], déplacé, était venu lui faire ses adieux, ne soupçonnant rien, la suppliant de le rejoindre, dès qu'elle n'aurait plus sa mère. Allons ! le coup était manqué, il fallait trouver autre chose.

À ce moment, sous ce souvenir évoqué, la brume de rêverie qui obscurcissait le regard de Flore, s'en alla ; et, de nouveau, elle aperçut la morte, éclairée par la flamme jaune de la chandelle. Sa mère n'était plus, devait-elle donc partir, épouser Ozil qui la voulait, qui la rendrait heureuse peut-être ? Tout son être se souleva. Non, non ! si elle était assez lâche pour laisser vivre les deux autres, et pour vivre elle-même, elle aurait préféré battre les routes, se louer comme servante, plutôt que d'être à un homme qu'elle n'aimait pas. Et un bruit inaccoutumé lui ayant fait prêter l'oreille, elle comprit que Misard, avec une pioche, était en train de fouiller le sol battu de la cuisine : il s'enrageait à la recherche du magot, il aurait éventré la maison. Pourtant, elle ne voulait pas rester avec celui-là non plus. Qu'allait-elle faire ? Une rafale souffla, les murs tremblèrent, et sur le visage blanc de la morte, passa un reflet de fournaise, ensanglantant les yeux ouverts et le rictus ironique des lèvres. C'était le dernier omnibus[§] de Paris, avec sa lourde et lente machine.

Flore avait tourné la tête, regardé les étoiles qui luisaient, dans la sérénité de la nuit printanière.

« Trois heures dix. Encore cinq heures, et ils passeront. »

Elle recommencerait, elle souffrait trop. Les voir, les voir ainsi chaque semaine aller à l'amour, cela était au-dessus de ses forces. Maintenant qu'elle était certaine de ne jamais posséder Jacques à elle seule, elle préférait qu'il ne fût plus, qu'il n'y eût plus rien. Et cette lugubre chambre où elle veillait l'enveloppait de deuil, sous un besoin grandissant de l'anéantissement de tout. Puisqu'il ne restait personne qui l'aimât, les autres pouvaient bien partir avec sa mère. Des morts, il y en aurait encore, et encore, et on les emporterait tous d'un coup. Sa sœur était morte, sa mère était morte, son amour était mort : quoi faire ? être seule, rester ou partir, seule toujours, lorsqu'ils seraient deux, les autres. Non, non ! que tout croulât plutôt, que la mort, qui était là, dans cette chambre fumeuse, soufflât sur la voie et balayât le monde !

Alors, décidée après ce long débat, elle discuta le meilleur moyen de mettre son projet à exécution. Et elle en revint à l'idée d'enlever un rail. C'était le moyen le plus sûr, le plus pratique, d'une exécution facile : rien qu'à chasser les coussinets[1] avec un marteau, puis à faire sauter le rail des traverses. Elle avait les outils, personne ne la verrait, dans ce pays désert. Le bon endroit à choisir était certainement, après la tranchée, en allant vers Barentin, la courbe qui traversait un vallon, sur un remblai de sept ou huit mètres : là, le déraillement devenait certain, la culbute serait effroyable. Mais le calcul des heures qui l'occupa ensuite, la laissa anxieuse. Sur la voie montante, avant l'express[§] du Havre[§], qui passait à huit heures seize, il n'y avait qu'un train omnibus[§] à sept heures cinquante-cinq. Cela lui donnait donc vingt minutes pour faire le travail, ce qui suffisait. Seulement, entre les trains réglementaires, on lançait souvent des trains de marchandises imprévus, surtout aux époques des grands arrivages. Et quel risque inutile alors ! Comment savoir à l'avance si ce serait bien l'express qui viendrait se briser là ? Longtemps, elle roula les probabilités dans sa tête. Il

1 *coussinets* : pièces de fonte sur lesquelles reposent les rails.

faisait nuit encore, une chandelle brûlait toujours, noyée de suif, avec une haute mèche charbonnée, qu'elle ne mouchait plus.

Comme justement un train de marchandises arrivait, venant de Rouen, Misard rentra. Il avait les mains pleines de terre, ayant fouillé le bûcher ; et il était haletant, éperdu de ses recherches vaines, si enfiévré d'impuissante rage, qu'il se remit à chercher sous les meubles, dans la cheminée, partout. Le train interminable n'en finissait pas, avec le fracas régulier de ses grosses roues, dont chaque secousse agitait la morte dans son lit. Et, lui, en allongeant le bras pour décrocher un petit tableau pendu au mur, rencontra encore les yeux ouverts qui le suivaient, tandis que les lèvres remuaient, avec leur rire.

Il devint blême, il grelotta, bégayant dans une colère épouvantée :

« Oui, oui, cherche ! cherche !… Va, je les trouverai, nom de Dieu ! quand je devrais retourner chaque pierre de la maison et chaque motte de terre du pays ! »

Le train noir était passé, d'une lenteur écrasante dans les ténèbres, et la morte, redevenue immobile, regardait toujours son mari, si railleuse, si certaine de vaincre, qu'il disparut de nouveau, en laissant la porte ouverte.

Flore, distraite dans ses réflexions, s'était levée. Elle referma la porte, pour que cet homme ne revînt pas déranger sa mère. Et elle s'étonna de s'entendre dire tout haut :

« Dix minutes auparavant, ce sera bien. »

En effet, elle aurait le temps en dix minutes. Si, dix minutes avant l'express[§], aucun train n'était signalé, elle pouvait se mettre à la besogne. Dès lors, la chose étant réglée, certaine, son anxiété tomba, elle fut très calme.

Vers cinq heures, le jour se leva, une aube fraîche, d'une limpidité pure. Malgré le petit froid vif, elle ouvrit la fenêtre toute grande, et la délicieuse matinée entra dans la chambre lugubre, pleine d'une fumée et d'une odeur de mort. Le soleil était encore sous l'horizon, derrière une colline couronnée d'arbres ; mais il parut, vermeil, ruisselant sur les pentes, inondant les chemins creux, dans la gaieté vivante de la terre, à chaque printemps nouveau. Elle ne s'était pas trompée, la veille : il ferait beau, ce matin-là, un de ces temps de jeunesse et de radieuse santé, où l'on aime vivre. Dans ce pays désert, parmi les continuels coteaux, coupés de vallons étroits, qu'il serait bon de s'en aller le long des sentiers de chèvre, à sa libre fantaisie ! Et, lorsqu'elle se retourna, rentrant dans la chambre, elle fut surprise de voir la chandelle, comme éteinte, ne plus tacher le grand jour que d'une larme pâle. La morte semblait maintenant regarder la voie, où les trains continuaient à se croiser, sans même remarquer cette lueur pâlie de cierge, près de ce corps.

Au jour seulement, Flore reprenait son service. Et elle ne quitta la chambre que pour l'omnibus[§] de Paris, à six heures douze. Misard, lui aussi, à six heures, venait de remplacer son collègue, le stationnaire[§] de nuit. Ce fut à son appel de trompe qu'elle vint se planter devant la barrière, le drapeau à la main. Un instant elle suivit le train des yeux.

« Encore deux heures », pensa-t-elle tout haut.

Sa mère n'avait plus besoin de personne. Désormais, elle éprouvait une invincible répugnance à rentrer dans la chambre. C'était fini, elle l'avait embrassée, elle pouvait disposer de son existence et de celle des autres. D'habitude, entre les trains, elle s'échappait, disparaissait ; mais, ce matin-là, un intérêt semblait la tenir à son poste, près de la barrière, sur un banc, une simple planche qui se trouvait au bord de la voie. Le soleil montait à l'horizon, une tiède averse d'or tombait dans l'air pur ; et elle ne remuait pas, baignée de cette douceur, au milieu de la vaste campagne, toute frissonnante de la sève d'avril. Un moment, elle s'était intéressée à Misard, dans sa cabane de planches, à l'autre bord de la ligne, visiblement agité, hors de sa somnolence habituelle : il sortait, rentrait, manœuvrait ses appareils d'une main nerveuse, avec de continuels coups d'œil vers la maison, comme si son esprit y fût demeuré, à chercher toujours. Puis, elle l'avait oublié, ne le sachant même plus là. Elle était toute à l'attente, absorbée, la face muette et rigide, les yeux fixés au bout de la voie, du côté de Barentin. Et, là-bas, dans la gaieté du soleil, devait se lever pour elle une vision, où s'acharnait la sauvagerie têtue de son regard.

Les minutes s'écoulèrent. Flore ne bougeait pas. Enfin, lorsque, à sept heures cinquante-cinq, Misard, de deux sons de trompe, signala l'omnibus[§] du Havre[§], sur la voie montante, elle se leva, ferma la barrière et se planta devant, le drapeau au poing. Déjà, au loin, le train se perdait, après avoir secoué le sol; et on l'entendit s'engouffrer dans le tunnel, où le bruit cessa. Elle n'était pas retournée sur le banc, elle demeurait debout, à compter de nouveau les minutes. Si, dans dix minutes, aucun train de marchandises n'était signalé, elle courrait là-bas, au-delà de la tranchée, faire sauter un rail. Elle était très calme, la poitrine seulement serrée, comme sous le poids énorme de l'acte. D'ailleurs, à ce dernier moment, la pensée que Jacques et Séverine approchaient, qu'ils passeraient là encore, allant à l'amour, si elle ne les arrêtait pas, suffisait à la raidir, aveugle et sourde, dans sa résolution, sans que le débat même recommençât en elle : c'était l'irrévocable, le coup de patte de la louve qui casse les reins au passage. Elle ne voyait toujours, dans l'égoïsme de sa vengeance, que les deux corps mutilés, sans se préoccuper de la foule, du flot du monde qui défilait devant elle, depuis des années, inconnu. Des morts, du sang, le soleil en serait caché peut-être, ce soleil dont la gaieté tendre l'irritait.

Encore deux minutes, encore une, et elle allait partir, elle partait, lorsque de sourds cahots, sur la route de Bécourt, l'arrêtèrent. Une voiture, un fardier[§] sans doute. On lui demanderait le passage, il lui faudrait ouvrir la barrière, causer, rester là : impossible d'agir, le coup serait manqué. Et elle eut un geste d'enragée insouciance, elle prit sa course, lâchant son poste, abandonnant la voiture et le conducteur, qui se débrouillerait. Mais un fouet claqua dans l'air matinal, une voix cria gaiement :

« Eh ! Flore ! »

C'était Cabuche. Elle fut clouée au sol, arrêtée dès son premier élan, devant la barrière même.

« Quoi donc ? continua-t-il, tu dors encore, par ce beau soleil ? Vite, que je passe avant l'express[§] ! »

En elle, un écroulement se faisait. Le coup était manqué, les deux autres iraient à leur bonheur, sans qu'elle trouvât rien pour les briser là. Et, tandis qu'elle ouvrait lentement la vieille barrière à demi pourrie, dont les ferrures grinçaient dans leur rouille, elle cherchait furieusement un obstacle, quelque chose qu'elle pût jeter en travers de la voie, désespérée à ce point, qu'elle s'y serait allongée elle-même, si elle s'était crue d'os assez durs pour faire sauter la machine hors des rails. Mais ses regards venaient de tomber sur le fardier[§], l'épaisse et basse voiture, chargée de deux blocs de pierre, que cinq vigoureux chevaux avaient de la peine à traîner. Énormes, hauts et larges, d'une masse géante à barrer la route, ces blocs s'offraient à elle ; et ils éveillèrent, dans ses yeux, une brusque convoitise, un désir fou de les prendre, de les poser là. La barrière était grande ouverte, les cinq bêtes suantes, soufflantes, attendaient.

« Qu'as-tu, ce matin ? reprit Cabuche. Tu as l'air tout drôle. »

Alors, Flore parla :

« Ma mère est morte hier soir. »

Il eut un cri de douloureuse amitié. Posant son fouet, il lui serrait les mains dans les siennes.

« Oh ! ma pauvre Flore ! Il fallait s'y attendre depuis longtemps, mais c'est si dur tout de même !… Alors, elle est là, je veux la voir, car nous aurions fini par nous entendre, sans le malheur qui est arrivé. »

Doucement, il marcha avec elle jusqu'à la maison. Sur le seuil, pourtant, il eut un regard vers ses chevaux. D'une phrase, elle le rassura.

« Pas de danger qu'ils bougent ! Et puis, l'express[§] est loin. »

Elle mentait. De son oreille exercée, dans le frisson tiède de la campagne, elle venait d'entendre l'express quitter la station de Barentin. Encore cinq minutes, et il serait là, il déboucherait de la tranchée, à cent mètres du passage à niveau. Tandis que le carrier[§], debout devant la chambre de la morte, s'oubliait, songeant à Louisette, très ému, elle, restée dehors, devant la fenêtre, continuait d'écouter, au loin, le souffle régulier de la machine de plus en plus proche. Brusquement, l'idée de Misard lui vint : il devait la voir, il l'empêcherait ; et elle eut un coup à la poitrine, lorsque, s'étant tournée, elle ne l'aperçut pas à son poste. De l'autre côté de la maison, elle le retrouva, qui fouillait la terre, sous la margelle du puits, n'ayant pu résister à sa folie de recherches, pris sans doute de la certitude subite que le magot était là : tout à sa passion, aveugle, sourd, il fouillait, il fouillait. Et ce fut, pour elle, l'excitation dernière. Les choses elles-mêmes le voulaient. Un des chevaux se mit à hennir, tandis que la machine, au-delà de la tranchée, soufflait très haut, en personne pressée qui accourt.

« Je vas les faire tenir tranquilles, dit Flore à Cabuche. N'aie pas peur. »

Elle s'élança, prit le premier cheval par le mors, tira de toute sa force décuplée de lutteuse. Les chevaux se raidirent ; un instant, le fardier[§], lourd de son énorme charge, oscilla sans démarrer ; mais, comme si elle se fût attelée elle-même, en bête de renfort, il s'ébranla, s'engagea sur la voie. Et il était en plein sur les rails, lorsque l'express[§], là-bas, à cent mètres, déboucha de la tranchée. Alors, pour immobiliser le fardier, de crainte qu'il ne traversât, elle retint l'attelage, dans une brusque secousse, d'un effort surhumain, dont ses membres craquèrent. Elle qui avait sa légende, dont on racontait des traits de force extraordinaires, un wagon lancé sur une pente, arrêté à la course, une charrette poussée, sauvée d'un train, elle faisait aujourd'hui cette chose, elle maintenait, de sa poigne de fer, les cinq chevaux, cabrés et hennissants dans l'instinct du péril.

Ce furent à peine dix secondes d'une terreur sans fin. Les deux pierres géantes semblaient barrer l'horizon. Avec ses cuivres clairs, ses aciers luisants, la machine glissait, arrivait de sa marche douce et foudroyante, sous la pluie d'or de la belle matinée. L'inévitable était là, rien au monde ne pouvait plus empêcher l'écrasement. Et l'attente durait.

Misard, revenu d'un bond à son poste, hurla, les bras en l'air, agitant les poings, dans la volonté folle de prévenir et d'arrêter le train. Sorti de la maison au bruit des roues et des hennissements, Cabuche s'était rué, hurlant lui aussi, pour faire avancer les bêtes. Mais Flore, qui venait de se jeter de côté, le retint, ce qui le sauva. Il croyait qu'elle n'avait pas eu la force de maîtriser ses chevaux, que c'étaient eux qui l'avaient traînée. Et il s'accusait, il sanglotait, dans un râle de terreur désespérée ; tandis qu'elle, immobile, grandie, les paupières élargies et brûlantes, regardait. Au moment même où le poitrail de la machine allait toucher les blocs, lorsqu'il lui restait un mètre peut-être à parcourir, pendant ce temps inappréciable, elle vit très nettement Jacques, la main sur le volant du changement de marche[§]. Il s'était tourné, leurs yeux se rencontrèrent dans un regard, qu'elle trouva démesurément long.

Ce matin-là, Jacques avait souri à Séverine, quand elle était descendue sur le quai, au Havre[§], pour l'express[§], ainsi que chaque semaine. À quoi bon se gâter la vie de cauchemars ? Pourquoi ne pas profiter des jours heureux, lorsqu'il s'en présentait ? Tout finirait par s'arranger peut-être. Et il était résolu à goûter au moins la joie de cette journée, faisant des projets, rêvant de déjeuner[§] avec elle au restaurant. Aussi, comme elle lui jetait un coup d'œil désolé, parce qu'il n'y avait pas de wagon de première[§] en tête, et qu'elle était forcée de se mettre loin de lui, à la queue, avait-il voulu la consoler en lui souriant si gaiement. On arriverait toujours ensemble, on se rattraperait, là-bas, d'avoir été séparés. Même, après s'être penché pour la voir monter dans un compartiment[§], tout au bout, il avait poussé la belle humeur jusqu'à plaisanter le conducteur chef[§], Henri Dauvergne, qu'il savait amoureux d'elle. La semaine précédente, il s'était imaginé que celui-ci s'enhardissait et qu'elle l'encourageait, par un besoin de distraction, voulant échapper à l'existence atroce qu'elle s'était faite. Roubaud le disait bien, elle finirait par coucher avec ce jeune homme, sans plaisir, dans l'unique envie de recommencer autre chose. Et Jacques avait demandé à Henri pour qui donc, la veille, caché derrière un des ormes de la cour du départ[§], il envoyait des baisers en l'air ; ce qui avait fait éclater d'un gros rire Pecqueux, en train de charger le foyer[§] de la Lison, fumante, prête à partir.

Du Havre à Barentin, l'express avait marché à sa vitesse réglementaire, sans incident ; et ce fut Henri qui, le premier, du haut de sa cabine de vigie[§], au sortir de la tranchée, signala le fardier§ en travers de la voie. Le fourgon§ de tête se trouvait bondé de bagages, car le train, très chargé, amenait tout un arrivage de voyageurs, débarqués la veille d'un paquebot. À l'étroit, au milieu de cet entassement de malles et de valises, que faisait danser la trépidation, le conducteur chef§ était debout à son bureau, classant des feuilles ; tandis que la petite bouteille d'encre, accrochée à un clou, se balançait, elle aussi, d'un mouvement continu. Après les stations où il déposait des bagages, il avait pour quatre ou cinq minutes d'écritures. Deux voyageurs étant descendus à Barentin, il venait donc de mettre ses papiers en ordre, lorsque, montant s'asseoir dans sa vigie§, il donna, en arrière et en avant, selon son habitude, un coup d'œil sur la voie. Il restait là, assis dans cette guérite vitrée, toutes ses heures libres, en surveillance. Le tender§ lui cachait le mécanicien§ ; mais, grâce à son poste élevé, il voyait souvent plus loin et plus vite que celui-ci. Aussi le train tournait-il encore, dans la tranchée, qu'il aperçut, là-bas, l'obstacle. Sa surprise fut telle, qu'il douta un instant, effaré, paralysé. Il y eut quelques secondes perdues, le train filait déjà hors de la tranchée, et un grand cri montait de la machine, lorsqu'il se décida à tirer la corde de la cloche d'alarme dont le bout pendait devant lui.

Jacques, à ce moment suprême, la main sur le volant du changement de marche§, regardait sans voir, dans une minute d'absence. Il songeait à des choses confuses et lointaines, d'où l'image de Séverine elle-même s'était évanouie. Le branle fou de la cloche, le hurlement de Pecqueux, derrière lui, le réveillèrent. Pecqueux, qui avait haussé la tige du cendrier§, mécontent du tirage, venait de voir, en se penchant pour s'assurer de la vitesse. Et Jacques, d'une pâleur de mort, vit tout, comprit tout, le fardier en travers, la machine lancée, l'épouvantable choc, tout cela avec une netteté si aiguë, qu'il distingua jusqu'au grain des deux pierres, tandis qu'il avait déjà dans les os la secousse de l'écrasement. C'était l'inévitable. Violemment, il avait tourné le volant du changement de marche, fermé le régulateur, serré le frein. Il faisait machine arrière, il s'était pendu, d'une main inconsciente, au bouton du sifflet, dans la volonté impuissante et furieuse d'avertir, d'écarter la barricade géante, là-bas. Mais, au milieu de cet affreux sifflement de détresse qui déchirait l'air, la Lison n'obéissait pas, allait quand même, à peine ralentie. Elle n'était plus la docile d'autrefois, depuis qu'elle avait perdu dans la neige sa bonne vaporisation[§], son démarrage si aisé, devenue quinteuse et revêche maintenant, en femme vieillie, dont un coup de froid a détruit la poitrine. Elle soufflait, se cabrait sous le frein, allait, allait toujours, dans l'entêtement alourdi de sa masse. Pecqueux, fou de peur, sauta. Jacques, raidi à son poste, la main droite crispée sur le changement de marche, l'autre restée au sifflet, sans qu'il le sût, attendait. Et la Lison, fumante, soufflante, dans ce rugissement aigu qui ne cessait pas, vint taper contre le fardier[§], du poids énorme des treize wagons qu'elle traînait.

Alors, à vingt mètres d'eux, du bord de la voie où l'épouvante les clouait, Misard et Cabuche les bras en l'air, Flore les yeux béants, virent cette chose effrayante : le train se dresser debout, sept wagons monter les uns sur les autres, puis retomber avec un abominable craquement, en une débâcle informe de débris. Les trois premiers étaient réduits en miettes, les quatre autres ne faisaient plus qu'une montagne, un enchevêtrement de toitures défoncées, de roues brisées, de portières, de chaînes, de tampons, au milieu de morceaux de vitre. Et, surtout, l'on avait entendu le broiement de la machine contre les pierres, un écrasement sourd terminé en un cri d'agonie. La Lison, éventrée, culbutait à gauche, par-dessus le fardier ; tandis que les pierres, fendues, volaient en éclats, comme sous un coup de mine, et que, des cinq chevaux, quatre, roulés, traînés, étaient tués net. La queue du train, six wagons encore, intacts, s'étaient arrêtés, sans même sortir des rails.

Mais des cris montèrent, des appels dont les mots se perdaient en hurlements inarticulés de bête.

« À moi ! au secours !… Oh ! mon Dieu ! je meurs ! au secours ! au secours ! »

On n'entendait plus, on ne voyait plus. La Lison, renversée sur les reins, le ventre ouvert, perdait sa vapeur, par les robinets arrachés, les tuyaux crevés, en des souffles qui grondaient, pareils à des râles furieux de géante. Une haleine blanche en sortait, inépuisable, roulant d'épais tourbillons au ras du sol; pendant que, du foyer[§], les braises tombées, rouges comme le sang même de ses entrailles, ajoutaient leurs fumées noires. La cheminée, dans la violence du choc, était entrée en terre; à l'endroit où il avait porté, le châssis[1] s'était rompu, faussant les deux longerons[2]; et, les roues en l'air, semblable à une cavale[§] monstrueuse, décousue par quelque formidable coup de corne, la Lison montrait ses bielles[§] tordues, ses cylindres[§] cassés, ses tiroirs[§] et leurs excentriques[3] écrasés, toute une affreuse plaie bâillant au plein air, par où l'âme continuait de sortir, avec un fracas d'enragé désespoir. Justement, près d'elle, le cheval qui n'était pas mort, gisait lui aussi, les deux pieds de devant emportés, perdant également ses entrailles par une déchirure à son ventre. À sa tête droite, raidie, dans un spasme d'atroce douleur, on le voyait râler, d'un hennissement terrible, dont rien n'arrivait à l'oreille, au milieu du tonnerre de la machine agonisante.

Les cris s'étranglèrent, inentendus, perdus, envolés.

«Sauvez-moi! tuez-moi!... Je souffre trop, tuez-moi! tuez-moi donc!»

Dans ce tumulte assourdissant, cette fumée aveuglante, les portières des voitures restées intactes venaient de s'ouvrir, et une déroute de voyageurs se ruait au-dehors. Ils tombaient sur la voie, se ramassaient, se débattaient à coups de pied, à coups de poing. Puis, dès qu'ils sentaient la terre solide, la campagne libre devant eux, ils s'enfuyaient au galop, sautaient la haie vive, coupaient à travers champs, cédant à l'unique instinct d'être loin du danger, loin, très loin. Des femmes, des hommes, hurlant, se perdirent au fond des bois.

---

1 *châssis*: cadre rectangulaire monté sur des roues et portant la chaudière d'une locomotive et ses accessoires.

2 *longerons*: poutres maîtresses d'un châssis.

3 *excentriques*: dispositif dont l'axe est décentré, qui est destiné à transformer un mouvement circulaire en mouvement rectiligne à l'aide d'une bielle et qui est utilisé pour activer les tiroirs.

*[…] la Lison montrait ses bielles tordues, ses cylindres cassés […].*

**Ligne 10256.**

Œuvres complètes illustrées d'Émile Zola (1906).

Piétinée, ses cheveux défaits et sa robe en loques, Séverine avait fini par se dégager; et elle ne fuyait pas, elle galopait vers la machine grondante, lorsqu'elle se trouva en face de Pecqueux.

« Jacques, Jacques ! il est sauvé, n'est-ce pas ? »

Le chauffeur[§], qui, par miracle, ne s'était pas même foulé un membre, accourait lui aussi, le cœur serré d'un remords, à l'idée que son mécanicien[§] se trouvait là-dessous. On avait tant voyagé, tant peiné ensemble, sous la continuelle fatigue des grands vents ! Et leur machine, leur pauvre machine, la bonne amie si aimée de leur ménage à trois, qui était là sur le dos, à rendre tout le souffle de sa poitrine, par ses poumons crevés !

« J'ai sauté, bégaya-t-il, je ne sais rien, rien du tout… Courons, courons vite ! »

Sur le quai, ils se heurtèrent contre Flore, qui les regardait venir. Elle n'avait pas bougé encore, dans la stupeur de l'acte accompli, de ce massacre qu'elle avait fait. C'était fini, c'était bien; et il n'y avait en elle que le soulagement d'un besoin, sans une pitié pour le mal des autres, qu'elle ne voyait même pas. Mais, lorsqu'elle reconnut Séverine, ses yeux s'agrandirent démesurément, une ombre d'affreuse souffrance noircit son visage pâle. Et quoi ? elle vivait, cette femme, lorsque lui certainement était mort ! Dans cette douleur aiguë de son amour assassiné, ce coup de couteau qu'elle s'était donné en plein cœur, elle eut la brusque conscience de l'abomination de son crime. Elle avait fait ça, elle l'avait tué, elle avait tué tout ce monde ! Un grand cri déchira sa gorge, elle tordait ses bras, elle courait follement.

« Jacques, oh ! Jacques… Il est là, il a été lancé en arrière, je l'ai vu… Jacques, Jacques ! »

La Lison râlait moins haut, d'une plainte rauque qui s'affaiblissait, et dans laquelle, maintenant, on entendait croître, de plus en plus déchirante, la clameur des blessés. Seulement, la fumée restait épaisse, l'énorme tas de débris d'où sortaient ces voix de torture et de terreur, semblait enveloppé d'une poussière noire, immobile dans le soleil. Que faire ? par où commencer ? comment arriver jusqu'à ces malheureux ?

« Jacques ! criait toujours Flore. Je vous dis qu'il m'a regardée et qu'il a été jeté par là, sous le tender[§]… Accourez donc ! aidez-moi donc ! »

Déjà, Cabuche et Misard venaient de relever Henri, le conducteur chef[§], qui, à la dernière seconde, avait sauté lui aussi. Il s'était démis le pied, ils l'assirent par terre, contre la haie, d'où, hébété, muet, il regarda le sauvetage, sans paraître souffrir.

« Cabuche, viens donc m'aider, je te dis que Jacques est là-dessous ! »

Le carrier[§] n'entendait pas, courait à d'autres blessés, emportait une jeune femme dont les jambes pendaient, cassées aux cuisses.

Et ce fut Séverine qui se précipita, à l'appel de Flore.

« Jacques, Jacques !… Où donc ? Je vous aiderai.

— C'est ça, aidez-moi, vous ! »

Leurs mains se rencontrèrent, elles tiraient ensemble sur une roue brisée. Mais les doigts délicats de l'une n'arrivaient à rien, tandis que l'autre, avec sa forte poigne, abattait les obstacles.

« Attention ! » dit Pecqueux, qui se mettait lui aussi à la besogne.

D'un mouvement brusque, il avait arrêté Séverine, au moment où elle allait marcher sur un bras, coupé à l'épaule, encore vêtu d'une manche de drap bleu. Elle eut un recul d'horreur. Pourtant, elle ne reconnaissait pas la manche ; c'était un bras inconnu, roulé là, d'un corps qu'on retrouverait autre part sans doute. Et elle en resta si tremblante, qu'elle en fut comme paralysée, pleurante et debout, à regarder travailler les autres, incapable seulement d'enlever les éclats de vitre, où les mains se coupaient.

Alors, le sauvetage des mourants, la recherche des morts furent pleins d'angoisse et de danger, car le feu de la machine s'était communiqué à des pièces de bois, et il fallut, pour éteindre ce commencement d'incendie, jeter de la terre à la pelle. Pendant qu'on courait à Barentin demander du secours, et qu'une dépêche[§] partait pour Rouen, le déblaiement s'organisait le plus activement possible, tous les bras s'y mettaient, d'un grand courage. Beaucoup des fuyards étaient revenus, honteux de leur panique. Mais on avançait avec d'infinies précautions, chaque débris à enlever demandait des soins, car on craignait d'achever les malheureux ensevelis, s'il se produisait des éboulements. Des blessés émergeaient du tas, engagés jusqu'à la poitrine, serrés là comme dans un étau, et hurlant. On travailla un quart d'heure à en délivrer un, qui ne se plaignait pas, d'une pâleur de linge, disant qu'il n'avait rien, qu'il ne souffrait de rien ; et, quand on l'eut sorti, il n'avait plus de jambes, il expira tout de suite, sans avoir su ni senti cette mutilation horrible, dans le saisissement de sa peur. Toute une famille fut retirée d'une voiture de seconde, où le feu s'était mis : le père et la mère étaient blessés aux genoux, la grand-mère avait un bras cassé ; mais eux non plus ne sentaient pas leur mal, sanglotant, appelant leur petite fille, disparue dans l'écrasement, une blondine de trois ans à peine, qu'on retrouva sous un lambeau de toiture, saine et sauve, la mine amusée et souriante. Une autre fillette, couverte de sang, celle-ci, ses pauvres petites mains broyées, qu'on avait portée à l'écart, en attendant de découvrir ses parents, demeurait solitaire et inconnue, si étouffée, qu'elle ne disait pas un mot, la face seulement convulsée en un masque d'indicible terreur, dès qu'on l'approchait. On ne pouvait ouvrir les portières dont le choc avait tordu les ferrures, il fallait descendre dans les compartiments[§] par les glaces brisées. Déjà quatre cadavres étaient rangés côte à côte, au bord de la voie. Une dizaine de blessés, étendus par terre, près des morts, attendaient, sans un médecin pour les panser, sans un secours. Et le déblaiement commençait à peine, on ramassait une nouvelle victime sous chaque décombre, le tas ne semblait pas diminuer, tout ruisselant et palpitant de cette boucherie humaine.

« Quand je vous dis que Jacques est là-dessous ! répétait Flore, se soulageant à ce cri obstiné qu'elle jetait sans raison, comme la plainte même de son désespoir. Il appelle, tenez, tenez ! écoutez ! »

Le tender[§] se trouvait engagé sous les wagons, qui, montés les uns par-dessus les autres, s'étaient ensuite écroulés sur lui ; et, en effet, depuis que la machine râlait moins haut, on entendait une grosse voix d'homme rugir au fond de l'éboulement. À mesure qu'on avançait, la clameur de cette voix d'agonie devenait plus haute, d'une douleur si énorme, que les travailleurs ne pouvaient plus la supporter, pleurant et criant eux-mêmes. Puis, enfin, comme ils tenaient l'homme, dont ils venaient de dégager les jambes et qu'ils tiraient à eux, le rugissement de souffrance cessa. L'homme était mort.

«Non, dit Flore, ce n'est pas lui. C'est plus au fond, il est là-dessous.»

Et, de ses bras de guerrière, elle soulevait des roues, les rejetait au loin, elle tordait le zinc des toitures, brisait des portières, arrachait des bouts de chaîne. Et, dès qu'elle tombait sur un mort ou sur un blessé, elle appelait, pour qu'on l'en débarrassât, ne voulant pas lâcher une seconde ses fouilles enragées.

Derrière elle, Cabuche, Pecqueux, Misard travaillaient, tandis que Séverine, défaillante à rester ainsi debout, sans rien pouvoir faire, venait de s'asseoir sur la banquette défoncée d'un wagon. Mais Misard, repris de son flegme, doux et indifférent, s'évitait les grosses fatigues, aidait surtout à transporter les corps. Et lui, ainsi que Flore, regardaient les cadavres, comme s'ils espéraient les reconnaître, au milieu de la cohue des milliers et des milliers de visages, qui, en dix années, avaient défilé devant eux, à toute vapeur, en ne leur laissant que le souvenir confus d'une foule, apportée, emportée dans un éclair. Non ! ce n'était toujours que le flot inconnu du monde en marche ; la mort brutale, accidentelle, restait anonyme, comme la vie pressée, dont le galop passait là, allant à l'avenir ; et ils ne pouvaient mettre aucun nom, aucun renseignement précis, sur les têtes labourées par l'horreur de ces misérables, tombés en route, piétinés, écrasés, pareils à ces soldats dont les corps comblent les trous, devant la charge d'une armée montant à l'assaut. Pourtant, Flore crut en retrouver un à qui elle avait parlé, le jour du train perdu dans la neige : cet Américain, dont elle finissait par connaître familièrement le profil, sans savoir ni son nom, ni rien de lui et des siens. Misard le porta avec les autres morts, venus on ne savait d'où, arrêtés là en se rendant on ne savait à quel endroit.

Puis, il y eut encore un spectacle déchirant. Dans la caisse renversée d'un compartiment§ de première§ classe, on venait de découvrir un jeune ménage, des nouveaux mariés sans doute, jetés l'un contre l'autre, si malheureusement, que la femme, sous elle, écrasait l'homme, sans qu'elle pût faire un mouvement pour le soulager. Lui, étouffait, râlait déjà ; tandis qu'elle, la bouche libre, suppliait éperdument qu'on se hâtât, épouvantée, le cœur arraché, à sentir qu'elle le tuait. Et, lorsqu'on les eut délivrés l'un et l'autre, ce fut elle qui, tout d'un coup, rendit l'âme, le flanc troué par un tampon. Et l'homme, revenu à lui, clamait de douleur, agenouillé près d'elle, dont les yeux restaient pleins de larmes.

Maintenant, il y avait douze morts, plus de trente blessés. Mais on arrivait à dégager le tender§ ; et Flore, de temps à autre, s'arrêtait, plongeait sa tête parmi les bois éclatés, les fers tordus, fouillant ardemment des yeux, pour voir si elle n'apercevait pas le mécanicien§. Brusquement, elle jeta un grand cri.

« Je le vois, il est là-dessous… Tenez ! c'est son bras, avec sa veste de laine bleue… Et il ne bouge pas, il ne souffle pas… »

Elle s'était redressée, elle jura comme un homme.

« Mais, nom de Dieu ! dépêchez-vous donc, tirez-le donc de là-dessous ! »

Des deux mains, elle tâchait d'arracher un plancher de voiture, que d'autres débris l'empêchaient de tirer à elle. Alors, elle courut, elle revint avec la hache qui servait, chez les Misard, à fendre le bois ; et, la brandissant, ainsi qu'un bûcheron brandit sa cognée au milieu d'une forêt de chênes, elle attaqua le plancher d'une volée furieuse. On s'était écarté, on la laissait faire, en lui criant de prendre garde. Mais il n'y avait plus d'autre blessé que le mécanicien, à l'abri lui-même sous un enchevêtrement d'essieux§ et de roues. D'ailleurs, elle n'écoutait pas, soulevée dans un élan, sûr de lui, irrésistible. Elle abattait le bois, chacun de ses coups tranchait un obstacle. Avec ses cheveux blonds envolés, son corsage arraché qui montrait ses bras nus, elle était comme une terrible faucheuse s'ouvrant une trouée parmi cette destruction qu'elle avait faite. Un dernier coup, qui porta sur un essieu, cassa en deux le fer de la hache. Et, aidée des autres, elle écarta les roues qui avaient protégé le jeune homme d'un écrasement certain, elle fut la première à le saisir, à l'emporter entre ses bras.

«Jacques, Jacques !… Il respire, il vit. Ah ! mon Dieu, il vit… Je savais bien que je l'avais vu tomber et qu'il était là !»

Séverine, éperdue, la suivait. À elles deux, elles le déposèrent au pied de la haie, près d'Henri, qui, stupéfié, regardait toujours, sans avoir l'air de comprendre où il était et ce qu'on faisait autour de lui. Pecqueux, qui s'était approché, restait debout devant son mécanicien[§], bouleversé de le voir dans un si fichu état ; tandis que les deux femmes, agenouillées maintenant, l'une à droite, l'autre à gauche, soutenaient la tête du malheureux, en épiant avec angoisse les moindres frissons de son visage.

Enfin, Jacques ouvrit les paupières. Ses regards troubles se portèrent sur elles, tour à tour, sans qu'il parût les reconnaître. Elles ne lui importaient pas. Mais ses yeux ayant rencontré, à quelques mètres, la machine qui expirait, s'effarèrent d'abord, puis se fixèrent, vacillants d'une émotion croissante. Elle, la Lison, il la reconnaissait bien, et elle lui rappelait tout, les deux pierres en travers de la voie, l'abominable secousse, ce broiement qu'il avait senti à la fois en elle et en lui, dont lui ressuscitait, tandis qu'elle, sûrement, allait en mourir. Elle n'était point coupable de s'être montrée rétive ; car, depuis sa maladie contractée dans la neige, il n'y avait pas de sa faute, si elle était moins alerte ; sans compter que l'âge arrive, qui alourdit les membres et durcit les jointures. Aussi lui pardonnait-il volontiers, débordé d'un gros chagrin, à la voir blessée à mort, en agonie. La pauvre Lison n'en avait plus que pour quelques minutes. Elle se refroidissait, les braises de son foyer[§] tombaient en cendre, le souffle qui s'était échappé si violemment de ses flancs ouverts, s'achevait en une petite plainte d'enfant qui pleure. Souillée de terre et de bave, elle toujours si luisante, vautrée sur le dos, dans une mare noire de charbon[§], elle avait la fin tragique d'une bête de luxe qu'un accident foudroie en pleine rue. Un instant, on avait pu voir, par ses entrailles crevées, fonctionner ses organes, les pistons battre comme deux cœurs jumeaux, la vapeur circuler dans les tiroirs[§] comme le sang de ses veines ; mais, pareilles à des bras convulsifs, les bielles[§] n'avaient plus que des tressaillements, les révoltes dernières de la vie ; et son âme s'en allait avec la force qui la faisait vivante, cette haleine immense dont elle ne parvenait pas à se vider toute. La géante éventrée s'apaisa encore, s'endormit peu à peu d'un sommeil très doux, finit par se taire. Elle était morte. Et le tas de fer, d'acier et de cuivre, qu'elle laissait là, ce colosse broyé, avec son tronc fendu, ses membres épars, ses organes meurtris, mis au plein jour, prenait l'affreuse tristesse d'un cadavre humain, énorme, de tout un monde qui avait vécu et d'où la vie venait d'être arrachée, dans la douleur.

Alors, Jacques, ayant compris que la Lison n'était plus, referma les yeux avec le désir de mourir lui aussi, si faible d'ailleurs, qu'il croyait être emporté dans le dernier petit souffle de la machine ; et, de ses paupières closes, des larmes lentes coulaient maintenant, inondant ses joues. C'en fut trop pour Pecqueux, qui était resté là, immobile, la gorge serrée. Leur bonne amie mourait, et voilà que son mécanicien[§] voulait la suivre. C'était donc fini, leur ménage à trois ? Finis, les voyages, où, montés sur son dos, ils faisaient des cent lieues[§], sans échanger une parole, s'entendant quand même si bien tous les trois, qu'ils n'avaient pas besoin de faire un signe pour se comprendre ! Ah ! la pauvre Lison, si douce dans sa force, si belle quand elle luisait au soleil ! Et Pecqueux, qui pourtant n'avait pas bu, éclata en sanglots violents, dont les hoquets secouaient son grand corps, sans qu'il pût les retenir.

Séverine et Flore, elles aussi, se désespéraient, inquiètes de ce nouvel évanouissement de Jacques. La dernière courut chez elle, revint avec de l'eau-de-vie camphrée, se mit à le frictionner, pour faire quelque chose. Mais les deux femmes, dans leur angoisse, étaient exaspérées encore par l'agonie interminable du cheval qui, seul des cinq, survivait, les deux pieds de devant emportés. Il gisait près d'elles, il avait un hennissement continu, un cri presque humain, si retentissant et d'une si effroyable douleur, que deux des blessés, gagnés par la contagion, s'étaient mis à hurler eux aussi, ainsi que des bêtes. Jamais cri de mort n'avait déchiré l'air avec cette plainte profonde, inoubliable, qui glaçait le sang. La torture devenait atroce, des voix tremblantes de pitié et de colère s'emportaient, suppliaient qu'on l'achevât, ce misérable cheval qui souffrait tant, et dont le râle sans fin, maintenant que la machine était morte, restait comme la lamentation dernière de la catastrophe. Alors, Pecqueux, toujours sanglotant, ramassa la hache au fer brisé, puis, d'un seul coup en plein crâne, l'abattit. Et, sur le champ de massacre, le silence tomba.

Les secours, enfin, arrivaient, après deux heures d'attente. Dans le choc de la rencontre, les voitures avaient toutes été lancées sur la gauche, de sorte que le déblaiement de la voie descendante allait pouvoir se faire en quelques heures. Un train de trois wagons, conduit par une machine-pilote[1], venait d'amener de Rouen le chef de cabinet[§] du préfet, le procureur[§] impérial, des ingénieurs et des médecins de la Compagnie, tout un flot de personnages effarés et empressés; tandis que le chef de gare de Barentin, M. Bessière, était déjà là, avec une équipe, attaquant les débris. Une agitation, un énervement extraordinaire régnait dans ce coin de pays perdu, si désert et si muet d'habitude. Les voyageurs sains et saufs gardaient, de la frénésie de leur panique, un besoin fébrile de mouvement : les uns cherchaient des voitures, terrifiés à l'idée de remonter en wagon; les autres, voyant qu'on ne trouverait pas même une brouette, s'inquiétaient déjà de savoir où ils mangeraient, où ils coucheraient; et tous réclamaient un bureau de télégraphe, plusieurs partaient à pied pour Barentin, emportant des dépêches[§]. Pendant que les autorités, aidées de l'administration, commençaient une enquête, les médecins procédaient en hâte au pansement des blessés. Beaucoup s'étaient évanouis, au milieu de mares de sang. D'autres, sous les pinces et les aiguilles, se plaignaient d'une voix faible. Il y avait, en somme, quinze

1 *machine-pilote* : locomotive qui parcourt la voie pour s'assurer que cette dernière est libre après des travaux ou des changements dans l'ordre des trains. Elle sert aussi à la formation des trains.

morts et trente-deux voyageurs atteints grièvement. En attendant que leur identité pût être établie, les morts étaient restés par terre, rangés le long de la haie, le visage au ciel. Seul, un petit substitut[§], un jeune homme blond et rose, qui faisait du zèle, s'occupait d'eux, fouillait leurs poches, pour voir si des papiers, des cartes, des lettres, ne lui permettraient pas de les étiqueter chacun d'un nom et d'une adresse. Cependant, autour de lui, un cercle béant se formait ; car, bien qu'il n'y eût pas de maison, à près d'une lieue[§] à la ronde, des curieux étaient arrivés, on ne savait d'où, une trentaine d'hommes, de femmes, d'enfants, qui gênaient, sans aider à rien. Et, la poussière noire, le voile de fumée et de vapeur qui enveloppait tout, s'étant dissipé, la radieuse matinée d'avril triomphait au-dessus du champ de massacre, baignant de la pluie douce et gaie de son clair soleil les mourants et les morts, la Lison éventrée, le désastre des décombres entassés, que déblayait l'équipe des travailleurs, pareils à des insectes réparant les ravages d'un coup de pied donné par un passant distrait dans leur fourmilière.

Jacques était toujours évanoui, et Séverine avait arrêté un médecin au passage, suppliante. Celui-ci venait d'examiner le jeune homme, sans lui trouver aucune blessure apparente ; mais il craignait des lésions intérieures, car de minces filets de sang apparaissaient aux lèvres. Ne pouvant se prononcer encore, il conseillait d'emporter le blessé au plus tôt et de l'installer dans un lit, en évitant les secousses.

Sous les mains qui le palpaient, Jacques de nouveau avait ouvert les yeux, avec un léger cri de souffrance ; et, cette fois, il reconnut Séverine, il bégaya, dans son égarement :

« Emmène-moi, emmène-moi ! »

Flore s'était penchée. Mais, ayant tourné la tête, il la reconnut, elle aussi. Ses regards exprimèrent une épouvante d'enfant, il se rejeta vers Séverine, dans un recul de haine et d'horreur.

« Emmène-moi, tout de suite, tout de suite ! »

Alors, elle lui demanda, en le tutoyant de même, seule avec lui, car cette fille ne comptait plus :

«À la Croix-de-Maufras, veux-tu?… Si ça ne te contrarie pas, c'est là en face, nous serons chez nous.»

Et il accepta, tremblant toujours, les yeux sur l'autre.

«Où tu voudras, tout de suite!»

Immobile, Flore avait blêmi, sous ce regard d'exécration terrifiée. Ainsi, dans ce carnage d'inconnus et d'innocents, elle n'était arrivée à les tuer ni l'un ni l'autre: la femme en sortait sans une égratignure; lui, maintenant, en réchapperait peut-être; et elle n'avait de la sorte réussi qu'à les rapprocher, à les jeter ensemble, seul à seule, au fond de cette maison solitaire. Elle les y vit installés, l'amant guéri, convalescent, la maîtresse aux petits soins, payée de ses veilles par de continuelles caresses, tous les deux prolongeant loin du monde, dans une liberté absolue, cette lune de miel de la catastrophe. Un grand froid la glaçait, elle regardait les morts, elle avait tué pour rien.

À ce moment, dans ce coup d'œil jeté à la tuerie, Flore aperçut Misard et Cabuche, que des messieurs interrogeaient, la justice pour sûr. En effet, le procureur[§] impérial et le chef du cabinet[§] du préfet tâchaient de comprendre comment cette voiture de carrier[§] s'était trouvée ainsi en travers de la voie. Misard soutenait qu'il n'avait pas quitté son poste, tout en ne pouvant donner aucun renseignement précis: il ne savait réellement rien, il prétendait qu'il tournait le dos, occupé à ses appareils. Quant à Cabuche, bouleversé encore, il racontait une longue histoire confuse, pourquoi il avait eu le tort de lâcher ses chevaux, désireux de voir la morte, et de quelle façon les chevaux étaient partis tout seuls, et comment la jeune fille n'avait pu les arrêter. Il s'embrouillait, recommençait, sans parvenir à se faire comprendre.

Un sauvage besoin de liberté fit battre de nouveau le sang glacé de Flore. Elle voulait être libre d'elle-même, libre de réfléchir et de prendre un parti, n'ayant jamais eu besoin de personne pour être dans le vrai chemin. À quoi bon attendre qu'on l'ennuyât avec des questions, qu'on l'arrêtât peut-être? Car, en dehors du crime, il y avait eu une faute de service, on la rendrait responsable. Cependant, elle restait, retenue là, tant que Jacques y serait lui-même.

Séverine venait de tant prier Pecqueux, que celui-ci s'était enfin procuré un brancard; et il reparut avec un camarade, pour emporter le blessé. Le médecin avait également décidé la jeune femme à accepter chez elle le conducteur chef[§], Henri, qui ne semblait souffrir que d'une commotion au cerveau, hébété. On le transporterait après l'autre.

Et, comme Séverine se penchait pour déboutonner le col de Jacques, qui le gênait, elle le baisa sur les yeux, ouvertement, voulant lui donner le courage de supporter le transport.

«N'aie pas peur, nous serons heureux.»

Souriant, il la baisa à son tour. Et ce fut, pour Flore, le déchirement suprême, ce qui l'arrachait de lui, à jamais. Il lui semblait que son sang, à elle aussi, coulait à flots, maintenant, d'une inguérissable blessure. Lorsqu'on l'emporta, elle prit la fuite. Mais, en passant devant la maison basse, elle aperçut, par les vitres de la fenêtre, la chambre de mort, avec la tache pâle de la chandelle qui brûlait dans le plein jour, près du corps de sa mère. Pendant l'accident, la morte était restée seule, la tête à demi tournée, les yeux grands ouverts, la lèvre tordue, comme si elle eût regardé se broyer et mourir tout ce monde qu'elle ne connaissait pas.

Flore galopa, tourna tout de suite au coude que faisait la route de Doinville, puis se lança à gauche, parmi les broussailles. Elle connaissait chaque recoin du pays, elle défiait bien dès lors les gendarmes[§] de la prendre, si on les lançait à sa poursuite. Aussi cessa-t-elle brusquement de courir, continuant à petits pas, s'en allant à une cachette où elle aimait se terrer dans ses jours tristes, une excavation au-dessus du tunnel. Elle leva les yeux, vit au soleil qu'il était midi. Quand elle fut dans son trou, elle s'allongea sur la roche dure, elle resta immobile, les mains nouées derrière la nuque, à réfléchir. Alors, seulement, un vide affreux se produisit en elle, la sensation d'être morte déjà lui engourdissait peu à peu les membres. Ce n'était pas le remords d'avoir tué inutilement tout ce monde, car elle devait faire un effort pour en retrouver le regret et l'horreur. Mais, elle en était certaine maintenant, Jacques l'avait vue retenir les chevaux; et elle venait de le comprendre, à son recul, il avait pour elle la répulsion terrifiée qu'on a pour les monstres. Jamais il n'oublierait. D'ailleurs, lorsqu'on manque les gens, il faut ne pas se manquer soi-même. Tout à l'heure, elle se tuerait. Elle n'avait aucun autre espoir, elle en sentait davantage la nécessité absolue, depuis qu'elle était là, à se calmer et à raisonner. La fatigue, un anéantissement de tout son être, l'empêchait seule de se relever pour chercher une arme et mourir. Et, cependant, du fond de l'invincible somnolence qui la prenait, montait encore l'amour de la vie, le besoin du bonheur, un rêve dernier d'être heureuse elle aussi, puisqu'elle laissait les deux autres à leur félicité de vivre ensemble, libres. Pourquoi n'attendait-elle pas la nuit et ne courait-elle pas rejoindre Ozil, qui l'adorait, qui saurait bien la défendre ? Ses idées devenaient douces et confuses, elle s'endormit, d'un sommeil noir, sans rêves.

Lorsque Flore se réveilla, la nuit s'était faite, profonde. Étourdie, elle tâta autour d'elle, se souvint tout d'un coup, en sentant le roc nu, où elle était couchée. Et ce fut, comme au choc de la foudre, la nécessité implacable : il fallait mourir. Il semblait que la douceur lâche, cette défaillance devant la vie possible encore, s'en était allée avec la fatigue. Non, non ! la mort seule était bonne. Elle ne pouvait vivre dans tout ce sang, le cœur arraché, exécrée du seul homme qu'elle avait voulu et qui était à une autre. Maintenant qu'elle en avait la force, il fallait mourir.

Flore se leva, sortit du trou de roches. Elle n'hésita pas, car elle venait de trouver d'instinct où elle devait aller. D'un nouveau regard au ciel, vers les étoiles, elle sut qu'il était près de neuf heures. Comme elle arrivait à la ligne du chemin de fer, un train passa, à grande vitesse, sur la voie descendante, ce qui parut lui faire plaisir ; tout irait bien, on avait évidemment déblayé cette voie, tandis que l'autre était sans doute encore obstruée, car la circulation n'y semblait pas rétablie. Dès lors, elle suivit la haie vive, au milieu du grand silence de ce pays sauvage. Rien ne pressait, il n'y aurait plus de train avant l'express[§] de Paris, qui ne serait là qu'à neuf heures vingt-cinq ; et elle longeait toujours la haie à petits pas, dans l'ombre épaisse, très calme, comme si elle eût fait une de ses promenades habituelles, par les sentiers déserts. Pourtant, avant d'arriver au tunnel, elle franchit la haie, elle continua d'avancer sur la voie même, de son pas de flânerie, marchant à la rencontre de l'express[§]. Il lui fallut ruser, pour n'être pas vue du gardien, ainsi qu'elle s'y prenait d'ordinaire, chaque fois qu'elle rendait visite à Ozil, là-bas, à l'autre bout. Et, dans le tunnel, elle marcha encore, toujours, toujours en avant. Mais ce n'était plus comme l'autre semaine, elle n'avait plus peur, si elle se retournait, de perdre la notion exacte du sens où elle allait. La folie du tunnel ne battait point sous son crâne, ce coup de folie où sombrent les choses, le temps et l'espace, au milieu du tonnerre des bruits et de l'écrasement de la voûte. Que lui importait ! Elle ne raisonnait pas, ne pensait même pas, n'avait qu'une résolution fixe : marcher, marcher devant elle, tant qu'elle ne rencontrerait pas le train, et marcher encore, droit au fanal[§], dès qu'elle le verrait flamber dans la nuit.

Flore s'étonna cependant, car elle croyait aller ainsi depuis des heures. Comme c'était loin, cette mort qu'elle voulait ! L'idée qu'elle ne la trouverait pas, qu'elle cheminerait des lieues[§] et des lieues, sans se heurter contre elle, la désespéra un moment. Ses pieds se lassaient, serait-elle donc obligée de s'asseoir, de l'attendre, couchée en travers des rails ? Mais cela lui paraissait indigne, elle avait besoin de marcher jusqu'au bout, de mourir toute droite, par un instinct de vierge et de guerrière. Et ce fut, en elle, un réveil d'énergie, une nouvelle poussée en avant, lorsqu'elle aperçut, très lointain, le fanal de l'express, pareil à une petite étoile, scintillante et unique au fond du ciel d'encre. Le train n'était pas encore sous la voûte, aucun bruit ne l'annonçait, il n'y avait que ce feu si vif, si gai, grandissant peu à peu. Redressée dans sa haute taille souple de statue, balancée sur ses fortes jambes, elle avançait maintenant d'un pas allongé, sans courir pourtant, comme à l'approche d'une amie, à qui elle voulait épargner un bout de chemin. Mais le train venait d'entrer dans le tunnel, l'effroyable grondement approchait, ébranlant la terre d'un souffle de tempête, tandis que l'étoile était devenue un œil énorme, toujours grandissant, jaillissant comme de l'orbite des ténèbres. Alors, sous l'empire d'un sentiment inexpliqué, peut-être pour n'être que seule à mourir, elle vida ses poches, sans cesser sa marche d'obstination héroïque, posa tout un paquet au bord de la voie, un mouchoir, des clefs, de la ficelle, deux couteaux ; même elle enleva le fichu noué sur son cou, laissa son corsage dégrafé, à moitié arraché. L'œil se changeait en un brasier, en une gueule de four vomissant l'incendie, le souffle du monstre arrivait, humide et chaud déjà, dans ce roulement de tonnerre, de plus en plus assourdissant. Et elle marchait toujours, elle se dirigeait droit à cette fournaise, pour ne pas manquer la machine, fascinée ainsi qu'un insecte de nuit, qu'une flamme attire. Et, dans l'épouvantable choc, dans l'embrassade, elle se redressa encore, comme si, soulevée par une dernière révolte de lutteuse, elle eût voulu étreindre le colosse, et le terrasser. Sa tête avait porté en plein dans le fanal[§], qui s'éteignit.

Ce ne fut que plus d'une heure après qu'on vint ramasser le cadavre de Flore. Le mécanicien[§] avait bien vu cette grande figure pâle marcher contre la machine, d'une étrangeté effrayante d'apparition, sous le jet de clarté vive qui l'inondait ; et, lorsque, brusquement, la lanterne éteinte, le train s'était trouvé dans l'obscurité profonde, roulant avec son bruit de foudre, il avait frémi, en sentant passer la mort. Au sortir du tunnel, il s'était efforcé de crier l'accident au gardien. Mais, à Barentin seulement, il avait pu raconter que quelqu'un venait de se faire couper, là-bas : c'était certainement une femme ; des cheveux, mêlés à des débris de crâne, restaient collés encore à la vitre brisée du fanal. Et, quand les hommes envoyés à la recherche du corps le découvrirent, ils furent saisis de le voir si blanc, d'une blancheur de marbre. Il gisait sur la voie montante, projeté là par la violence du choc, la tête en bouillie, les membres sans une égratignure, à moitié dévêtus, d'une beauté admirable, dans la pureté et la force. Silencieusement, les hommes l'enveloppèrent. Ils l'avaient reconnue. Elle s'était sûrement fait tuer, folle, pour échapper à la responsabilité terrible qui pesait sur elle.

Dès minuit, le cadavre de Flore, dans la petite maison basse, reposa à côté du cadavre de sa mère. On avait mis par terre un matelas, et rallumé une chandelle, entre elles deux. Phasie, la tête penchée toujours, avec le rire affreux de sa bouche tordue, semblait maintenant regarder sa fille, de ses grands yeux fixes ; tandis que, dans la solitude, au milieu du profond silence, on entendait de tous côtés la sourde besogne, l'effort haletant de Misard, qui s'était remis à ses fouilles. Et, aux intervalles réglementaires, les trains passaient, se croisaient sur les deux voies, la circulation venant d'être complètement rétablie. Ils passaient, inexorables, avec leur toute-puissance mécanique, indifférents, ignorants de ces drames et de ces crimes. Qu'importaient les inconnus de la foule tombés en route, écrasés sous les roues ! On avait emporté les morts, lavé le sang, et l'on repartait pour là-bas, à l'avenir.

# – XI –

C'était dans la grande chambre à coucher de la Croix-de-Maufras, la chambre tendue de damas rouge, dont les deux hautes fenêtres donnaient sur la ligne du chemin de fer, à quelques mètres. Du lit, un vieux lit à colonnes, placé en face, on voyait les trains passer. Et, depuis des années, on n'y avait pas enlevé un objet, pas dérangé un meuble.

Séverine avait fait monter dans cette pièce Jacques blessé, évanoui ; tandis qu'on laissait Henri Dauvergne au rez-de-chaussée, dans une autre chambre à coucher, plus petite. Elle gardait pour elle-même une chambre voisine de celle de Jacques, dont le palier seul la séparait. En deux heures, l'installation fut suffisamment confortable, car la maison était restée toute montée, il y avait jusqu'à du linge au fond des armoires. Un tablier noué par-dessus sa robe, Séverine se trouvait changée en infirmière, après avoir télégraphié simplement à Roubaud qu'il n'eût pas à l'attendre, qu'elle demeurerait là sans doute quelques jours, pour soigner des blessés, recueillis chez eux.

Et, dès le lendemain, le médecin avait cru pouvoir répondre de Jacques, même en huit jours il comptait le remettre sur pied : un véritable miracle, à peine de légers désordres intérieurs. Mais il recommandait les plus grands soins, l'immobilité la plus absolue. Aussi, lorsque le malade ouvrit les yeux, Séverine, qui le veillait comme un enfant, le supplia-t-elle d'être gentil, de lui obéir en toute chose. Lui, très faible encore, promit d'un signe de tête. Il avait toute sa lucidité, il reconnaissait cette chambre, décrite par elle, la nuit de ses aveux : la chambre rouge, où, dès seize ans et demi, elle avait cédé aux violences du président[§] Grandmorin. C'était bien le lit qu'il occupait maintenant, c'étaient les fenêtres par lesquelles, sans même lever la tête, il regardait filer les trains, dans le brusque ébranlement de la maison tout entière. Et, cette maison, il la sentait à son entour, telle qu'il l'avait vue si souvent, lorsque lui-même passait là, emporté sur sa machine. Il la revoyait, plantée de biais au bord de la voie, dans sa détresse et dans l'abandon de ses volets clos, rendue, depuis qu'elle était à vendre, plus lamentable et plus louche par l'immense écriteau, qui ajoutait à la mélancolie du jardin, obstrué de ronces. Il se rappelait l'affreuse tristesse qu'il éprouvait chaque fois, le malaise dont elle le hantait, comme si elle se dressait à cette place pour le malheur de son existence. Aujourd'hui, couché dans cette chambre, si faible, il croyait comprendre, car ce ne pouvait être que cela : il allait sûrement y mourir.

Dès qu'elle l'avait vu en état de l'entendre, Séverine s'était empressée de le rassurer, en lui disant à l'oreille, pendant qu'elle remontait la couverture :

« Ne t'inquiète pas, j'ai vidé tes poches, j'ai pris la montre. »

Il la regardait, les yeux élargis, faisant un effort de mémoire.

« La montre… Ah ! oui, la montre.

— On aurait pu te fouiller. Et je l'ai cachée parmi des affaires à moi. N'aie pas peur. »

Il la remercia d'un serrement de main. En tournant la tête, il avait aperçu, sur la table, le couteau, trouvé également dans une de ses poches. Lui, seulement, n'était pas à cacher : un couteau comme tous les autres.

Mais, le lendemain déjà, Jacques était plus fort, et il se reprit à espérer qu'il ne mourrait pas là. Il avait eu un véritable plaisir à reconnaître, près de lui, Cabuche, s'empressant, assourdissant sur le parquet ses pas lourds de colosse ; car, depuis l'accident, le carrier[§] n'avait pas quitté Séverine, comme emporté lui aussi dans un ardent besoin de dévouement : il lâchait son travail, revenait chaque matin l'aider aux gros travaux du ménage, la servait en chien fidèle, les yeux fixés sur les siens. Ainsi qu'il le disait, c'était une rude femme, malgré son air mince. On pouvait bien faire quelque chose pour elle, qui faisait tant pour les autres. Et les deux amants s'habituaient à lui, se tutoyaient, s'embrassaient même, sans se gêner, lorsqu'il traversait la chambre discrètement, en effaçant le plus possible son grand corps.

Jacques, cependant, s'étonnait des fréquentes absences de Séverine. Le premier jour, pour obéir au médecin, elle lui avait caché la présence d'Henri, en bas, sentant bien de quelle douceur apaisante lui serait l'idée d'une absolue solitude.

«Nous sommes seuls, n'est-ce pas ?

— Oui, mon chéri, seuls, tout à fait seuls… Dors tranquille.»

Seulement, elle disparaissait à chaque minute, et dès le lendemain, il avait entendu, au rez-de-chaussée, des bruits de pas, des chuchotements. Puis, le jour suivant, ce fut toute une gaieté étouffée, des rires clairs, deux voix jeunes et fraîches qui ne cessaient point.

«Qu'y a-t-il ? qui est-ce ?… Nous ne sommes donc pas seuls ?

— Eh bien ! non, mon chéri, il y a en bas, juste sous ta chambre, un autre blessé que j'ai dû recueillir.

— Ah !… Qui donc ?

— Henri, tu sais, le conducteur chef[§] ?

— Henri… Ah !

— Et, ce matin, ses sœurs sont arrivées. Ce sont elles que tu entends, elles rient de tout… Comme il va beaucoup mieux, elles repartiront ce soir, à cause de leur père qui ne peut se passer d'elles ; et Henri restera deux ou trois jours encore, pour se remettre complètement… Imagine-toi, il a sauté, lui, et rien de cassé ; seulement il était comme idiot, mais c'est revenu.»

Jacques se taisait, fixait sur elle un regard si long, qu'elle ajouta :

«Tu comprends ? s'il n'était pas là, on pourrait jaser de nous deux… Tant que je ne suis pas seule avec toi, mon mari n'a rien à dire, j'ai un bon prétexte pour rester ici. Tu comprends ?

— Oui, oui, c'est très bien.»

Et, jusqu'au soir, Jacques écouta les rires des petites Dauvergne, qu'il se souvenait d'avoir entendus, à Paris, monter ainsi de l'étage inférieur, dans la chambre où Séverine s'était confessée, entre ses bras. Puis, la paix se fit, il ne distingua plus que le pas léger de cette dernière, allant de lui à l'autre blessé. La porte d'en bas se refermait, la maison tombait à un silence profond. Deux fois, ayant très soif, il dut taper avec une chaise sur le plancher, pour qu'elle remontât. Et, quand elle reparaissait, elle était souriante, très empressée, expliquant qu'elle n'en finissait pas, parce qu'il fallait entretenir sur la tête d'Henri des compresses d'eau glacée.

Dès le quatrième jour, Jacques put se lever et passer deux heures dans un fauteuil, devant la fenêtre. En se penchant un peu, il apercevait l'étroit jardin, que le chemin de fer avait coupé, clos d'un mur bas, envahi d'églantiers aux fleurs pâles. Et il se rappelait la nuit où il s'était haussé, pour regarder par-dessus le mur, il revoyait le terrain assez vaste, de l'autre côté de la maison, fermé seulement d'une haie vive, cette haie qu'il avait franchie, et derrière laquelle il s'était heurté à Flore, assise au seuil de la petite serre en ruine, en train de démêler des cordes volées, à coups de ciseaux. Ah ! l'abominable nuit, toute pleine de l'épouvante de son mal ! Cette Flore, avec sa taille haute et souple de guerrière blonde, ses yeux flambants, fixés droit dans les siens, l'obsédait, depuis que le souvenir lui revenait, de plus en plus net. D'abord, il n'avait pas ouvert la bouche de l'accident, et personne autour de lui n'en parlait, par prudence. Mais chaque détail se réveillait, il reconstruisait tout, il ne songeait qu'à cela, d'un effort si continu, que, maintenant, à la fenêtre, son occupation unique était de rechercher les traces, de guetter les acteurs de la catastrophe. Pourquoi donc ne la voyait-il plus, elle, à son poste de garde-barrière[§], le drapeau au poing ? Il n'osait poser la question, cela aggravait le malaise que lui causait cette maison lugubre, qui lui semblait toute peuplée de spectres.

Un matin pourtant, comme Cabuche était là, aidant Séverine, il finit par se décider.

« Et Flore, elle est malade ? »

Le carrier[§], saisi, ne comprit pas un geste de la jeune femme, crut qu'elle lui ordonnait de parler.

« La pauvre Flore, elle est morte ! »

Jacques les regardait, frémissant, et il fallut bien alors lui tout dire. À eux deux, ils lui contèrent le suicide de la jeune fille, comment elle s'était fait couper, sous le tunnel. On avait retardé l'enterrement de la mère jusqu'au soir, pour emmener la fille en même temps ; et elles dormaient côte à côte, dans le petit cimetière de Doinville, où elles étaient allées rejoindre la première partie, la cadette, cette douce et malheureuse Louisette, emportée elle aussi violemment, toute souillée de sang et de boue. Trois misérables, de celles qui tombent en route et qu'on écrase, disparues, comme balayées par le vent terrible de ces trains qui passaient !

« Morte, mon Dieu ! répéta très bas Jacques, ma pauvre tante Phasie, et Flore, et Louisette ! »

Au nom de cette dernière, Cabuche, qui aidait Séverine à pousser le lit, leva instinctivement les yeux sur elle, troublé par le souvenir de sa tendresse d'autrefois, dans la passion naissante dont il était envahi, sans défense, en être tendre et borné, en bon chien qui se donne dès la première caresse. Mais la jeune femme, au courant de ses tragiques amours, restait grave, le regardait avec des yeux de sympathie ; et il en fut très touché ; et, sa main ayant, sans le vouloir, effleuré la sienne, en lui passant les oreillers, il suffoqua, il répondit d'une voix bégayante à Jacques qui l'interrogeait.

« On l'accusait donc d'avoir provoqué l'accident ?

— Oh ! non, non… Seulement, c'était sa faute, vous comprenez bien. »

En phrases coupées, il dit ce qu'il savait. Lui, n'avait rien vu, car il était dans la maison, quand les chevaux avaient marché, amenant le fardier[§] en travers de la voie. C'était bien là son sourd remords, ces messieurs de la justice le lui avaient reproché durement : on ne quittait pas ses bêtes, l'effroyable malheur ne serait pas arrivé, s'il était resté avec elles. L'enquête avait donc abouti à une simple négligence de la part de Flore ; et, comme elle s'était punie elle-même, atrocement, l'affaire en demeurait là, on ne déplaçait même pas Misard, qui, de son air humble et déférent, s'était tiré d'embarras, en chargeant la morte : elle n'en faisait jamais qu'à sa tête, il devait sortir à chaque minute de son poste pour fermer la barrière. D'ailleurs, la Compagnie n'avait pu qu'établir, ce matin-là, la parfaite correction de son service ; et, en attendant qu'il se remariât, elle venait de l'autoriser à prendre avec lui, pour garder la barrière, une vieille femme du voisinage, la Ducloux, une ancienne servante d'auberge, qui vivait de gains louches, amassés autrefois.

Lorsque Cabuche quitta la chambre, Jacques retint Séverine du regard. Il était très pâle.

«Tu sais bien que c'est Flore qui a tiré les chevaux, et qui a barré la voie, avec les pierres.»

Séverine blêmit à son tour.

«Chéri, qu'est-ce que tu racontes!... Tu as la fièvre, il faut te recoucher.

— Non, non, ce n'est pas un cauchemar... Tu entends? je l'ai vue, comme je te vois. Elle tenait les bêtes, elle empêchait le fardier§ d'avancer, avec sa poigne solide.»

Alors, la jeune femme défaillit sur une chaise, en face de lui, les jambes cassées.

«Mon Dieu! mon Dieu! ça me fait peur... C'est monstrueux, je ne vais plus en dormir.

— Parbleu! continua-t-il, la chose est claire, elle a tenté de nous tuer tous les deux, dans le tas... Depuis longtemps, elle me voulait, et elle était jalouse. Avec ça, une tête détraquée, des idées de l'autre monde... Tant de meurtres d'un coup, toute une foule dans du sang! Ah! la bougresse!»

Ses yeux s'élargissaient, un tic nerveux tirait ses lèvres; et il se tut, et ils continuèrent à se regarder, toute une grande minute. Puis, s'arrachant aux visions abominables qui s'évoquaient entre eux, il reprit à demi-voix:

«Ah! elle est morte, c'est donc ça qu'elle revient! Depuis que j'ai repris connaissance, il me semble toujours qu'elle est là. Ce matin encore, je me suis retourné, en la croyant au chevet de mon lit... Elle est morte, et nous vivons. Pourvu qu'elle ne se venge pas, maintenant!»

Séverine frissonna.

«Tais-toi, tais-toi donc! Tu me rendras folle.»

Et elle sortit, Jacques l'entendit qui descendait près de l'autre blessé. Lui, resté à la fenêtre, s'oublia de nouveau à examiner la voie, la petite maison du garde-barrière§, avec son grand puits, le poste de cantonnement, cette étroite baraque de planches, où Misard semblait sommeiller, dans sa régulière et monotone besogne. Ces choses l'absorbaient maintenant pendant des heures, comme à la recherche d'un problème qu'il ne pouvait résoudre, et dont la résolution pourtant importait à son salut.

Ce Misard, il ne se lassait pas de le regarder, cet être chétif, doux et blême, continuellement secoué d'une petite toux mauvaise, et qui avait empoisonné sa femme, et qui était venu à bout de cette gaillarde, en insecte rongeur, entêté à sa passion. Sûrement, depuis des années, il n'avait pas eu d'autre idée dans la tête, de jour et de nuit, pendant les douze interminables heures de son service. À chaque tintement électrique qui lui annonçait un train, sonner de la trompe ; puis, le train passé, la voie fermée, pousser un bouton pour l'annoncer au poste suivant, en pousser un autre pour rendre la voie libre au poste précédent : c'étaient là des mouvements simplement mécaniques, qui avaient fini par entrer comme des habitudes de corps dans sa vie végétative. Illettré, obtus, il ne lisait jamais, il restait les mains ballantes, les yeux perdus et vagues, entre les appels de ses appareils. Presque toujours assis dans sa guérite, il n'y prenait d'autre distraction que d'y déjeuner[§] le plus longuement possible. Ensuite, il retombait à son hébétude, le crâne vide, sans une pensée, tourmenté surtout de terribles somnolences, s'endormant parfois les yeux ouverts. La nuit, s'il ne voulait pas succomber à cette irrésistible torpeur, il lui fallait se lever, marcher, les jambes molles, ainsi qu'un homme ivre. Et c'était ainsi que la lutte avec sa femme, ce sourd combat pour les mille francs[§] cachés, à qui les aurait après la mort de l'autre, devait avoir été, durant des mois et des mois, l'unique réflexion, dans ce cerveau engourdi d'homme solitaire. Quand il sonnait de la trompe, quand il manœuvrait ses signaux, veillant en automate à la sécurité de tant de vies, il songeait au poison ; et, quand il attendait, les bras inertes, les yeux vacillants de sommeil, il y songeait encore. Rien au-delà : il la tuerait, il chercherait, c'était lui qui aurait l'argent.

Aujourd'hui, Jacques s'étonnait de le trouver le même. On tuait donc sans secousse, et la vie continuait. Après la fièvre des premières fouilles, Misard, en effet, venait de retomber à son flegme, d'une douceur sournoise d'être fragile qui craint les chocs. Au fond, il avait eu beau la manger, sa femme triomphait quand même; car il restait battu, il retournait la maison, sans rien découvrir, pas un centime[§]; et ses regards seuls, des regards inquiets et fureteurs, disaient sa préoccupation, dans sa face terreuse. Continuellement, il revoyait les yeux grands ouverts de la morte, le rire affreux de ses lèvres, qui répétaient : «Cherche ! cherche !» Il cherchait, il ne pouvait maintenant donner à sa cervelle une minute de repos; sans relâche, elle travaillait, travaillait, en quête de l'endroit où le magot était enfoui, reprenant l'examen des cachettes possibles, rejetant celles qu'il avait fouillées déjà, s'allumant de fièvre dès qu'il en imaginait une nouvelle, brûlé alors d'une telle hâte, qu'il lâchait tout pour y courir, inutilement : supplice intolérable à la longue, torture vengeresse, sorte d'insomnie cérébrale qui le tenait éveillé, stupide et réfléchissant malgré lui, sous le tic-tac d'horloge de l'idée fixe. Quand il soufflait dans sa trompe, une fois pour les trains descendants, deux fois pour les trains montants, il cherchait; quand il obéissait aux sonneries, quand il poussait les boutons de ses appareils, fermant, ouvrant la voie, il cherchait; sans cesse, il cherchait, cherchait éperdument, le jour, pendant ses longues attentes, alourdi d'oisiveté, la nuit, tourmenté de sommeil, comme exilé au bout du monde, dans le silence de la grande campagne noire. Et la Ducloux, la femme qui, à présent, gardait la barrière, travaillée du désir de se faire épouser, était aux petits soins, inquiète de ce que jamais plus il ne fermait l'œil.

Une nuit, Jacques, qui commençait à faire quelques pas dans sa chambre, s'étant levé et approché de la fenêtre, vit une lanterne aller et venir chez Misard : sûrement, l'homme cherchait. Mais, la nuit suivante, comme le convalescent guettait de nouveau, il eut l'étonnement de reconnaître Cabuche, dans une grande forme sombre, debout sur la route, sous la fenêtre de la pièce voisine où dormait Séverine. Et cela, sans qu'il sût pourquoi, au lieu de l'irriter, l'emplit de commisération et de tristesse : un malheureux encore, cette grande brute, plantée là, ainsi qu'une bête affolée et fidèle. Vraiment, Séverine, si mince, pas belle lorsqu'on la détaillait, était donc d'un charme bien puissant, avec ses cheveux d'encre et ses pâles yeux de pervenche, pour que les sauvages eux-mêmes, les colosses bornés, eussent ainsi la chair prise, jusqu'à passer les nuits à sa porte, en petits garçons tremblants ! Il se rappela des faits, l'empressement du carrier[§] à l'aider, les regards de servitude dont il s'offrait à elle. Oui, certainement, Cabuche l'aimait, la désirait. Et, le lendemain, l'ayant surveillé, il le vit qui ramassait furtivement une épingle à cheveux, tombée de son chignon, en faisant le lit, et qui la gardait dans son poing, pour ne pas la rendre. Jacques songeait à son propre tourment, tout ce qu'il avait souffert du désir, tout ce qui revenait en lui de trouble et d'effrayant, avec la santé.

Deux jours encore se passèrent, la semaine s'achevait, et ainsi que le médecin l'avait prévu, les blessés allaient pouvoir reprendre leur service. Un matin, le mécanicien[§], étant à la fenêtre, vit passer, sur une machine toute neuve, son chauffeur[§] Pecqueux, qui le salua de la main, comme s'il l'appelait. Mais il n'avait aucune hâte, un réveil de passion le retenait là, une sorte d'attente anxieuse de ce qui devait se produire. Le jour même, en bas, il entendit de nouveau les rires frais et jeunes, une gaieté de grandes filles, emplissant la triste demeure du tapage d'un pensionnat en récréation. Il avait reconnu les petites Dauvergne. Il n'en parla point à Séverine, qui, d'ailleurs, la journée entière, s'échappa, sans pouvoir rester cinq minutes près de lui. Puis, le soir, la maison tomba à un silence de mort. Et, comme, l'air grave, un peu pâle, elle s'attardait dans sa chambre, il la regarda fixement, il lui demanda :

«Alors, il est parti, ses sœurs l'ont emmené ?»

Elle répondit d'une voix brève :

«Oui.

— Et nous sommes seuls enfin, tout à fait seuls ?

— Oui, tout à fait seuls… Demain, il faudra nous quitter, je retournerai au Havre[§]. C'est fini, de camper dans ce désert.»

Lui, continuait à la regarder, d'un air souriant et gêné. Pourtant, il se décida :

«Tu regrettes qu'il soit parti, hein ?»

Et, comme elle tressaillit, en voulant protester, il l'arrêta.

«Ce n'est pas une querelle que je te cherche. Tu vois bien que je ne suis pas jaloux. Un jour, tu m'as dit de te tuer, si tu m'étais infidèle, et, n'est-ce pas ? je n'ai point l'air d'un amant qui songe à tuer sa maîtresse… Mais, vraiment, tu ne bougeais plus d'en bas. Impossible de t'avoir à moi une minute. J'ai fini par me rappeler ce que disait ton mari, que tu coucherais un beau soir avec ce garçon, sans plaisir, uniquement pour recommencer autre chose.»

Elle avait cessé de se débattre, elle répéta à deux reprises, lentement :

«Recommencer, recommencer…»

Puis, dans un élan d'irrésistible franchise :

«Eh bien ! écoute, c'est vrai… Nous pouvons nous dire tout, nous autres. Il y a assez de choses qui nous lient… Depuis des mois, il me poursuivait, cet homme. Il savait que j'étais à toi, il pensait que ça ne me coûterait pas davantage d'être à lui. Et, quand je l'ai retrouvé en bas, il m'a parlé encore, il m'a répété qu'il m'aimait à en mourir, l'air si pénétré de reconnaissance pour les soins que je lui donnais, avec une telle douceur de tendresse, que, c'est vrai, j'ai fait un moment le rêve de l'aimer aussi, de recommencer autre chose, quelque chose de meilleur, de très doux… Oui, quelque chose sans plaisir peut-être, mais qui m'aurait calmée…»

Elle s'interrompit, hésita avant de continuer.

«Car, devant nous deux, maintenant, c'est barré, nous n'irons pas plus loin… Notre rêve de départ, cet espoir d'être riches et heureux, là-bas, en Amérique, toute cette félicité qui dépendait de toi, elle est impossible, puisque tu n'as pas pu… Oh ! je ne te reproche rien, il vaut même mieux que la chose ne se soit pas faite ; mais je veux te faire comprendre qu'avec toi je n'ai plus rien à attendre : demain sera comme hier, les mêmes ennuis, les mêmes tourments.»

Il la laissait parler, il ne la questionna qu'en la voyant se taire.

«Et c'est pour ça que tu as couché avec l'autre ?»

Elle avait fait quelques pas dans la chambre, elle revint, haussa les épaules.

« Non, je n'ai pas couché avec lui, et je te le dis simplement, et tu me crois, j'en suis sûre, parce que désormais nous n'avons pas à nous mentir… Non, je n'ai pas pu, pas davantage que tu n'as pu toi-même, pour l'autre affaire. Hein ? ça t'étonne qu'une femme ne puisse se donner à un homme, quand elle raisonne le cas, en trouvant qu'elle y aurait intérêt. Moi-même, je n'en pensais pas si long, ça ne m'avait jamais coûté d'être gentille, je veux dire de faire ce plaisir à mon mari ou à toi, quand je vous voyais m'aimer si fort. Eh bien ! je n'ai pas pu, cette fois-là. Il m'a baisé les mains, pas même les lèvres, je te le jure. Il m'attend à Paris, plus tard, parce que je le voyais si malheureux, que je n'ai pas voulu le désespérer. »

Elle avait raison, Jacques la croyait, il voyait bien qu'elle ne mentait pas. Et il était repris d'une angoisse, le trouble affreux de son désir grandissait, à penser qu'il était maintenant enfermé seul avec elle, loin du monde, dans la flamme rallumée de leur passion. Il voulut s'échapper, il s'écria :

« Mais l'autre encore, il y en a un autre, ce Cabuche ! »

Un brusque mouvement la ramena de nouveau.

« Ah ! tu t'es aperçu, tu sais cela aussi… Oui, c'est vrai, il y a celui-là encore. Je me demande ce qu'ils ont tous… Celui-là ne m'a jamais dit un mot. Mais je le vois bien qui se tord les bras, quand nous nous embrassons. Il m'entend te tutoyer, il pleure dans les coins. Et puis, il me vole tout, des affaires à moi, des gants, jusqu'à des mouchoirs qui disparaissent, qu'il emporte là-bas, dans sa caverne, comme des trésors… Seulement, tu ne vas pas t'imaginer que je suis capable de céder à ce sauvage. Il est trop gros, il me ferait peur. D'ailleurs, il ne demande rien… Non, non, ces grandes brutes, quand c'est timide, ça meurt d'amour, sans rien exiger. Tu pourrais me laisser un mois à sa garde, il ne me toucherait pas du bout des doigts, pas plus qu'il n'avait touché à Louisette, ça, j'en réponds aujourd'hui. »

À ce souvenir, leurs regards se rencontrèrent, un silence régna. Les choses du passé s'évoquaient, leur rencontre chez le juge d'instruction[§], à Rouen, puis leur premier voyage à Paris, si doux, et leurs amours, au Havre[§], et tout ce qui avait suivi, de bon et de terrible. Elle se rapprocha, elle était si près de lui, qu'il sentait la tiédeur de son haleine.

«Non, non, encore moins avec celui-là qu'avec l'autre. Avec personne, entends-tu, parce que je ne pourrais pas… Et veux-tu savoir pourquoi ? Va, je le sens à cette heure, je suis sûre de ne pas me tromper : c'est parce que tu m'as prise tout entière. Il n'y a pas d'autre mot : oui, prise, comme on prend quelque chose des deux mains, qu'on l'emporte, qu'on en dispose à chaque minute, ainsi que d'un objet à soi. Avant toi, je n'ai été à personne. Je suis tienne et je resterai tienne, même si tu ne le veux pas, même si je ne le veux pas moi-même… Ça, je ne saurais l'expliquer. Nous nous sommes rencontrés ainsi. Avec les autres, ça me fait peur, ça me répugne ; tandis que toi, tu as fait de ça un plaisir délicieux, un vrai bonheur du ciel… Ah ! je n'aime que toi, je ne peux plus aimer que toi !»

Elle avançait les bras, pour l'avoir à elle, dans une étreinte, pour poser la tête à son épaule, la bouche à ses lèvres. Mais il lui avait saisi les mains, il la retenait, éperdu, terrifié de sentir l'ancien frisson remonter de ses membres, avec le sang qui lui battait le crâne. C'était la sonnerie d'oreilles, les coups de marteau, la clameur de la foule de ses grandes crises d'autrefois. Depuis quelque temps, il ne pouvait plus la posséder en plein jour ni même à la clarté d'une bougie, dans la peur de devenir fou, s'il voyait. Et une lampe était là, qui les éclairait vivement tous les deux ; et, s'il tremblait ainsi, s'il recommençait à s'enrager, ce devait être qu'il apercevait la rondeur blanche de sa gorge, par le col dégrafé de la robe de chambre.

Suppliante, brûlante, elle continua :

«Notre existence a beau être barrée, tant pis ! Si je n'attends de toi rien de nouveau, si je sais que demain ramènera pour nous les mêmes ennuis et les mêmes tourments, ça m'est égal, je n'ai pas autre chose à faire que de traîner ma vie et de souffrir avec toi. Nous allons retourner au Havre[§], ça ira comme ça voudra, pourvu que je t'aie ainsi une heure, de temps à autre… Voici trois nuits que je ne dors plus, torturée dans ma chambre, là, de l'autre côté du palier, par le besoin de venir te rejoindre. Tu avais été si souffrant, tu me semblais si sombre, que je n'osais pas… Mais, dis, garde-moi, ce soir. Tu verras comme ce sera gentil, je me ferai toute petite, pour ne pas te gêner. Et puis, songe que c'est la dernière nuit… On est au bout de la terre, dans cette maison. Écoute, pas un souffle, pas une âme. Personne ne peut venir, nous sommes seuls, si absolument seuls, que personne ne le saurait, si nous mourions aux bras l'un de l'autre.»

Déjà, dans la fureur de son désir de possession, exalté par ses caresses, Jacques, n'ayant pas d'arme, avançait les doigts pour étrangler Séverine, lorsque, d'elle-même, elle céda à l'habitude prise, se tourna et éteignit la lampe. Alors, il l'emporta, ils se couchèrent. Ce fut une de leurs plus ardentes nuits d'amour, la meilleure, la seule où ils se sentirent confondus, disparus l'un dans l'autre. Brisés de ce bonheur, anéantis au point de ne plus sentir leur corps, ils ne s'endormirent pourtant pas, ils restèrent liés d'une étreinte. Et, comme pendant la nuit des aveux, à Paris, dans la chambre de la mère Victoire, lui l'écoutait, silencieux, tandis qu'elle, la bouche collée à son oreille, chuchotait très bas des paroles sans fin. Peut-être, ce soir-là, avait-elle senti la mort passer sur sa nuque, avant d'éteindre la lampe. Jusqu'à ce jour, elle était demeurée souriante, inconsciente, sous la continuelle menace du meurtre, aux bras de son amant. Mais elle venait d'en avoir le petit frisson froid, et c'était cette épouvante inexpliquée qui la nouait si étroitement à cette poitrine d'homme, dans un besoin de protection. Son léger souffle était comme le don même de sa personne.

«Oh! mon chéri, si tu avais pu, que nous aurions été heureux là-bas… ! Non, non, je ne te demande plus de faire ce que tu ne peux pas faire; seulement, je regrette tant notre rêve!… J'ai eu peur, tout à l'heure. Je ne sais pas, il me semble que quelque chose me menace. C'est un enfantillage sans doute : à chaque minute, je me retourne, comme si quelqu'un était là, prêt à me frapper… Et je n'ai que toi, mon chéri, pour me défendre. Toute ma joie dépend de toi, tu es maintenant ma seule raison de vivre.»

Sans répondre, il la serra davantage, mettant dans cette pression ce qu'il ne disait point : son émotion, son désir sincère d'être bon pour elle, l'amour violent qu'elle n'avait pas cessé de lui inspirer. Et il avait encore voulu la tuer, ce soir-là ; car, si elle ne s'était pas tournée, pour éteindre la lampe, il l'aurait étranglée, c'était certain. Jamais il ne guérirait, les crises revenaient au hasard des faits, sans qu'il pût même en découvrir, en discuter les causes. Ainsi, pourquoi ce soir-là, lorsqu'il la retrouvait fidèle, d'une passion élargie et confiante ? Était-ce donc que plus elle l'aimait, plus il la voulait posséder, jusqu'à la détruire, dans ces ténèbres effrayantes de l'égoïsme du mâle ? L'avoir comme la terre, morte !

« Dis, mon chéri, pourquoi donc ai-je peur ? Sais-tu, toi, quelque chose qui me menace ?

— Non, non, sois tranquille, rien ne te menace.

— C'est que tout mon corps tremble, par moments. Il y a, derrière moi, un continuel danger, que je ne vois pas, mais que je sens bien… Pourquoi donc ai-je peur ?

— Non, non, n'aie pas peur… Je t'aime, je ne laisserai personne te faire du mal… Vois, comme cela est bon, d'être ainsi l'un dans l'autre ! »

Il y eut un silence, délicieux.

« Ah ! mon chéri, continua-t-elle de son petit souffle de caresse, des nuits et des nuits encore, toutes pareilles à celle-ci, des nuits sans fin où nous serions comme ça, à ne faire qu'un… Tu sais, nous vendrions cette maison, nous partirions avec l'argent, pour rejoindre en Amérique ton ami, qui t'attend toujours… Pas un jour je ne me couche, sans arranger notre vie là-bas… Et, tous les soirs, ce serait comme ce soir. Tu me prendrais, je serais à toi, nous finirions par nous endormir aux bras l'un de l'autre… Mais tu ne peux pas, je le sais. Si je t'en parle, ce n'est pas pour te faire de la peine, c'est parce que ça me sort du cœur, malgré moi. »

Une décision brusque, qu'il avait déjà prise si souvent, envahit Jacques : tuer Roubaud, pour ne pas la tuer, elle. Cette fois, comme les autres, il crut en avoir la volonté absolue, inébranlable.

« Je n'ai pas pu, murmura-t-il à son tour, mais je pourrai. Ne te l'ai-je pas promis ? »

Elle protesta, faiblement.

«Non, ne promets pas, je t'en prie... Nous en sommes malades après, quand le courage t'a manqué... Et puis, c'est affreux, il ne faut pas, non, non ! il ne faut pas.

— Si, tu le sais bien, il le faut, au contraire. C'est parce qu'il le faut, que j'en trouverai la force... Je voulais t'en parler, et nous allons en parler, puisque nous sommes là, seuls, tranquilles à ne pas voir nous-mêmes la couleur de nos paroles.»

Déjà, elle se résignait, soupirante, le cœur gonflé, battant à si grands coups, qu'il le sentait battre contre son propre cœur.

«Oh ! mon Dieu ! tant que ça ne devait pas se faire, je le désirais... Mais, à présent que ça devient sérieux, je ne vais plus vivre.»

Et ils se turent, il y eut un nouveau silence, sous le poids lourd de cette résolution. Autour d'eux, ils sentaient le désert, la désolation de ce pays farouche. Ils avaient très chaud, les membres moites, enlacés, fondus ensemble.

Puis, comme, d'une caresse errante, il lui mettait des baisers au cou, sous le menton, ce fut elle qui reprit son léger murmure.

«Il faudrait qu'il vînt ici... Oui, je pourrais l'appeler, sous un prétexte. Je ne sais pas lequel. Nous verrons plus tard... Alors, n'est-ce pas ? tu l'attendrais, tu te cacherais ; et ça irait tout seul, car on est certain de n'être pas dérangé, ici... Hein ? c'est ça qu'il faut faire.»

Docile, tandis que ses lèvres descendaient du menton à la gorge, il se contenta de répondre :

«Oui, oui.»

Mais, elle, très réfléchie, pesait chaque détail ; et, au fur et à mesure que le plan se développait dans sa tête, elle le discutait et l'améliorait.

«Seulement, mon chéri, ce serait trop bête de ne pas prendre nos précautions. Si nous devions nous faire arrêter le lendemain, j'aimerais mieux rester comme nous sommes... Vois-tu, j'ai lu ça, je ne me rappelle plus où, dans un roman bien sûr : le mieux serait de faire croire à un suicide... Il est si drôle depuis quelque temps, si détraqué et si sombre, que ça ne surprendrait personne d'apprendre brusquement qu'il est venu ici pour se tuer… Mais, voilà, il s'agirait de trouver le moyen, d'arranger la chose, de façon que l'idée de suicide fût acceptable… N'est-ce pas ?

— Oui, sans doute.»

Elle cherchait, suffoquée un peu, parce qu'il lui ramassait la gorge sous ses lèvres, pour la baiser toute.

«Hein ? quelque chose qui cacherait la trace… Dis donc, c'est une idée ! Si, par exemple, il avait ça au cou, nous n'aurions qu'à le prendre et à le porter, à nous deux, là, en travers de la voie. Comprends-tu ? nous lui mettrions le cou sur un rail, de manière à ce que le premier train le décapitât. On pourrait chercher ensuite, quand il aurait tout ça écrasé : plus de trou, plus rien !… Est-ce que ça va, dis ?

— Oui, ça va, c'est très bien.»

Tous deux s'animaient, elle était presque gaie et fière d'avoir de l'imagination. À une caresse plus vive, elle fut parcourue d'un frémissement.

«Non, laisse-moi, attends un peu… Car, mon chéri, j'y songe, ça ne va pas encore. Si tu restes ici avec moi, le suicide quand même semblera louche. Il faut que tu partes. Entends-tu ? demain, tu partiras, mais d'une façon ouverte, devant Cabuche, devant Misard, pour que ton départ soit bien établi. Tu prendras le train à Barentin, tu descendras à Rouen, sous un prétexte ; puis, dès que la nuit sera tombée, tu reviendras, je te ferai entrer par-derrière. Il n'y a que quatre lieues[§], tu peux être de retour en moins de trois heures… Cette fois, tout est réglé. C'est fait, si tu le veux.

— Oui, je le veux, c'est fait.»

Lui-même, maintenant, réfléchissait, ne la baisait plus, inerte. Et il y eut encore un silence, pendant qu'ils demeuraient ainsi, sans bouger, aux bras l'un de l'autre, comme anéantis dans l'acte futur, arrêté, certain désormais. Puis, lentement, la sensation de leurs deux corps leur revint, et ils s'étouffaient d'une étreinte grandissante, lorsqu'elle s'arrêta, les bras dénoués.

«Eh bien ! et le prétexte pour le faire venir ici ? Il ne pourra toujours prendre que le train de huit heures du soir, après son service, et il n'arrivera pas avant dix heures : ça vaut mieux…

Tiens ! justement, cet acquéreur pour la maison, dont Misard m'a parlé, et qui doit visiter après-demain matin ! Voilà, je vais télégraphier à mon mari, en me levant, que sa présence est absolument nécessaire. Il sera là demain soir. Toi, tu partiras dans l'après-midi, et tu pourras être de retour avant qu'il arrive. Il fera nuit, pas de lune, rien qui nous gêne… Tout s'arrange parfaitement.

— Oui, parfaitement. »

Et, cette fois, emportés jusqu'à l'évanouissement, ils s'aimèrent. Lorsqu'ils s'endormirent enfin, au fond du grand silence, en se tenant encore à pleins bras, il ne faisait pas jour, la pointe de l'aube commençait à blanchir les ténèbres, qui les avaient cachés l'un à l'autre, comme enveloppés d'un manteau noir. Lui, jusqu'à dix heures, dormit d'un sommeil écrasé, sans un rêve ; et, quand il ouvrit les yeux, il était seul, elle s'habillait dans sa chambre, de l'autre côté du palier. Une nappe de clair soleil entrait par la fenêtre, incendiant les rideaux rouges du lit, les tentures rouges des murs, tout ce rouge dont flambait la pièce ; tandis que la maison tremblait du tonnerre d'un train, qui venait de passer. Ce devait être ce train qui l'avait réveillé. Ébloui, il regarda le soleil, le ruissellement rouge où il était ; puis, il se souvint : c'était décidé, c'était la nuit prochaine qu'il tuerait, lorsque ce grand soleil aurait disparu.

Les choses se passèrent, ce jour-là, ainsi que les avaient arrêtées Séverine et Jacques. Elle, avant le déjeuner[§], pria Misard de porter à Doinville la dépêche[§] pour son mari ; et, vers trois heures, comme Cabuche était là, lui, ouvertement, fit ses préparatifs de départ. Même, comme il partait, pour prendre à Barentin le train de quatre heures quatorze, le carrier[§] l'accompagna, par désœuvrement, par le sourd besoin qui le rapprochait de lui, heureux de retrouver chez l'amant un peu de la femme qu'il désirait. À Rouen, où Jacques arriva à cinq heures moins vingt, il descendit, près de la gare, dans une auberge que tenait une de ses payses[§]. Le lendemain, il parlait de voir des camarades, avant d'aller à Paris reprendre son service. Mais il se dit très fatigué, ayant trop présumé de ses forces ; et, dès six heures, il se retira pour dormir, dans une chambre qu'il s'était fait donner au rez-de-chaussée, avec une fenêtre qui s'ouvrait sur une ruelle déserte. Dix minutes plus tard, il était en route pour la Croix-de-Maufras, après avoir enjambé cette fenêtre, sans être vu, en ayant bien soin de repousser le volet, de façon à pouvoir rentrer par là, secrètement.

Ce fut seulement à neuf heures un quart que Jacques se retrouva devant la maison solitaire, plantée de biais au bord de la voie, dans la détresse de son abandon. La nuit était très noire, pas une lueur n'éclairait la façade hermétiquement close. Et il eut encore au cœur le choc douloureux, ce coup d'affreuse tristesse, qui était comme le pressentiment du malheur dont l'inévitable échéance l'attendait là. Ainsi que cela était convenu avec Séverine, il jeta trois petits cailloux dans le volet de la chambre rouge; puis, il passa derrière la maison, où une porte, silencieusement, finit par s'ouvrir. L'ayant refermée derrière lui, il suivit des pas légers qui montaient l'escalier, à tâtons. Mais, en haut, à la lueur de la grosse lampe brûlant sur le coin de la table, quand il aperçut le lit déjà défait, les vêtements de la jeune femme jetés en travers d'une chaise, et elle-même en chemise, les jambes nues, coiffée pour la nuit, avec ses cheveux épais, noués très haut, dégageant le cou, il resta immobile de surprise.

«Comment! tu t'es couchée?

— Sans doute, ça va beaucoup mieux… Une idée qui m'est venue. Tu comprends, quand il arrivera et que je descendrai lui ouvrir comme ça, il se méfiera encore moins. Je lui raconterai que j'ai été prise de migraine. Déjà Misard croit que je suis souffrante. Ça me permettra de dire que je n'ai pas quitté cette chambre, lorsque demain matin on le retrouvera, lui, en bas, sur la voie.»

Mais Jacques frémissait, s'emportait.

«Non, non, habille-toi… Il faut que tu sois debout. Tu ne peux pas rester comme ça.»

Elle s'était mise à sourire, étonnée.

«Pourquoi donc, mon chéri? Ne t'inquiète pas, je t'assure que je n'ai pas froid du tout… Tiens! vois donc si j'ai chaud!»

*[...] il partait, pour prendre à Barentin le train de quatre heures quatorze [...].*

**Lignes 11417 et 11418.**

*Le viaduc de Barentin*, lithographie de Maugendre.
Bibliothèque nationale, Paris.

D'un mouvement câlin, elle s'approchait pour se pendre à lui de ses bras nus, levant sa gorge ronde, que découvrait la chemise, glissée sur une épaule. Et, comme il se reculait, dans une irritation croissante, elle se fit docile.

« Ne te fâche pas, je vais me refourrer dans le lit. Tu n'auras plus peur que je prenne du mal. »

Lorsqu'elle fut recouchée, le drap au menton, il parut en effet se calmer un peu. D'ailleurs, elle continuait de parler d'un air tranquille, elle lui expliquait comment elle avait arrangé les choses dans sa tête.

« Dès qu'il frappera, je descendrai lui ouvrir. D'abord, j'avais l'idée de le laisser monter jusqu'ici, où tu l'aurais attendu. Mais, pour le redescendre, ça aurait compliqué encore ; et puis, dans cette chambre, c'est du parquet, tandis que le vestibule est dallé, ce qui me permettra de laver aisément, s'il y a des taches… Même, en me déshabillant tout à l'heure, je songeais à un roman, où l'auteur raconte qu'un homme, pour en tuer un autre, s'était mis tout nu. Tu comprends ? on se lave après, on n'a pas sur ses vêtements une seule éclaboussure… Hein ! si tu te déshabillais toi aussi, si nous enlevions nos chemises ? »

Effaré, il la regarda. Mais elle avait sa figure douce, ses yeux clairs de petite fille, simplement préoccupée de la conduite de l'affaire, pour la réussite. Tout cela se passait dans sa tête. Lui, à cette évocation de leurs deux nudités, sous l'éclaboussement du meurtre, était repris, secoué jusqu'aux os, du frisson abominable.

« Non, non !… Comme des sauvages, alors. Pourquoi pas lui manger le cœur ? Tu le détestes donc bien ? »

La face de Séverine s'était brusquement assombrie. Cette question la rejetait, de ses préparatifs de ménagère prudente, dans l'horreur de l'acte. Des larmes noyèrent ses yeux.

« J'ai trop souffert depuis quelques mois, je ne puis guère l'aimer. Cent fois, je t'ai dit : tout, plutôt que de rester avec cet homme une semaine encore. Mais, tu as raison, c'est affreux d'en venir là, il faut vraiment que nous ayons l'envie d'être heureux ensemble… Enfin, nous descendrons sans lumière. Tu te mettras derrière la porte, et quand je l'aurai ouverte et qu'il sera entré, tu feras comme tu voudras… Moi, si je m'en occupe, c'est pour t'aider, c'est pour que tu n'aies pas le souci à toi seul. J'arrange ça le mieux que je peux.»

Devant la table, il s'était arrêté, en voyant le couteau, l'arme qui avait déjà servi au mari lui-même, et qu'elle venait de mettre évidemment là, pour qu'il l'en frappât à son tour. Grand ouvert, le couteau luisait sous la lampe. Il le prit, l'examina. Elle se taisait, regardant elle aussi. Puisqu'il le tenait, il était inutile de lui en parler. Et elle ne continua que lorsqu'il l'eut reposé sur la table.

«N'est-ce pas ? mon chéri, ce n'est pas moi qui te pousse. Il en est temps encore, va-t'en, si tu ne peux pas.»

Mais, d'un geste violent, il s'entêtait.

«Est-ce que tu me prends pour un lâche ? Cette fois, c'est fait, c'est juré !»

À ce moment, la maison fut ébranlée par le tonnerre d'un train, qui passait en coup de foudre, si près de la chambre, qu'il semblait la traverser de son grondement ; et il ajouta :

«Voici son train, le direct de Paris. Il est descendu à Barentin, il sera ici dans une demi-heure.»

Et ni Jacques ni Séverine ne parlèrent plus, un long silence régna. Là-bas, ils voyaient cet homme qui s'avançait par les sentiers étroits, à travers la nuit noire. Lui, mécaniquement, s'était mis à marcher aussi dans la chambre, comme s'il eût compté les pas de l'autre, que chaque enjambée rapprochait un peu. Encore un, encore un ; et, au dernier, il serait embusqué derrière la porte du vestibule, il lui planterait le couteau dans le cou, dès qu'il entrerait. Elle, le drap toujours au menton, couchée sur le dos, avec ses grands yeux fixes, le regardait aller et venir, l'esprit bercé par la cadence de sa marche, qui lui arrivait comme un écho des pas lointains, là-bas. Sans cesse un autre après un autre, rien ne les arrêterait plus. Quand il y en aurait assez, elle sauterait du lit, descendrait ouvrir, pieds nus, sans lumière. «C'est toi, mon ami, entre donc, je me suis couchée.» Et il ne répondrait même pas, il tomberait dans l'obscurité, la gorge ouverte.

De nouveau, un train passa, un descendant celui-ci, l'omnibus[§] qui croisait le direct devant la Croix-de-Maufras, à cinq minutes de distance. Jacques s'était arrêté, surpris. Cinq minutes seulement ! Comme ce serait long, d'attendre une demi-heure ! Un besoin de mouvement le poussait, il se remit à aller d'un bout de la chambre à l'autre. Il s'interrogeait déjà, inquiet, pareil à ces mâles qu'un accident nerveux frappe dans leur virilité : pourrait-il ? Il connaissait bien, en lui, la marche du phénomène, pour l'avoir suivie à plus de dix reprises : d'abord, une certitude, une résolution absolue de tuer ; puis, une oppression au creux de la poitrine, un refroidissement des pieds et des mains ; et, d'un coup, la défaillance, l'inutilité de la volonté sur les muscles devenus inertes. Afin de s'exciter par le raisonnement, il se répétait ce qu'il s'était dit tant de fois : son intérêt à supprimer cet homme, la fortune qui l'attendait en Amérique, la possession de la femme qu'il aimait. Le pis était que, tout à l'heure, en trouvant cette dernière demi-nue, il avait bien cru l'affaire manquée encore ; car il cessait de s'appartenir, dès que reparaissait son ancien frisson. Un instant, il venait de trembler devant la tentation trop forte, elle qui s'offrait, et ce couteau ouvert, qui était là. Mais, maintenant, il restait solide, bandé vers l'effort. Il pourrait. Et il continuait d'attendre l'homme, battant la chambre, de la porte à la fenêtre, passant à chaque tour près du lit, qu'il ne voulait point voir.

Séverine, dans ce lit, où ils s'étaient aimés pendant les heures brûlantes et noires de la nuit précédente, ne bougeait toujours pas. La tête immobile sur l'oreiller, elle le suivait d'un va-et-vient du regard, anxieuse elle aussi, agitée de la crainte que, cette nuit-là encore, il n'osât point. En finir, recommencer, elle ne voulait que cela, au fond de son inconscience de femme d'amour, complaisante à l'homme, toute à celui qui la tenait, sans cœur pour l'autre qu'elle n'avait jamais désiré. On s'en débarrassait, puisqu'il gênait, rien n'était plus naturel ; et elle devait réfléchir, pour s'émouvoir de l'abomination du crime : dès que l'image du sang, des complications horribles s'effaçait de nouveau, elle retombait à son calme souriant, avec son visage d'innocence, tendre et docile. Cependant, elle, qui croyait bien connaître Jacques, s'étonnait. Il avait sa tête ronde de beau garçon, ses cheveux frisés, ses moustaches très noires, ses yeux bruns diamantés d'or ; mais sa mâchoire inférieure avançait tellement, dans une sorte de coup de gueule, qu'il s'en trouvait défiguré. En passant près d'elle, il venait de la regarder, comme malgré lui, et l'éclat de ses yeux s'était terni d'une fumée rousse, tandis qu'il se rejetait en arrière, d'un recul de tout son corps. Qu'avait-il donc à l'éviter ? Était-ce que son courage, une fois de plus, l'abandonnait ? Depuis quelque temps, dans l'ignorance du continuel danger de mort où elle était avec lui, elle expliquait la peur sans cause, instinctive, qu'elle éprouvait, par le pressentiment d'une rupture prochaine. Brusquement, elle eut la conviction que, si, tout à l'heure, il ne pouvait frapper, il fuirait pour ne plus jamais revenir. Alors, elle décida qu'il tuerait, qu'elle saurait lui en donner la force, s'il en était besoin. À ce moment, un nouveau train passait, un train de marchandises interminable, dont la queue de wagons semblait rouler depuis une éternité, dans le silence lourd de la chambre. Et, soulevée sur un coude, elle attendait que cette secousse d'ouragan se fût perdue au loin, au fond de la campagne endormie :

« Encore un quart d'heure, dit Jacques tout haut. Il a dépassé le bois de Bécourt, il est à moitié route. Ah ! que c'est long ! »

Mais, comme il revenait vers la fenêtre, il trouva, debout devant le lit, Séverine en chemise.

« Si nous descendions avec la lampe, expliqua-t-elle. Tu verrais l'endroit, tu te placerais, je te montrerais comment j'ouvrirai la porte et quel mouvement tu auras à faire. »

Lui, tremblant, reculait.

« Non, non ! pas la lampe !

— Écoute donc, nous la cacherons ensuite. Il faut pourtant se rendre compte.

— Non, non ! recouche-toi ! »

Elle n'obéissait pas, elle marchait sur lui, au contraire, avec le sourire invincible et despotique de la femme qui se sait toute-puissante par le désir. Quand elle le tiendrait dans ses bras, il céderait à sa chair, il ferait ce qu'elle voudrait. Et elle continuait de parler, d'une voix de caresse, pour le vaincre.

«Voyons, mon chéri, qu'as-tu ? On dirait que tu as peur de moi. Dès que je m'approche, tu sembles m'éviter. Et si tu savais, en ce moment, comme j'ai besoin de m'appuyer à toi, de sentir que tu es là, que nous sommes bien d'accord, pour toujours, toujours, entends-tu !»

Elle avait fini par l'acculer à la table, et il ne pouvait la fuir davantage, il la regardait, dans la vive clarté de la lampe. Jamais il ne l'avait vue ainsi, la chemise ouverte, coiffée si haut, qu'elle était toute nue, le cou nu, les seins nus. Il étouffait, luttant, déjà emporté, étourdi par le flot de son sang, dans l'abominable frisson. Et il se souvenait que le couteau était là, derrière lui, sur la table : il le sentait, il n'avait qu'à allonger la main.

D'un effort, il parvint encore à bégayer :

«Recouche-toi, je t'en supplie.»

Mais elle ne s'y trompait pas : c'était la trop grande envie d'elle qui le faisait ainsi trembler. Elle-même en avait une sorte d'orgueil. Pourquoi lui aurait-elle obéi puisqu'elle voulait être aimée, ce soir-là, autant qu'il pouvait l'aimer, jusqu'à en être fou ? D'une souplesse câline, elle se rapprochait toujours, était sur lui.

«Dis, embrasse-moi… Embrasse-moi bien fort, comme tu m'aimes. Cela nous donnera du courage… Ah ! oui, du courage, nous en avons besoin ! Il faut s'aimer autrement que les autres, plus que tous les autres, pour faire ce que nous allons faire… Embrasse-moi de tout ton cœur, de toute ton âme.»

Étranglé, il ne soufflait plus. Une clameur de foule, dans son crâne, l'empêchait d'entendre ; tandis que des morsures de feu, derrière les oreilles, lui trouaient la tête, gagnaient ses bras, ses jambes, le chassaient de son propre corps, sous le galop de l'autre, la bête envahissante. Ses mains n'allaient plus être à lui, dans l'ivresse trop forte de cette nudité de femme. Les seins nus s'écrasaient contre ses vêtements, le cou nu se tendait, si blanc, si délicat, d'une irrésistible tentation ; et l'odeur chaude et âpre, souveraine, achevait de le jeter à un furieux vertige, un balancement sans fin, où sombrait sa volonté, arrachée, anéantie.

«Embrasse-moi, mon chéri, pendant que nous avons une minute encore… Tu sais qu'il va être là. Maintenant, s'il a marché vite, d'une seconde à l'autre, il peut frapper… Puisque tu ne veux pas que nous descendions, rappelle-toi bien : moi, j'ouvrirai ; toi, tu seras derrière la porte ; et n'attends pas, tout de suite, oh ! tout de suite, pour en finir… Je t'aime tant, nous serons si heureux ! Lui, n'est qu'un mauvais homme qui m'a fait souffrir, qui est l'unique obstacle à notre bonheur… Embrasse-moi, oh ! si fort, si fort ! Embrasse-moi comme si tu me mangeais, pour qu'il ne reste plus rien de moi en dehors de toi ! »

Jacques, sans se retourner, de sa main droite, tâtonnante en arrière, avait pris le couteau. Et, un instant, il resta ainsi, à le serrer dans son poing. Était-ce sa soif qui était revenue, de venger des offenses très anciennes, dont il aurait perdu l'exacte mémoire, cette rancune amassée de mâle en mâle, depuis la première tromperie au fond des cavernes ? Il fixait sur Séverine ses yeux fous, il n'avait plus que le besoin de la jeter morte sur son dos, ainsi qu'une proie qu'on arrache aux autres. La porte d'épouvante s'ouvrait sur ce gouffre noir du sexe, l'amour jusque dans la mort, détruire pour posséder davantage.

« Embrasse-moi, embrasse-moi… »

Elle renversait son visage soumis, d'une tendresse suppliante, découvrait son cou nu, à l'attache voluptueuse de la gorge. Et lui, voyant cette chair blanche, comme dans un éclat d'incendie, leva le poing, armé du couteau. Mais elle avait aperçu l'éclair de la lame, elle se rejeta en arrière, béante de surprise et de terreur.

« Jacques, Jacques… Moi, mon Dieu ! Pourquoi ? pourquoi ? »

Les dents serrées, il ne disait pas un mot, il la poursuivait. Une courte lutte la ramena près du lit. Elle reculait, hagarde, sans défense, la chemise arrachée.

« Pourquoi ? mon Dieu ! pourquoi ? »

Et il abattit le poing, et le couteau lui cloua la question dans la gorge. En frappant, il avait retourné l'arme, par un effroyable besoin de la main qui se contentait : le même coup que pour le président[§] Grandmorin, à la même place, avec la même rage. Avait-elle crié ? il ne le sut jamais. À cette seconde, passait l'express§ de Paris, si violent, si rapide, que le plancher en trembla ; et elle était morte, comme foudroyée dans cette tempête.

Immobile, Jacques maintenant la regardait, allongée à ses pieds, devant le lit. Le train se perdait au loin, il la regardait dans le lourd silence de la chambre rouge. Au milieu de ces tentures rouges, de ces rideaux rouges, par terre, elle saignait beaucoup, d'un flot rouge qui ruisselait entre les seins, s'épandait sur le ventre, jusqu'à une cuisse, d'où il retombait en grosses gouttes sur le parquet. La chemise, à moitié fendue, en était trempée. Jamais il n'aurait cru qu'elle avait tant de sang. Et ce qui le retenait, hanté, c'était le masque d'abominable terreur que prenait, dans la mort, cette face de femme jolie, douce, si docile. Les cheveux noirs s'étaient dressés, un casque d'horreur, sombre comme la nuit. Les yeux de pervenche, élargis démesurément, questionnaient encore, éperdus, terrifiés du mystère. Pourquoi, pourquoi l'avait-il assassinée ? Et elle venait d'être broyée, emportée par la fatalité du meurtre, en inconsciente que la vie avait roulée de la boue dans le sang, tendre et innocente quand même, sans qu'elle eût jamais compris.

Mais Jacques s'étonna. Il entendait un reniflement de bête, grognement de sanglier, rugissement de lion ; et il se tranquillisa, c'était lui qui soufflait. Enfin, enfin ! il s'était donc contenté, il avait tué ! Oui, il avait fait ça. Une joie effrénée, une jouissance énorme le soulevait, dans la pleine satisfaction de l'éternel désir. Il en éprouvait une surprise d'orgueil, un grandissement de sa souveraineté de mâle. La femme, il l'avait tuée, il la possédait, comme il désirait depuis si longtemps la posséder, tout entière, jusqu'à l'anéantir. Elle n'était plus, elle ne serait jamais plus à personne. Et un souvenir aigu lui revenait, celui de l'autre assassiné, le cadavre du président§ Grandmorin, qu'il avait vu, par la nuit terrible, à cinq cents mètres de là. Ce corps délicat, si blanc, rayé de rouge, c'était la même loque humaine, le pantin cassé, la chiffe molle, qu'un coup de couteau fait d'une créature. Oui, c'était ça. Il avait tué, et il y avait ça par terre. Comme l'autre, elle venait de culbuter, mais sur le dos, les jambes écartées, le bras gauche replié sur le flanc, le droit tordu, à demi arraché de l'épaule. N'était-ce pas cette nuit-là que, le cœur battant à grands coups, il s'était juré d'oser à son tour, dans un prurit de meurtre qui s'exaspérait comme une concupiscence, au spectacle de l'homme égorgé ? Ah ! n'être pas lâche, se satisfaire, enfoncer le couteau ! Obscurément, cela avait germé, avait grandi en lui, pas une heure, depuis un an, sans qu'il eût marché vers l'inévitable ; même au cou de cette femme, sous ses baisers, le sourd travail s'achevait ; et les deux meurtres s'étaient rejoints, l'un n'était-il pas la logique de l'autre ?

Un vacarme d'écroulement, une secousse du plancher tirèrent Jacques de la contemplation béante où il restait, en face de la morte. Les portes volaient-elles en éclat ? Étaient-ce des gens pour l'arrêter ? Il regarda, ne retrouva autour de lui que la solitude sourde et muette. Ah ! oui, un train encore ! Et cet homme qui allait frapper en bas, cet homme qu'il voulait tuer ! Il l'avait oublié complètement. S'il ne regrettait rien, déjà il se jugeait imbécile. Quoi ? que s'était-il passé ? La femme qu'il aimait, dont il était aimé passionnément, gisait sur le parquet, la gorge ouverte ; tandis que le mari, l'obstacle à son bonheur, vivait encore, avançait toujours, pas à pas, dans les ténèbres. Cet homme que, depuis des mois, épargnaient les scrupules de son éducation, les idées d'humanité lentement acquises et transmises, il n'avait pu l'attendre ; et, au mépris de son intérêt, il venait d'être emporté par l'hérédité de violence, par ce besoin de meurtre qui, dans les forêts premières, jetait la bête sur la bête. Est-ce qu'on tue par raisonnement ! On ne tue que sous l'impulsion du sang et des nerfs, un reste des anciennes luttes, la nécessité de vivre et la joie d'être fort. Il n'avait plus qu'une lassitude rassasiée, il s'effarait, cherchait à comprendre, sans trouver autre chose, au fond même de sa passion satisfaite, que l'étonnement et l'amère tristesse de l'irréparable. La vue de la malheureuse, qui le regardait toujours, avec son interrogation terrifiée, lui devenait atroce. Il voulut détourner les yeux, il eut la sensation brusque qu'une autre figure blanche se dressait au pied du lit. Était-ce donc un dédoublement de la morte ? Puis, il reconnut Flore. Elle était revenue, pendant qu'il avait la fièvre, après l'accident. Sans doute, elle triomphait, vengée à cette heure. Une épouvante le glaça, il se demanda ce qu'il faisait, à s'attarder ainsi, dans cette chambre. Il avait tué, il était gorgé, repu, ivre de l'effroyable vin du crime. Et il trébucha dans le couteau resté par terre, et il s'enfuit, descendit en roulant l'escalier, ouvrit la grande porte du perron comme si la petite porte n'eût pas été assez large, se lança dehors, dans la nuit d'encre, où son galop se perdit, furieux. Il ne s'était pas retourné, la maison louche, plantée de biais au bord de la voie, restait ouverte et désolée derrière lui, dans son abandon de mort.

Cabuche, cette nuit-là comme les autres, avait franchi la haie du terrain, rôdant sous la fenêtre de Séverine. Il savait bien que Roubaud était attendu, il ne s'étonnait pas de la lumière qui filtrait par la fente d'un volet. Mais cet homme bondissant du perron, ce galop enragé de bête s'éloignant dans la campagne, venaient de le clouer de surprise. Et il n'était déjà plus temps de se mettre à la poursuite du fuyard, le carrier[§] restait effaré, plein d'inquiétude et d'hésitation devant la porte ouverte, bâillant sur le grand trou noir du vestibule. Qu'arrivait-il donc ? Devait-il entrer ? Le lourd silence, l'immobilité absolue, pendant que cette lampe continuait à brûler, là-haut, lui serraient le cœur d'une angoisse croissante.

Enfin, Cabuche se décida, monta à tâtons. Devant la porte de la chambre, laissée ouverte elle aussi, il s'arrêta de nouveau. Dans la clarté tranquille, il lui semblait voir de loin un tas de jupons, devant le lit. Sans doute Séverine était déshabillée. Doucement, il appela, pris de trouble, les veines battant à grands coups. Puis, il aperçut le sang, il comprit, s'élança, avec un terrible cri qui sortait de son cœur déchiré. Mon Dieu ! c'était elle, assassinée, jetée là, dans sa nudité pitoyable. Il crut qu'elle râlait encore, il avait un tel désespoir, une honte si douloureuse, à la voir agoniser toute nue, qu'il la saisit d'un élan fraternel, à pleins bras, la souleva, la posa sur le lit, dont il rejeta le drap pour la couvrir. Mais, dans cette étreinte, l'unique tendresse entre eux, il s'était couvert de sang, les deux mains, la poitrine. Il ruisselait de son sang. Et, à cette minute, il vit que Roubaud et Misard étaient là. Ils venaient, eux également, de se décider à monter, en trouvant toutes les portes ouvertes. Le mari arrivait en retard, pour s'être arrêté à causer avec le garde-barrière[§], qui l'avait ensuite accompagné, en continuant la conversation. Tous deux, stupides, regardaient Cabuche, dont les mains saignaient comme celles d'un boucher.

«Le même coup que pour le président[§]», finit par dire Misard, en examinant la blessure.

Roubaud hocha la tête sans répondre, sans pouvoir détacher ses regards de Séverine, de ce masque d'abominable terreur, les cheveux noirs dressés sur le front, les yeux bleus démesurément élargis, qui demandaient pourquoi.

# – XII –

Trois mois plus tard, par une tiède nuit de juin, Jacques conduisait l'express[§] du Havre[§], parti de Paris à six heures trente. Sa nouvelle machine, la machine 608, toute neuve, dont il avait le pucelage, disait-il, et qu'il commençait à bien connaître, n'était pas commode, rétive, fantasque, ainsi que ces jeunes cavales[§] qu'il faut dompter par l'usure, avant qu'elles se résignent au harnais. Il jurait souvent contre elle, regrettant la Lison ; il devait la surveiller de près, la main toujours sur le volant du changement de marche[§]. Mais, cette nuit-là, le ciel était d'une douceur si délicieuse, qu'il se sentait porté à l'indulgence, la laissant galoper un peu à sa fantaisie, heureux lui-même de respirer largement. Jamais il ne s'était mieux porté, sans remords, l'air soulagé, dans une grande paix heureuse.

Lui qui ne parlait jamais en route, plaisanta Pecqueux, qu'on lui avait laissé pour chauffeur[§].

« Quoi donc ? vous ouvrez l'œil comme un homme qui n'a bu que de l'eau. »

Pecqueux, en effet, contre son habitude, semblait à jeun et très sombre. Il répondit d'une voix dure :

« Faut ouvrir l'œil, quand on veut voir clair. »

Défiant, Jacques le regarda, en homme dont la conscience n'est point nette. La semaine précédente, il s'était laissé aller aux bras de la maîtresse du camarade, cette terrible Philomène, qui, depuis longtemps, se frottait à lui, comme une maigre chatte amoureuse. Et il n'y avait pas eu là seulement une minute de curiosité sensuelle, il cédait surtout au désir de faire une expérience : était-il définitivement guéri, maintenant qu'il avait contenté son affreux besoin ? Celle-là, pourrait-il la posséder, sans lui planter un couteau dans la gorge ? Deux fois déjà, il l'avait eue, et rien, pas un malaise, pas un frisson. Sa grande joie, son air apaisé et riant devait venir, même à son insu, du bonheur de n'être plus qu'un homme comme les autres.

Pecqueux ayant ouvert le foyer§ de la machine pour mettre du charbon§, il l'arrêta.

« Non, non, ne la poussez pas trop, elle va bien. »

Alors, le chauffeur§ grogna de mauvaises paroles.

« Ah ! ouitche ! bien… Une jolie farceuse, une belle saloperie !… Quand je pense qu'on tapait sur l'autre, la vieille, qui était si docile !… Cette gourgandine-ci, ça ne vaut pas un coup de pied au cul. »

Jacques, pour ne pas avoir à se fâcher, évitait de répondre. Mais il sentait bien que l'ancien ménage à trois n'était plus ; car la bonne amitié, entre lui, le camarade et la machine, s'en était allée, à la mort de la Lison. Maintenant, on se querellait pour un rien, pour un écrou trop serré, pour une pelletée de charbon mise de travers. Et il se promettait d'être prudent avec Philomène, ne voulant pas en arriver à une guerre ouverte, sur cet étroit plancher mouvant qui les emportait, lui et son chauffeur. Tant que Pecqueux, par reconnaissance de n'être point bousculé, de pouvoir faire de petits sommes et d'achever les paniers de provisions, s'était fait son chien obéissant, dévoué jusqu'à étrangler le monde, tous deux avaient vécu en frères, silencieux dans le danger quotidien, n'ayant pas besoin de paroles pour s'entendre. Mais cela allait devenir un enfer, si l'on ne se convenait plus, toujours côte à côte, secoués ensemble, pendant qu'on se mangerait. Justement, la Compagnie avait dû, la semaine précédente, séparer le mécanicien§ et le chauffeur de l'express§ de Cherbourg, parce que, désunis à cause d'une femme, le premier brutalisait le second qui n'obéissait plus : des coups, de vraies batailles en route, dans l'oubli complet de la queue de voyageurs roulant derrière eux, à toute vitesse.

Deux fois encore, Pecqueux ouvrit le foyer, y jeta du charbon, par désobéissance, cherchant une dispute sans doute ; et Jacques feignit de ne pas s'en apercevoir, l'air tout à la manœuvre, avec l'unique précaution chaque fois de tourner le volant de l'injecteur§, pour diminuer la pression. Il faisait si doux, le petit vent frais de la marche était si bon, dans la chaude nuit de juillet ! À onze heures cinq, lorsque l'express arriva au

Havre[§], les deux hommes firent la toilette de la machine d'un air de bon accord, comme autrefois.

Mais, au moment où ils quittaient le dépôt[§] pour aller se coucher rue François-Mazeline, une voix les appela.

« On est donc bien pressé ? Entrez une minute ! »

C'était Philomène, qui, du seuil de la maison de son frère, devait guetter Jacques. Elle avait eu un mouvement de contrariété vive, en apercevant Pecqueux ; et elle ne se décidait à les héler ensemble, que pour le plaisir de causer au moins avec son nouvel ami, quitte à subir la présence de l'ancien.

« Fiche-nous la paix, hein ! gronda Pecqueux. Tu nous embêtes, nous avons sommeil.

— Est-il aimable ! reprit gaiement Philomène. Mais monsieur Jacques n'est pas comme toi, il prendrait tout de même un petit verre… N'est-ce pas, monsieur Jacques ? »

Le mécanicien[§] allait refuser par prudence, quand le chauffeur[§], brusquement, accepta, cédant à l'idée de les guetter et de se faire une certitude. Ils entrèrent dans la cuisine, ils s'assirent devant la table, où elle avait posé des verres et une bouteille d'eau-de-vie, en reprenant à voix plus basse :

« Faut tâcher de ne pas faire trop de bruit, parce que mon frère dort, là-haut, et qu'il n'aime guère que je reçoive du monde. »

Puis, comme elle les servait, tout de suite elle ajouta :

« À propos, vous savez que la mère Lebleu est claquée, ce matin… Oh ! ça, je l'avais dit : ça la tuera, si on la met dans ce logement du derrière, une vraie prison. Elle a encore duré quatre mois, à se manger le sang de ne plus rien voir que du zinc… Et ce qui l'a achevée, dès qu'il lui est devenu impossible de bouger de son fauteuil, ç'a été sûrement de ne plus pouvoir espionner mademoiselle Guichon et monsieur Dabadie, une habitude qu'elle avait prise. Oui, elle s'est enragée de n'avoir jamais rien surpris entre eux, elle en est morte. »

Philomène s'arrêta, avala une gorgée d'eau-de-vie ; et, avec un rire :

« Sans doute qu'ils couchent ensemble. Seulement, ils sont si malins ! Ni vu ni connu, je t'embrouille !… Je crois tout de même que la petite madame Moulin les a vus un soir. Mais pas de danger qu'elle cause, celle-là : elle est trop bête, et d'ailleurs son mari, le sous-chef… »

De nouveau, elle s'interrompit pour s'écrier :

« Dites donc, c'est la semaine prochaine que ça se juge, à Rouen, l'affaire des Roubaud. »

Jusque-là, Jacques et Pecqueux l'avaient écoutée, sans placer un mot. Le dernier la trouvait simplement bien bavarde ; jamais, avec lui, elle ne faisait tant de frais de conversation ; et il ne la quittait pas des yeux, peu à peu échauffé de jalousie, à la voir ainsi s'exciter devant son chef.

« Oui, répondit le mécanicien[§] d'un air de parfaite tranquillité, j'ai reçu la citation[§]. »

Philomène se rapprocha, heureuse de le frôler du coude.

« Moi aussi, je suis témoin… Ah ! monsieur Jacques, lorsqu'on m'a interrogée à propos de vous, car vous savez qu'on a voulu connaître la vraie vérité sur vos rapports avec cette pauvre dame ; oui, lorsqu'on m'a interrogée, j'ai dit au juge : "Mais, monsieur, il l'adorait, c'est impossible qu'il lui ait fait du mal !" N'est-ce pas ? Je vous avais vus ensemble, moi, j'étais bien placée pour en parler.

— Oh ! dit le jeune homme avec un geste d'indifférence, je n'étais pas inquiet, je pouvais donner, heure par heure, l'emploi de mon temps… Si la Compagnie m'a gardé, c'est qu'il n'y avait pas le plus petit reproche à me faire. »

Un silence régna, tous trois burent lentement.

« Ça fait frémir, reprit Philomène. Cette bête féroce, ce Cabuche qu'on a arrêté, encore tout couvert du sang de la pauvre dame ! Faut-il qu'il y ait des hommes idiots ! Tuer une femme parce qu'on a envie d'elle, comme si ça les avançait à quelque chose, quand la femme n'est plus là !… Et ce que je n'oublierai jamais de la vie, voyez-vous, c'est lorsque monsieur Cauche, là-bas, sur le quai, est venu arrêter aussi monsieur Roubaud. J'y étais. Vous savez que ça s'est passé huit jours après seulement, lorsque monsieur Roubaud, au lendemain de l'enterrement de sa femme, avait repris son service d'un air tranquille. Alors donc, monsieur Cauche lui a tapé sur l'épaule, en disant qu'il avait l'ordre de l'emmener en prison. Vous pensez ! eux qui ne se quittaient point, qui jouaient ensemble, les nuits entières ! Mais, quand on est commissaire, n'est-ce pas ? on mènerait son père et sa mère à la guillotine[1], puisque c'est le métier qui veut ça. Il s'en fiche bien, monsieur Cauche ! Je l'ai encore aperçu au café du Commerce, tantôt, qui battait les cartes, sans plus s'inquiéter de son ami que du grand Turc ! »

Pecqueux, les dents serrées, allongea un coup de poing sur la table.

« Tonnerre de Dieu ! si j'étais à la place de ce cocu de Roubaud !… Vous couchiez avec sa femme, vous. Un autre la lui tue. Et voilà qu'on l'envoie aux assises[§]… Non, c'est à crever de rage !

— Mais, grande bête, s'écria Philomène, puisqu'on l'accuse d'avoir poussé l'autre à le débarrasser de sa femme, oui, pour des affaires d'argent, est-ce que je sais ! Il paraît qu'on a retrouvé chez Cabuche la montre du président[§] Grandmorin : vous vous rappelez, le monsieur qu'on a assassiné en wagon, il y a dix-huit mois. Alors, on a raccroché ce mauvais coup avec le mauvais coup de l'autre jour, toute une histoire, une vraie bouteille à l'encre. Moi, je ne peux pas vous expliquer, mais c'était sur le journal, il y en avait bien deux colonnes. »

Distrait, Jacques ne semblait pas même écouter. Il murmura :

« À quoi bon s'en casser la tête, est-ce que ça nous regarde ?… Si la justice ne sait pas ce qu'elle fait, ce n'est pas nous qui le saurons. »

Puis, il ajouta, les yeux perdus au loin, les joues envahies de pâleur :

« Dans tout cela, il n'y a que cette pauvre femme… Ah ! la pauvre, la pauvre femme !

— Moi, conclut violemment Pecqueux, moi qui en ai une, de femme, si quelqu'un s'avisait de la toucher, je commencerais par les étrangler tous les deux. Après, on pourrait bien me couper le cou, ça me serait égal. »

---

1 *guillotine* : instrument destiné à décapiter. En France, à la suite de la Révolution, les condamnés à mort étaient guillotinés, et les exécutions étaient publiques.

Il y eut un nouveau silence. Philomène, qui remplissait une seconde fois les petits verres, affecta de hausser les épaules, en ricanant. Mais elle était toute bouleversée au fond, elle l'étudiait d'un regard oblique. Il se négligeait beaucoup, très sale, en guenilles, depuis que la mère Victoire, devenue impotente à la suite de sa fracture, avait dû lâcher son poste de la salubrité et se faire admettre dans un hospice. Elle n'était plus là, tolérante et maternelle, pour lui glisser des pièces blanches, pour le raccommoder, ne voulant pas que l'autre, celle du Havre[§], l'accusât de tenir mal leur homme. Et Philomène, séduite par l'air mignon et propre de Jacques, faisait la dégoûtée.

« C'est ta femme de Paris que tu étranglerais ? demanda-t-elle par bravade. Pas de danger qu'on te l'enlève, celle-là !

— Celle-là ou une autre ! » gronda-t-il.

Mais déjà elle trinquait d'un air de plaisanterie.

« À ta santé, tiens ! Et apporte-moi ton linge, pour que je le fasse laver et repriser, car, vraiment, tu ne nous fais plus honneur, ni à l'une ni à l'autre… À votre santé, monsieur Jacques ! »

Comme s'il fût sorti d'un songe, Jacques tressaillit. Dans l'absence complète de remords, dans ce soulagement, ce bien-être physique où il vivait depuis le meurtre, Séverine passait ainsi parfois, apitoyant jusqu'aux larmes l'homme doux qui était en lui. Et il trinqua, en disant précipitamment, pour cacher son trouble :

« Vous savez que nous allons avoir la guerre[1] ?

— Pas possible ! s'écria Philomène. Avec qui donc ?

— Mais avec les Prussiens… Oui, à cause d'un prince de chez eux qui veut être roi en Espagne. Hier, à la Chambre[§], il n'a été question que de cette histoire. »

---

1 *guerre* : en juillet 1870, la France se dressa contre la puissance croissante de l'Allemagne que Bismarck tentait d'unifier sous l'hégémonie de la Prusse, un État allemand. L'élément déclencheur de cette guerre fut le litige soulevé par le refus de la France de soutenir la candidature du prince Léopold de Hohenzollern au trône d'Espagne.

Alors, elle se désola.

«Ah bien ! ça va être drôle ! Ils nous ont déjà assez embêtés, avec leurs élections, leur plébiscite[1] et leurs émeutes, à Paris !… Si l'on se bat, dites, est-ce qu'on prendra tous les hommes ?

— Oh ! nous autres, nous sommes garés, on ne peut pas désorganiser les chemins de fer… Seulement, ce qu'on nous bousculerait, à cause du transport des troupes et des approvisionnements ! Enfin, si ça arrive, il faudra bien faire son devoir.»

Et, sur ce mot, il se leva, en voyant qu'elle avait fini par glisser une de ses jambes sous les siennes, et que Pecqueux s'en apercevait, le sang au visage, serrant déjà les poings.

«Allons nous coucher, il est temps.

— Oui, ça vaudra mieux», bégaya le chauffeur[§].

Il avait empoigné le bras de Philomène, il le serrait à le briser. Elle retint un cri de douleur, elle se contenta de souffler à l'oreille du mécanicien[§], pendant que l'autre achevait rageusement son petit verre :

«Méfie-toi, c'est une vraie brute, quand il a bu.»

Mais, dans l'escalier, des pas lourds descendaient ; et elle s'effara.

«Mon frère !… Filez vite, filez vite !»

Les deux hommes n'étaient pas à vingt pas de la maison qu'ils entendirent des gifles, suivies de hurlements. Elle recevait une abominable correction, comme une petite fille prise en faute, le nez dans un pot de confitures. Le mécanicien s'était arrêté, prêt à la secourir. Mais il fut retenu par le chauffeur.

«Quoi ? est-ce que ça vous regarde, vous ?… Ah ! la nom de Dieu de garce ! s'il pouvait l'assommer !»

Rue François-Mazeline, Jacques et Pecqueux se couchèrent, sans échanger une parole. Les deux lits se touchaient presque, dans l'étroite chambre ; et, longtemps, ils restèrent éveillés, les yeux ouverts, chacun à écouter la respiration de l'autre.

C'était le lundi que devaient commencer, à Rouen, les débats de l'affaire Roubaud. Il y avait là un triomphe pour le juge

1 *plébiscite* : vote par lequel le peuple accorde ou refuse le pouvoir à un homme politique. Napoléon III s'en servit pour légitimer son pouvoir en 1852 et en 1870.

d'instruction[§] Denizet, car on ne tarissait pas d'éloges, dans le monde judiciaire, sur la façon dont il venait de mener à bien cette affaire compliquée et obscure : un chef-d'œuvre de fine analyse, disait-on, une reconstitution logique de la vérité, une création véritable, en un mot.

D'abord, dès qu'il se fut transporté sur les lieux, à la Croix-de-Maufras, quelques heures après le meurtre de Séverine, M. Denizet fit arrêter Cabuche. Tout désignait ouvertement celui-ci, le sang dont il ruisselait, les dépositions accablantes de Roubaud et de Misard, qui racontaient de quelle manière ils l'avaient surpris, avec le cadavre, seul, éperdu. Interrogé, pressé de dire pourquoi et comment il se trouvait dans cette chambre, le carrier[§] bégaya une histoire, que le juge accueillit d'un haussement d'épaules, tellement elle lui parut niaise et classique. Il l'attendait, cette histoire, toujours la même, de l'assassin imaginaire, du coupable inventé, dont le vrai coupable disait avoir entendu la fuite, au travers de la campagne noire. Ce loup-garou était loin, n'est-ce pas ? s'il courait toujours. D'ailleurs, lorsqu'on lui demanda ce qu'il faisait dans la maison, à pareille heure, Cabuche se troubla, refusa de répondre, finit par déclarer qu'il se promenait. C'était enfantin, comment croire à cet inconnu mystérieux, assassinant, se sauvant, laissant toutes les portes ouvertes, sans avoir fouillé un meuble ni emporté même un mouchoir ? D'où serait-il venu ? Pourquoi aurait-il tué ? Le juge, cependant, dès le début de son enquête, ayant su la liaison de la victime et de Jacques, s'inquiéta de l'emploi du temps de ce dernier ; mais, outre que l'accusé lui-même reconnaissait avoir accompagné Jacques à Barentin, pour le train de quatre heures quatorze, l'aubergiste de Rouen jurait ses grands dieux que le jeune homme, couché tout de suite après son dîner[§], était seulement sorti de sa chambre le lendemain, vers sept heures. Et puis, un amant n'égorge pas sans raison une maîtresse qu'il adore, avec laquelle il n'a jamais eu l'ombre d'une querelle. Ce serait absurde. Non ! non ! il n'y avait qu'un assassin possible, un assassin évident, le repris de justice trouvé là, les mains rouges, le couteau à ses pieds, cette bête brute qui faisait à la justice des contes à dormir debout.

Mais, arrivé à ce point, malgré sa conviction, malgré son flair qui, disait-il, le renseignait mieux que les preuves, M. Denizet éprouva un instant d'embarras. Dans une première perquisition, faite à la masure du prévenu[§], en pleine forêt de Bécourt, on n'avait absolument rien découvert. Le vol n'ayant pu être établi, il fallait trouver un autre motif au crime. Brusquement, au hasard d'un interrogatoire, Misard le mit sur la voie, en racontant qu'il avait vu, une nuit, Cabuche escalader le mur de la propriété, pour regarder, par la fenêtre de la chambre, madame Roubaud qui se couchait. Questionné à son tour, Jacques dit tranquillement ce qu'il savait, la muette adoration du carrier[§], le désir ardent dont il la poursuivait, toujours dans ses jupes, à la servir. Aucun doute n'était donc plus permis, seule, une passion bestiale l'avait poussé ; et tout se reconstruisait très bien, l'homme revenant par la porte dont il pouvait avoir une clef, la laissant même ouverte dans son trouble, puis la lutte qui avait amené le meurtre, enfin le viol interrompu seulement par l'arrivée du mari. Pourtant, une objection dernière se présenta, car il était singulier que l'homme, sachant cette arrivée imminente, eût choisi justement l'heure où le mari pouvait le surprendre ; mais, à bien réfléchir, cela se retournait contre le prévenu, achevait de l'accabler, en établissant qu'il devait avoir agi sous l'empire d'une crise suprême du désir, affolé par cette pensée que, s'il ne profitait pas de la minute où Séverine était seule encore, dans cette maison isolée, jamais plus il ne l'aurait, puisqu'elle partait le lendemain. Dès ce moment, la conviction du juge fut complète, inébranlable.

Harcelé d'interrogatoires, pris et repris dans l'écheveau savant des questions, insoucieux des pièges qui lui étaient tendus, Cabuche s'obstinait à sa version première. Il passait sur la route, il respirait l'air frais de la nuit, lorsqu'un individu l'avait frôlé en galopant, et d'une telle course, au fond des ténèbres, qu'il ne pouvait même dire de quel côté il fuyait. Alors, saisi d'inquiétude, ayant jeté un coup d'œil sur la maison, il s'était aperçu que la porte en était restée grande ouverte. Et il avait fini par se décider à monter, et il avait trouvé la morte chaude encore, qui le regardait de ses larges yeux, si bien que, pour la mettre sur le lit, la croyant vivante, il s'était empli de sang. Il ne savait que ça, il ne répétait que ça, jamais il ne variait d'un seul détail, ayant l'air de s'enfermer dans une histoire arrêtée d'avance. Lorsqu'on cherchait à l'en faire sortir, il s'effarait, gardait le silence en homme borné qui ne comprenait plus. La première fois que M. Denizet l'avait interrogé sur la passion dont il brûlait pour la victime, il était devenu très rouge, ainsi qu'un tout jeune garçon à qui l'on reproche sa première tendresse ; et il avait nié, il s'était défendu d'avoir rêvé de coucher avec cette dame, comme d'une chose très vilaine, inavouable, une chose délicate et mystérieuse aussi, enfouie au plus profond de son cœur, dont il ne devait l'aveu à personne. Non, non ! il ne l'aimait pas, il ne la voulait pas, on ne le ferait jamais causer de ce qui lui semblait être une profanation maintenant qu'elle était morte. Mais cet entêtement à ne pas convenir d'un fait que plusieurs témoins affirmaient, tournait encore contre lui. Naturellement, d'après la version de l'accusation, il avait intérêt à cacher le désir furieux où il était de cette malheureuse, qu'il devait égorger pour s'assouvir. Et, quand le juge, réunissant toutes les preuves, voulant lui arracher la vérité en frappant le coup décisif, lui avait jeté à la face ce meurtre et ce viol, il était entré dans une rage folle de protestation. Lui, la tuer pour l'avoir ! lui, qui la respectait comme une sainte ! Les gendarmes[§], rappelés, avaient dû le maintenir, tandis qu'il parlait d'étrangler toute la sacrée boutique. Un gredin des plus dangereux en somme, sournois, mais dont la violence éclatait quand même, avouant pour lui les crimes qu'il niait.

L'instruction[§] en était là, le prévenu[§] entrait en fureur, criait que c'était l'autre, le fuyard mystérieux, chaque fois qu'on revenait à l'assassinat, lorsque M. Denizet fit une soudaine trouvaille, qui transforma l'affaire, en décupla soudain l'importance. Comme il le disait, il flairait des vérités ; aussi voulut-il, par une sorte de pressentiment, procéder lui-même à une perquisition nouvelle, dans la masure de Cabuche ; et il y découvrit, simplement derrière une poutre, une cachette où se trouvaient des mouchoirs et des gants de femme, sous lesquels était une montre d'or, qu'il reconnut tout de suite, avec un grand saisissement de joie : c'était la montre du président[§] Grandmorin, tant cherchée par lui autrefois, une forte montre aux deux initiales entrelacées, portant à l'intérieur du boîtier le chiffre de fabrication 2516. Il en reçut le coup de foudre, tout s'illumina, le passé se reliait au présent, les faits qu'il rattachait l'enchantaient par leur logique. Mais les conséquences allaient porter si loin, que, sans parler de la montre d'abord, il interrogea Cabuche sur les gants et les mouchoirs. Celui-ci, un instant, eut l'aveu aux lèvres : oui, il l'adorait, oui, il la désirait, jusqu'à baiser les robes qu'elle avait portées, jusqu'à ramasser, à voler derrière elle tout ce qui tombait de sa personne, des bouts de lacets, des agrafes, des épingles. Puis, une honte, une pudeur invincible, le fit se taire. Et, lorsque le juge, se décidant, lui mit la montre sous les yeux, il la regarda d'un air ahuri. Il se souvenait bien : cette montre, il avait eu la surprise de la trouver nouée dans le coin d'un mouchoir, pris sous un traversin, emporté chez lui comme une proie ; ensuite, elle était restée là, pendant qu'il se creusait la tête, à chercher de quelle façon la rendre. Seulement, à quoi bon raconter cela ? Il faudrait confesser ses autres vols, ces chiffons, ce linge qui sentait bon, dont il était si honteux. Déjà on ne croyait rien de ce qu'il disait. D'ailleurs, lui-même commençait à ne plus comprendre, tout se brouillait dans son crâne d'homme simple, il entrait en plein cauchemar. Et il ne s'emportait même plus, à l'accusation de meurtre ; il restait hébété, il répétait à chaque question qu'il ne savait pas. Pour les gants et les mouchoirs, il ne savait pas. Pour la montre, il ne savait pas. On l'embêtait, on n'avait qu'à le laisser tranquille et à le guillotiner tout de suite.

M. Denizet, le lendemain, fit arrêter Roubaud. Il avait lancé le mandat, fort de sa toute-puissance, dans une de ces minutes d'inspiration où il croyait au génie de sa perspicacité, avant même d'avoir, contre le sous-chef, des charges[§] suffisantes. Malgré de nombreuses obscurités encore, il devinait dans cet homme le pivot, la source de la double affaire ; et il triompha tout de suite, lorsqu'il eut saisi la donation au dernier vivant[§] que Roubaud et Séverine s'étaient faite devant maître Colin, notaire au Havre[§], huit jours après être rentrés en possession de la Croix-de-Maufras. Dès lors, l'histoire entière se reconstruisit dans son crâne, avec une certitude de raisonnement, une force d'évidence, qui donna à son échafaudage d'accusation une solidité si indestructible, que la vérité elle-même aurait semblé moins vraie, entachée de plus de fantaisie et d'illogisme. Roubaud était un lâche, qui, à deux reprises, n'osant tuer lui-même, s'était servi du bras de Cabuche, cette bête violente. La première fois, ayant hâte d'hériter du président[§] Grandmorin, dont il connaissait le testament, sachant d'autre part la rancune du carrier[§] contre celui-ci, il l'avait poussé à Rouen dans le coupé[§], après lui avoir mis le couteau au poing. Puis, les dix mille francs[§] partagés, les deux complices ne se seraient peut-être jamais revus, si le meurtre ne devait engendrer le meurtre. Et c'était ici que le juge avait montré cette profondeur de psychologie criminelle qu'on admirait tant ; car il le déclarait aujourd'hui, jamais il n'avait cessé de surveiller Cabuche, sa conviction était que le premier assassinat en amènerait mathématiquement un second. Dix-huit mois venaient de suffire : le ménage des Roubaud s'était gâté, le mari avait mangé les cinq mille francs au jeu, la femme en était arrivée à prendre un amant, pour se distraire. Sans doute elle refusait de vendre la Croix-de-Maufras, de crainte qu'il n'en dissipât l'argent ; peut-être, dans leurs continuelles disputes, menaçait-elle de le livrer à la justice. En tout cas, de nombreux témoignages établissaient l'absolue désunion des deux époux ; et là, enfin la conséquence lointaine du premier crime s'était produite : Cabuche reparaissait avec ses appétits de brute, le mari dans l'ombre lui remettait le couteau au poing, pour s'assurer définitivement la propriété de cette maison maudite, qui avait déjà coûté une vie humaine. Telle était la vérité, l'aveuglante vérité, tout y aboutissait : la montre trouvée chez le carrier, surtout les deux cadavres, frappés du même coup à la gorge, par la même main, avec la même arme, ce couteau ramassé dans la chambre. Pourtant, sur ce dernier point, l'accusation émettait un doute, la blessure du président paraissait avoir été faite par une lame plus petite et plus tranchante.

Roubaud, d'abord, répondit par oui et par non, de l'air somnolent et alourdi qu'il avait maintenant. Il ne semblait pas étonné de son arrestation, tout lui était devenu égal, dans la lente désorganisation de son être. Pour le faire causer, on lui avait donné un gardien à demeure, avec lequel il jouait aux cartes du matin au soir ; et il était parfaitement heureux. D'ailleurs, il restait convaincu de la culpabilité de Cabuche : lui seul pouvait être l'assassin. Interrogé sur Jacques, il avait haussé les épaules en riant, montrant ainsi qu'il connaissait les rapports du mécanicien[§] et de Séverine. Mais, lorsque M. Denizet, après l'avoir tâté, finit par développer son système, le poussant, le foudroyant de sa complicité, s'efforçant de lui arracher un aveu, dans le saisissement de se voir découvert, il était devenu très circonspect. Que lui racontait-on là ? Ce n'était pas lui, c'était le carrier[§] qui avait tué le président[§], comme il avait tué Séverine ; et, les deux fois, c'était pourtant lui le coupable, puisque l'autre frappait pour son compte et à sa place. Cette aventure compliquée le stupéfiait, l'emplissait de méfiance : sûrement, on lui tendait un piège, on mentait pour le forcer à confesser sa part de meurtre, le premier crime. Dès son arrestation, il s'était bien douté que la vieille histoire repoussait. Confronté avec Cabuche, il déclara ne pas le connaître. Seulement, comme il répétait qu'il l'avait trouvé rouge de sang, sur le point de violer sa victime, le carrier s'emporta et une scène violente, d'une confusion extrême, vint encore embrouiller les choses. Trois jours se passèrent, le juge multipliait les interrogatoires, certain que les deux complices s'entendaient pour lui jouer la comédie de leur hostilité. Roubaud, très las, avait pris le parti de ne plus répondre, lorsque, tout d'un coup, dans une minute d'impatience, voulant en finir, cédant à un sourd besoin qui le travaillait depuis des mois, il lâcha la vérité, rien que la vérité, toute la vérité.

Ce jour-là, justement, M. Denizet luttait de finesse, assis à son bureau, voilant ses yeux de ses lourdes paupières, tandis que ses lèvres mobiles s'amincissaient, dans un effort de sagacité. Il s'épuisait depuis une heure en ruses savantes, avec ce prévenu[§] épaissi, envahi d'une mauvaise graisse jaune, qu'il jugeait d'une astuce très déliée, sous cette pesante enveloppe. Et il crut l'avoir traqué pas à pas, enlacé de toutes parts, pris au piège enfin, quand l'autre, avec un geste d'homme poussé à bout, s'écria qu'il en avait assez, qu'il préférait avouer, pour qu'on ne le tourmentât pas davantage. Puisque, quand même, on le voulait coupable, qu'il le fût au moins des vraies choses qu'il avait faites. Mais, à mesure qu'il contait l'histoire, sa femme souillée toute jeune par Grandmorin, sa rage de jalousie en apprenant ces ordures, et comment il avait tué, et pourquoi il avait pris les dix mille francs[§], les paupières du juge se relevaient, dans un froncement de doute, tandis qu'une incrédulité irrésistible, l'incrédulité professionnelle, distendait sa bouche en une moue goguenarde. Il souriait tout à fait, lorsque l'accusé se tut. Le gaillard était encore plus fort qu'il ne pensait : prendre le premier meurtre pour lui, en faire un crime purement passionnel, se laver ainsi de toute préméditation de vol, surtout de toute complicité dans l'assassinat de Séverine, c'était certes une manœuvre hardie, qui indiquait une intelligence, une volonté peu communes. Seulement, cela ne tenait pas debout.

« Voyons, Roubaud, il ne faut pas nous croire des enfants… Vous prétendez alors que vous étiez jaloux, ce serait dans un transport de jalousie que vous auriez tué ?

— Certainement.

— Et, si nous admettons ce que vous racontez, vous auriez épousé votre femme, en ne sachant rien de ses rapports avec le président[§]… Est-ce vraisemblable ? Tout au contraire prouverait, dans votre cas, la spéculation offerte, discutée, acceptée. On vous donne une jeune fille élevée comme une demoiselle, on la dote, son protecteur devient le vôtre, vous n'ignorez pas qu'il lui laisse une maison de campagne par testament, et vous prétendez que vous ne vous doutiez de rien, absolument de rien ! Allons donc, vous saviez tout, autrement votre mariage ne s'explique plus… D'ailleurs, la constatation d'un simple fait suffit à vous confondre. Vous n'êtes pas jaloux, osez dire encore que vous êtes jaloux.

— Je dis la vérité, j'ai tué dans une rage de jalousie.

— Alors, après avoir tué le président[§] pour des rapports anciens, vagues, et que vous inventez du reste, expliquez-moi comment vous avez pu tolérer un amant à votre femme, oui, ce Jacques Lantier, un gaillard solide, celui-là ! Tout le monde m'a parlé de cette liaison, vous-même ne m'avez pas caché que vous la connaissiez… Vous les laissiez libres d'aller ensemble, pourquoi ? »

Affaissé, les yeux troubles, Roubaud regardait fixement le vide, sans trouver une explication. Il finit par bégayer :

« Je ne sais pas… J'ai tué l'autre, je n'ai pas tué celui-ci.

— Ne me dites donc plus que vous êtes un jaloux qui se venge, et je ne vous conseille pas de répéter ce roman à ces messieurs les jurés, car ils en hausseraient les épaules… Croyez-moi, changez de système, la vérité seule vous sauverait. »

Dès ce moment, plus Roubaud s'entêta à la dire, cette vérité, plus il fut convaincu de mensonge. Tout, d'ailleurs, tournait contre lui, à ce point que son ancien interrogatoire, lors de la première enquête, qui aurait dû appuyer sa nouvelle version, puisqu'il y avait dénoncé Cabuche, devint au contraire la preuve d'une entente extraordinairement habile entre eux. Le juge raffinait la psychologie de l'affaire, avec un véritable amour du métier. Jamais, disait-il, il n'était descendu si à fond de la nature humaine ; et c'était de la divination plus que de l'observation, car il se flattait d'être de l'école des juges voyeurs et fascinateurs, ceux qui d'un coup d'œil démontent un homme. Les preuves, du reste, ne manquaient plus, un ensemble écrasant. Désormais, l'instruction[§] avait une base solide, la certitude éclatait éblouissante, comme la lumière du soleil.

Et ce qui accrut encore la gloire de M. Denizet, ce fut qu'il apporta la double affaire d'un bloc, après l'avoir reconstituée patiemment, dans le secret le plus profond. Depuis le succès bruyant du plébiscite[§], une fièvre ne cessait d'agiter le pays, pareille à ce vertige qui précède et annonce les grandes catastrophes. C'était, dans la société de cette fin d'Empire, dans la politique, dans la presse surtout, une continuelle inquiétude, une exaltation où la joie elle-même prenait une violence maladive. Aussi, lorsque, après l'assassinat d'une femme, au fond de cette maison isolée de la Croix-de-Maufras, on apprit par quel coup de génie le juge d'instruction[§] de Rouen venait d'exhumer la vieille affaire Grandmorin et de la relier au nouveau crime, y eut-il une explosion de triomphe parmi les journaux officieux. De temps à autre, en effet, reparaissaient encore, dans les feuilles de l'opposition[§], les plaisanteries sur l'assassin légendaire, introuvable, cette invention de la police, mise en avant pour cacher les turpitudes de certains grands personnages compromis. Et la réponse allait être décisive, l'assassin et son complice étaient arrêtés, la mémoire du président[§] Grandmorin sortirait intacte de l'aventure. Les polémiques recommencèrent, l'émotion grandit de jour en jour, à Rouen et à Paris. En dehors de ce roman atroce qui hantait les imaginations, on se passionnait, comme si la vérité enfin découverte, irréfutable, devait consolider l'État. Pendant toute une semaine, la presse déborda de détails.

Mandé à Paris, M. Denizet se présenta rue du Rocher, au domicile personnel du secrétaire général[§], M. Camy-Lamotte. Il le trouva debout, au milieu de son cabinet[§] sévère, le visage amaigri, fatigué davantage ; car il déclinait, envahi d'une tristesse dans son scepticisme, comme s'il eût pressenti, sous cet éclat d'apothéose, l'écroulement prochain du régime qu'il servait. Depuis deux jours, il était en proie à une lutte intérieure, ne sachant encore quel usage il ferait de la lettre de Séverine, qu'il avait gardée, cette lettre qui aurait ruiné tout le système de l'accusation, en appuyant la version de Roubaud d'une preuve irrécusable. Personne au monde ne la connaissait, il pouvait la détruire. Mais, la veille, l'empereur lui avait dit qu'il exigeait, cette fois, que la justice suivît son cours en dehors de toute influence, même si son gouvernement devait en souffrir : un simple cri d'honnêteté, peut-être la superstition qu'un seul acte injuste, après l'acclamation du pays, changerait le destin. Et, si le secrétaire général n'avait pas pour lui de scrupules de conscience, ayant réduit les affaires de ce monde à une simple question de mécanique, il était troublé de l'ordre reçu, il se demandait s'il devait aimer son maître jusqu'au point de lui désobéir.

Tout de suite, M. Denizet triompha.

«Eh bien ! mon flair ne m'avait pas trompé, c'était ce Cabuche qui avait frappé le président[§]... Seulement, je l'accorde, l'autre piste aussi contenait un peu de la vérité, et je sentais moi-même que le cas de Roubaud restait louche... Enfin, nous les tenons tous les deux.»

M. Camy-Lamotte le regardait fixement, de ses yeux pâles.

«Alors, tous les faits du dossier qu'on m'a transmis sont prouvés, et votre conviction est absolue ?

— Absolue, aucune hésitation possible... Tout s'enchaîne, je ne me souviens pas d'une affaire, où, malgré les apparentes complications, le crime ait suivi une marche plus logique, plus aisée à déterminer d'avance.

— Mais Roubaud proteste, prend le premier meurtre pour lui, raconte une histoire, sa femme déflorée, lui affolé de jalousie, tuant dans une crise de rage aveugle. Les feuilles de l'opposition[§] racontent toutes cela.

— Oh ! elles le racontent comme un commérage, en n'osant elles-mêmes y croire. Jaloux, ce Roubaud qui facilitait les rendez-vous de sa femme avec un amant ! Ah ! il peut, en pleines assises[§], répéter ce conte, il n'arrivera pas à soulever le scandale cherché !... S'il apportait quelque preuve encore ! Mais il ne produit rien. Il parle bien de la lettre qu'il prétend avoir fait écrire à sa femme et qu'on aurait dû trouver dans les papiers de la victime... Vous, monsieur le Secrétaire général[§], qui avez classé ces papiers, vous l'auriez trouvée, n'est-ce pas ?»

M. Camy-Lamotte ne répondit point. C'était vrai, le scandale allait être enterré enfin, avec le système du juge : personne ne croirait Roubaud, la mémoire du président, serait lavée des soupçons abominables, l'Empire bénéficierait de cette réhabilitation tapageuse d'une de ses créatures. Et, d'ailleurs, puisque ce Roubaud se reconnaissait coupable, qu'importait à l'idée de justice qu'il fût condamné pour une version ou pour l'autre ! Il y avait bien Cabuche ; mais, si celui-ci n'avait pas trempé dans le premier meurtre, il semblait être réellement l'auteur du second. Puis, mon Dieu ! la justice, quelle illusion dernière ! Vouloir être juste, n'était-ce pas un leurre, quand la vérité est si obstruée de broussailles ? Il valait mieux être sage, étayer d'un coup d'épaule cette société finissante qui menaçait ruine.

« N'est-ce pas ? répéta M. Denizet, vous ne l'avez pas trouvée, cette lettre ? »

De nouveau, M. Camy-Lamotte leva les yeux sur lui ; et tranquillement, seul maître de la situation, prenant pour sa conscience le remords qui avait inquiété l'empereur, il répondit :

« Je n'ai absolument rien trouvé. »

Ensuite, souriant, très aimablement, il combla le juge d'éloges. À peine un pli léger des lèvres indiquait-il une invincible ironie. Jamais une instruction[§] n'avait été menée avec tant de pénétration ; et, c'était chose décidée en haut lieu, on l'appellerait comme conseiller[§] à Paris, après les vacances. Il le reconduisit ainsi jusque sur le palier.

« Vous seul avez vu clair, c'est vraiment admirable… Et, du moment que la vérité parle, il n'y a rien qui la puisse arrêter, ni l'intérêt des personnes, ni même la raison d'État… Marchez, que l'affaire suive son cours, quelles qu'en soient les conséquences.

— Le devoir de la magistrature est là tout entier », conclut M. Denizet, qui salua et partit, rayonnant.

Lorsqu'il fut seul, M. Camy-Lamotte alluma d'abord une bougie ; puis, il alla prendre, dans le tiroir où il l'avait classée, la lettre de Séverine. La bougie brûlait très haute, il déplia la lettre, voulut en relire les deux lignes, et le souvenir s'évoqua de cette criminelle délicate, aux yeux de pervenche, qui l'avait remué jadis d'une si tendre sympathie. Maintenant, elle était morte, il la revoyait tragique. Qui savait le secret qu'elle avait dû emporter ? Certes, oui, une illusion, la vérité, la justice ! Il ne restait pour lui, de cette femme inconnue et charmante, que le désir d'une minute dont elle l'avait effleuré et qu'il n'avait pas satisfait. Et, comme il approchait la lettre de la bougie, et qu'elle flambait, il fut pris d'une grande tristesse, d'un pressentiment de malheur : à quoi bon détruire cette preuve, charger sa conscience de cette action, si le destin était que l'Empire fût balayé, ainsi que la pincée de cendre noire, tombée de ses doigts ?

En moins d'une semaine, M. Denizet termina l'instruction[§]. Il trouvait dans la Compagnie de l'Ouest[§] une bonne volonté extrême, tous les documents désirables, tous les témoignages utiles ; car elle aussi souhaitait vivement d'en finir, avec cette déplorable histoire d'un de ses employés, qui, remontant à travers les rouages compliqués de son organisme, avait failli ébranler jusqu'à son conseil d'administration. Il fallait au plus vite couper le membre gangrené. Aussi, de nouveau, défilèrent dans le cabinet[§] du juge le personnel de la gare du Havre[§], M. Dabadie, Moulin et les autres, qui donnèrent des détails désastreux sur la mauvaise conduite de Roubaud ; puis, le chef de gare de Barentin, M. Bessière, ainsi que plusieurs employés de Rouen, dont les dépositions avaient une importance décisive, relativement au premier meurtre ; puis, M. Vandorpe, le chef de gare de Paris, le stationnaire[§] Misard et le conducteur chef[§] Henri Dauvergne, ces deux derniers très affirmatifs sur les complaisances conjugales du prévenu[§]. Même Henri, que Séverine avait soigné à la Croix-de-Maufras, racontait qu'un soir, affaibli encore, il croyait avoir entendu les voix de Roubaud et de Cabuche se concertant devant sa fenêtre ; ce qui expliquait bien des choses et renversait le système des deux accusés, lesquels prétendaient ne pas se connaître. Dans tout le personnel de la Compagnie, un cri de réprobation s'était élevé, on plaignait les malheureuses victimes, cette pauvre jeune femme dont la faute avait tant d'excuses, ce vieillard si honorable, aujourd'hui lavé des vilaines histoires qui couraient sur son compte.

Mais le nouveau procès avait surtout réveillé des passions vives dans la famille Grandmorin, et, de ce côté, si M. Denizet trouvait encore une aide puissante, il dut batailler pour sauvegarder l'intégrité de son instruction. Les Lachesnaye chantaient victoire, car ils avaient toujours affirmé la culpabilité de Roubaud, exaspérés du legs de la Croix-de-Maufras, saignant d'avarice. Aussi, dans le retour de l'affaire, ne voyaient-ils qu'une occasion d'attaquer le testament; et, comme il n'existait qu'un moyen d'obtenir la révocation[1] du legs, celui de frapper Séverine de la déchéance d'ingratitude, ils acceptaient en partie la version de Roubaud, la femme complice, l'aidant à tuer, non point pour se venger d'une infamie imaginaire, mais pour le voler; de sorte que le juge entra en conflit avec eux, avec Berthe surtout très âpre contre l'assassinée, son ancienne amie, qu'elle chargeait abominablement, et que lui défendait, s'échauffant, s'emportant, dès qu'on touchait à son chef-d'œuvre, cet édifice de logique, si bien construit, comme il le déclarait lui-même d'un air d'orgueil, que, si l'on en déplaçait une seule pièce, tout croulait. Il y eut, à ce propos, dans son cabinet[§], une scène très vive entre les Lachesnaye et madame Bonnehon. Celle-ci, favorable aux Roubaud jadis, avait dû abandonner le mari; mais elle continuait de soutenir la femme, par une sorte de complicité tendre, très tolérante au charme et à l'amour, toute bouleversée de ce romanesque tragique, éclaboussé de sang. Elle fut très nette, pleine du dédain de l'argent. Sa nièce n'avait-elle pas honte de revenir sur cette question de l'héritage? Séverine coupable, n'étaient-ce pas les prétendus aveux de Roubaud à accepter entièrement, la mémoire du président[§] salie de nouveau? La vérité, si l'instruction[§] ne l'avait pas si ingénieusement établie, il aurait fallu l'inventer, pour l'honneur de la famille. Et elle parla avec un peu d'amertume de la société de Rouen, où l'affaire faisait tant de bruit, cette société sur laquelle elle ne régnait plus, maintenant que l'âge venait et qu'elle perdait jusqu'à son opulente beauté blonde de déesse vieillie. Oui, la veille encore, chez madame Leboucq, la femme du conseiller[§], cette grande brune élégante qui la détrônait, on avait chuchoté les anecdotes gaillardes, l'aventure de Louisette, tout ce qu'inventait la malignité publique. À ce moment, M. Denizet étant intervenu, pour lui apprendre que M. Leboucq siégerait comme assesseur[2] aux prochaines assises[§], les Lachesnaye se turent, ayant l'air de céder, pris d'inquiétude.

1 *révocation* : annulation d'un acte juridique (donation, testament, etc.).

2 *assesseur* : personne qui siège à côté d'une autre personne pour l'assister dans ses fonctions et, au besoin, la suppléer.

Mais madame Bonnehon les rassura, certaine que la justice ferait son devoir : les assises[§] seraient présidées par son vieil ami, M. Desbazeilles, à qui ses rhumatismes ne permettaient que le souvenir, et le second assesseur[§] devait être M. Chaumette, le père du jeune substitut[§] qu'elle protégeait. Elle était donc tranquille, bien qu'un mélancolique sourire eût paru sur ses lèvres, en nommant le dernier, dont on voyait depuis quelque temps le fils chez madame Leboucq, où elle l'envoyait elle-même, pour ne pas entraver son avenir.

Lorsque le fameux procès vint enfin, le bruit d'une guerre[§] prochaine, l'agitation qui gagnait la France entière, nuisirent beaucoup au retentissement des débats. Rouen n'en passa pas moins trois jours dans la fièvre, on s'écrasait aux portes de la salle, les places réservées étaient envahies par des dames de la ville. Jamais l'ancien palais des ducs de Normandie n'avait vu une telle affluence de monde, depuis son aménagement en palais de justice. C'était aux derniers jours de juin, des après-midi chauds et ensoleillés, dont la clarté vive allumait les vitraux des dix fenêtres, inondant de lumière les boiseries de chêne, le calvaire de pierre blanche qui se détachait au fond sur la tenture rouge semée d'abeilles, le célèbre plafond du temps de Louis XII, avec ses compartiments[§] de bois sculptés et dorés, d'un vieil or très doux. On étouffait déjà, avant que l'audience fût ouverte. Des femmes se haussaient pour voir, sur la table des pièces à conviction, la montre de Grandmorin, la chemise tachée de sang de Séverine et le couteau qui avait servi aux deux meurtres. Le défenseur de Cabuche, un avocat venu de Paris, était également très regardé. Aux bancs du jury, s'alignaient douze Rouennais, sanglés dans des redingotes noires, épais et graves. Et, lorsque la cour entra, il se produisit une telle poussée, dans le public debout, que le président, tout de suite, dut menacer de faire évacuer la salle.

Enfin, les débats étaient ouverts, les jurés prêtèrent serment, et l'appel des témoins agita de nouveau la foule d'un frémissement de curiosité : aux noms de madame Bonnehon et de M. de Lachesnaye, les têtes ondulèrent ; mais Jacques, surtout, passionna les dames, qui le suivirent des yeux. D'ailleurs, depuis que les accusés étaient là, chacun entre deux gendarmes[§], des regards ne les quittaient pas, des appréciations s'échangeaient. On leur trouvait l'air féroce et bas, deux bandits. Roubaud, avec son veston de couleur sombre, cravaté en monsieur qui se néglige, surprenait par son air vieilli, sa face hébétée et crevant de graisse. Quant à Cabuche, il était bien tel qu'on se l'imaginait, vêtu d'une longue blouse[§] bleue, le type même de l'assassin, des poings énormes, des mâchoires de carnassier, enfin un de ces gaillards qu'il ne fait pas bon rencontrer au coin d'un bois. Et les interrogatoires confirmèrent cette mauvaise impression, certaines réponses soulevèrent de violents murmures. À toutes les questions du président, Cabuche répondit qu'il ne savait pas : il ne savait pas pourquoi il avait laissé fuir le véritable assassin ; et il s'en tenait à son histoire de cet inconnu mystérieux, dont il disait avoir entendu le galop au fond des ténèbres. Puis, interrogé sur sa passion bestiale pour sa malheureuse victime, il s'était mis à bégayer, dans une si brusque et si violente colère, que les deux gendarmes l'avaient empoigné par les bras : non, non ! il ne l'aimait point, il ne la désirait point, c'étaient des menteries, il aurait cru la salir, rien qu'à la vouloir, elle qui était une dame, tandis que lui avait fait de la prison et vivait en sauvage ! Ensuite, calmé, il était tombé dans un silence morne, ne lâchant plus que des monosyllabes, indifférent à la condamnation qui pouvait le frapper. De même, Roubaud s'en tint à ce que l'accusation appelait son système : il raconta comment et pourquoi il avait tué Grandmorin, il nia toute participation à l'assassinat de sa femme ; mais il le faisait en phrases hachées, presque incohérentes, avec des pertes subites de mémoire, les yeux si troubles, la voix si empâtée, qu'il semblait par moments chercher et inventer les détails. Et, le président le poussant, lui démontrant les absurdités de son récit, il finit par hausser les épaules, il refusa de répondre : à quoi bon dire la vérité puisque c'était le mensonge qui était logique ? Cette attitude de dédain agressif à l'égard de la justice, lui fit le plus grand tort. On remarqua aussi le profond désintéressement où les deux accusés étaient l'un de l'autre, comme une preuve d'entente préalable, tout un plan habile, suivi avec une extraordinaire force de volonté. Ils prétendaient ne pas se connaître, ils se chargeaient même, uniquement pour dérouter le tribunal. Quand les interrogatoires furent terminés, l'affaire était jugée, tellement le président les avait menés avec adresse, de façon que Roubaud et Cabuche, culbutant dans les pièges tendus, parussent s'être livrés eux-mêmes. Ce jour-là, on entendit encore quelques témoins, sans importance. La chaleur était devenue si insupportable, vers cinq heures, que deux dames s'évanouirent.

Mais, le lendemain, la grosse émotion fut pour l'audition de certains témoins. Madame Bonnehon eut un véritable succès de distinction et de tact. On écouta avec intérêt les employés de la Compagnie, M. Vandorpe, M. Bessière, M. Dabadie, M. Cauche surtout, ce dernier très prolixe, qui conta comment il connaissait beaucoup Roubaud, ayant souvent fait avec lui sa partie, au café du Commerce. Henri Dauvergne répéta son témoignage accablant, la presque certitude où il était d'avoir, dans la somnolence de la fièvre, entendu les voix sourdes des deux accusés, qui se concertaient ; et, interrogé sur Séverine, il se montra très discret, fit comprendre qu'il l'avait aimée, mais que la sachant à un autre, il s'était effacé loyalement. Aussi, lorsque cet autre, Jacques Lantier, fut introduit enfin, un bourdonnement monta de la foule, des personnes se levèrent pour le mieux voir, il y eut même, parmi les jurés, un mouvement passionné d'attention. Jacques, très tranquille, s'était des deux mains appuyé à la barre des témoins, du geste professionnel dont il avait l'habitude, lorsqu'il conduisait sa machine. Cette comparution qui aurait dû le troubler profondément, le laissait dans une entière lucidité d'esprit, comme si rien de l'affaire ne le regardât. Il allait déposer en étranger, en innocent ; depuis le crime, pas un frisson ne lui était venu, il ne songeait même pas à ces choses, la mémoire abolie, les organes dans un état d'équilibre, de santé parfaite ; là encore, à cette barre, il n'avait ni remords ni scrupules, d'une absolue inconscience. Tout de suite, il avait regardé Roubaud et Cabuche, de ses yeux clairs. Le premier, il le savait coupable, il lui adressa un léger signe de tête, un salut discret, sans songer qu'ouvertement aujourd'hui il était l'amant de sa femme. Puis, il sourit au second, l'innocent, dont il aurait dû occuper la place, sur ce banc : une bonne bête au fond, sous son air de bandit, un gaillard qu'il avait vu au travail, dont il avait serré la main. Et, plein d'aisance, il déposa, il répondit en petites phrases nettes aux questions du président, qui, après l'avoir interrogé sans mesure sur ses rapports avec la victime, lui fit raconter son départ de la Croix-de-Maufras, quelques heures avant le meurtre, comment il était allé prendre le train à Barentin, comment il avait couché à Rouen. Cabuche et Roubaud l'écoutaient, confirmaient ses réponses par leur attitude ; et, à cette minute, entre ces trois hommes, monta une indicible tristesse. Un silence de mort s'était fait dans la salle, une émotion venue ils ne savaient d'où serra un instant les jurés à la gorge : c'était la vérité qui passait, muette. À la question du président désirant savoir ce qu'il pensait de l'inconnu, évanoui dans les ténèbres, dont le carrier[§] parlait, Jacques se contenta de hocher la tête, comme s'il n'avait pas voulu accabler un accusé. Et un fait alors se produisit, qui acheva de bouleverser l'auditoire. Des pleurs parurent dans les yeux de Jacques, débordèrent, ruisselèrent sur ses joues. Ainsi qu'il l'avait revue déjà, Séverine venait de s'évoquer, la misérable assassinée dont il avait emporté l'image, avec ses yeux bleus élargis démesurément, ses cheveux noirs droits sur son front, comme un casque d'épouvante. Il l'adorait encore, une pitié immense l'avait pris, et il la pleurait à grandes larmes, dans l'inconscience de son crime, oubliant où il était, parmi cette foule. Des dames, gagnées par l'attendrissement, sanglotèrent. On trouva extrêmement touchante cette douleur de l'amant, lorsque le mari restait les yeux secs. Le président ayant demandé à la défense si elle n'avait aucune question à poser au témoin, les avocats remercièrent, tandis que les accusés hébétés accompagnaient du regard Jacques, qui retournait s'asseoir, au milieu de la sympathie générale.

La troisième audience fut prise tout entière par le réquisitoire[1] du procureur[§] impérial et par les plaidoiries des avocats.

1 *réquisitoire* : plaidoirie du ministère public (procureur ou avocat général). Le terme « plaidoirie » est réservé à l'exposé des autres avocats.

D'abord, le président avait présenté un résumé de l'affaire, où, sous une affectation d'impartialité absolue, les charges[§] de l'accusation étaient aggravées. Le procureur[§] impérial, ensuite, ne parut pas jouir de tous ses moyens : il avait d'habitude plus de conviction, une éloquence moins vide. On mit cela sur le compte de la chaleur, qui était vraiment accablante. Au contraire, le défenseur de Cabuche, l'avocat de Paris, fit grand plaisir, sans convaincre. Le défenseur de Roubaud, un membre distingué du barreau de Rouen, tira également tout le parti qu'il put de sa mauvaise cause. Fatigué, le ministère public ne répliqua même pas. Et, lorsque le jury passa dans la salle des délibérations, il n'était que six heures, le plein jour entrait encore par les dix fenêtres, un dernier rayon allumait les armes des villes de Normandie, qui en décorent les impostes. Un grand bruit de voix monta sous l'antique plafond doré, des poussées d'impatience ébranlèrent la grille de fer, séparant les places réservées du public debout. Mais le silence redevint religieux, dès que le jury et la cour reparurent. Le verdict admettait des circonstances atténuantes[1], le tribunal condamna les deux hommes aux travaux forcés à perpétuité. Et ce fut une vive surprise, la foule s'écoula en tumulte, quelques sifflets se firent entendre comme au théâtre.

Dans tout Rouen, le soir même, on parlait de cette condamnation, avec des commentaires sans fin. Selon l'avis général, c'était un échec pour madame Bonnehon et pour les Lachesnaye. Une condamnation à mort, seule, semblait-il, aurait satisfait la famille ; et, sûrement, des influences adverses avaient agi. Déjà, on nommait tout bas madame Leboucq, qui comptait parmi les jurés trois ou quatre de ses fidèles. L'attitude de son mari, comme assesseur[§], n'avait sans doute rien offert d'incorrect ; pourtant, on croyait s'être aperçu que, ni l'autre assesseur, M. Chaumette, ni même le président, M. Desbazeilles, ne s'étaient sentis les maîtres des débats, autant qu'ils l'auraient voulu. Peut-être, simplement, le jury, pris de scrupules, venait-il, en accordant des circonstances

1 *admettait des circonstances atténuantes* : reconnaissait des éléments, des faits qui diminuent la culpabilité des accusés et qui allègent leur peine.

atténuantes§, de céder au malaise de ce doute qui avait un moment traversé la salle, le vol silencieux de la mélancolique vérité. Au demeurant, l'affaire restait le triomphe du juge d'instruction§, M. Denizet, dont rien n'avait pu entamer le chef-d'œuvre ; car la famille elle-même perdit beaucoup de sympathies, lorsque le bruit courut que, pour ravoir la Croix-de-Maufras, M. de Lachesnaye, contrairement à la jurisprudence[1], parlait d'intenter une action en révocation§, malgré la mort du donataire[2], ce qui étonnait de la part d'un magistrat.

Au sortir du palais, Jacques fut rejoint par Philomène, qui était restée comme témoin ; et elle ne le lâcha plus, le retenant, tâchant de passer cette nuit-là avec lui, à Rouen. Il ne devait reprendre son service que le lendemain, il voulut bien la garder à dîner§, dans l'auberge où il prétendait avoir dormi la nuit du crime, près de la gare ; mais il ne coucherait pas, il était absolument forcé de rentrer à Paris, par le train de minuit cinquante.

« Tu ne sais pas, raconta-t-elle, comme elle se dirigeait à son bras vers l'auberge, je jurerais que, tout à l'heure, j'ai vu quelqu'un de notre connaissance… Oui, Pecqueux, qui me répétait encore, l'autre jour, qu'il ne ficherait pas les pieds à Rouen, pour l'affaire… Un moment, je me suis retournée, et un homme, dont je n'ai aperçu que le dos, a filé au milieu de la foule… »

Le mécanicien§ l'interrompit, en haussant les épaules.

« Pecqueux est à Paris, en train de nocer, trop heureux des vacances que mon congé lui procure.

— C'est possible… N'importe, méfions-nous, car c'est bien la plus sale rosse, quand il rage. »

Elle se pressa contre lui, elle ajouta, avec un coup d'œil en arrière :

« Et celui-là qui nous suit, tu le connais ?

— Oui, ne t'inquiète pas… Il a peut-être bien quelque chose à me demander. »

---

1 *jurisprudence* : ensemble des règles de droit qui se dégagent des décisions rendues par les tribunaux.

2 *donataire* : personne qui reçoit une donation.

C'était Misard, qui, en effet, depuis la rue des Juifs, les accompagnait à distance. Il avait déposé, lui aussi, d'un air ensommeillé ; et il était resté, rôdant autour de Jacques, sans se résoudre à lui poser une question, qu'il avait visiblement sur les lèvres. Lorsque le couple eut disparu dans l'auberge, il y entra à son tour, il se fit servir un verre de vin.

« Tiens, c'est vous, Misard ! s'écria le mécanicien[§]. Et, avec votre nouvelle femme, ça va ? »

— Oui, oui, grogna le stationnaire[§]. Ah ! la bougresse, elle m'a bien fichu dedans. Hein ? je vous ai conté ça, à mon autre voyage ici. »

Jacques s'égayait beaucoup de cette histoire. La Ducloux, l'ancienne servante louche que Misard avait prise pour garder la barrière, s'était vite aperçue, à le voir fouiller les coins, qu'il devait chercher un magot, caché par sa défunte ; et une idée de génie lui était venue, pour se faire épouser, celle de lui laisser entendre, par des réticences, par de petits rires, qu'elle l'avait trouvé, elle. D'abord, il avait failli l'étrangler ; puis, songeant que les mille francs[§] lui échapperaient encore, s'il la supprimait comme l'autre, avant de les avoir, il était devenu très câlin, très gentil ; mais elle le repoussait, elle ne voulait même plus qu'il la touchât : non, non, quand elle serait sa femme, il aurait tout, elle et l'argent en plus. Et il l'avait épousée, et elle s'était moquée, en le traitant de trop bête, croyant tout ce qu'on lui racontait. Le beau, c'était que, mise au courant, s'allumant elle-même à la contagion de sa fièvre, elle cherchait désormais avec lui, aussi enragée. Ah ! ces mille francs introuvables, ils les dénicheraient bien un jour, maintenant qu'ils étaient deux ! Ils cherchaient, ils cherchaient.

« Alors, toujours rien ? demanda Jacques goguenard. Elle ne vous aide donc pas la Ducloux ? »

Misard le regarda fixement ; et il parla enfin.

« Vous savez où ils sont, dites-le-moi. »

Mais le mécanicien se fâchait.

« Je ne sais rien du tout, tante Phasie ne m'a rien donné, vous n'allez pas m'accuser de vol, peut-être !

— Oh ! elle ne vous a rien donné : ça, c'est bien sûr… Vous voyez que j'en suis malade. Si vous savez où ils sont, dites-le-moi.

— Eh ! allez vous faire fiche ! Prenez garde que je ne cause trop… Voyez donc dans la boîte à sel, s'ils y sont. »

Blême, les yeux ardents, Misard continuait à le regarder. Il eut comme une brusque illumination.

« Dans la boîte à sel, tiens ! c'est vrai. Il y a, sous le tiroir, une cachette où je n'ai pas fouillé. »

Et il se hâta de payer son verre de vin, et il courut au chemin de fer, voir s'il pourrait encore prendre le train de sept heures dix. Là-bas, dans la petite maison basse, éternellement il chercherait.

Le soir, après le dîner[§], en attendant le train de minuit cinquante, Philomène voulut emmener Jacques, par des ruelles noires, jusqu'à la campagne prochaine. Il faisait très lourd, une nuit de juillet, ardente et sans lune, qui lui gonflait la gorge de gros soupirs, presque pendue à son cou. Deux fois, ayant cru entendre des pas derrière eux, elle s'était retournée, sans apercevoir personne, tant les ténèbres étaient épaisses. Lui, souffrait beaucoup de cette nuit d'orage. Dans son tranquille équilibre, cette santé parfaite dont il jouissait depuis le meurtre, il avait senti tout à l'heure, à table, un lointain malaise revenir, chaque fois que cette femme l'avait effleuré de ses mains errantes. La fatigue sans doute, un énervement causé par la pesanteur de l'air. Maintenant, l'angoisse du désir renaissait plus vive, pleine d'une sourde épouvante, à la tenir ainsi, contre son corps. Cependant, il était bien guéri, l'expérience était faite, puisqu'il l'avait déjà possédée, la chair calme, pour se rendre compte. Son excitation devint telle, que la peur d'une crise l'aurait fait se dégager de ses bras, si l'ombre qui la noyait ne l'avait rassuré ; car jamais, même aux pires jours de son mal, il n'aurait frappé sans voir. Et, tout d'un coup, comme ils passaient près d'un talus gazonné, dans un chemin désert, et qu'elle l'y entraînait, s'allongeant, le besoin monstrueux le reprit, il fut emporté par une rage, il chercha parmi l'herbe une arme, une pierre, pour lui en écraser la tête. D'une secousse, il s'était relevé, et il fuyait déjà, éperdu, et il entendit une voix d'homme, des jurons, toute une bataille.

« Ah ! garce, j'ai attendu jusqu'au bout, j'ai voulu être sûr !

— Ce n'est pas vrai, lâche-moi !

— Ah ! ce n'est pas vrai ! Il peut courir, l'autre ! je sais qui c'est, je le rattraperai bien !... Tiens ! garce, dis encore que ce n'est pas vrai ! »

Jacques galopait dans la nuit, non pour fuir Pecqueux, qu'il venait de reconnaître ; mais il se fuyait lui-même, fou de douleur.

Eh quoi ! un meurtre n'avait pas suffi, il n'était pas rassasié du sang de Séverine, ainsi qu'il le croyait, le matin encore ? Voilà qu'il recommençait. Une autre, et puis une autre, et puis toujours une autre ! Dès qu'il se serait repu, après quelques semaines de torpeur, sa faim effroyable se réveillerait, il lui faudrait sans cesse de la chair de femme pour la satisfaire. Même, à présent, il n'avait pas besoin de la voir, cette chair de séduction : rien qu'à la sentir tiède dans ses bras, il cédait au rut du crime, en mâle farouche qui éventre les femelles. C'était fini de vivre, il n'y avait plus devant lui que cette nuit profonde, d'un désespoir sans bornes, où il fuyait.

Quelques jours se passèrent. Jacques avait repris son service, évitant les camarades, retombé dans sa sauvagerie anxieuse d'autrefois. La guerre[§] venait d'être déclarée, après d'orageuses séances à la Chambre[§] ; et il y avait déjà eu un petit combat d'avant-poste, heureux, disait-on. Depuis une semaine, les transports de troupes écrasaient de fatigue le personnel des chemins de fer. Les services réguliers étaient détraqués, de continuels trains imprévus amenaient des retards considérables ; sans compter qu'on avait réquisitionné les meilleurs mécaniciens[§], pour activer la concentration des corps d'armée. Et ce fut ainsi qu'un soir, au Havre[§], Jacques, au lieu de son express[§] habituel, eut à conduire un train énorme, dix-huit wagons, absolument bondés de soldats.

Ce soir-là, Pecqueux arriva au dépôt[§] très ivre. Le lendemain du jour où il avait surpris Philomène et Jacques, il était remonté sur la machine 608, comme chauffeur[§], avec ce dernier ; et, depuis ce temps, il ne faisait aucune allusion, assombri, ayant l'air de ne point oser regarder son chef. Mais celui-ci le sentait de plus en plus révolté, refusant d'obéir, l'accueillant d'un grognement sourd, dès qu'il lui donnait un ordre. Ils avaient fini par cesser complètement de se parler. Cette tôle mouvante, ce petit pont qui les emportait autrefois, si unis, n'était plus à cette heure que la planche étroite et dangereuse où se heurtait leur rivalité. La haine grandissait, ils en étaient à se dévorer dans ces quelques pieds carrés, filant à toute vitesse, et d'où les aurait précipités la moindre secousse. Et, ce soir-là, en voyant Pecqueux ivre, Jacques se méfia ; car il le savait trop sournois pour se fâcher à jeun, le vin seul déchaînait en lui la brute.

Le train qui devait partir vers six heures, fut retardé. Il était nuit déjà, lorsqu'on embarqua les soldats comme des moutons, dans des wagons à bestiaux. On avait simplement cloué des planches en guise de banquettes, on les empilait là-dedans, par escouades, bourrant les voitures au-delà du possible ; si bien qu'ils s'y trouvaient assis les uns sur les autres, quelques-uns debout, serrés à ne pas remuer un bras. Dès leur arrivée à Paris, un autre train les attendait, pour les diriger sur le Rhin. Ils étaient déjà écrasés de fatigue, dans l'ahurissement du départ. Mais, comme on leur avait distribué de l'eau-de-vie, et que beaucoup s'étaient répandus chez les débitants du voisinage, ils avaient une gaieté échauffée et brutale, très rouges, les yeux hors de la tête. Et, dès que le train s'ébranla, sortant de la gare, ils se mirent à chanter.

Jacques, tout de suite, regarda le ciel, dont une vapeur d'orage cachait les étoiles. La nuit serait très sombre, pas un souffle n'agitait l'air brûlant ; et le vent de la course, toujours si frais, semblait tiède. À l'horizon noir, il n'y avait d'autres feux que les étincelles vives des signaux. Il augmenta la pression pour franchir la grande rampe d'Harfleur à Saint-Romain. Malgré l'étude qu'il faisait d'elle depuis des semaines, il n'était pas maître encore de la machine 608, trop neuve, dont les caprices, les écarts de jeunesse le surprenaient. Cette nuit-là, particulièrement, il la sentait rétive, fantasque, prête à s'emballer pour quelques morceaux de charbon[§] de trop. Aussi, la main sur le volant du changement de marche[§], surveillait-il le feu, de plus en plus inquiet des allures de son chauffeur[§]. La petite lampe qui éclairait le niveau de l'eau, laissait la plate-forme[§] dans une pénombre, que la porte du foyer[§], rougie, rendait violâtre. Il distinguait mal Pecqueux, il avait eu aux jambes, à deux reprises, la sensation d'un frôlement, comme si des doigts se fussent exercés à le prendre là. Mais ce n'était sans doute qu'une maladresse d'ivrogne, car il l'entendait, dans le bruit, ricaner très haut, casser son charbon[§], à coups de marteau exagérés, se battre avec la pelle. Toutes les minutes, il ouvrait la porte, jetait du combustible sur la grille, en quantité déraisonnable.

« Assez ! » cria Jacques.

L'autre affecta de ne pas comprendre, continua à enfourner des pelletées coup sur coup ; et, comme le mécanicien[§] lui empoignait le bras, il se tourna, menaçant, tenant enfin la querelle qu'il cherchait, dans la fureur montante de son ivresse.

« Touche pas, ou je cogne !... Ça m'amuse, moi, qu'on aille vite ! »

Le train, maintenant, roulait, à toute vitesse, sur le plateau qui va de Bolbec à Motteville. Il devait filer d'un trait à Paris, sans arrêt aucun, sauf aux points marqués pour prendre de l'eau. L'énorme masse, les dix-huit wagons, chargés, bondés de bétail humain, traversaient la campagne noire, dans un grondement continu. Et ces hommes qu'on charriait au massacre, chantaient, chantaient à tue-tête, d'une clameur si haute, qu'elle dominait le bruit des roues.

Jacques, du pied, avait refermé la porte. Puis, manœuvrant l'injecteur[§], se contenant encore :

« Il y a trop de feu... Dormez, si vous êtes saoul. »

Immédiatement, Pecqueux rouvrit, s'acharna à remettre du charbon, comme s'il eût voulu faire sauter la machine. C'était la révolte, les ordres méconnus, la passion exaspérée qui ne tenait plus compte de toutes ces vies humaines. Et, Jacques s'étant penché pour abaisser lui-même la tige du cendrier[§], de façon à diminuer au moins le tirage, le chauffeur le saisit brusquement à bras-le-corps, tâcha de le pousser, de le jeter sur la voie, d'une violente secousse.

«Gredin, c'était donc ça!... N'est-ce pas? Tu dirais que je suis tombé, bougre de sournois!»

Il s'était rattrapé à un des bords du tender§, et ils glissèrent tous deux, la lutte continua sur le petit pont de tôle, qui dansait violemment. Les dents serrées, ils ne parlaient plus, ils s'efforçaient l'un l'autre de se précipiter par l'étroite ouverture, qu'une barre de fer seule fermait. Mais ce n'était point commode, la machine dévorante roulait, roulait toujours; et Barentin fut dépassé, et le train s'engouffra dans le tunnel de Malaunay, qu'ils se tenaient encore étroitement, vautrés dans le charbon§, tapant de la tête contre les parois du récipient d'eau, évitant la porte rougie du foyer§, où se grillaient leurs jambes, chaque fois qu'ils les allongeaient.

Un instant, Jacques songea que, s'il pouvait se relever, il fermerait le régulateur, appellerait au secours, pour qu'on le débarrassât de ce fou furieux, enragé d'ivresse et de jalousie. Il s'affaiblissait, plus petit, désespérait de trouver maintenant la force de le précipiter, vaincu déjà, sentant passer dans ses cheveux la terreur de la chute. Comme il faisait un suprême effort, la main tâtonnante, l'autre comprit, se raidit sur les reins, le souleva ainsi qu'un enfant.

«Ah! tu veux arrêter... Ah! tu m'as pris ma femme... Va, va, faut que tu y passes!»

La machine roulait, roulait, le train venait de sortir du tunnel à grand fracas, et il continuait sa course, au travers de la campagne vide et sombre. La station de Malaunay fut franchie, dans un tel coup de vent, que le sous-chef, debout sur le quai, ne vit même pas ces deux hommes, en train de se dévorer, pendant que la foudre les emportait.

Mais Pecqueux, d'un dernier élan, précipita Jacques; et celui-ci, sentant le vide, éperdu, se cramponna à son cou, si étroitement, qu'il l'entraîna. Il y eut deux cris terribles, qui se confondirent, qui se perdirent. Les deux hommes, tombés ensemble, entraînés sous les roues par la réaction de la vitesse, furent coupés, hachés, dans leur étreinte, dans cette effroyable embrassade, eux qui avaient si longtemps vécu en frères. On les retrouva sans tête, sans pieds, deux troncs sanglants qui se serraient encore, comme pour s'étouffer.

Et la machine, libre de toute direction, roulait, roulait toujours. Enfin, la rétive, la fantasque, pouvait céder à la fougue de sa jeunesse, ainsi qu'une cavale[§] indomptée encore, échappée des mains du gardien, galopant par la campagne rase. La chaudière[§] était pourvue d'eau, le charbon[§] dont le foyer[§] venait d'être rempli, s'embrasait ; et, pendant la première demi-heure, la pression monta follement, la vitesse devint effrayante. Sans doute, le conducteur chef[§], cédant à la fatigue, s'était endormi. Les soldats, dont l'ivresse augmentait, à être ainsi entassés, subitement s'égayèrent de cette course violente, chantèrent plus fort. On traversa Maromme, en coup de foudre. Il n'y avait plus de sifflet, à l'approche des signaux, au passage des gares. C'était le galop tout droit, la bête qui fonçait la tête basse et muette, parmi les obstacles. Elle roulait, roulait sans fin, comme affolée de plus en plus par le bruit strident de son haleine.

À Rouen, on devait prendre de l'eau ; et l'épouvante glaça la gare, lorsqu'elle vit passer, dans un vertige de fumée et de flamme, ce train fou, cette machine sans mécanicien[§] ni chauffeur[§], ces wagons à bestiaux emplis de troupiers qui hurlaient des refrains patriotiques. Ils allaient à la guerre[§], c'était pour être plus vite là-bas, sur les bords du Rhin. Les employés étaient restés béants, agitant les bras. Tout de suite, le cri fut général : jamais ce train débridé, abandonné à lui-même, ne traverserait sans encombre la gare de Sotteville, toujours barrée par des manœuvres, obstruée de voitures et de machines, comme tous les grands dépôts[§]. Et l'on se précipita au télégraphe, on prévint. Justement, là-bas, un train de marchandises qui occupait la voie, put être refoulé sous une remise. Déjà, au loin, le roulement du monstre échappé s'entendait. Il s'était rué dans les deux tunnels qui avoisinent Rouen, il arrivait de son galop furieux, comme une force prodigieuse et irrésistible que rien ne pouvait plus arrêter. Et la gare de Sotteville fut brûlée, il fila au milieu des obstacles sans rien accrocher, il se replongea dans les ténèbres, où son grondement peu à peu s'éteignit.

*Sans conducteur, au milieu des ténèbres,*
*en bête aveugle et sourde qu'on aurait lâchée parmi la mort […].*

Lignes 13006 et 13007.

ŒUVRES COMPLÈTES ILLUSTRÉES D'ÉMILE ZOLA (1906).

Mais, maintenant, tous les appareils télégraphiques de la ligne tintaient, tous les cœurs battaient, à la nouvelle du train fantôme qu'on venait de voir passer à Rouen et à Sotteville. On tremblait de peur : un express[§] qui se trouvait en avant, allait sûrement être rattrapé. Lui, ainsi qu'un sanglier dans une futaie, continuait sa course, sans tenir compte ni des feux rouges, ni des pétards[§]. Il faillit se broyer, à Oissel, contre une machine-pilote[§] ; il terrifia Pont-de-l'Arche, car sa vitesse ne semblait pas se ralentir. De nouveau, disparu, il roulait, il roulait, dans la nuit noire, on ne savait, où, là-bas.

Qu'importaient les victimes que la machine écrasait en chemin ! N'allait-elle pas quand même à l'avenir, insoucieuse du sang répandu ? Sans conducteur, au milieu des ténèbres, en bête aveugle et sourde qu'on aurait lâchée parmi la mort, elle roulait, elle roulait, chargée de cette chair à canon, de ces soldats, déjà hébétés de fatigue, et ivres, qui chantaient.

# PRÉSENTATION DE L'ŒUVRE

**Zola, lors d'un voyage en train de Paris à Nantes, au moment de la préparation de *La Bête humaine*.**

Bibliothèque des Arts décoratifs, Paris.

# Zola et son époque

## LE CONTEXTE HISTORIQUE

L'époque dans laquelle vit Zola est tumultueuse. Tout y évolue rapidement : le régime politique, l'organisation sociale, les conditions de vie, tant matérielles que médicales, jusqu'à la conception de l'être humain et de sa destinée. Zola est un homme curieux. Il se tient au courant des dernières découvertes, des idées nouvelles, il les examine et les soumet à son esprit d'analyse. Il s'agit aussi d'un homme engagé, prenant courageusement position dans les débats, voire dans les conflits qui déchirent ses contemporains. Ses observations et ses opinions façonnent son univers romanesque.

### De l'Empire à la République

Le XIXe siècle s'avère une longue marche vers la république tellement souhaitée par les révolutionnaires de 1789. Cette marche prend bien des détours. Après l'Empire de Napoléon Ier et les monarchies constitutionnelles de 1814 et 1830, s'installe la IIe République[1] en 1848. Toutefois, elle ne dure que quatre ans, et la Constitution de 1852 instaure la dictature de Louis Napoléon Bonaparte, le neveu de Napoléon Ier. À la suite d'un plébiscite favorable, Louis Napoléon Bonaparte se fait nommer empereur sous le nom de Napoléon III en décembre 1852. C'est la naissance du Second Empire. Il se réserve le pouvoir exécutif et partage le pouvoir législatif avec le Sénat et le Corps législatif, seule assemblée élue au suffrage universel. La France connaît alors, pendant quelques années, un gouvernement autoritaire qui laisse peu de place à la vie politique. Pour Napoléon III, « le propre de la démocratie est de s'incarner dans un homme ». Le suffrage universel est donc faussé, les élections de 1857 ne

1 La Ire République a lieu pendant la Révolution française, de 1792 à 1804.

permettent qu'à sept députés de l'opposition de se faire élire. Par ailleurs, les libertés publiques sont suspendues, les réunions interdites, la presse souvent censurée.

Cependant, dès 1860, une évolution libérale s'enclenche, permettant un certain réveil de l'opposition qui parvient, en 1863, à faire élire une trentaine de députés. En 1867, Napoléon III entreprend des réformes. Par exemple, il accorde une certaine liberté à la presse et autorise de nouveau la tenue de réunions. Ces mesures stimulent davantage l'opposition, notamment républicaine. Celle-ci, rassemblée autour de jeunes dirigeants comme Léon Gambetta, prend des positions de plus en plus tranchées et rejette en bloc l'Empire. C'est dans ce climat politique qu'interviennent les élections générales de 1869. Les républicains remportent des succès dans les grandes villes, mais aucun parti n'obtient de majorité absolue.

À la suite de ces élections, les pouvoirs du Corps législatif sont accrus. Le virage vers un Empire parlementaire semble amorcé. Lors d'un nouveau plébiscite, Napoléon III récolte un vote favorable massif; l'Empire paraît donc légitimé une seconde fois. Pourtant, il s'effondre en septembre 1870 après les premiers échecs de la guerre franco-allemande[1].

Après la chute de l'Empire, Zola déclare à plusieurs reprises: «Je suis un républicain de la veille». Pour lui, la république est dans la logique de l'histoire. Le mouvement démocratique issu de la Révolution de 1789 est irréversible. L'engagement politique de Zola se traduit dans ses prises de positions de journaliste et d'écrivain. Il publie dans des journaux tels que *La Tribune* des articles dans lesquels il jette un regard critique sur la société qui l'entoure. Il y prend clairement position contre la politique militaire de

1 En réponse à la politique de Bismarck, chef d'État prussien, qui vise à rassembler plusieurs États en un «Empire allemand», Napoléon III déclare la guerre à la Prusse en juillet 1870. Les troupes françaises sont battues à Sedan. Napoléon III est lui-même fait prisonnier en septembre 1870.

Napoléon III, le pouvoir absolu d'un homme et l'absence de liberté. Au cours de ces années, il s'associe aux campagnes républicaines qui reprochent à l'Église d'être une force d'oppression empêchant le développement moral, intellectuel et physique de l'homme, et surtout de la femme, et défend l'idée d'une école laïque. Par ailleurs, il rêve d'un gouvernement où le pouvoir ne se transmet pas héréditairement et qui favorise le progrès social, la liberté, l'égalité, une répartition du bien-être plus juste.

Zola situe l'action de ses romans dans un cadre politique très défini, ce qui lui permet encore une fois d'exercer son esprit critique. Dans son grand cycle des *Rougon-Macquart*, il raconte l'« Histoire naturelle et sociale d'une famille sous le Second Empire ». C'est donc plus que l'histoire d'une famille, c'est aussi l'histoire d'un régime et d'une société. *La Bête humaine* a pour cadre la fin du Second Empire : les élections de 1869 s'annoncent, les esprits s'échauffent, l'opposition se montre vivante et le moindre scandale pourrait ébranler l'Empire. Dans ce roman, l'écrivain dresse un portrait sans concession de l'appareil judiciaire : ce n'est pas le plus coupable qui est condamné, mais le moins favorisé socialement. Cette préoccupation pour la justice poursuivra Zola jusqu'à sa mort.

### Une société industrielle

L'invention de la machine à vapeur donne le coup d'envoi à la révolution industrielle et à la révolution financière. En effet, elle ouvre de nouvelles perspectives tant pour la production industrielle que pour le transport. La première machine à vapeur est conçue par James Watt qui en dépose le brevet en 1769. Elle devient le moteur même de la sidérurgie et donc du développement des machines de toutes sortes.

En 1804, la première locomotive à vapeur parcourt 15 km à la vitesse de 8 km/h. D'abord réservé au transport du minerai, le train relie les mines aux canaux, aux ports ou aux usines. En 1821, le Parlement britannique autorise la construction d'une ligne destinée aux voyageurs. Le transport maritime évolue parallèlement au développement du chemin de fer. En 1807, le navire à vapeur de Robert Fulton, le *Clermont*, remonte l'Hudson et, en 1819, le *Savannah* est le premier navire à voile et à vapeur à traverser l'Atlantique. Le Français Marc Séguin, qui a mis au point en 1828 un procédé permettant de construire des locomotives beaucoup plus rapides, lance également une compagnie de navigation qui utilise des bateaux à vapeur. Comme prolongement à ce moyen de transport, il imagine un chemin de fer qui reliera deux fleuves, la Loire et le Rhône. C'est en 1847 que s'ouvre la ligne de l'Ouest reliant Le Havre et Rouen à Paris. Petit à petit, de grandes gares sont construites partout dans le réseau. La gare Saint-Lazare (1837) est la plus ancienne de Paris.

Ces progrès vertigineux fascinent, mais les accidents qu'ils occasionnent parfois sont de plus en plus meurtriers. La presse à sensation[1] ne manque pas de raconter avec une certaine délectation ces catastrophes spectaculaires : l'homme a inventé un instrument de mort collective aussi efficace que la nature.

Zola, dont le père était ingénieur, est captivé par toutes ces innovations et par leur influence sur la vie des gens. Les détails techniques qui enrichissent *La Bête humaine* témoignent de sa connaissance précise du fonctionnement de la locomotive et de l'organisation du chemin de fer. Quant aux meurtres qui jalonnent le roman, ils ne sont pas sans évoquer un certain sensationnalisme.

1 Cette presse à sensation est en pleine expansion et se nourrit de faits divers sanglants. Par exemple, elle fait ses choux gras de la terreur semée par Jack l'Éventreur, à Londres, en 1888.

La Compagnie des chemins de fer de l'Ouest : la gare de Dieppe.

Lithographie de Maugendre.
Bibliothèque nationale, Paris.

## L'émergence du socialisme

Cette formidable explosion de l'industrie, du transport et des communications entraîne une véritable révolution financière. En effet, pour se développer, les industries ont besoin de capitaux que les institutions bancaires vont s'employer à rassembler. Les marchés s'élargissent et le libre-échange devient la règle, favorisant ainsi le triomphe du capitalisme.

Le paysage social de la France se redessine complètement. La bourgeoisie est désormais la classe dirigeante. La grande bourgeoisie, industrielle et financière, détient les moyens de production et hante discrètement les coulisses du pouvoir. La moyenne bourgeoisie est constituée des négociants, des industriels et des membres des professions libérales. Elle mène une vie aisée et fait preuve d'un certain conformisme. Même si les paysans forment encore la classe la plus nombreuse, les usines, les manufactures et les mines emploient de plus en plus d'ouvriers. À titre d'exemple, le nombre d'établissements industriels équipés à la vapeur passe de 6 543 en 1852 à 75 000 en 1889.

Les conditions de travail sont rudes. Légalement, une journée de travail dure de onze à douze heures, mais elle peut parfois aller jusqu'à seize heures. Même lorsqu'elles fournissent un travail équivalent, les femmes reçoivent environ la moitié du salaire des hommes. Les enfants travaillent également, bien que les lois tentent de réglementer et de limiter leur embauche. Les ouvriers vivent généralement dans des logements misérables. Ils sont entassés dans les corons[1] des centres miniers ou dans des quartiers industriels. À Paris, les grands travaux entrepris par le baron Haussmann font grimper les loyers que, bientôt, seuls les bourgeois peuvent payer. Les ouvriers se déplacent alors

1 Le terme *coron* désignait, en Wallonie (région de la Belgique), un groupe de maisons de mineurs. En France, il a été vulgarisé par Zola dans *Germinal*.

vers la périphérie. Dans ces conditions de vie difficiles (la promiscuité, l'analphabétisme, la misère), les ouvriers tombent souvent malades ; ils souffrent d'intoxication ou de tuberculose. Puis l'alcoolisme devient un des fléaux de l'époque.

C'est dans ce contexte social qu'apparaissent les grands mouvements ouvriers qui cherchent à obtenir l'amélioration des conditions de travail et des salaires, ainsi qu'une meilleure protection de l'emploi. D'abord clandestins, les regroupements d'ouvriers fondent l'Association internationale des travailleurs (la Ire Internationale). Ils acquièrent le droit de grève en 1864 et le droit de se constituer en syndicats en 1884.

Certes, Zola, qui a connu la pauvreté pendant son enfance, est particulièrement sensible à ces problèmes. Toutefois, le cycle des *Rougon-Macquart* représente surtout l'évolution de tous les milieux sociaux au fil du Second Empire : les Rougon sont des paysans qui se transforment en bourgeois, *Le Ventre de Paris* se déroule parmi les commerçants des Halles, l'abbé Mouret entraîne le lecteur à la découverte du clergé de cette époque et, ainsi, chaque roman explore un milieu social particulier. À partir de *L'Assommoir*, publié en 1877, les idées socialistes se révèlent de plus en plus présentes. Même si *Germinal* raconte une grève menée par des mineurs aux prises avec des conditions de travail épouvantablement rudes, le romancier n'adhérera jamais à l'idée de la nécessité d'une révolution violente. Sa démarche socialiste sera toujours plus humaniste que politique.

### Une nouvelle conception de l'être humain

C'est au XIXe siècle que se construit la civilisation scientifique dans laquelle nous vivons aujourd'hui. Le philosophe Auguste Comte, considéré comme un des précurseurs de la sociologie, élabore le positivisme qui vise à expliquer scientifiquement l'évolution de la société humaine. Cette théorie soulève un véritable enthousiasme et, dès lors, nombreux sont ceux qui professent que la science pourra un jour tout expliquer.

En 1859, Charles Darwin publie *De l'origine des espèces au moyen de la sélection naturelle* qui défend la thèse évolutionniste. D'après sa théorie, les espèces vivantes se transforment sous l'action du milieu dans lequel elles vivent et selon des mécanismes de sélection naturelle et de transmission héréditaire des caractères acquis. Elles sont donc déterminées par des facteurs qui leur sont extérieurs. Hippolyte Taine applique le premier ce principe au domaine des sciences humaines. Il identifie la race, le milieu et le moment comme des facteurs essentiels du déterminisme humain. Puis viendront les recherches sur l'hérédité, telles que le *Traité philosophique et physiologique de l'hérédité naturelle* (1847-1850), de Prosper Lucas. Ces explorations de l'être humain ont remis au goût du jour les travaux de Johann Kaspar Lavater sur la physiognomonie qui est définie dans le *Larousse* (1928-1933) comme la «connaissance du caractère de l'homme par l'inspection de ses formes et de ses diverses attitudes, et plus spécialement des traits de son visage».

Par ailleurs, Claude Bernard publie son *Introduction à l'étude de la médecine expérimentale* en 1865. Ce physiologiste donne ses lettres de noblesse à la recherche médicale telle qu'elle se pratique encore aujourd'hui, en instaurant la méthodologie suivante: observer, émettre une hypothèse et faire une expérimentation qui confirme ou infirme l'hypothèse de départ. En définitive, Bernard veut apprendre à contrôler les différents paramètres qui interviennent dans l'expérimentation médicale afin de pouvoir en dégager «des lois qui sont précises et déterminées», comme il le note dans ses *Principes de médecine expérimentale* composés entre 1858 et 1877.

Bref, Zola vit dans un univers où toute explication est nécessairement scientifique. Les nouvelles théories scientifiques le fascinent et stimulent sa réflexion sur l'être humain. Il s'appuie sur les principes de l'hérédité posés par Lucas pour construire l'arbre généalogique des Rougon-Macquart. Ses personnages sont déterminés par leur hérédité, mais aussi par leur milieu, tout comme le préconise Taine. Zola s'inspire des travaux de Bernard pour élaborer sa théorie du «roman expérimental».

## LE CONTEXTE LITTÉRAIRE

### La modernité artistique

L'évolution des arts et de la littérature reflète évidemment ce bouillonnement d'idées et de théories. La première moitié du XIX$^{e}$ siècle est marquée par le romantisme. Toutefois, la conception de l'être humain issue des nouvelles théories pousse les artistes à réagir contre ce qu'ils considèrent dorénavant comme les excès d'une représentation intériorisée de l'homme. Ils choisissent de représenter leurs personnages de façon réaliste et de s'attacher à la description de leur milieu puisque, d'après les théories à la mode, celui-ci s'avère déterminant dans la constitution de chaque individu. C'est ce que fait Gustave Courbet dans *L'Enterrement à Ornans*, tableau refusé à l'Exposition universelle de 1855 parce que jugé trop réaliste par rapport aux critères de l'époque. Courbet rassemble autour de lui nombre de personnalités des arts et des lettres et, bien qu'il se défende d'être un précurseur, ses adversaires l'appellent «le chef de file de l'école du laid». C'est en effet dans la notion de beauté que réside tout le débat : la réalité et la modernité peuvent-elles être considérées comme belles et donc dignes de représentation artistique ? Les impressionnistes se positionnent très clairement dans ce débat. Gustave Caillebotte peint le quotidien avec *Les Raboteurs de parquet*, Claude

Monet représente le progrès avec *La Gare Saint-Lazare* et *Le Pont de l'Europe.* Les romanciers, parmi lesquels Honoré de Balzac et Gustave Flaubert, font des choix similaires. Ils préfèrent le réel au romanesque, l'objectivité à la subjectivité.

Zola, pendant toute sa vie, fréquente des peintres et des écrivains. Tout jeune, au collège d'Aix, il se lie avec Paul Cézanne, qui deviendra un peintre célèbre. Plus tard, à l'époque où il occupe la fonction de chef de publicité chez Hachette, il fréquente des hommes de lettres tels Taine, Alphonse de Lamartine et les frères Goncourt, Edmond et Jules. Par ailleurs, alors qu'il est journaliste et au début de sa carrière d'écrivain, il s'adonne à la critique littéraire et artistique. Dans divers articles, il défend les peintres réalistes et impressionnistes. Dans *Le Sémaphore de Marseille* du 19 avril 1877, il commente ainsi *La Gare Saint-Lazare* (1877), de Monet : «On y entend le grondement des trains qui s'engouffrent, on y voit des débordements de fumée qui sortent de vastes hangars. Là est aujourd'hui la peinture, dans des cadres modernes d'une si belle largeur. Nos artistes doivent trouver la poésie des gares comme leurs pères ont trouvé celle des forêts et des fleuves.» Jeune écrivain, il admire les romantiques, en particulier Victor Hugo. Cette influence est très perceptible dans les *Contes à Ninon* (1864). Puis il lit Taine et choisit Balzac et Flaubert pour nouveaux modèles littéraires. Il publie alors deux romans réalistes, *Thérèse Raquin* (1867) et *Madeleine Férat* (1868). Même une fois qu'il aura choisi une approche expérimentale pour construire ses romans, son style restera fidèle aux grands principes du réalisme.

*La gare Saint-Lazare*, de Claude Monet.

Musée d'Orsay, Paris.

# Zola et son œuvre

## LA VIE DE ZOLA

Zola naît en 1840 à Paris, mais ses parents déménagent rapidement dans le sud de la France, à Aix-en-Provence, où il passera ses premières années. Son père, François, qui est ingénieur, construit un système de barrage et de canal qui alimente la ville en eau. Émile n'a que sept ans quand son père meurt en laissant des dettes à sa famille pour qui la vie devient de plus en plus difficile.

À l'âge de 18 ans, Zola va vivre à Paris, s'adapte mal à ce nouvel environnement, abandonne ses études et trouve un emploi comme commis aux douanes, puis comme emballeur à la librairie Hachette. Il y devient vite chef de publicité et s'y fait de nombreuses relations dans le milieu littéraire. C'est à ce moment-là que l'envie d'écrire s'empare de lui. Il publie rapidement les *Contes à Ninon* (1864).

En 1866, il quitte Hachette pour vivre de sa plume. Il devient alors journaliste et, à la fin de sa vie, il aura signé des milliers d'articles de toutes sortes : critiques littéraires, dramatiques et artistiques, faits divers, articles politiques. En 1867, il publie *Thérèse Raquin*. Ce roman, qui se veut scientifique, est l'étude de deux «personnages souverainement dominés par leurs nerfs». Un an plus tard, il conçoit la série des *Rougon-Macquart* et, jusqu'en 1893, il publie presque un roman par année. C'est avec la publication de *L'Assommoir*, en 1877, qu'il devient célèbre. Il achète alors la propriété de Médan, où il réunit ses amis et disciples naturalistes. Bien que marié avec Gabrielle-Alexandrine Meley depuis 1870, il s'engage dans une liaison avec sa lingère, Jeanne Rozerot. De cette union illégitime naîtront ses deux seuls enfants, Denise et Jacques.

Vers la fin de sa vie, en 1898, il part en croisade pour défendre Dreyfus qui a été injustement accusé d'espionnage. La bataille pour la révision de son procès et sa réhabilitation

Deuxième Année. — Numéro 87

Cinq Centimes

JEUDI 13 JANVIER 1898

Directeur
ERNEST VAUGHAN

# L'AURORE

Littéraire, Artistique, Sociale

Directeur
ERNEST VAUGHAN

LES ANNONCES SONT REÇUES :
142 — Rue Montmartre — 142

ADRESSER LETTRES ET MANDATS :
à M. A. BOUIT, Administrateur

POUR LA RÉDACTION :
S'adresser à M. A. BERTHIER
Secrétaire de la Rédaction

# J'Accuse...!

## LETTRE AU PRÉSIDENT DE LA RÉPUBLIQUE

## Par ÉMILE ZOLA

### LETTRE A M. FÉLIX FAURE

Président de la République

Monsieur le Président,

Me permettez-vous, dans ma gratitude pour le bienveillant accueil que vous m'avez fait un jour, d'avoir le souci de votre juste gloire et de vous dire que votre étoile, si heureuse jusqu'ici, est menacée de la plus honteuse, de la plus ineffaçable des taches?

Vous êtes sorti sain et sauf des basses calomnies, vous avez conquis les cœurs. Vous apparaissez rayonnant dans l'apothéose de cette fête patriotique que l'alliance russe a été pour la France, et vous vous préparez à présider au solennel triomphe de notre Exposition universelle, qui couronnera notre grand siècle de travail, de vérité et de liberté. Mais quelle tache de boue sur votre nom — j'allais dire sur votre règne — que cette abominable affaire Dreyfus! Un conseil de guerre vient, par ordre, d'oser acquitter un Esterhazy, soufflet suprême à toute vérité, à toute justice. Et c'est fini, la France a sur la joue cette souillure, l'histoire écrira que c'est sous votre présidence qu'un tel crime social a pu être commis.

*J'accuse.*

*L'Aurore*, 13 JANVIER 1898.

exacerbe la division entre les deux idéologies politiques qui déchirent la France : l'une, conservatrice, cléricaliste, nationaliste, antisémite et « antidreyfusarde », qu'on situe à droite sur l'échiquier politique ; et l'autre, progressiste, socialiste, anticléricaliste, antiraciste et « dreyfusarde », qu'on situe à gauche. Zola monte au front en publiant, dans *L'Aurore*, une lettre ouverte au président de la République intitulée « J'accuse ». Il est convaincu de diffamation par le gouvernement et condamné à une amende de 3 000 francs et à un an de prison. À la suite de ce procès, il s'exile un an en Angleterre.

Quatre ans plus tard, il meurt asphyxié dans son appartement. Depuis lors, les historiens spéculent sur la possibilité d'un meurtre. Toutefois, à l'époque, l'enquête est bâclée pour éviter de réveiller le souvenir de l'affaire Dreyfus.

## LE NATURALISME

### Les filiations artistiques du naturalisme

Zola utilise d'abord le terme *naturalisme* pour décrire les toiles impressionnistes. « Le paysage classique est mort, tué par la vie et la vérité », écrit-il dans *Les Paysagistes*, en 1868. À la nature idéalisée du paysage classique s'oppose désormais une nature croquée sur le vif. La littérature n'échappe pas à ce besoin de représenter « la vie et la vérité » telles quelles. Au début des années 1830, les paysages parisiens dépeints par Balzac sont loin d'être idéalisés. Les descriptions du faubourg Saint-Marceau, dans *Le Colonel Chabert*, et du quartier de la pension Vauquer, dans *Le Père Goriot*, en témoignent aisément. Des personnages plus vrais que nature habitent ces lieux. Ce sont généralement des bourgeois dont les gestes quotidiens sont détaillés. Cette représentation minutieuse de la réalité caractérise le réalisme ainsi que les œuvres de ses plus illustres représentants, Stendhal, Balzac et Flaubert.

En 1865, les frères Goncourt passent du roman réaliste au roman-réalité avec *Germinie Lacerteux*. Ils confient, dans la préface, avoir fait «un roman vrai». Stupéfiés d'avoir découvert que leur servante avait mené une double vie à leur insu, les Goncourt décident d'écrire un récit sur les classes inférieures à partir de ce fait réel. Ils enquêtent et se documentent afin de pouvoir décrire les lieux du roman ainsi que les troubles psychologiques et physiques dont souffre leur héroïne, troubles qui prennent la forme de manifestations hystériques. Ils livrent en somme une étude de cas clinique. Ce n'est pas un hasard si le jeune Zola, alors journaliste, fait l'éloge de ce roman, dans un article du *Salut public* de Lyon. En effet, le projet de *Germinie Lacerteux* relève déjà de la démarche naturaliste telle que Zola la théorisera plus tard. La valeur attribuée aux enquêtes et à la documentation, l'importance accordée aux faits vécus et à la présentation du milieu populaire, la description d'une maladie et de ses effets, toutes ces facettes de la création seront explorées par le futur auteur des *Rougon-Macquart*.

### Les filiations scientifiques du naturalisme

Des savants, Darwin et Bernard en particulier, ont aussi une influence décisive sur l'œuvre de Zola. L'*Introduction à l'étude de la médecine expérimentale* est publiée la même année que *Germinie Lacerteux*, en 1865. Zola s'inspire grandement de cette démarche expérimentale lorsqu'il rédige le texte principal sur le naturalisme qu'il intitule *Le Roman expérimental* (1880). Il affirme, dans ce texte, que «le romancier est fait d'un observateur et d'un expérimentateur», deux qualités habituellement conférées au scientifique et non à l'artiste. Pour résumer, l'auteur naturaliste, de par ses filiations artistiques, cherche à créer des œuvres qui soient vraies et, pour ce faire, il les conçoit avec une rigueur toute scientifique.

Lorsque Zola prépare un roman, il effectue donc un véritable travail de chercheur. Sa longue pratique du journalisme le sert avantageusement. Il enquête sur le terrain, se documente à partir d'ouvrages scientifiques et techniques, conserve des coupures de journaux, correspond avec des gens du milieu qu'il souhaite décrire, prend de nombreuses notes et se constitue des dossiers. Ensuite, il rédige un plan général, puis des plans détaillés de son futur roman et des fiches sur les personnages. Il a déjà une nette idée des faits qu'il veut retenir et soumettre à une expérimentation dans le cadre de ses récits. Rappelons que le déterminisme biologique représente l'une des grandes préoccupations de cette époque. Zola récupère cette notion, mais l'enrichit de son intérêt à examiner tous les milieux sociaux jusqu'aux plus populaires. Ainsi, le projet particulier de Zola, son expérimentation, consistera à utiliser les faits qu'il a observés et analysés lors de ses recherches afin de tester les déterminismes biologiques et sociaux qui régissent ses personnages.

Aussi rigoureux soit-il, Zola est avant tout un romancier. Il explique : « D'abord, je me renseigne par moi-même [...], ensuite je me renseigne par les documents écrits [...] ; et enfin l'imagination, l'intuition plutôt, fait le reste. Cette part de l'intuition est chez moi très grande [...]. Comme le disait Flaubert, prendre des notes, c'est simplement honnête ; mais les notes prises, il faut savoir les mépriser » (lettre de Zola au docteur Jules Héricourt, datée de 1890). Par exemple, dans *La Bête humaine*, Jacques voit Grandmorin se faire égorger dans un train roulant à 80 km/h (l. 3050-3051). Est-il possible de distinguer quoi que ce soit quand un train file si rapidement ? Le détail technique est exact (les trains de 1869 roulaient bien à cette allure), tandis que le bon sens est « méprisé » par nécessité romanesque : pour la suite du récit, Jacques doit avoir vu ce crime.

### Les thèmes et les personnages naturalistes

Le fondement du naturalisme étant la double influence de l'hérédité et du milieu social sur les individus, cette doctrine explore tous les sujets liés à ce principe. Les conditions de vie des travailleurs, le rapport entre les ouvriers et leur machine, l'importance de posséder de l'argent, la lutte pour la survie, le corps dans tous ses aspects (la sexualité, les instincts, les maladies héréditaires, la nourriture), tous ces thèmes occupent une très large place dans l'œuvre de Zola.

Les personnages zoliens appartiennent à toutes les classes sociales, des plus hautes sphères aux bas-fonds. Le romancier s'attache aux gens du peuple parce qu'il s'agit du vrai monde et que la littérature les a longtemps ignorés. Les mettre en scène, c'est, par souci de réalisme, respecter leur niveau de langue. Dans *L'Assommoir*, qui décrit le milieu ouvrier parisien, la langue se fait volontiers populaire, ce qui scandalise plus d'un critique de l'époque. Ces personnages ont une vie plutôt ordinaire et accèdent rarement au statut de héros. Là encore, la volonté de signer une œuvre qui soit vraie joue un rôle déterminant. Dans la vie de tous les jours, les héros ne sont pas légion ; ils ne le sont pas plus dans les romans naturalistes. Enfin, quand Zola décrit un personnage, il décrit un individu dont les actes sont conditionnés par son environnement social et son patrimoine héréditaire. Il ne se préoccupe pas des motifs psychologiques à l'origine des agissements de cet individu. Cette mise à l'écart des états d'âme du protagoniste constitue la principale opposition entre le naturalisme et le romantisme, et elle rappelle à quel point les personnages de Zola sont déterminés par des facteurs qui les dépassent totalement.

### Le style naturaliste

Quand il écrit, Zola se défend d'exprimer ses propres opinions dans le récit. Il n'a pas une attitude moralisatrice envers ses personnages, même les plus répugnants, préférant plutôt adopter l'attitude objective du savant. Sur le plan de la langue, le romancier utilise volontiers le langage technique spécifique aux sphères d'activité qu'il met en scène. Il peut s'agir, entre autres langues, de celles des spéculateurs, des commerçants, des mineurs ou des cheminots. Zola est aussi un descripteur hors pair. Ses descriptions exhaustives servent fréquemment les visées scientifiques du romancier et montrent comment le milieu ambiant influence l'être humain. En effet, elles portent d'abord sur l'environnement du personnage et sur ses interactions avec les autres. Elles s'attachent ensuite à son apparence physique dont, finalement, elles déduisent les traits de caractère, souvent suivant les principes de Lavater. L'abondance de détails permet encore une fois de faire vrai.

**Le naturalisme : Zola et qui d'autre ?**

Zola est le chef de file du naturalisme grâce à son cycle des *Rougon-Macquart* et à ses écrits théoriques. Les Goncourt l'accusent cependant de les avoir plagiés et ne lui reconnaissent aucune légitimité. En 1880, alors que des amis écrivains fréquentent Zola dans sa maison de Médan, naît l'idée de composer un recueil de nouvelles collectif qui traitera de la guerre franco-allemande de 1870 et qui s'intitulera simplement *Les Soirées de Médan.* Outre Zola, les auteurs de ces nouvelles les plus connus sont Guy de Maupassant et Joris-Karl Huysmans. Cette entreprise collective n'aura toutefois aucune suite. Maupassant, fort indépendant d'esprit, crée des œuvres fantastiques peu compatibles avec le naturalisme. Quant à Huysmans, il n'est naturaliste qu'un temps avant de s'éloigner de cette démarche dès la publication d'*À rebours* en 1884. Avec le cycle des *Trois Villes* ou celui, inachevé, des *Quatre Évangiles*, Zola lui-même, à la fin de sa vie, signe des œuvres qui s'écartent des préceptes littéraires qu'il a si longtemps défendus. En somme, ce qu'Anatole France dit de Zola, lors de son oraison funèbre, s'applique tout aussi bien au naturalisme : « Il fut un moment de la conscience humaine. »

## *LES ROUGON-MACQUART*

La fresque des *Rougon-Macquart* constitue l'œuvre maîtresse de Zola et du naturalisme. Il s'agit d'un cycle de vingt romans publiés entre 1871 et 1893. Zola entend étudier les différents facteurs susceptibles de déterminer l'être humain comme en témoigne le titre complet de cette fresque : *Les Rougon-Macquart, Histoire naturelle et sociale d'une famille sous le Second Empire.* Le romancier se concentre sur l'hérédité et le milieu social de ses personnages. Ces deux déterminismes guident l'élaboration de l'arbre généalogique des Rougon-Macquart.

### La naissance des *Rougon-Macquart*

Paysanne riche, Adélaïde Fouque est l'aïeule de la famille Rougon-Macquart. Elle épouse son jardinier, Rougon, et accouche d'un garçon, Pierre. La branche des Rougon est issue de cette union légitime. Devenue veuve, Adélaïde prend un amant, un contrebandier nommé Macquart. Ils ont deux bâtards : un garçon, Antoine, puis une fille, Ursule. C'est ainsi que naît la branche des Macquart et celle des Mouret (Ursule épousant un dénommé Mouret).

### L'hérédité

Zola établit le profil génétique de ses personnages en s'intéressant de près aux tares héréditaires physiques et psychologiques pouvant être léguées d'une génération à une autre. Voici sommairement les grandes notions expliquées dans le *Traité philosophique et physiologique de l'hérédité naturelle* (1847-1850) du docteur Prosper Lucas et reprises par Zola pour bâtir la généalogie des Rougon-Macquart. Les ancêtres peuvent transmettre certaines caractéristiques physiques et morales à leurs descendants, que ce soit par une «hérédité directe» des parents à l'enfant ou par une «hérédité en retour» qui saute des générations. Le terme *élection* signifie qu'il y a une ressemblance exclusive avec la mère ou le père, tandis que le terme *mélange* désigne une influence des deux parents. Il existe également une *innéité*, c'est-à-dire des descendants qui conservent des traits de leurs ancêtres sans que ces traits soient constitutifs. Ainsi, ces descendants sont des êtres tout à fait uniques. La notion d'innéité permet de créer aisément de nouveaux personnages.

Zola n'a pas considéré ces lois comme un carcan et n'a pas hésité à modifier l'arbre généalogique pour des raisons artistiques. Ainsi en a-t-il réalisé plusieurs versions. La version définitive paraît dans *Le Docteur Pascal*, dernier roman du cycle, publié en 1893. L'arbre comprend cinq générations[1]. L'aïeule Adélaïde Fouque souffre d'une «névrose originelle» et devient «folle». Son mari Rougon est «lourd et placide», tandis que son amant Macquart est «déséquilibré et ivrogne». Ces données indiquent clairement que les descendants du fils unique des Rougon sont moins hypothéqués génétiquement que ceux des enfants Macquart.

**Le milieu social**

L'étude du poids de l'hérédité peut céder parfois le pas à la description du milieu social. Dans *Germinal*, par exemple, le romancier ne s'appesantit guère sur les antécédents familiaux d'Étienne Lantier. En réalité, Zola souhaite étudier toutes les classes du Second Empire. Dans un brouillon datant de 1868, il en énumère cinq: «Peuple (ouvrier, militaire), commerçant (spéculateur sur les démolitions et haut commerce), bourgeoisie (fils de parvenus), grand monde (fonctionnaire officiel avec personnage du

1 Voir l'arbre généalogique de la branche des Macquart, en annexe aux pages 476 et 477.

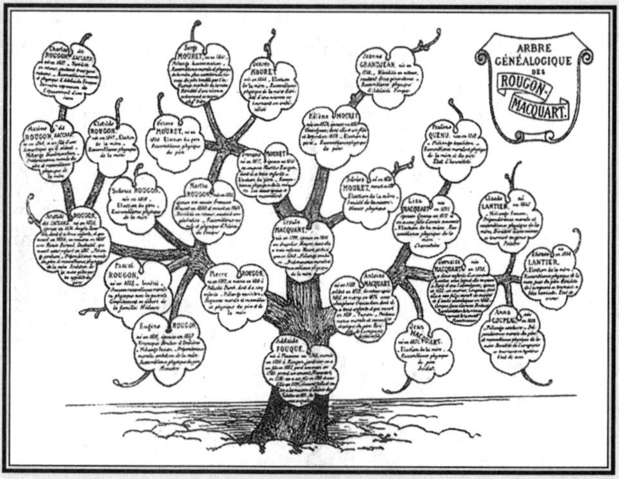


**Arbre généalogique des Rougon-Macquart, 1878.**

Bibliothèque nationale, Paris.

grand monde) et un monde à part (putain, meurtrier, prêtre, artiste)». Or, Zola ne peut décrire ces différents milieux en omettant de parler de la révolution industrielle et de la naissance de l'économie moderne, car ces bouleversements sociaux influencent nécessairement la destinée des personnages. L'époque du Second Empire est une période très agitée : c'est pourquoi la lutte pour la survie entre les individus ou entre les classes devient un thème de premier plan.

Finalement, l'hérédité et le milieu social vont se confondre dans l'arbre généalogique. Ainsi, les descendants légitimes, les Rougon, profitent d'une certaine reconnaissance sociale et accèdent à des classes supérieures. Les descendants du bâtard Antoine Macquart sont, quant à eux, beaucoup moins favorisés par le sort et appartiennent aux classes inférieures. Le cas de la branche Mouret se révèle un peu différent : Ursule, la fille illégitime d'Adélaïde et de Macquart, épouse Mouret, un homme «bien portant et pondéré». Leurs descendants sauront tirer leur épingle du jeu et feront partie de la classe moyenne.

# L'ŒUVRE EXPLIQUÉE

## LA GENÈSE DE L'ŒUVRE

### L'origine du projet

Dès la conception des *Rougon-Macquart*, Zola veut consacrer un récit à l'univers de la justice. La figure du «meurtrier» est déjà présente dans le brouillon rédigé en 1868 et désignant les milieux que le romancier souhaite décrire. En revanche, la volonté, plus tardive, de peindre le monde des cheminots semble coïncider avec l'acquisition, en 1878, de la maison de Médan, située à environ trente kilomètres à l'ouest de Paris. La voie ferrée Paris-Le Havre se situe aux abords de cette demeure, et les trains font désormais partie du paysage de l'écrivain.

Zola projette de publier vingt romans dans son cycle des *Rougon-Macquart*. Cependant, après la parution du seizième, il se retrouve face à un dilemme. Il lui en reste quatre à écrire alors qu'il veut encore dépeindre cinq milieux : l'armée, la finance, la science, la magistrature et le rail. Il choisit donc de traiter du monde de la justice et du monde ferroviaire en un seul roman, sans pour autant perdre de vue son objectif premier qui était d'analyser une figure de «meurtrier». Il indique clairement son projet dans l'ébauche de *La Bête humaine* : «D'abord, l'étude de l'hérédité du crime chez Étienne ; puis, l'étude de la magistrature avec l'instruction ; enfin, l'administration du chemin de fer […] ; mais je voudrais que l'étude du crime chez Étienne dominât tout, restât centrale, d'un bout à l'autre.»

Zola veut que son criminel par hérédité appartienne à la branche des Macquart, et non à celles, beaucoup plus respectables, des Rougon ou des Mouret. Étienne Lantier est tout désigné, puisqu'il est le fils de Gervaise, une Macquart, de surcroît alcoolique. L'autre garçon de Gervaise, le peintre

Claude Lantier, se suicide à la fin de *L'Œuvre* (1886). Faire d'Étienne un assassin pose toutefois un problème majeur : cela ne cadre pas du tout avec le portrait que Zola a tracé de lui dans *Germinal* (1885). Voilà pourquoi il remanie l'arbre généalogique et ajoute un nouveau fils à Gervaise : le personnage de Jacques Lantier est né.

**La préparation**

Zola a l'habitude d'enquêter sur le terrain. Photographe amateur passionné, il accumule d'ailleurs une imposante documentation photographique. Il déclare même un jour à un journaliste : « À mon avis, vous ne pouvez pas dire que vous avez vu quelque chose à fond si vous n'avez pas pris une photographie révélant un tas de détails qui, autrement, ne pourraient même pas être discernés. » Pour *La Bête humaine*, l'enquête est aisée, puisque la ligne de la Compagnie de l'Ouest passe tout près de la maison de Médan et que le romancier effectue régulièrement la navette entre Médan et Paris en passant par la gare Saint-Lazare. Le matin du 15 avril 1889, il fait même le trajet entre la gare Saint-Lazare et Mantes sur une locomotive d'express afin de connaître le fonctionnement de la machine et d'éprouver les sensations du mécanicien.

Le dossier préparatoire du roman comprend 677 feuillets constitués de notes diverses, de plans et d'ébauches du récit, de fiches de personnage, de lettres et d'articles de journaux concernant essentiellement des accidents ferroviaires. Une large place est réservée à Pol Lefèvre, sous-directeur du service de la circulation des trains à la Compagnie de l'Ouest, dont Zola a lu le livre sur les *Chemins de fer* (1888). Cet homme, avec qui Zola s'entretient plusieurs fois entre février et avril 1889, représente une mine extraordinaire de renseignements. Il lui raconte volontiers son aventure dans un train coincé par la neige et lui décrit les différentes fonctions du monde du rail. Zola, qui a lu

**Maison de Médan, photographie prise du vivant de Zola.**

Archives de la famille Zola.

*L'Homme criminel* (1875, traduit de l'italien en 1887), mentionne à quelques reprises le médecin et criminologue Cesare Lombroso. Ce dernier pense que le criminel est soumis à des facteurs indépendants de sa volonté, tels l'hérédité et les troubles psychologiques, ce qui diminue considérablement la responsabilité de ses actes.

Zola dresse une liste de 135 titres possibles pour son roman, parmi lesquels *Derrière les peuples en marche*, *L'Homme mangeur de l'homme*, *Né pour tuer*, *Retour atavique*, *La Soif de sang* et *Sous le progrès*. « Quant au titre *La Bête humaine*, il m'a donné beaucoup de mal, je l'ai cherché longtemps. Je voulais exprimer cette idée : l'homme des cavernes resté dans l'homme de notre dix-neuvième siècle, ce qu'il y a en nous de l'ancêtre lointain », écrit-il dans une lettre à Jacques Van Santen Kolff, datée du 6 juin 1889.

**La publication**

La rédaction de *La Bête humaine* débute le 5 mai 1889 et s'achève le 18 janvier 1890. Le roman est d'abord publié sous forme de feuilleton dans un hebdomadaire à grand tirage, *La Vie populaire*, du 14 novembre 1889 au 2 mars 1890. Il est ensuite imprimé, au début de mars 1890, par Georges Charpentier, un proche de Zola, qui se qualifie d'« éditeur du naturalisme », éditeur qui n'est pas sans connaître la renommée de son ami : le tirage de *La Bête humaine* atteint le 60 000e exemplaire à la fin de mars 1890.

| Le Cycle des Rougon-Macquart | | | |
|---|---|---|---|
| Date | Titre | Sujet | Personnage principal et métier |
| 1871 | *La Fortune des Rougon* | La participation de la famille Rougon au coup d'État de 1851 afin d'assurer son ascension sociale | Pierre Rougon, paysan, puis marchand d'huile et, finalement, receveur particulier des finances |
| 1871 | *La Curée* | Les manœuvres d'un spéculateur immobilier | Aristide Rougon, dit Saccard, employé de l'administration, puis brasseur d'affaires |
| 1873 | *Le Ventre de Paris* | La vie de commerçants spécialisés dans l'alimentation | Lisa Macquart, charcutière |
| 1874 | *La Conquête de Plassans* | Le récit d'un prêtre intrigant et de son emprise sur ses paroissiennes | Marthe Rougon |
| 1875 | *La Faute de l'abbé Mouret* | L'histoire d'un amour interdit entre un prêtre et une jeune femme | Serge Mouret, prêtre |
| 1876 | *Son Excellence Eugène Rougon* | Le récit d'une carrière politique remarquable | Eugène Rougon, politicien |
| 1877 | *L'Assommoir* | La vie d'une famille d'ouvriers parisiens et leur déchéance dans l'alcoolisme | Gervaise Macquart, blanchisseuse |
| 1878 | *Une Page d'amour* | L'histoire d'une liaison entre une jeune veuve et le médecin de sa fille | Hélène Mouret |
| 1880 | *Nana* | Le destin d'une demi-mondaine et son influence néfaste sur son entourage | Anna Coupeau, dite Nana, prostituée |
| 1882 | *Pot-Bouille* | La vie dans un immeuble bourgeois et l'ascension d'un jeune homme grâce aux femmes | Octave Mouret, employé d'un petit commerce |
| 1883 | *Au Bonheur des dames* | L'essor d'un grand magasin au détriment des petits commerces | Octave Mouret, propriétaire d'un grand commerce |
| 1884 | *La Joie de vivre* | Le don de soi d'une jeune femme | Pauline Quenu |
| 1885 | *Germinal* | Le récit des conditions de vie misérables des mineurs et leur tentative de rébellion | Étienne Lantier, mineur |
| 1886 | *L'Œuvre* | La vie d'un peintre aux prises avec les difficultés de la création | Claude Lantier, peintre |
| 1887 | *La Terre* | La description de l'avidité des paysans au sujet de la possession et du partage de la terre | Jean Macquart, paysan |
| 1888 | *Le Rêve* | L'histoire d'amour entre deux jeunes gens de condition différente | Angélique Rougon |
| 1890 | *La Bête humaine* | Le récit d'un homme habité par une hérédité criminelle | Jacques Lantier, mécanicien de locomotive |
| 1891 | *L'Argent* | L'histoire d'un spéculateur financier | Aristide Rougon, brasseur d'affaires |
| 1892 | *La Débâcle* | Le destin d'un soldat à l'époque de la chute du Second Empire et de la Commune | Jean Macquart, soldat |
| 1893 | *Le Docteur Pascal* | L'œuvre d'un savant qui établit le bilan de l'arbre généalogique des Rougon-Macquart | Pascal Rougon, médecin |

## LA STRUCTURE

### Un récit de la désorganisation

Dans *La Bête humaine*, Zola raconte comment un crime contre nature peut altérer la moralité des gens au point de les désorganiser, eux et leur entourage. Grandmorin a abusé de Séverine alors qu'elle avait seize ans et demi, ce qui déclenche la jalousie meurtrière de son mari, Roubaud. L'égorgement de Grandmorin par Roubaud réveille à son tour le désir de tuer de Jacques. Puis, l'homicide de Séverine trouve sa source et sa justification dans celui de Grandmorin : « [...] le sourd travail s'achevait ; et les deux meurtres s'étaient rejoints, l'un n'était-il pas la logique de l'autre ? » (l. 11727-11729). Bref, à la fin du roman, rien ne va plus : Jacques, d'abord témoin d'un meurtre, se transforme en assassin ; Séverine, d'abord victime d'abus sexuel, devient complice d'un crime et finit par être tuée.

En définitive, *La Bête humaine* est le récit de plusieurs désorganisations, qu'elles soient individuelles ou sociales. La plupart des personnages ont une conduite de plus en plus déréglée, car ils sont soumis à leurs impulsions. Roubaud, Jacques, Séverine, Phasie, Misard, Flore perdent petit à petit le sens commun. Quant à la société, elle est également désorganisée : la technologie déraille, la justice est une mascarade et la guerre, paroxysme de l'anarchie et de la violence, est déclarée à la fin du récit.

### Le procédé de la reprise

Les reprises événementielles mettent en évidence la progression de la désorganisation individuelle et sociale. À cet égard, le roman se découpe en deux parties : les CHAPITRES I à VII et les CHAPITRES VIII à XII. Chacune de ces parties commence par un aveu fait par Séverine, dans la chambre de Victoire à Paris, aveu qui déclenche le désir de tuer : la confession à propos de l'abus qu'elle a subi est à l'origine du dessein meurtrier de Roubaud (CHAP. I), celle qu'elle murmure à Jacques au sujet de sa complicité dans le meurtre de Grandmorin ravive chez le jeune homme l'envie de tuer (CHAP. VIII). Puis, certaines actions de la première partie sont reprises dans la deuxième partie, mais de façon à montrer que la désorganisation a gagné du terrain. Quand Jacques aperçoit Grandmorin en train de se faire égorger (CHAP. II), le besoin de satisfaire ses pulsions criminelles se précise; quand Séverine lui raconte ce crime dans ses moindres détails (CHAP. VIII), ce besoin s'exacerbe de façon irréversible. Dans ces deux chapitres, le jeune homme erre, assailli par son besoin de tuer une femme, la première fois essayant de fuir son propre instinct meurtrier, la deuxième, tentant de le satisfaire.

Le progrès technologique n'échappe pas à cette logique du dérèglement. La Lison est d'abord gravement atteinte dans ses mécanismes au moment de son arrêt dans la neige (CHAP. VII) avant d'être définitivement détruite lors de sa collision avec une voiture de fardier (CHAP. X). Enfin, les interrogatoires de Denizet après le meurtre de Grandmorin (CHAP. IV) trouvent leur écho dans ceux qu'il mène juste avant le procès (CHAP. XII). À ce moment-là, l'incapacité du système judiciaire à faire toute la lumière sur les deux meurtres est évidente.

| **Première partie** (CHAP. I à VII) | **Deuxième partie** (CHAP. VIII à XII) |
|---|---|
| – Aveu de Séverine à Roubaud qui déclenche la jalousie meurtrière de celui-ci (CHAP. I) | – Aveu de Séverine à Jacques qui réveille le désir de tuer de celui-ci (CHAP. VIII) |
| – Errance de Jacques dans la campagne, fuyant son désir de tuer (CHAP. II) | – Errance de Jacques dans Paris, cherchant à satisfaire son désir de tuer (CHAP. VIII) |
| – Spectacle du meurtre de Grandmorin (CHAP. II) | – Récit du meurtre de Grandmorin (CHAP. VIII) |
| – Incident et grave blessure de la Lison dans la neige (CHAP. VII) | – Collision et mort de la Lison (CHAP. X) |
| – Interrogatoires de Denizet sur le meurtre de Grandmorin (CHAP. IV) | – Interrogatoires de Denizet sur le meurtre de Séverine (CHAP. XII) |

### Les triangles relationnels

Les relations entre les personnages reposent sur la figure du triangle. Il s'agit le plus souvent de triangles amoureux. Les principaux ménages à trois du roman sont les suivants :

– Louisette, Grandmorin et Cabuche (avant le début du roman)
– Séverine, Grandmorin et Roubaud
– Pecqueux, Victoire et Philomène
– Séverine, Roubaud et Jacques
– la Lison, Jacques et Pecqueux
– Jacques, Séverine et Flore
– Philomène, Jacques et Pecqueux

Ce modèle relationnel favorise les déséquilibres et il en découle toutes sortes de dérèglements comportementaux. La désorganisation peut être constitutive (au départ, le triangle pose problème) ou survenir après un changement de situation. Par exemple, l'entente entre Jacques et Pecqueux est ruinée quand ils doivent changer de locomotive.

## LES PERSONNAGES

### Les principaux acteurs du drame

*Jacques Lanthier*

Jacques Lantier a 26 ans, il est mécanicien de locomotive et exerce son métier consciencieusement. Dès l'âge de 16 ans, il ressent un mal mystérieux, qui revient sous forme de crises violentes et qui lui donne l'envie irrépressible de tuer une femme. Il est affecté de lourdes tares héréditaires, puisque son arrière-grand-père, son grand-père et sa mère étaient alcooliques. *L'Arbre généalogique des Rougon-Macquart* lui attribue l'« hérédité de l'alcoolisme se tournant en folie homicide ». Même s'il a été éduqué par sa marraine, Phasie Lantier, et non par ses parents, cette empreinte héréditaire s'avère plus forte que tout. Jacques est cependant un jeune homme raffiné, un « beau garçon » (l. 1152). Il est épris de Séverine Roubaud, et le fait qu'elle soit une criminelle le fascine. Il croit réellement que sa relation avec elle l'a libéré de ses démons. Mais ceux-ci reviennent le hanter comme s'il s'agissait d'un dédoublement de personnalité. Aussi n'éprouve-t-il «ni remords ni scrupules» (l. 12630) d'avoir tué Séverine. Pire encore, il réalise avec horreur, en s'engageant dans une aventure avec la maîtresse de Pecqueux, Philomène Sauvagnat, que d'autres meurtres suivront nécessairement. Pecqueux, qui ne supporte pas d'être trompé, assassine Jacques. Ainsi, le jeune homme mourra à cause d'une femme, lui qui mourait d'envie de les tuer toutes.

*Sévérine Aubry*

Séverine Aubry a 25 ans. Orpheline dès l'âge de 12 ans, elle est élevée par Grandmorin et reçoit une très bonne éducation. Souillée par le président, elle en conserve une aversion pour le sexe. Femme-enfant, elle n'éprouve d'ailleurs qu'«une affection filiale» (l. 207) pour son époux, Roubaud. Sa participation involontaire au meurtre de Grandmorin la bouleverse et ruine sa relation avec son mari: elle n'est plus capable d'avoir des rapports sexuels avec lui sans être épouvantée. Femme victime, Séverine l'est sans conteste, ce qui ne l'empêche pas d'être aussi une femme fatale. Très séduisante, elle utilise son pouvoir pour obtenir d'abord le silence de Jacques, puis celui de Camy-Lamotte. Elle voudrait que sa relation avec Jacques soit fusionnelle parce que sa sensualité s'est éveillée au contact du jeune homme. Du coup, elle déteste Roubaud dont l'état se dégrade de jour en jour. À la fin, elle échafaude le plan de l'assassiner et organise l'événement dans ses moindres détails. Elle pousse Jacques à commettre ce meurtre. Au bout du compte, elle devient victime de ce qu'elle a elle-même planifié, dans un retournement de situation auquel elle n'est pas étrangère, puisqu'elle supplie ainsi son amant, juste avant qu'il la tue : « Embrasse-moi comme si tu me mangeais, pour qu'il ne reste plus rien de moi en dehors de toi ! » (l. 11653-11655).

*Roubaud*

Roubaud a presque 40 ans et, au début du récit, il est au sommet de sa forme. Sous-chef de gare au Havre, c'est un bon employé, bien que ses allégeances politiques — il est républicain — lui attirent des remontrances. Il a épousé Séverine par amour, presque par adoration. Il perd facilement le contrôle en raison de son tempérament sanguin. C'est une jalousie meurtrière qui le pousse à régler son compte à Grandmorin. Il porte d'ailleurs physiquement la trace de sa jalousie, ayant « la barre des jaloux » (l. 135) sur le front. Il ne regrette pas d'avoir écouté son besoin impérieux de tuer Grandmorin quoique, ce besoin satisfait, il n'en retire aucun bienfait. Roubaud n'arrive plus à trouver l'équilibre, il est soumis à « une désorganisation progressive, comme une infiltration du crime » (l. 6370-6371). Il s'engouffre dans la passion du jeu, se moquant de tout, même de son travail ou encore du fait que sa femme a un amant. Tant et si bien qu'à son procès Roubaud arrive changé, vieilli et grossi.

*La Lison, une machine personnifiée*

Jacques et son chauffeur, Pecqueux, dans leur imaginaire, en font une femme avec qui ils constituent un « ménage à trois » (l. 5185). Cet attachement découle des émotions que les deux hommes vivent, au péril de leur vie, sur leur machine. Pour Jacques, cet attachement résulte aussi du fait que conduire une locomotive l'absorbe tout entier et calme ses pulsions sexuelles. Naturellement, lorsque Séverine entre dans sa vie, Jacques se détourne quelque peu de la Lison.

Son nom, la Lison, choisi par la Compagnie d'après celui d'une station du Cotentin, devient un prénom féminin pour

La locomotive 120 État, modèle de la Lison.

PHOTO SNCF.

Jacques. Cette métaphore féminine traverse le récit : «blessée» (l. 7401), lors de l'enlisement dans la neige, la Lison est carrément «un cadavre humain, énorme, de tout un monde qui [a] vécu et d'où la vie [vient] d'être arrachée, dans la douleur» (l. 10511-10512) à la suite de la collision. Une autre métaphore, celle de la respiration, rappelle que l'objet mécanique mû par la vapeur possède des caractéristiques presque humaines : «[…] le souffle qui [s'est] échappé si violemment de ses flancs ouverts, [s'achève] en une petite plainte d'enfant qui pleure» (l. 10494-10496).

Quand la Lison meurt, l'accord entre Jacques et Pecqueux n'est plus possible, car l'élément stable de leur association n'existe plus. La nouvelle locomotive que Jacques conduit n'a pas la même valeur que la Lison. Elle n'est désignée que par un numéro.

### Les personnages coupés du monde

Quatre personnages vivent dans l'isolement le plus complet à la Croix-de-Maufras, que ce soit dans la maison de Misard ou dans les bois.

Phasie Lantier est la mère de Flore et de Louisette ainsi que la marraine de Jacques. Elle refuse de dire à Misard, son deuxième époux, où elle a caché un héritage de mille francs, et ce mutisme lui sera fatal. Le nom de Phasie évoque d'ailleurs le mot *aphasie* que le médecin Jean Bouillaud désigne, en 1826, comme une «perte de la parole[1]». Jadis robuste, prématurément vieillie, elle se meurt dans la solitude la plus totale, regardant continuellement passer les trains de son lit auquel elle est clouée.

Misard est un homme chétif, flegmatique et hypocrite. Il se montre cupide au point d'empoisonner sa femme afin de mettre la main sur ses mille francs. Il devient totalement

1 Voir «aphasie» dans le site du TLF : http://atilf.inalf.fr.

obsédé par la recherche du magot de Phasie alors que cette dernière s'éteint sans en dévoiler la cachette.

Flore est une jeune «vierge guerrière» (l. 7320-7321) aussi solide qu'un garçon. Elle souffre beaucoup de l'amour de Jacques pour Séverine et du bonheur auquel elle assiste, immobile et impuissante, chaque vendredi, en les voyant passer en train. «[T]orturée de jalousie, gonflée de colère» (l. 7340), elle provoque l'accident de la Lison. La cause de son suicide n'est pas le remords, mais bien la peine d'amour.

Le carrier Cabuche habite dans la forêt de Bécourt. Il était épris de Louisette et détestait Grandmorin qu'il savait responsable de la mort de celle-ci. Il est donc suspecté d'être l'assassin du président. Impulsif, violent, ayant fait de la prison pour meurtre, Cabuche n'en demeure pas moins un homme intègre qui dit la vérité lors de ses interrogatoires, sauf au sujet de son amour envers Séverine qu'il préfère taire par honte et par pudeur. Sa situation s'aggrave lorsqu'il est accusé de l'avoir violée et tuée alors qu'il a simplement pris le corps ensanglanté de la jeune femme dans ses bras après avoir découvert son cadavre. En réalité, Cabuche est un homme simple qui incarne malheureusement «le type même de l'assassin» (l. 12566). C'est pourquoi il devient un bouc émissaire.

### Le milieu du chemin de fer

Sur une locomotive se trouvent toujours un mécanicien et un chauffeur sous ses ordres. Ces deux hommes doivent être très liés pour faire face aux risques du métier. Pecqueux est un chauffeur expérimenté, et son ivrognerie ne l'empêche pas de s'entendre avec Jacques. Il se rebelle cependant à la fin du récit, ce qui entraîne des conséquences tragiques. Marié à Victoire, l'ancienne nourrice de Séverine qui remplit la fonction de préposée aux toilettes des dames à la gare Saint-Lazare, il a également une maîtresse, Philomène Sauvagnat.

Les personnages évoluant à la gare du Havre constituent un portrait fidèle du milieu. Il y a d'abord le chef de gare, monsieur Dabadie, secondé par deux sous-chefs, monsieur Roubaud et monsieur Moulin, qui se répartissent le travail selon un horaire de jour ou de nuit. Le chef de dépôt se nomme Sauvagnat. Puis viennent les employés de bureau : la buraliste, mademoiselle Guichon, et le caissier, monsieur Lebleu. Le commissaire de surveillance, monsieur Cauche, occupe une place à part, car il est aussi officier de police judiciaire. Comme ces employés habitent la gare, ils sont entourés des membres de leur famille tels que madame Lebleu, la femme du caissier, ou Philomène Sauvagnat, la sœur du chef de dépôt.

Sur la voie se trouvent le stationnaire Misard, les garde-barrière Phasie et Flore, et l'aiguilleur Ozil, tandis que sur le train, en plus du mécanicien et de son chauffeur, il y a un conducteur chef. Henri Dauvergne est le conducteur chef affecté à l'express Le Havre-Paris du vendredi.

**Le milieu de la justice**

Le président Grandmorin fait le pont entre le monde ferroviaire et celui de la justice, puisqu'il était « membre du conseil d'administration de la Compagnie de l'Ouest » (l. 161-162) et juge retraité de la cour impériale de Rouen. Il abusait des jeunes filles, dont Séverine, ce qui en faisait également un criminel. Ce vieil homme riche et puissant était aussi le parrain et le tuteur de Sévérine, qu'il avait dotée et désignée comme héritière. Veuf et père d'une fille prénommée Berthe, il était proche de sa sœur madame Bonnehon.

Madame Bonnehon, riche et veuve également, est une belle femme de 55 ans. Longtemps influente auprès de la magistrature rouennaise qu'elle recevait à son château de Doinville, elle voit toutefois son étoile pâlir avec l'âge. Elle ne s'offusque pas des écarts de son frère et défend sa respectabilité, affirmant «qu'il est resté jusqu'au bout un homme du meilleur monde» (l. 3655-3656). Elle soutient également Séverine, pour qui elle éprouve une certaine tendresse, contre les de Lachesnaye.

Berthe Grandmorin, mariée à monsieur de Lachesnaye, conseiller à la cour de Rouen, est l'ancienne amie de Séverine, mais leurs rapports se sont détériorés après son mariage. Les de Lachesnaye se soucient de leur réputation. Offensés des frasques de Grandmorin, ils font tout pour sauver les apparences. Ainsi, malgré leur cupidité, ils ne poursuivent pas Séverine au sujet du legs de la maison de la Croix-de-Maufras, jugeant l'issue du procès beaucoup trop incertaine.

Le juge d'instruction de Rouen chargé de l'enquête sur les meurtres de Grandmorin et de Séverine se nomme Denizet. Il aime son métier et le pouvoir qu'il lui confère, mais son origine paysanne nuit à sa carrière. S'il méprise monsieur de Lachesnaye, car ce dernier est le fils d'un homme de loi et appartient à «la magistrature de faveur» (l. 3420-3421), il sait toutefois flatter quand il le faut. Denizet ambitionne d'être nommé à Paris, ce qui lui fait mettre les bouchées doubles dans cette affaire. À force de se passionner pour son enquête et de vouloir prouver sa perspicacité, il devient partial même s'il demeure convaincu de détenir la vérité. Il obtient la reconnaissance publique après le procès ainsi que sa nomination à Paris.

C'est cependant un haut fonctionnaire parisien qui tire les ficelles de toute cette affaire. Il s'agit du secrétaire général Camy-Lamotte. Intime de Grandmorin, il connaît parfaitement les agissements répréhensibles du président. Son but est d'éviter de dévoiler les dessous de l'affaire et d'empêcher ainsi un scandale qui ne manquerait pas d'éclabousser l'Empire. Que ce soit à propos de la politique, de la justice ou même de la nature humaine, sa désillusion est complète.

## LES LIEUX

Les lieux consistent en un espace géographique limité, faisant de *La Bête humaine* un roman en vase clos : deux villes, Paris et Le Havre, reliées par une ligne de chemin de fer. Néanmoins, ils représentent beaucoup plus qu'un simple décor : ils structurent l'histoire. Ainsi, Paris est le lieu de la parole (confessions, tractations), Le Havre, celui du quotidien qui se désorganise progressivement. Entre ces deux villes, Rouen est le cadre de l'enquête judiciaire, et la Croix-de-Maufras est un lieu maudit. Tout comme la main de l'écrivain qui trace les lignes de l'histoire, les trains qui circulent sur cette ligne constituent en quelque sorte le moteur de l'histoire : le meurtre de Grandmorin se déroule dans un train, la liaison de Séverine et Jacques se construit au fil de leurs voyages en train, les rencontres de Séverine et Flore sont provoquées par des arrêts du train… Les lieux doivent donc être analysés en tant que décor, mais surtout pour leur portée symbolique.

## LIGNE PARIS-LE HAVRE

### Les points d'arrivée et de départ

*Paris*

La ville de Paris n'est pas vraiment représentée dans le roman. La seule échappée hors de la gare, dans le quartier de l'Europe, se trouve au CHAPITRE V. Séverine rend visite à Camy-Lamotte, rue du Rocher, et Jacques et elle se promènent au square des Batignolles où ils concluent un pacte du silence. C'est donc le lieu où Séverine exerce son pouvoir de séduction pour échapper à la justice, mais il ne constitue pas un décor pour les meurtres perpétrés par les personnages.

Par ailleurs, le lieu parisien où se déroule véritablement l'action est la chambre de Victoire, au cinquième étage de la maison de l'impasse d'Amsterdam. Cette chambre remplit deux fonctions. Elle est un poste d'observation d'où

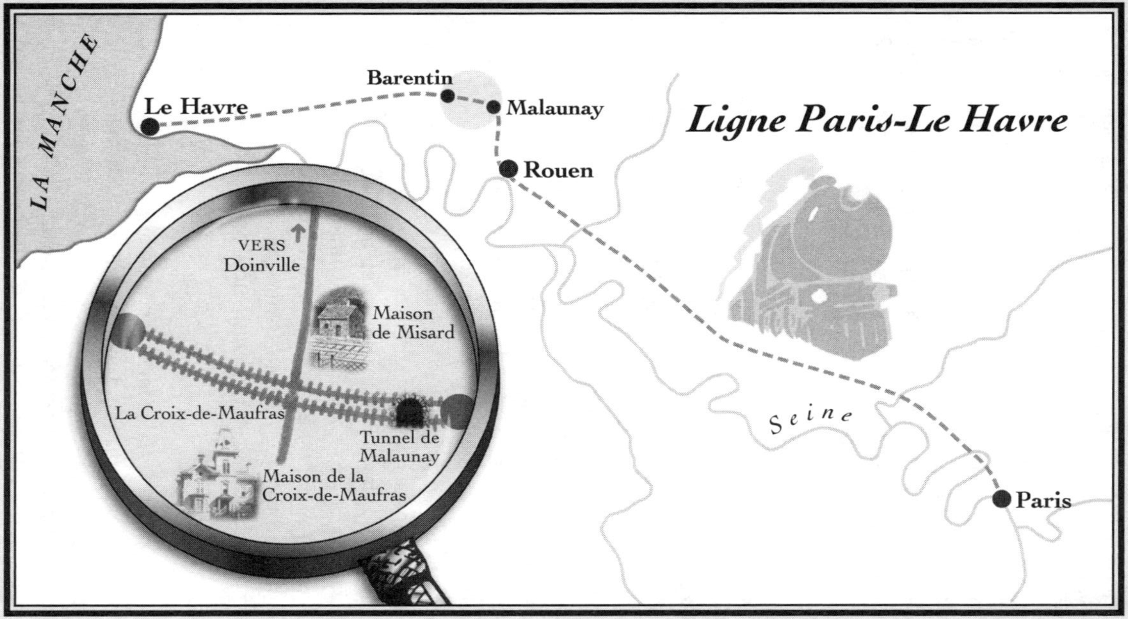

Ligne Paris-Le Havre
LA MANCHE
Le Havre
Barentin
Malaunay
Rouen
Seine
Paris
VERS
Doinville
Maison
de Misard
La Croix-de-Maufras
Tunnel de
Malaunay
Maison de la
Croix-de-Maufras

Roubaud contemple la gare. Elle est également un des lieux où se joue le destin des personnages : elle abrite deux scènes d'aveux, celui des abus subis par Séverine et celui de sa participation au meurtre de Grandmorin. Lors de chacune de ces scènes, un meurtre se décide.

*Le Havre*

Le Havre est le port français le plus important sur l'Atlantique. Dans le roman, hormis l'évocation du port avec les navires en partance pour l'Amérique — le Nouveau Monde qui représente la modernité — et de la mer que Roubaud contemple dans ses rêveries, la représentation du Havre se résume à celle de la gare, cadre de vie quotidien des personnages : leurs logements et le décor des promenades de Jacques et de Séverine. Les logements font partie intégrante de la station, puisque les personnages y entendent les « bruits violents de la gare, coups de sifflet, chocs de plaques tournantes, roulements de foudre » (l. 5435-5437). L'organisation des logements évoque le motif[1] de la coupure parce que ceux-ci sont séparés de façon physique par un couloir, et de façon morale par des jalousies et des querelles. Les rencontres de Jacques et de Séverine se déroulent entre le dépôt et ses dépendances, la remise à outils leur servant de nid d'amour.

**Les stations**

Entre Le Havre et Paris, le train traverse de nombreuses gares, dont les plus importantes sont celles de Barentin, Malaunay et Rouen. Le paysage est présenté à travers le regard des personnages : les points de repère pour Jacques, le mécanicien, et la Seine pour Séverine, tout à ses rendez-vous amoureux.

1 Le motif est une unité de sens dont la répétition participe à la compréhension d'un thème. Le motif de la coupure permet ainsi l'élaboration du thème de la folie héréditaire.

*Rouen*

Rouen est une ville assez importante. Là travaille Denizet, qui ne se déplace pratiquement jamais. Il y convoque les suspects et les témoins qui doivent de nouveau prendre le train pour s'y rendre. Administrativement, le Havre dépend de Rouen. Voilà pourquoi les ordres et les dépêches proviennent souvent de cette ville. La hiérarchie est très claire entre les magistratures rouennaise et parisienne. Denizet rend des comptes au procureur impérial de Rouen qui en rend à son tour à ses supérieurs de Paris, en particulier à Camy-Lamotte.

*La Croix-de-Maufras*

La Croix-de-Maufras est un lieu-dit imaginé par Zola. Les personnages qui y résident, Phasie, Misard, Flore et Cabuche, sont immobiles. Ils sont témoins du passage des trains, qu'ils considèrent comme la vie qui s'écoule alors que, eux, restent là, simples spectateurs. Ils regardent passer le progrès, mais n'y participent pas. Quand le flot des passagers est bloqué, à deux reprises, cela se passe à la Croix-de-Maufras. C'est également dans ce lieu que semble se concentrer la violence : l'abus de Séverine, la mort de Louisette, la découverte du corps de Grandmorin, l'empoisonnement de Phasie, le déraillement du train, le suicide de Flore et le meurtre de Séverine. Cet endroit semble d'ailleurs prédestiné à être un lieu de mort. Il éveille en Jacques de sombres pressentiments. Dans la maison, la chambre du crime est marquée de la couleur rouge, qui tout au long du roman signale le danger. Il ne faut donc pas s'étonner que la Croix-de-Maufras concrétise le motif de la coupure, puisqu'il s'agit d'une sorte de carrefour (de croix comme l'indique son nom) où un passage à niveau coupe la voie de chemin de fer, qui elle-même coupe le jardin de la maison de Grandmorin.

Ce lieu déserté représente pourtant le point central du récit. Les personnages y passent constamment en circulant sur le réseau ferroviaire qui est comparé à un être humain : « C'était comme un grand corps, un être géant couché en travers de la terre, la tête à Paris, les vertèbres tout le long de la ligne, les membres s'élargissant avec les embranchements, les pieds et les mains au Havre et dans les autres villes d'arrivée » (l. 1496-1500). Il manque un cœur à cette description anatomique. Ce cœur, c'est la Croix-de-Maufras, mais il est incapable de s'adapter à la modernité de son corps.

## LES THÈMES

### Le meurtre

Le désir de tuer constitue un des thèmes centraux du roman, puisqu'il habite la plupart des personnages, à un moment ou à un autre. En général, il est totalement irrationnel. Chez Jacques, il est intimement lié au désir sexuel. Le jeune homme tue Séverine avec un couteau, objet pouvant être considéré comme un symbole phallique. Seule la « folie homicide[1] » peut expliquer cette envie irrépressible, une folie héréditaire. En effet, Jacques se laisse emporter par « l'hérédité de violence » (l. 11744). Cette tare est souvent représentée par le motif de la coupure, de la fissure : « La famille n'était guère d'aplomb, beaucoup avaient une fêlure. Lui, à certaines heures, la sentait bien, cette fêlure héréditaire » (l. 1797-1799). Le lexique de la coupure envahit d'ailleurs tout l'univers du roman. Il entre dans la description de certains personnages. Roubaud, en proie à la jalousie, a « le front coupé d'une ligne dure » (l. 175), Séverine lui offre un couteau, qui sera l'instrument du crime. Le cadavre de Grandmorin a « la tête coupée à demi » (l. 2194). Flore « se [fait] couper » (l. 10778) par un train. Même les lieux portent la trace de cette coupure (voir *Les lieux*).

1 Zola, dans ses documents préparatoires, désigne ainsi le sujet principal de son roman.

Chez Roubaud, Flore et Pecqueux, le besoin de tuer est associé à la jalousie. Roubaud, lorsqu'il comprend que Séverine a appartenu à Grandmorin, ne voit pas d'autre façon d'apaiser sa douleur que le meurtre, et Flore veut tuer Séverine et Jacques pour détruire leur bonheur. Pecqueux, quand il se jette sur Jacques, est «enragé d'ivresse et de jalousie» (l. 12936). Misard, quant à lui, tue pour pouvoir s'adonner à sa recherche compulsive du magot de Phasie. En revanche, la volonté de Séverine de tuer Roubaud est raisonnée. Elle veut refaire sa vie avec Jacques. Roubaud l'en empêchant, elle décide de l'éliminer. Ce projet ne relevant pas de l'instinct, Jacques n'est pas en mesure de l'exécuter.

Dans cette folie, le désir prend le pas sur les règles sociales, comme si la désorganisation, qui pousse les personnages à tuer, les privait également de leur sens moral. La satisfaction de ce désir apporte temporairement la paix et ne suscite pas de remords. Aucun des personnages criminels ne regrette son geste. Paradoxalement, la seule personne qui se sent coupable est Cabuche, qui s'en veut d'avoir laissé ses chevaux près de la voie juste avant la collision.

Au fil du roman, la couleur rouge annonce le meurtre. Dès la fin du CHAPITRE I, une métaphore met en place cette symbolique en associant le triangle, le sang et le rouge: «On ne voyait de lui, saignant comme des blessures ouvertes, que les trois feux de l'arrière, le triangle rouge» (l. 1095-1097). La chambre de la maison de la Croix-de-Maufras, où Séverine a subi l'abus de Grandmorin et où elle est tuée, apparaît comme prédestinée à la violence, puisqu'elle est rouge.

### La bête humaine

Le thème de la bestialité est annoncé dès le titre du roman. L'expression «bête humaine» constitue un oxymore, l'homme se définissant souvent par opposition à la bête. Au XIX<sup>e</sup> siècle, en particulier, la théorie de Darwin apporte un bémol angoissant à toutes les théories rassurantes selon lesquelles la science fera de l'homme un être de plus en plus civilisé : sa nature animale est susceptible de ressurgir à n'importe quel moment, quel que soit son degré d'évolution. Et elle est porteuse du mal, de la faute, toujours là, comme le péché originel dont l'homme est marqué avant même sa naissance.

*A priori*, la «bête humaine» désigne Jacques. C'est «la bête enragée» (l. 1804-1805, l. 1920) enfouie en lui qui cherche à tuer et, quand il passe à l'acte, il se dédouble, comme si elle prenait le contrôle de son être. Jacques s'explique à diverses reprises cette présence de la bête par des bribes de théorie évolutionniste : en lui sommeillent des traces du comportement «[des] hommes [qui] s'abritaient, comme les loups, au fond des cavernes» (l. 9306-9307).

Cependant, tous les personnages renferment un fond de bestialité. Roubaud, sous l'effet de la jalousie, a un comportement brutal. Cabuche, pendant l'instruction, se défend comme un animal effrayé. Il est parfois doux comme un chien, parfois sauvage. Flore se conduit comme une louve, tuant par instinct. Misard est maintes fois décrit comme un insecte, et Pecqueux, comme une brute. Enfin, Séverine ressemble à «une jolie bête domestique qui remercie et flatte» (l. 5036-5037). Bref, personne n'échappe à ses origines animales.

Étrangement, tout le long du récit, les locomotives, et plus généralement les trains, sont marqués par la même double influence que les êtres humains : produits du progrès et de la civilisation, mais également bêtes sauvages, indomptables. Ils sont représentés tantôt comme des personnes, tantôt comme des animaux. À la fin du roman, le train est comparé à un sanglier, et la locomotive à une bête aveugle. La Lison, quant à elle, est parfois une amie, parfois une jument. Ainsi, les machines, contrairement à une croyance très répandue en ce siècle de mécanisation, ne sont pas supérieures à l'homme, puisqu'elles sont ses créations. Elles sont empreintes des mêmes origines animales.

### La critique du progrès

Phasie, immobile dans sa maison secouée par les trains, regarde passer le transit perpétuel des voyageurs et, pour elle, «ça, [c'est] le progrès, tous frères, roulant tous ensemble, là-bas, vers un pays de cocagne» (l. 1374-1375). Elle sait que, même si Misard finit par l'empoisonner, aucun des voyageurs rasant sa maison à toute vitesse ne le saura. Le progrès continuera d'avancer, sans le moindre souci du drame humain qu'il aura côtoyé. Même un meurtre ne parvient pas à ralentir sa marche. Les trains poursuivent leur course sans se soucier du cadavre de Grandmorin, allongé le long de la voie ferrée. De plus, l'accident provoqué par Flore et le dénouement du roman présentent le progrès comme meurtrier. Les machines, de par les catastrophes qu'elles provoquent, tuent beaucoup plus que les êtres humains. Ainsi, le progrès, censé assurer le bonheur de l'homme, semble être parfaitement indifférent à son sort.

### La critique de la justice

La critique est d'abord directement dirigée contre le Second Empire dont les membres influents, comme Grandmorin, peuvent être des débauchés. L'enquête sur le meurtre du président est menée comme une affaire politique, et les magistrats décident «d'agir en hommes de gouvernement» (l. 4629). Pour empêcher le scandale, Camy-Lamotte n'hésite pas à détruire une preuve, la lettre qui pourrait incriminer Séverine. Lorsque Denizet livre la reconstitution des deux affaires, les milieux proches du pouvoir sont soulagés à l'idée que la mémoire de Grandmorin ne sera pas salie. Par ailleurs, la carrière des magistrats ne progresse pas en fonction de leur mérite, mais en fonction de leur milieu social et des appuis dont ils bénéficient. Monsieur de Lachesnaye, grâce à sa naissance, est conseiller à la cour à 36 ans, tandis que Denizet, issu d'un milieu pauvre et ne jouissant d'aucune protection, a toutes les peines du monde à obtenir de l'avancement. C'est donc l'indépendance de la justice, sa capacité d'agir en toute sérénité, qui est bafouée.

En outre, les compétences d'enquêteur de Denizet sont sujettes à caution. Le juge d'instruction entend allier son intuition et son intelligence, lui qui se considère comme un spécimen supérieur de la race humaine sachant tirer profit à la fois de son côté animal et de son côté évolué. Pour lui, l'enquête représente un casse-tête où chaque pièce doit trouver sa place, une mécanique aux rouages parfaits. Ce faisant, même s'il prétend être capable de sonder rapidement la nature d'un homme, il élimine la dimension irrationnelle de l'être humain : «un amant n'égorge pas sans raison une maîtresse qu'il adore» (l. 12079-12080), et c'est là qu'il se trompe. Finalement, le magistrat préfère une accusation bien ficelée à la vérité qui pourrait s'avérer dérangeante. C'est ainsi que Jacques n'est pas inquiété et que Cabuche paie à sa place. Roubaud, de son côté, même s'il est accusé, ne l'est pas pour les bonnes raisons.

## L'ÉCRITURE

### Le narrateur

Fidèle aux préceptes du réalisme, Zola choisit un narrateur objectif. Il n'intervient jamais directement dans l'histoire pour poser un jugement. Tout semble vu et analysé par le regard des personnages qui prennent en charge le récit de leur propre vie. La plupart du temps, le lecteur a l'impression de pénétrer dans leurs souvenirs : Séverine «restait les yeux élargis, perdus au loin, cessant de manger. Sans doute elle évoquait les jours de son enfance, là-bas, au château de Doinville» (l. 306-308). Cette technique est également utilisée pour les descriptions. La gare Saint-Lazare est présentée à travers les yeux de Roubaud qui, de la chambre de la mère Victoire, observe le va-et-vient des machines. Même les jugements sont attribués aux personnages. Jacques parle de «fêlure» (l. 1798) au sujet de ses antécédents familiaux, tandis que Phasie affirme que «les bêtes sauvages restent des bêtes sauvages, et on aura beau inventer des mécaniques meilleures encore, il y aura quand même des bêtes sauvages dessous» (l. 1394-1396). Dans les faits, la réflexion de Phasie exprime une opinion beaucoup plus vaste, endossée par Zola lui-même, sur le progrès. Cette stratégie permet au narrateur d'être le plus transparent possible, et donc de rester objectif, tout en amenant le lecteur à se forger des idées bien définies.

### Les leitmotive

Les figures d'insistance (l'énumération et surtout la répétition) sont fréquemment utilisées. Zola fait un usage tout à fait unique de la répétition qu'il assimile lui-même au procédé du leitmotiv[1] employé en musique. Dans ses romans, tout est continuellement repris. L'auteur rappelle régulièrement certains traits physiques et moraux des personnages, tel le côté guerrier de Flore. Il redit des expressions-clés, comme l'évocation de la «rancune amassée de mâle en mâle, depuis la première tromperie au fond des cavernes» (l. 1838-1840, l. 6036-6037, l. 11660-11661). Il évoque plusieurs fois les mêmes images, particulièrement sous forme de métaphores animales qui désignent les personnages et les machines. Des situations semblables sont vécues même si les circonstances changent: à deux reprises, Jacques, affolé par ses pulsions meurtrières, erre en quête d'un soulagement. Les mêmes lieux sont revisités…

1 Le *Petit Robert* définit le leitmotiv comme un «motif, thème caractéristique, ayant une signification dramatique extra-musicale et revenant à plusieurs reprises dans la partition».

Au fil des répétitions, Zola apporte des précisions afin de conférer aux éléments une nouvelle dimension, sinon l'intrigue ne progresserait pas. Cette stratégie montre ainsi qu'il y a des choses qui se répètent inexorablement, bien qu'elles varient. Elle remplit la fonction de fixer le destin et symbolise donc tous les genres de déterminismes.

**Au-delà du naturalisme**

Dans *Le Roman expérimental*, Zola insiste sur le travail scientifique du romancier qui doit construire un univers déterminé et maîtrisé. Ce but requiert de la rigueur, une narration objective, des descriptions précises et basées sur une documentation solide. Apparemment, il laisse peu de place à l'imagination et à la créativité. Pourtant, tout ce travail de précision ne parvient pas à endiguer l'imaginaire zolien parfois teinté de fantastique. En effet, les trains apparaissent souvent comme des monstres angoissants. Ils surgissent des ténèbres au moment des meurtres, ébranlant tout le décor. Les locomotives, la Lison en particulier, sont des géantes. Même les êtres humains sont parfois inquiétants. Le cadavre de Phasie semble narguer Misard pendant que ce dernier continue à chercher les mille francs. Les paysages, eux aussi, deviennent grandioses : la locomotive s'échoue dans la neige tel un paquebot perdu en plein « océan de glace » (l. 6687).

Par ailleurs, fervent admirateur des peintres impressionnistes, Zola emprunte à leurs techniques pour brosser de superbes tableaux. Il choisit les machines, emblèmes du progrès, comme sujets et les présente de façon poétique : « [...] sous ce poudroiement de rayons, les maisons de la rue de Rome se brouillaient, s'effaçaient, légères » (l. 15-16). Dans les descriptions, les métaphores construisent des images saisissantes, en particulier aux CHAPITRES I et VII : « une cendre crépusculaire, noyant les façades, semblait tomber déjà sur l'éventail élargi des voies » (l. 532-533).

Toutes ces dimensions de l'écriture zolienne sont vraisemblablement ce qui lui permet de traverser le temps et de transcender les modes littéraires.

# Jugements sur l'œuvre

«Dans son dernier roman, M. Zola étudie le plus effrayant et le plus mystérieux de ces instincts primordiaux : l'instinct de la destruction et du meurtre et son obscure corrélation avec l'instinct amoureux. Il est le poête [*sic*] du fond ténébreux de l'homme, et c'est son œuvre entière qui devrait porter ce titre : *La Bête humaine.*

Ici, plus encore que dans *L'Assommoir* ou *Germinal*, les personnages sont purement passifs, absolument soumis, d'une part, à la fatalité intime de leur tempérament, de l'autre, à la pression des objets et des circonstances extérieures. Ils n'agissent que par des impulsions irrésistibles. Ils ne se gouvernent pas.»

Jules Lemaître, *Le Figaro*, 8 mars 1890.

«Quand il fait de la machine montée par Jacques Lantier, de la *Lison*, un être vivant, quand il la montre si belle dans sa jeunesse ardente et souple, puis atteinte, sous un ouragan de neige, d'une maladie sourde et profonde et devenue comme phtisique, puis enfin mourant de mort violente, éventrée et rendant l'âme, n'est-il qu'un vulgarisateur puéril des conquêtes de la science ? Non, non, cet homme est un poète. Son génie, grand et simple, crée des symboles. Il fait naître des mythes nouveaux.»

Anatole France, «Dialogues des vivants. *La Bête humaine*», *Le Temps*, 9 mars 1890.

«De très belles pages, des morceaux merveilleux, où se plaît le talent, toujours enclin à l'énorme, de M. Zola. Mais, il faut bien le dire aussi, une œuvre arbitraire, désordonnée, ne mettant en scène que des êtres exceptionnels — que des monstres. Et dans cette absence de figures d'une véritable humanité, notre admiration ne se peut réserver entière, que pour l'incomparable puissance descriptive du romancier.»

Paul Ginisty, *Gil Blas*, 15 mars 1890.

«Jamais on avait tant massacré dans un seul volume. [...] C'est un répertoire complet, un manuel de la tuerie et des façons de tuer de la bête humaine [...]. Que tous sans exception tuent également sans une hésitation, sans un scrupule, sans un remords, cela est-il exact ?»

Charles Bigot, «Psychologie naturaliste», *Revue bleue*, 5 avril 1890.

«Dans *La Bête humaine* c'est l'animalité seule qui règne. Tout se passe dans l'épaisseur des corps ; des lois obscures mènent les êtres, et la réflexion n'y est pour rien. La conséquence du crime n'est pas un tourment de l'âme, un drame de la conscience, mais une lente et implacable décomposition du criminel. [...]

Mais la toile de fond est admirable : les locomotives, les gares, et cette sensation alors si neuve de la vitesse, sont utilisées ainsi qu'un décor gigantesque qui revient de chapitre en chapitre, avec une puissance envoûtante. *La Bête humaine* c'est le crime passionnel dans un univers industriel.»

Marc Bernard, *Zola par lui-même*, 1952.

«Le plus moderne en tout cas des auteurs français du XIXe siècle grâce à une œuvre dont le réalisme empreint de poésie et surtout de lyrisme nous renvoie aux ressorts parfois les plus sombres de la bête humaine : la quête de pouvoir, d'argent et de plaisirs qui fait jaillir les drames passionnels, qui oriente parfois la marche de l'histoire, la petite comme la grande.»

Rudy Le Cours, «Zola ou la droiture critique», *La Presse*, 29 septembre 2002.

**Photo de Zola à l'époque de *J'accuse*.**

Archives de la famille Zola.

# Plongée dans l'Œuvre

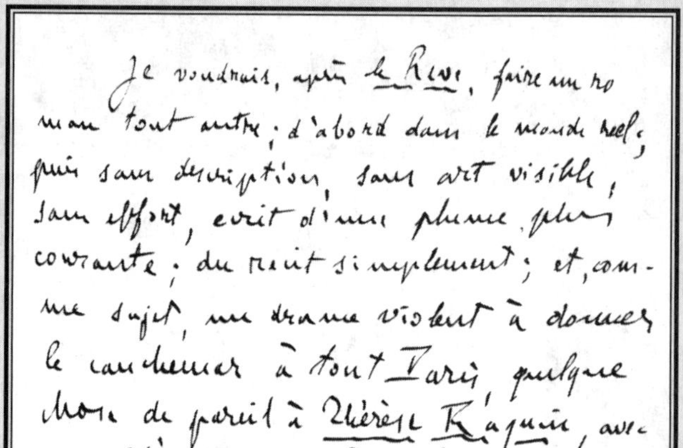

Je voudrais, après *le Rêve*, faire un roman tout autre ; d'abord dans le monde réel ; puis sans description, sans art visible, sans effort, écrit d'une plume plus courante ; du récit simplement ; et, comme sujet, un drame violent à donner le cauchemar à tout Paris, quelque chose de pareil à *Thérèse Raquin*, avec un côté de mystère, d'au-delà, quelque chose qui ait l'air de sortir de la réalité (pas d'hypnotisme, mais une force inconnue, à arranger, à trouver.) Le tout, dans une grande passion évidemment. L'amour et l'argent mêlé.

**Page manuscrite de Zola.**

Bibliothèque nationale, Paris.

# Questions sur l'œuvre

## Chapitre I

*Compréhension*

1. Pourquoi Roubaud s'est-il fait réprimander par son supérieur ?
2. Quel âge Séverine a-t-elle ? Quel âge son mari a-t-il ?
3. La bague que Grandmorin a offerte à Séverine
   a) Quel animal représente-t-elle ?
   b) Que symbolise cet animal ?
   c) Que signifie le fait que Séverine la porte avec son alliance ?
4. À quel âge, dans quel lieu et par qui Séverine a-t-elle été initiée sexuellement ?
5. Pourquoi Roubaud demande-t-il à Séverine d'écrire un mot à Grandmorin ?
6. Que peut signifier cette expression : « Instrument d'amour, instrument de mort » (l. 959) ?
7. À qui est réservé le coupé de l'express du Havre et quel est le numéro de ce wagon ?
8. Qui est le « voyageur attardé » (l. 1050) qui monte dans l'express du Havre ?
9. Grandmorin est un homme si influent qu'il peut aisément aider les autres à se tirer de situations difficiles. Comment a-t-il aidé trois des personnages présentés dans ce chapitre ?

*Analyse*

10. Étudiez les diverses personnifications qui décrivent les trois éléments ferroviaires ci-dessous, puis montrez que le choix de la personnification correspond en fait au rôle que chaque élément doit jouer (l. 35-50) :
    a) la machine-tender qui débranche le train de Mantes ;
    b) la machine d'express ;
    c) le train à destination de Caen et sa locomotive.
11. La description de Séverine (l.182-208)
    a) À quoi Séverine est-elle comparée ? Justifiez votre réponse.
    b) Comment peut-on qualifier la relation qu'elle entretient avec son mari ?

12. Le portrait naturaliste (l. 62-169)
    a) À part le récit de ses gestes, quel est le premier renseignement donné sur le personnage de Roubaud ?
    b) Ce renseignement est-il d'ordre physique, psychologique ou social ?
    c) La description de Roubaud qui se regarde dans le miroir porte-t-elle, pour sa part, davantage sur l'aspect physique, psychologique ou social du personnage ?
    d) Quel renseignement est donné au sujet de Roubaud lorsque l'histoire de son mariage est relatée ?
    e) Dans quel ordre le lecteur a-t-il découvert le personnage de Roubaud ? En quoi cet ordre est-il représentatif du naturalisme ?
13. La brutalité de Roubaud (l. 125-137)
    a) Relevez tous les éléments de la description physique de Roubaud.
    b) Quelle partie de son corps exprime le mieux sa brutalité ?
    c) Quel détail psychologique laisse entendre que cet homme a le tempérament d'une brute ?
14. La transformation de Roubaud (l. 802-851)
    a) Relevez les figures d'analogie le représentant comme une bête.
    b) Y a-t-il une réelle différence entre la brutalité et la bestialité ? Justifiez votre réponse à l'aide du dictionnaire.
    c) Pourquoi le narrateur ne parle-t-il pas explicitement de bestialité dès la première description physique de Roubaud aux lignes 125 à 137 ?
15. Le motif de la coupure
    a) La description de la gare (l. 1-31)
       – Relevez le champ lexical de la coupure.
       – Que désigne la « tranchée » ?
       – Qu'est-ce que cette tranchée coupe ?
       – Par quoi est-elle elle-même coupée ?
       – Quels sont les matériaux nommés dans cette description ? Quelle est leur caractéristique commune ?
    b) Quel détail de la description du visage de Roubaud sous l'emprise de la jalousie peut rappeler le motif de la coupure ?

c) En quoi le cadeau de Séverine à Roubaud évoque-t-il également ce motif ?
d) Enfin, quel détail de la description de la Croix-de-Maufras reprend ce motif ?

16. La couleur
a) De quelle couleur est la chambre de la Croix-de-Maufras où Séverine rencontrait le président Grandmorin ?
b) De quelle couleur est la pierre de la bague que Grandmorin a offerte à Séverine ?
c) À quoi est-elle associée quand il s'agit de Roubaud ?
d) Relevez la phrase de la fin du chapitre dans laquelle cette couleur est évoquée. Quelle est la figure de style utilisée dans cette phrase ? En quoi cette phrase symbolise-t-elle aussi la relation douloureuse qui lie Roubaud, Séverine et Grandmorin ?

17. L'organisation temporelle
a) Repérez trois analepses (retours en arrière) entre les lignes 125 et 384.
b) Quelle est leur fonction dans la structure du récit ?
c) Comment peut-on qualifier le narrateur qui utilise ce genre de procédé ? Justifiez votre réponse.

### CHAPITRE II

*Compréhension*

1. En une cinquantaine de mots, résumez la biographie de Jacques Lantier (l. 1161-1194).
2. La peur de Phasie
a) De quoi Phasie accuse-t-elle son mari ?
b) D'après elle, pourquoi fait-il cela ?
c) Qu'est-ce qui confirme plus tard à Jacques que Phasie a raison ?
3. À qui appartient la maison de la Croix-de-Maufras ?
4. Pourquoi la maison de la Croix-de-Maufras est-elle laissée à l'abandon ?
5. Flore sait que le président Grandmorin venait à la Croix-de-Maufras avec des jeunes filles et même avec « une que personne ne soupçonne, une qu'il a mariée… » (l. 1724-1725). De qui parle-t-elle ?

6. L'étreinte de Jacques et de Flore
   a) Comment l'étreinte se termine-t-elle pour Flore ?
   b) Comment l'étreinte se termine-t-elle pour Jacques ?
7. Avec quoi et comment Grandmorin a-t-il été assassiné ?

*Analyse*

8. Le portrait de Jacques Lantier (l. 1151-1159)
   a) La description de Jacques Lantier est flatteuse à deux détails près. Lesquels ?
   b) En quoi ces deux détails sont-ils représentatifs des procédés de description naturalistes ?
9. «Phasie» rappelle le mot grec *phasis* qui signifie «parole». Quel lien peut-il y avoir entre la signification de ce mot et le personnage de Phasie ?
10. La couleur
    a) À son arrivée à la Croix-de-Maufras, à deux reprises, le regard de Jacques est voilé par une «petite fumée rousse» (l. 1225). Quels sont les sujets ou les situations qui semblent troubler le jeune homme ?
    b) Quelle est la couleur qui est évoquée pour décrire la lueur de la lune sur la Croix-de-Maufras ?
    c) Que peut signifier l'expression «il voyait rouge» (l. 1696) ?
    d) Quel détail important du premier chapitre est repris dans les lignes 1941 à 1959 ? Que signifie cette reprise ?
11. La coupure
    a) En quoi la description du lieu de la Croix-de-Maufras, au début du chapitre, rappelle-t-elle ce motif ?
    b) Quel mot Phasie utilise-t-elle pour qualifier l'homme qui s'est fait heurter par un train autrefois ?
    c) Dans la description que Jacques fait de ses pulsions meurtrières, relevez les trois termes qui rappellent la coupure (l. 1784-1811).
12. La bestialité
    a) Misard (l. 1240-1334)
       – À quel animal compare-t-on Misard ?
       – Sur quels aspects de sa personnalité cette comparaison repose-t-elle ?

b) Flore (l. 1628-1696)
  – Relevez le vocabulaire de la bestialité qui qualifie Flore.
  – Quels sont les détails qui viennent renforcer cette impression de bestialité ?
c) Jacques (l. 1444-1940)
  – Relevez deux passages dans lesquels Jacques est décrit comme une bête traquée.
  – Relevez deux passages dans lesquels Jacques est décrit comme une bête poursuivant sa proie.
d) Phasie affirme qu'«on aura beau inventer des mécaniques meilleures encore, il y aura quand même des bêtes sauvages dessous» (l. 1395-1396). Quelle est la figure de style utilisée ? Quelle en est la signification ?

13. L'étreinte de Jacques et de Flore est représentée comme un véritable combat (l. 1714-1747).
  a) Relevez le champ lexical du combat se rattachant à Flore.
  b) Relevez les termes exprimant des actions brutales effectuées par Jacques.
14. Montrez que le désir amoureux et la pulsion de mort s'entremêlent constamment dans les pensées de Jacques (l. 1770 à 1779).
15. Quelle figure de style est utilisée pour décrire le réseau ferroviaire et quelles caractéristiques du chemin de fer met-elle en relief (l. 1496-1500) ?
16. La vue du cadavre (l. 2060-2108)
  a) Par quelle anaphore le meurtrier est-il désigné ? Qu'exprime cette anaphore ?
  b) Quels sentiments Jacques éprouve-t-il envers le meurtrier et envers lui-même ?
  c) Quelle est la partie du cadavre que Jacques voudrait pouvoir voir ?
  d) Quels motifs déjà développés sont concentrés dans cette partie du corps ?

### Chapitre III

*Compréhension*

1. Pourquoi la face de Roubaud se colore-t-elle quand Moulin s'apprête à lui parler du coupé 293 ?

2. La rivalité entre les femmes
   a) Classez les femmes suivantes en deux clans : Séverine, madame Lebleu, Philomène, Victoire.
   b) Quelles sont les raisons pour lesquelles Séverine Roubaud et Philomène Sauvagnat sont en froid ?
   c) Quels traits de caractère madame Lebleu et Philomène Sauvagnat ont-elles en commun ?
   d) Séverine Roubaud et madame Lebleu sont en froid à propos d'une histoire de logement.
      – Pourquoi le logement des Lebleu est-il beaucoup mieux que celui des Roubaud ?
      – Montrez qu'au-delà de raisons purement matérielles ce conflit trouve ses origines dans une question de rang social.
3. Pourquoi Roubaud demande-t-il qu'on aille chercher Séverine avant qu'il témoigne de son voyage Paris-Rouen ?
4. Pourquoi Roubaud signale-t-il sa conversation avec monsieur Bessière, le chef de gare de Barentin ?
5. Quelle piste Roubaud suggère-t-il afin d'éloigner les soupçons qui pèsent sur lui ?

*Analyse*

6. La nervosité de Roubaud
   a) Relevez les expressions témoignant de cette nervosité (l. 2407-2451).
   b) Relevez toutes les références au temps. En quoi le dernier mot de ce paragraphe explique-t-il la présence de ces références (l. 2573-2586) ?
   c) Que signifie *enfin* dans « c'était enfin la catastrophe » (l. 2703) ?
7. L'arrivée de Jacques au Havre (l. 2999-3074)
   a) Relevez le champ lexical du regard.
   b) De quels regards est-il question ici ?
   c) Relevez le champ lexical de la parole (ou du silence).
   d) À partir de ce champ lexical, identifiez quel personnage s'exprime (ou se tait).
   e) Quelles sont les deux phrases qui montrent que le regard déclenche la parole ?

f) Quelles sont les deux personnages qui échangent ce regard décisif ?

8. La bestialité
   a) Relevez la phrase qui montre que l'ivresse fait surgir la brute chez Pecqueux.
   b) Quelle est la figure de style utilisée pour décrire Philomène (l. 2509-2512) ? De quel animal est-il question ?
   c) Au moment de la découverte de la scène du crime (l. 2768-2837), quels sont les deux détails qui permettent d'associer la foule de curieux à une bête ?

## Chapitre IV

*Compréhension*

1. Quelles sont les deux raisons qui font de l'affaire Grandmorin un scandale politique ?
2. Monsieur Camy-Lamotte
   a) Quel poste occupe-t-il ?
   b) En quoi est-ce un poste clé du ministère de la Justice ?
   c) Pourquoi ce personnage risque-t-il fort d'être partial dans cette affaire ?
3. Quelle preuve pourrait accuser les Roubaud ? Pourquoi ?
4. Qu'est-ce qui prouve que le mobile du crime n'était pas le vol ?
5. À qui Grandmorin lègue-t-il sa fortune ? Qu'est-ce qui pourrait expliquer ce choix ?
6. Madame Bonnehon et les de Lachesnaye ont deux stratégies différentes pour sauver les apparences. Quelles sont ces stratégies (l. 3644-3736) ?
7. Décrivez l'attitude des différents personnages face à l'interrogatoire :
   a) Jacques
   b) Séverine
   c) Roubaud
   d) Cabuche
8. Dans quel ordre Denizet reçoit-il les témoins ? Pourquoi les reçoit-il dans cet ordre ?
9. La lettre du ministère que reçoit Denizet mentionne un nouvel élément de l'enquête.
   a) Quel est cet élément ?

b) En quoi cet élément rendrait caduque la piste de Cabuche meurtrier ?

*Analyse*

10. En quoi peut-on dire que les lignes 3891 à 3932 constituent une sorte de répétition de la première rencontre entre Jacques et Séverine au Havre (voir CHAPITRE III, question 7) ?
11. Le portrait de Cabuche
    a) Relevez le champ lexical de la bestialité dans le portrait que madame Bonnehon trace de Cabuche (l. 3674-3690).
    b) Identifiez les deux métaphores exprimant la bestialité de Cabuche entre les lignes 3657 et 3975. En quoi ces images contrastent-elles avec la description donnée par madame Bonnehon ?
    c) Relevez dans le passage précédent deux phrases représentatives de la technique du portrait naturaliste voulant que les traits physiques soient considérés comme révélateurs de traits psychologiques.
12. Trouvez trois arguments qui prouvent que Zola, à travers son personnage de Denizet, se livre à une satire de l'institution judiciaire ?

**CHAPITRE V**

*Compréhension*

1. Quelles sont les deux raisons pour lesquelles Séverine est venue passer la journée à Paris ?
2. Montrez l'ambiguïté des sentiments de Séverine à l'égard de Jacques (l. 4326-4333).
3. Pourquoi Séverine panique-t-elle un moment avant de sonner chez monsieur Camy-Lamotte ?
4. Dans l'esprit de monsieur Camy-Lamotte
    a) Quels sont les éléments qui le poussent à considérer Séverine comme coupable ?
    b) Quels sont ceux qui plaident en faveur de son innocence ?
5. Relevez toutes les raisons pour lesquelles monsieur Camy-Lamotte préfère qu'aucune accusation ne soit portée dans l'affaire Grandmorin.
6. Quel intérêt personnel a Denizet de conclure à un non-lieu ?

7. Pourquoi Jacques fait-il soudain autant de zèle au moment d'inspecter la Lison avant son départ pour Le Havre ?

*Analyse*

8. À l'occasion de leur rencontre dans le square des Batignolles, Séverine veut nouer un lien entre Jacques et elle.
   a) Relevez, entre les lignes 4793 et 4811, les expressions qui montrent que, pour Séverine, ce lien est symbolisé par le regard.
   b) Relevez, entre les lignes 4871 et 4923, les expressions qui portent de nouveau sur le regard.
   c) Dans ces deux passages, quelle expression est répétée ? Prouvez, à l'aide de l'analyse des modes verbaux, que la situation a évolué.
9. Dans la description de la Lison (l. 5114-5148), celle-ci est à la fois représentée comme un cheval et comme une femme.
   a) Relevez la comparaison animale.
   b) Relevez les expressions qui construisent la métaphore féminine.
10. Montrez que, entre les lignes 5275 et 5280, le narrateur reprend une de ces métaphores.
11. Identifiez dans le chapitre deux passages où Séverine est comparée à un animal. De quel genre d'animaux s'agit-il ?

## Chapitre VI

*Compréhension*

1. Le vol commis sur la dépouille de Grandmorin
   a) Dans quel but a-t-il été commis ?
   b) En quoi consiste-t-il ?
   c) Où le butin est-il caché ?
   d) Pourquoi Roubaud ne s'en sert-il pas ?
   e) Pourquoi Roubaud n'a-t-il pas détruit ce magot ?
2. Pourquoi Séverine redoute-t-elle d'avoir des relations sexuelles avec son mari ?
3. La jalousie de Roubaud envers Séverine (l. 5537-5700)
   a) À quel propos Roubaud fait-il une crise de jalousie à sa femme ?
   b) En quoi cette scène unit-elle Séverine et Jacques ?

   c) En quoi peut-on dire que Roubaud est inconséquent ?
4. Le bonheur de Séverine et de Jacques est presque parfait. Selon Jacques, quel est le danger qui le guette pourtant ?
5. Comment Roubaud et Séverine se consolent-ils de l'échec de leur union ?

*Analyse*

6. «Chez eux, chez les voisins de couloir, parmi ce petit monde d'employés, soumis à une existence d'horloge par l'uniforme retour des heures réglementaires, la vie s'était remise à couler, monotone.» (l. 5333-5336).
   a) Relevez, entre les lignes 5383 et 5415, parmi le champ lexical du temps, les termes qui illustrent la monotonie de cette «existence d'horloge» (l. 5335).
   b) Cette existence mène les personnages à l'assoupissement.
      – Relevez, dans le même passage, le champ lexical qui exprime que les Roubaud s'assoupissent.
      – Relevez, entre les lignes 5467 et 5489, celui qui exprime que leurs voisins s'assoupissent.
7. Finalement, Grandmorin laisse à Roubaud et à Séverine la peur et l'angoisse en héritage.
   a) Relevez le champ lexical qui le prouve dans la description de la maison de la Croix-de-Maufras (l. 5365-5370).
   b) Relevez le même champ lexical utilisé pour décrire la cachette du magot pris sur la dépouille de Grandmorin (l. 5521-5528).
   c) Montrez que Roubaud et Séverine ont tous les deux peur du butin caché sous leur plancher.
8. Séverine et Jacques éprouvent le même besoin de tout recommencer en ce qui concerne le fait d'aimer (l. 5797-5826).
   a) Quelle image revient lorsqu'il est question d'abord de Séverine, puis de Jacques, pour décrire ce besoin ?
   b) Quelle figure de style est utilisée afin de montrer que ce besoin leur est commun ?
   c) Que signifie ce besoin pour les deux personnages ?
9. Quand Jacques et Séverine font l'amour pour la première fois (l. 6027-6043), Jacques est étonné de n'avoir pas tué Séverine.

a) Relevez les deux phrases qui expliquent comment Séverine a guéri Jacques de son désir de meurtre.
b) Quelle partie du passage reprend presque mot à mot la description de la folie de Jacques faite précédemment au CHAPITRE II (l. 1812-1847) ?

10. La bestialité
    a) Pecqueux (l. 5926-5980)
       – À quel animal est-il comparé dans ce passage ?
       – Qu'est-ce que cela indique sur le type de relation qu'il entretient avec Jacques ? Illustrez votre réponse à l'aide d'un exemple tiré de ce passage.
    b) La «bête humaine» (l. 6166)
       – Qui cette expression désigne-t-elle ?
       – Qu'est-ce qui en justifie l'emploi dans le contexte ?

## CHAPITRE VII

*Compréhension*

1. Qualifiez les sentiments de Jacques et de Roubaud envers Séverine au moment où elle monte dans l'express pour Paris.
2. Quelles sont les deux manœuvres particulièrement risquées que Jacques doit effectuer sur la Lison au cours du voyage vers Rouen ?
3. Quel mal menace de tuer Jacques et Pecqueux pendant le voyage dans la tempête ?
4. Combien y a-t-il de membres d'équipage à bord de la Lison ? Identifiez la fonction de chacun ainsi que son nom quand il est désigné.
5. Pourquoi l'arrêt du train à la Croix-de-Maufras constitue-t-il un événement aussi important pour Flore et Misard ?
6. Comment Misard s'y prend-il pour empoisonner Phasie ?
7. «Et, lorsque le carrier [Cabuche] lui eut rendu ce dernier service, [Jacques] lui donna une vigoureuse poignée de main, pour lui montrer qu'il l'estimait malgré tout, l'ayant vu au travail» (l. 7383-7385). Pourquoi le narrateur précise-t-il «malgré tout» (l. 7385) ?
8. Quel sentiment caractérise Flore la dernière fois qu'elle voit Séverine ?

*Analyse*

9. La Lison
   a) Montrez que le rapport de Jacques avec la Lison s'est modifié alors que cela ne semble pas être le cas pour Pecqueux (l. 6510-6543).
   b) Montrez que Jacques considère désormais la Lison comme un animal insoumis (l. 6543-6563).
   c) Au moment de l'enlisement (l. 6863-6901), la Lison est de nouveau décrite comme un animal, cette fois en train de lutter vaillamment. S'agit-il du même animal ? Relevez le champ lexical qui exprime cette lutte.
   d) Quelle est l'issue de cette lutte ? Justifiez votre réponse par un champ lexical.
   e) Les dommages à la Lison ne sont finalement pas permanents. Quand elle redémarre (l. 7400-7423), à quel mal Jacques compare-t-il l'état de la Lison ? Sur quoi cette comparaison repose-t-elle ?
10. La métaphore filée avec l'océan (l. 6674-7019)
   a) Relevez deux passages dans lesquels la nature est comparée à un océan.
   b) À quoi la Lison est-elle associée ? Justifiez votre réponse à l'aide de deux figures d'analogie.
   c) Pendant l'enlisement de la Lison près de la Croix-de-Maufras, à quoi les voyageurs sont-ils associés ? Justifiez votre réponse à l'aide d'une citation.
   d) D'après vos réponses aux questions a à c, résumez en une phrase tous les éléments de cette métaphore filée.
11. L'évolution du personnage de Phasie
   a) Comparez les deux passages suivants : lignes 1329 à1339 et lignes 7215 à 7223. L'état d'esprit de Phasie vis-à-vis de Misard a-t-il changé depuis sa dernière conversation avec Jacques ? Justifiez votre réponse.
   b) Comparez les deux passages suivants : lignes 1357 à 1390 et lignes 7267 à 7284. L'état d'esprit de Phasie vis-à-vis de la foule des trains a-t-il changé depuis sa dernière conversation avec Jacques ? Justifiez votre réponse.
   c) En somme, l'état d'esprit de Phasie a-t-il évolué ?

d) Expliquez la réponse précédente à la lumière de la condition physique de Phasie.

### Chapitre viii

*Compréhension*

1. Dans quel lieu Jacques et Séverine passent-ils leur première nuit ensemble ?
2. Qu'est-ce que Séverine a découvert grâce à sa relation avec Jacques ?
3. Dans le passage des lignes 7616 à 7685, Séverine éprouve deux désirs qui se confondent. Lesquels ?
4. Au moment de la scène de l'aveu, quels sont, dans l'ordre, les faits que Séverine confie à Jacques ?
5. Après que Séverine a relaté l'assassinat de Grandmorin, qu'est-ce que Jacques cherche à savoir ?

*Analyse*

6. Faites un tableau de deux colonnes (une pour chaque chapitre) dans lesquelles vous relèverez les ressemblances et les différences entre la scène de l'aveu du chapitre i et celle du chapitre viii. Pour ce faire, référez-vous aux lignes 170 à 876 et 7463 à 8239.
7. À l'aide du tableau précédent :
   a) comparez le comportement de Séverine d'une scène à l'autre ;
   b) comparez le comportement de Roubaud avec celui de Jacques.
8. La couleur
   a) Dans la chambre de Victoire, le lit est « drapé de cotonnade rouge » (l. 7519). Relevez, entre les lignes 7554 et 7602, et entre les lignes 7669 et 7701 les autres références au rouge et expliquez à quoi cette couleur est associée.
   b) Le passage allant de la ligne 8124 à la ligne 8198
      – Dans ce passage, la couleur rouge est de nouveau évoquée. Relevez les expressions dans lesquelles elle intervient.
      – Peut-on noter une évolution par rapport au passage précédent (l. 7523-7701) dans ces évocations ?

- Relevez le champ lexical de la noirceur.
- Relevez le champ lexical de la clarté.
- Logiquement, cette clarté devrait dissiper les pulsions ressenties dans la noirceur. Est-ce le cas ? Pourquoi ?

9. La bête
   a) Séverine se compare à une «bête» (l. 8056-8057). Quelle caractéristique animale lui permet de faire cette comparaison ?
   b) Les deux amoureux sont comparés à des «bêtes» (l. 8110-8112) au moment de l'acte sexuel. Commentez cette métaphore.
10. À propos des différentes mains décrites entre les lignes 8124 et 8224
   a) Relevez les expressions qui se rapportent à des mains.
   b) À qui appartiennent ces différentes mains ?
   c) Qu'ont-elles en commun ?
   d) Qu'est-ce que cela indique sur la situation de Jacques ?
11. Le dédoublement de personnalité (l. 8270-8279)
   a) Relevez les passages qui décrivent l'état de Jacques comme un dédoublement de personnalité.
   b) Comment la partie de lui prenant le pouvoir est-elle décrite ?

## Chapitre ix

*Compréhension*

1. Pour quelles raisons Roubaud cède-t-il finalement à la tentation de dérober les billets de mille francs ?
2. Quelle est la nouvelle motivation de Séverine dans sa lutte pour obtenir le logement des Lebleu ?
3. Quelles sont les maladresses qui font perdre son logement à madame Lebleu ?
4. Pourquoi Jacques ne veut-il plus faire l'amour avec Séverine, que ce soit sous la lumière artificielle ou sous la lumière du jour ? De quel sens se méfie-t-il particulièrement ?
5. À quel propos Pecqueux devient-il jaloux ?

*Analyse*

6. La déchéance de Roubaud (l. 8483-8545)
   a) Identifiez, entre les lignes 8483 et 8545, les signes de la progression de la «désorganisation lente» (l. 8505) de Roubaud.
   b) Relevez les expressions qui montrent que Roubaud est la proie de sa passion pour le jeu.
   c) Quelle est la conséquence de cette passion ?
   d) Quelle caractéristique physique montre qu'il s'est transformé ?
   e) Quel est désormais son rapport à ce qui l'entoure ?
7. Montrez que, de la ligne 8690 à la ligne 8714, Roubaud est représenté comme un être qui n'est plus responsable de ses actes et de ses choix.
8. La décision de tuer Roubaud
   a) Identifiez de la ligne 9110 à la ligne 9290 les raisons qui poussent Séverine et Jacques à envisager le meurtre de Roubaud.
   b) Identifiez dans le même passage les justifications qui permettent à Jacques et à Séverine d'atténuer la gravité d'un éventuel meurtre de Roubaud.
   c) Faites un tableau de deux colonnes pour répertorier les raisons morales qui légitiment Jacques de devenir un assassin et celles qui l'en empêchent (l. 9291-9331).
   d) À partir du tableau précédent, dégagez la conception de l'être humain en action dans la longue réflexion de Jacques.

**Chapitre x**

*Compréhension*

1. Comment Misard parvient-il à empoisonner Phasie finalement ?
2. Quels sentiments Misard éprouve-t-il après avoir tué Phasie ? D'après lui, qui doit être blâmé pour cette mort ?
3. Pourquoi Flore n'est-elle pas énormément attristée par la mort de sa mère ?

4. Flore et l'accident de la Lison
   a) Quel est le plan sur lequel Flore s'arrête finalement afin de provoquer l'accident de l'express du Havre ?
   b) Pourquoi ne peut-elle mettre ce plan à exécution ?
   c) Qu'est-ce que Flore n'a pas prévu et qui sauve Séverine d'une mort assurée ?
5. Comment Jacques sait-il que Flore a causé l'accident de la Lison ?
6. Le suicide de Flore
   a) Pour quelles raisons Flore se suicide-t-elle ?
   b) Pour quelles raisons les gens qui ramassent son corps pensent-ils qu'elle s'est suicidée ?
   c) À la lumière des réponses précédentes, Flore est-elle consciente de sa faute ?

*Analyse*

7. Le cadavre de Phasie (l. 9672-9706)
   a) Montrez, par l'étude de la description de son visage, que, même morte, Phasie continue de défier Misard.
   b) Identifiez la figure d'insistance qui souligne que le cadavre de Phasie nargue Misard.
8. Flore et sa conception de la justice (l. 9757-9800)
   a) Pourquoi Flore ne croit-elle guère à l'efficacité du système juridique ?
   b) Quelle est sa solution pour que la justice soit rendue ?
9. Au sujet de la bestialité de Flore (l. 10027-10124), identifiez les deux métaphores qui comparent Flore à un animal. Commentez le choix de chacune de ces métaphores.
10. La catastrophe imminente
    a) Dans le paragraphe qui commence à la ligne 10125, les indications temporelles se contredisent, provoquant l'impression à la fois d'une accélération et d'un ralentissement. Relevez ces contradictions.
    b) Relevez les nombreux verbes entre les lignes 10131 et 10136. Qu'expriment-ils ?

c) Juste avant de raconter l'impact, le narrateur utilise deux stratégies pour maintenir le lecteur en attente.
   - Il décrit la fixité du regard échangé par Flore et Jacques. Relevez les références au regard ainsi que le qualificatif qui ralentit l'action.
   - Il retarde le récit de l'accident. Par quel moyen ?

**Chapitre XI**

*Compréhension*

1. Quel constat Séverine fait-elle à Jacques au sujet de l'avenir de leur relation et qu'est-ce qui est la cause de cela, selon elle ?
2. Séverine planifie la mort de son mari avec soin, allant jusqu'à faire des « préparatifs de ménagère prudente » (l. 11492).
   a) Quels sont ces préparatifs ?
   b) Qu'est-ce que cela dévoile de la personnalité de Séverine ?
   c) Comment Jacques réagit-il à cela ?
3. Quels sont les sentiments de Cabuche envers Séverine ?
4. Quelle conclusion Roubaud et Misard tirent-ils de la présence de Cabuche auprès du cadavre de Séverine ?

*Analyse*

5. Le souvenir de Flore et de Phasie
   a) Le souvenir de Flore hante Jacques (l. 11009-11014). Relevez les adverbes de temps. Qu'expriment-ils ?
   b) Le secret de Phasie obsède Misard (l. 11021-11081).
      - Relevez les adverbes de temps qui expriment cette obsession.
      - Relevez les références directes au temps. Expliquez comment elles expriment cette obsession.
      - Relevez enfin les différentes répétitions qui accentuent cet effet obsessionnel.
   c) Le souvenir obsédant des deux femmes éveille la même impression chez Jacques et chez Misard. Précisez quelle est cette impression.

6. Le motif de la coupure est rappelé tout le long de ce chapitre. Relevez une phrase évoquant ce motif pour décrire :
   a) la relation de Jacques et de Séverine ;
   b) la Croix-de-Maufras ;
   c) la mort de Flore ;
   d) le trouble de Cabuche quand il relate l'accident de la Lison ;
   e) le projet de meurtre de Roubaud ;
   f) le cadavre de Grandmorin.
   g) Pourquoi, selon vous, ce motif revient-il si souvent dans ce chapitre ?
7. Pendant leur nuit d'amour à la Croix-de-Maufras (l. 11249-11298), Séverine exprime un nouveau sentiment.
   a) Lequel ?
   b) Relevez les expressions qui le désignent.
   c) Parmi ces expressions, relevez une figure d'insistance.
8. Au réveil des deux amants (l. 11398-11412), quel détail du décor indique que le meurtre est décidé ?
9. Voici ce que déclare le narrateur au sujet de l'assassinat du président Grandmorin et de celui de Séverine : « [...] les deux meurtres s'étaient rejoints, l'un n'était-il pas la logique de l'autre ? » (l. 11728-11729). Trouvez une raison qui explique cette « logique » (l. 11729).
10. En quoi les réflexions de Jacques illustrent-elles la théorie naturaliste (l. 11725-11747) ?

### Chapitre XII

*Compréhension*

1. Quelles sont les raisons pour lesquelles Jacques et Pecqueux sont à couteaux tirés ?
2. Pourquoi Jacques a-t-il pris Philomène comme amante ?
3. Pourquoi est-ce si grave quand un chauffeur et un mécanicien ne s'entendent plus ?
4. Quelle tournure imprévue l'explication du meurtre de Séverine prend-elle ?
5. L'instruction du juge Denizet (l. 12046-12084)
   a) Relevez dans un tableau à deux colonnes ce que le lecteur sait à propos de Jacques, de Cabuche et de Roubaud et ce dont le juge est convaincu.

b) Après avoir rempli le tableau, commentez le fait que l'« échafaudage d'accusation » (l. 12198) de Denizet paraît d'« une solidité si indestructible, que la vérité elle-même aurait semblé moins vraie, entachée de plus de fantaisie et d'illogisme » (l. 12198-12200).

6. Pour quelles raisons monsieur Camy-Lamotte décide-t-il de brûler le mot de Séverine au président Grandmorin, alors qu'il s'agit de la seule preuve qui ferait enfin éclater la vérité et que l'Empereur lui-même désire que la lumière soit faite sur toute cette affaire ?
7. Au moment de l'interrogatoire de Cabuche et de Roubaud durant leur procès (l. 12555-12602) :
   a) quel est le sentiment de Cabuche vis-à-vis de la justice et quel est celui de Roubaud ? Citez le texte ;
   b) qu'est-ce que ces réactions suggèrent quant à la perception que ces deux personnages ont du système judiciaire ?
8. À première vue, la réaction de Jacques, au cours du procès, peut sembler contradictoire (l. 12617-12662). En effet, Jacques éprouve une totale absence de remords d'avoir tué Séverine, alors qu'il la pleure sincèrement. Comment le narrateur explique-t-il cette attitude ?
9. Pourquoi le train continue-t-il à rouler à toute allure malgré la mort du mécanicien et du chauffeur ?

*Analyse*

10. La nouvelle locomotive de l'express du Havre
    a) Comment est-elle désignée ?
    b) Qu'est-ce que cela indique sur la relation que Jacques entretient avec cette nouvelle machine ?
    c) À quel animal est-elle comparée ?
    d) Cette comparaison animalière a déjà été faite au sujet de la Lison. En quoi alors cette comparaison permet-elle d'établir une différence avec la Lison ?
11. La sagacité de Denizet (l. 12196-12358)
    a) Relevez quatre expressions qui désignent la clairvoyance du juge Denizet de façon exagérée.
    b) Quelle appréciation du narrateur transparaît à travers l'utilisation de ces expressions ?

12. Quel motif est rappelé au moment de la description de la mort de Jacques et de Pecqueux (l. 12916-12958) ? Justifiez votre réponse.
13. Quel grand thème est repris pour désigner Jacques, Pecqueux, les soldats et le train à la fin du roman (l. 12831-13009) ? Illustrez à l'aide de quelques métaphores ou comparaisons.
14. À propos du train qui file à toute allure dans la nuit (l. 12959-13009)
    a) Quelle figure de style est reprise afin de décrire sa marche et quel effet produit-elle ?
    b) À part celui de la bestialité, quel est le champ lexical qui domine cet extrait ?
    c) Quel terme fait le lien entre ce champ lexical et celui de la bestialité ?
    d) Qu'est-ce que ce terme suggère quant à la marche du train ?
    e) Quelle vision de la guerre est esquissée dans le dernier paragraphe ?

**Questions de synthèse sur le roman**

1. À la fin du premier chapitre, alors que le train quitte la gare, le narrateur signale qu'on ne voit plus de lui, «saignant comme des blessures ouvertes, que les trois feux de l'arrière, le triangle rouge». Pour le lecteur, il est alors clair que cette comparaison fait allusion au triangle passionnel entre Roubaud, Séverine et Grandmorin, puisque cette relation est douloureuse. Mais, dans ce roman, ce triangle est loin d'être le seul. Relevez tous les autres triangles amoureux qui fourmillent dans *La Bête humaine.*
2. La contamination du crime
    a) Les personnages criminels : répartissez les principaux personnages du roman dans un tableau à deux colonnes. Dans la première colonne, écrivez ceux qui n'ont jamais tué personne et, dans la deuxième, ceux qui sont coupables de meurtre, puis indiquez entre parenthèses qui ils ont tué. Que remarquez-vous ?
    b) Que peut-on déduire de ce tableau sur l'évolution du crime au fil du roman ?
3. Justifiez le titre du roman : qui est «la bête humaine» ?

# Extrait 1

## Chapitre II, lignes 1766 à 1847

*Compréhension*

1. Où l'action se déroule-t-elle ?
2. Qu'est-ce qui a déclenché la crise que Jacques vit ?
3. À propos du milieu familial, relevez les informations qui sont données sur :
   a) la mère de Jacques
   b) son père
   c) ses frères
4. Quelle est la maladie qui se transmet de génération en génération dans la famille de Jacques ?
5. À quel âge et dans quelles circonstances Jacques a-t-il senti ce désir pour la première fois ?
6. Jacques croit que son mal a une origine héréditaire. Jusqu'à quel ancêtre fait-il remonter cette hérédité dans le deuxième paragraphe, puis dans le troisième paragraphe ?

*Analyse*

7. Dans le premier paragraphe, quel terme de la première phrase est répété dans la dernière phrase ? Qu'est-ce que cela rappelle ?
8. Montrez que le désir amoureux et la pulsion de mort s'entremêlent constamment dans les pensées de Jacques (l. 1770 à 1779).
9. Quels mots Jacques reprend-il au moins à deux reprises, en décrivant son mal, dans le premier et le troisième paragraphe ? Quel est l'effet produit par ces répétitions ?
10. Quel est le thème développé aux lignes 1807 à 1811 et quelle est la figure de style utilisée ? En quoi cette figure de style est-elle particulièrement appropriée au propos développé ?
11. Dans le deuxième paragraphe, quels sont les deux termes qui renvoient à la notion de fêlure ?
12. Relevez les indications temporelles qui se trouvent aux deuxième et troisième paragraphes. Qu'indiquent-elles au lecteur sur le mal de Jacques ?

13. Quelles sont les figures de style utilisées entre les lignes 1827 et 1833 ?
14. Les caractéristiques du monologue intérieur
    a) Relevez les interrogations de Jacques. Que se passe-t-il après qu'il a formulé une interrogation ?
    b) Quel signe de ponctuation souligne l'émoi de Jacques ? Donnez-en quatre exemples.
    c) Relevez, dans le troisième paragraphe, les trois verbes qui prouvent que Jacques est en pleine introspection, et les deux verbes qui montrent que cette introspection le conduit à se remémorer des événements passés.
15. Quelle comparaison du troisième paragraphe exprime la douleur de Jacques ?
16. Relevez trois passages où Jacques identifie son comportement à celui d'un animal. Précisez s'il s'agit d'animaux sauvages ou domestiques. Qu'est-ce que cette précision indique sur le désir de tuer de Jacques ?
17. Relevez la comparaison qui montre qu'aux yeux de Jacques l'homme est finalement un prédateur.
18. Jacques est-il responsable de ses actes ? Illustrez votre réponse à l'aide de trois citations.
19. Quelle expression du troisième paragraphe associe à l'ivrognerie le désir que Jacques a de tuer une femme ? Commentez le choix de cette association à la lumière du thème développé dans la dernière phrase du deuxième paragraphe.
20. Résumez en une phrase chaque paragraphe de cet extrait, puis expliquez la progression des origines du mal de Jacques.

*Sujets de dissertation explicative*

21. Expliquez pourquoi cet extrait est considéré comme un morceau d'anthologie du naturalisme.
22. Montrez comment le recours au monologue intérieur donne lieu à une véritable enquête.
23. Jules Lemaître a écrit, dans *Le Figaro* du 8 mars 1890, que Zola « est le poête [*sic*] du fond ténébreux de l'homme […] ». Prouvez-le par l'analyse de cet extrait.

# EXTRAIT 2

## CHAPITRE V, lignes 4780 à 4919

*Compréhension*

1. Quels traits de caractère Jacques détecte-t-il sur le visage de Séverine ?
2. Quels sont les deux aspects de Jacques qui plaisent à Séverine ?
3. Qu'est-ce qui lui plaît moins chez lui ? Pourquoi ?
4. Expliquez en quoi la vie de Séverine se décide dans le «cabinet de la rue du Rocher» (l. 4805).
5. Alors qu'ils se promènent dans les rues de Paris, les deux jeunes gens éprouvent-ils les mêmes sentiments l'un envers l'autre ?
6. D'après Jacques, quel est le mobile du crime de Roubaud et de Séverine ?
7. Que signifie la phrase suivante : «[…] car elle se livrait, et plus tard, s'il la réclamait, elle ne pourrait plus se refuser» (l. 4899-4900) ?
8. Est-ce que Jacques donne la même signification à la démarche de Séverine ? Justifiez votre réponse.
9. Finalement, à la fin de ce passage, de quoi chacun des personnages est-il coupable ?

*Analyse*

10. Séverine se fixe un objectif : que Jacques lui appartienne (l. 4806-4870), mais elle se demande «[que] faire, que dire, pour le lier d'un lien indestructible ?» (l. 4868). Pour elle, quel est le lien physique qui symbolisera le fait que Jacques lui appartient ?
11. Séverine tente d'atteindre son objectif (l. 4871-4896).
    a) Cette scène se déroule dans un décor qui évoque un nid d'amour. Les deux personnages sont isolés de l'agitation de la ville. Relevez les expressions qui décrivent cet isolement tant visuel que sonore.
    b) Quelles sont les trois actions qu'effectue Séverine pour tenter d'atteindre son objectif ?

c) Ces actions visent à séduire Jacques par une approche physique, sensuelle. Quels sens de Jacques sollicitent-elles ?

d) Chacune de ces actions obtient-elle le résultat espéré ?

12. Séverine a atteint son objectif (l. 4897-4905).

a) Relevez la phrase qui est reprise et qui montre que le lien physique est noué.

b) Comparez-la à sa première occurrence pour montrer que la situation a bel et bien changé.

*Sujet de dissertation explicative*

13. Montrez le paradoxe entre la noirceur des intentions des personnages et l'éclat séducteur de leur apparence.

# Extrait 3

## Chapitre v, lignes 5098 à 5171

*Compréhension*

1. Où cette scène se déroule-t-elle ?
2. À qui la Lison appartient-elle ?
3. Comment la Lison est-elle identifiée, mis à part son nom ?
4. Quel était à l'origine le nom de la locomotive ? Quel nom Jacques lui a-t-il donné ?
5. Depuis combien de temps Jacques est-il le mécanicien de cette locomotive ?
6. Expliquez comment Jacques réussit à obtenir des bonus en conduisant la Lison.
7. Quel est le seul défaut de la Lison ?
8. Quelle est la procédure à suivre pour pouvoir faire réparer une locomotive ?
9. Résumez le passage des lignes 5114 à 5120 en environ quarante mots.
10. À quel animal la Lison est-elle associée ? Que peut-on en déduire ?
11. Quels principaux éléments le lecteur retient-il de cet extrait :
    a) à propos de la Lison ?
    b) à propos de Jacques vis-à-vis de la Lison ?

*Analyse*

12. Relevez les trois expressions qui désignent les machines en général comme des humains.
13. Identifiez les figures de style des lignes 5114 à 5120.
14. La description des qualités et du défaut de la Lison
    a) Comment sont désignés les qualités et le défaut de la locomotive en tant que machine ?
    b) Comment sont désignés les qualités et le défaut de la locomotive en tant qu'être humain ?
15. Quel type de rapport Jacques entretient-il avec la Lison ? Justifiez votre réponse à l'aide d'un champ lexical.

16. La description des besoins de la Lison (l. 5134-5148)
    a) Quelle est la figure de style utilisée aux lignes 5147 et 5148 ?
    b) Quelle est sa connotation ?
    c) Qui peut satisfaire la Lison ? Justifiez votre réponse.
    d) Quels sont les trois passages qui indiquent l'appétit de la Lison ?
    e) Cet appétit est-il seulement associé à la sensation de faim ? Justifiez votre réponse.
    f) À la lumière des réponses précédentes, identifiez la figure de style utilisée tout le long du troisième paragraphe.
17. Relevez les verbes des lignes 5149 à 5159 qui décrivent les soins que Jacques apporte à la Lison.

*Sujets de dissertation explicative*

18. À travers la description de la Lison, c'est une certaine idée de la femme qui est évoquée. Prouvez-le.
19. Montrez comment la description de la Lison est à la fois réaliste et métaphorique.
20. Montrez que, dans cet extrait, les descriptions mécaniques n'ont pas une réelle valeur documentaire, mais qu'elles servent plutôt à faire ressortir des métaphores.

# Extrait 4

## Chapitre xi, lignes 11573 à 11712

*Compréhension*

1. Quels sont les deux détails qui permettent de savoir que cette scène se déroule dans la maison de Séverine, à la Croix-de-Maufras ?
2. « Encore un quart d'heure, dit Jacques tout haut. Il a dépassé le bois de Bécourt, il est à moitié route. Ah ! Que c'est long ! » (l.11593-11594).
   a) Qui désigne le pronom « il » ?
   b) Pourquoi Jacques attend-t-il si impatiemment cette personne ?
3. Pourquoi Séverine veut-elle descendre à l'avance et repérer les lieux ?
4. La lampe
   a) Pourquoi Séverine veut-elle s'en servir ?
   b) Pourquoi Jacques ne veut-il pas s'en servir ?
5. Pourquoi Jacques ne sait-il pas si Séverine a crié au moment du meurtre ?

*Analyse*

6. Relevez la figure d'insistance et la métaphore qui montrent que la nudité de Séverine fait perdre le contrôle à Jacques.
7. Le dédoublement de personnalité : l'homme et la bête
   a) La folie s'empare de Jacques (l. 11635-11644).
      – En excluant la première phrase, montrez, à partir de l'organisation pronominale de ce paragraphe, que Jacques ne s'appartient plus.
      – Qu'est-ce qui prend possession de son corps ?
   b) La folie quitte Jacques (l. 11703-11705).
      – Relevez l'accumulation des groupes nominaux qui désignent la respiration de Jacques. Qu'est-ce que cette respiration a de particulier ?
      – Quel est le verbe répété dans la première phrase du paragraphe commençant à la ligne 11635 et dans la dernière phrase de ce passage (l. 11703-11705) ?

Expliquez comment cette reprise suggère que Jacques redevient tranquillement lui-même.

8. Séverine presse Jacques de l'embrasser, mais elle lui demande plus qu'un simple baiser : «Embrasse-moi, comme si tu me mangeais, pour qu'il ne reste plus rien de moi en dehors de toi !» (l. 11653-11655).
   a) Quelle est la figure de style utilisée dans cette citation ?
   b) Quelle en est la signification ?
   c) Tuer Séverine serait-il une façon d'accéder à ce désir ?
   d) Qu'est-ce que Jacques fait alors que Séverine lui adresse sa demande ?
9. Le désir de tuer
   En quoi le moyen utilisé pour assassiner Séverine (l. 11679-11685) est-il représentatif de cette association entre le désir de tuer et le désir sexuel ?
10. Identifiez et nommez la figure de style qui montre que le meurtre de Séverine et celui de Grandmorin sont de même nature.
11. Dans cet extrait sur la mort de Séverine, la plupart des thèmes et des motifs développés au cours du récit sont évoqués. Identifiez-en quatre.

*Sujets de dissertation*

12. Montrez que la folie de Jacques met en évidence la nature profonde de l'être humain et le déterminisme auquel elle est soumise.

# Activités complémentaires

## Analyse comparative entre le roman de Zola et le film *La Bête humaine* de Jean Renoir

Fiche technique du film : film scénarisé et réalisé par Jean Renoir, tourné en noir et blanc en août et en septembre 1938, d'une durée de 1 h 45.

1. Ce long métrage a été réalisé en 1938, et l'action du film se situe à la même époque. Cette époque était-elle aussi troublée que celle décrite dans *La Bête humaine ?* Expliquez.
2. L'adaptation de Renoir
   a) Identifiez les principaux éléments de l'intrigue que Renoir a conservés.
   b) Identifiez des éléments qui occupaient une bonne part de l'intrigue et que Renoir a soit carrément supprimés, soit gardés mais en en réduisant considérablement la portée.
   c) Trouvez-vous que les choix du cinéaste sont judicieux ? Justifiez votre réponse.
3. La séquence du meurtre de Grandmorin.
   a) Quelles sont les principales différences entre la scène du roman (l. 1941-1973) et la séquence du film ?
   b) Quelle est la principale ressemblance ?
   c) Quel détail de cette scène suggère que Séverine est tombée dans l'œil de Jacques ?
4. Les séquences du bal et du meurtre
   a) Y a-t-il pareille scène dans le roman ?
   b) Cette séquence est-elle fidèle à l'esprit de Zola quant à la représentation du milieu social et du couple formé par Séverine et Jacques ?
   c) Quel élément de cette séquence crée un contraste absolu entre le cours des choses et la mort de Séverine ?
5. La séquence finale
   a) Quelles sont les principales différences entre la scène du roman (l. 12913-13009) et la séquence du film ?
   b) En quoi cela fait-il de Jacques un véritable héros ? Ce changement est-il fidèle à l'esprit naturaliste ?
   c) La fin du film est-elle optimiste ou pessimiste ? Expliquez.
6. Quel motif important du roman Renoir n'a-t-il pu exploiter ? Justifiez votre réponse.

**Analyse comparative entre le roman et un tableau de Monet**

1. Trouvez dans le site du musée d'Orsay (**http ://www.musee-orsay.fr**) un tableau de Monet dont Zola s'est inspiré pour la description de la gare Saint-Lazare qui ouvre le roman.
2. Comment se nomme ce tableau ? Relevez son médium, ses dimensions et l'année de son exécution.
3. Relevez, dans la description de la gare (l. 7-61), les détails parfaitement identifiables sur le tableau.
4. Identifiez le passage où Zola décrit lui aussi la vapeur.
5. Relevez tous les termes qui la décrivent.
6. Ces termes vous paraissent-ils correspondre à la représentation qu'en fait Monet ? Justifiez votre réponse.

# Annexes

## ARBRE GÉNÉALOGIQUE DE LA BRANCHE DES MACQUART

PUBLIÉ DANS *LE DOCTEUR PASCAL* EN 1893

**ADÉLAÏDE FOUQUE,** *dite TANTE DIDE, née en 1768; mariée, en 1786, à Rougon, lourd et placide, jardinier; en a un fils en 1787; perd son mari en 1788; prend, en 1789, un amant, Macquart, déséquilibré et ivrogne, contrebandier; en a un fils en 1789, et une fille en 1791; devient folle et entre à l'Asile d'aliénés des Tulettes, en 1851; y meurt d'une congestion cérébrale en 1873, à l'âge de 105 ans.* (Névrose originelle).

↓

**ANTOINE MACQUART,** *né en 1789; soldat en 1809; se marie, en 1829, avec Joséphine Gavaudan, marchande à la Halle, vigoureuse, travailleuse, mais intempérante; en a trois enfants; la perd en 1851; meurt en 1873, alcoolique, de combustion spontanée.* (Mélange fusion. Prédominance morale et ressemblance physique du père). *Soldat, puis vannier, puis rentier et fainéant.*

↓

**LISA MACQUART,** *née en 1827; épouse, en 1852, Quenu, sain et pondéré, dont elle a une fille dans l'année; meurt six mois avant son mari, en 1863, d'une décomposition du sang.* (Élection de la mère. Ressemblance physique de la mère). *Charcutière, grande boutique aux Halles.*

**GERVAISE MACQUART,** *née en 1828; a trois garçons d'un amant, Lantier, dont l'ascendance compte des paralytiques, qui l'emmène à Paris et l'y abandonne; épouse, en 1852, un ouvrier, Coupeau, de famille alcoolique, dont elle a une fille; meurt de misère et d'ivrognerie, en 1869.* (Élection du père. Conçue dans l'ivresse. Boiteuse). *Blanchisseuse.*

**JEAN MACQUART,** *né en 1831; épouse, en 1867, Françoise Mouche, qu'il perd en 1870, sans en avoir eu d'enfants; se remarie, en 1871, avec Mélanie Vial, paysanne forte et saine, dont il a un garçon, et qui est grosse de nouveau.* (Innéité. Combinaison où se confondent les caractères physiques et moraux des parents, sans que rien d'eux semble se retrouver dans le nouvel être). *Paysan, soldat, puis paysan. Vit encore, à Valqueyras.*

**CLAUDE LANTIER,** *né en 1842; épouse, en 1865, Christine Hallegrain, dont le père était paraplégique, maîtresse avec laquelle il vit depuis six ans et dont il a un fils Jacques, âgé de cinq ans; perd ce fils, en 1869, et lui-même, se pend, en 1870.* (Mélange fusion. Prédominance morale et ressemblance physique de la mère. Hérédité d'une névrose se tournant en génie). *Peintre.*

**JACQUES LANTIER,** *né en 1844, meurt en 1870, d'accident.* (Élection de la mère. Ressemblance physique du père. Hérédité de l'alcoolisme se tournant en folie homicide. État de crime). *Mécanicien.*

**ÉTIENNE LANTIER,** *né en 1846.* (Mélange dissémination. Ressemblance physique de la mère, puis du père). *Mineur. Vit encore, à Nouméa, déporté. Marié là-bas, dit-on, et a des enfants, peut-être, qu'on ne peut classer.*

**ANNA COUPEAU,** *dite NANA, née en 1852, a, d'un cousin, un enfant, Louis, en 1867, et le perd en 1870; meurt elle-même de la petite vérole, quelques jours plus tard.* (Mélange soudure. Prédominance morale du père. Ressemblance physique, par influence, avec le premier amant de sa mère, Lantier. Hérédité de l'alcoolisme se tournant en perversion morale et physique. État de vice).

## TABLEAU CHRONOLOGIQUE

| | Événements historiques en France | Vie et œuvre de Zola |
|---|---|---|
| 1835 | | |
| 1837 | | |
| 1840 | | Naissance à Paris. |
| 1843 | | La famille quitte Paris pour Aix-en-Provence. |
| 1847 | | Mort de son père, François Zola. |
| 1848 | Proclamation de la IIe République. | |
| 1850 | | |
| 1852 | Début du Second Empire après le coup d'État de Louis Napoléon Bonaparte en 1851. | Entrée au collège Bourbon d'Aix-en-Provence. |
| 1853 | | |
| 1855 | | Inauguration officielle du canal Zola. |
| 1857 | Élections de 1857 : seulement sept députés de l'opposition sont élus. | |
| 1858 | | Rejoint sa mère à Paris et entre au lycée Saint-Louis. |
| 1859 | | Échec au baccalauréat et abandon des études. |
| 1860 | | Période de bohème parisienne. |
| 1861 | | Fréquente les ateliers d'artistes et se lie avec plusieurs peintres. |
| 1862 | | Débuts à la librairie Hachette. |

## TABLEAU CHRONOLOGIQUE

| Les arts, les sciences et la technologie en France | Histoire des idées et des sciences hors de France | |
|---|---|---|
| Balzac, *Le Père Goriot.* | | 1835 |
| Ouverture du débarcadère qui deviendra la gare Saint-Lazare. | | 1837 |
| | | 1840 |
| Inauguration de la ligne de chemin de fer Paris-Orléans.<br>Sue, *Les Mystère de Paris.* | | 1843 |
| Inauguration de la ligne de chemin de fer Paris-Le Havre. | | 1847 |
| Chateaubriand, *Mémoires d'outre-tombe.* | Marx, *Manifeste du parti communiste* (Angleterre). | 1848 |
| Lucas, *Traité philosophique et physiologique de l'hérédité naturelle* (second volume).<br>Courbet, *L'Enterrement à Ornans* (tableau). | | 1850 |
| Dumas fils, *La Dame aux camélias.* | | 1852 |
| Début des travaux d'urbanisme du baron Haussmann à Paris. | | 1853 |
| Nerval, *Aurélia.*<br>Exposition universelle à Paris.<br>Le Salon refuse *L'Enterrement à Ornans*, de Courbet. | | 1855 |
| Baudelaire, *Les Fleurs du mal.*<br>Flaubert, *Madame Bovary.*<br>Éclairage au gaz des grands boulevards à Paris. | | 1857 |
| Taine, *Essais de critique et d'histoire.*<br>Premières photographies de Nadar prises à bord d'un aérostat. | | 1858 |
| | Darwin, *De l'origine des espèces* (Angleterre). | 1859 |
| | | 1860 |
| | | 1861 |
| Hugo, *Les Misérables.* | | 1862 |

## TABLEAU CHRONOLOGIQUE

| | Événements historiques en France | Vie et œuvre de Zola |
|---|---|---|
| 1863 | | |
| 1864 | Reconnaissance du droit de grève. | *Contes à Ninon.* |
| 1865 | | |
| 1866 | | Départ de la librairie Hachette. *Mes Haines* et *Mon Salon* (recueils d'articles). |
| 1867 | | *Thérèse Raquin.* |
| 1868 | | *Madeleine Férat.* Élaboration du plan général des *Rougon-Macquart.* |
| 1869 | Élections générales. | |
| 1870 | Début de la guerre franco-allemande. Effondrement de l'Empire et formation de la Troisième République. | Mariage avec Gabrielle-Alexandrine Meley. |
| 1871 | Commune de Paris. Louis Adolphe Thiers, premier président de la République (1871-1873). | *La Fortune des Rougon* (premier volume des *Rougon-Macquart*). *La Curée.* |
| 1872 | Service militaire obligatoire pour les 20-40 ans. | |
| 1873 | | *Le Ventre de Paris.* |
| 1874 | | *La Conquête de Plassans. Nouveaux Contes à Ninon.* |
| 1875 | | *La Faute de l'abbé Mouret.* |
| 1876 | | *Son Excellence Eugène Rougon.* |
| 1877 | | *L'Assommoir*, premier grand succès. |

## TABLEAU CHRONOLOGIQUE

| Les arts, les sciences et la technologie en France | Histoire des idées et des sciences hors de France | |
|---|---|---|
| Manet, *Le Déjeuner sur l'herbe* (tableau). | | 1863 |
| | Création de la I^re^ Internationale (Angleterre). | 1864 |
| Edmond et Jules de Goncourt, *Germinie Lacerteux*.<br>Bernard, *Introduction à l'étude de la médecine expérimentale.* | | 1865 |
| Verlaine, *Poèmes saturniens.*<br>Daudet, *Lettres de mon moulin.* | | 1866 |
| Exposition universelle à Paris. | | 1867 |
| Manet, *Portrait de Zola.* | | 1868 |
| Lautréamont, *Les Chants de Maldoror.* | Classification des éléments chimiques par Dimitri Mendeleïev (Russie). | 1869 |
| | | 1870 |
| | | 1871 |
| | | 1872 |
| Rimbaud, *Une saison en enfer.*<br>Verne, *Le Tour du monde en 80 jours.* | | 1873 |
| Première exposition impressionniste chez le photographe Nadar. | | 1874 |
| Caillebotte, *Les Raboteurs de parquet* (tableau). | Lombroso, *L'Homme criminel* (Italie). | 1875 |
| Renoir, *Le Moulin de la Galette* (tableau). | Invention du téléphone par Alexander Graham Bell (États-Unis). | 1876 |
| Monet, *La Gare Saint-Lazare* (tableau).<br>Invention du paléophone (sorte de phonographe) par Charles Cros. | Invention du phonographe par Thomas Edison (États-Unis). | 1877 |

## TABLEAU CHRONOLOGIQUE

| | Événements historiques en France | Vie et œuvre de Zola |
|---|---|---|
| 1878 | | *Une Page d'amour.*<br>Acquisition de la maison de Médan. |
| 1879 | | |
| 1880 | *La Marseillaise* devient l'hymne national de la République et le 14 juillet, fête nationale. | *Nana.*<br>Mort de sa mère, Émilie Zola.<br>*Les Soirées de Médan.*<br>*Le Roman expérimental.* |
| 1881 | Lois sur la gratuité de l'école primaire, la liberté de presse et la liberté de réunion. | |
| 1882 | École publique laïque. | *Pot-Bouille; Le Capitaine Burle* (recueil de nouvelles). |
| 1883 | | *Au Bonheur des dames.* |
| 1884 | Lois sur le divorce et les libertés syndicales. | *La Joie de vivre.*<br>*Naïs Micoulin* (recueil de nouvelles). |
| 1885 | | *Germinal.* |
| 1886 | | *L'Œuvre.* |
| 1887 | | *La Terre.* |
| 1888 | | *Le Rêve.*<br>Début de sa liaison avec Jeanne Rozerot.<br>Obtention de la Légion d'honneur.<br>Naissance de sa passion pour la photographie. |
| 1889 | | Naissance de Denise, sa fille. |
| 1890 | | *La Bête humaine.*<br>Candidature refusée à l'Académie française (il échouera dans toutes ses tentatives). |
| 1891 | | *L'Argent.*<br>Naissance de Jacques, son fils.<br>Élection à la présidence de la Société des Gens de Lettres. |

## TABLEAU CHRONOLOGIQUE

| Les arts, les sciences et la technologie en France | Histoire des idées et des sciences hors de France | |
|---|---|---|
| Exposition universelle à Paris. | Invention de la lampe électrique à incandescence par Thomas Edison (États-Unis). | 1878 |
| | Création de la première locomotive électrique par Wilhelm von Siemens (Allemagne). | 1879 |
| | | 1880 |
| | | 1881 |
| | | 1882 |
| Maupassant, *Une Vie.* | | 1883 |
| Huysmans, *À rebours.* | | 1884 |
| | | 1885 |
| | Invention de la pellicule photo par George Eastman (États-Unis). | 1886 |
| *Manifeste des Cinq* (recueil de textes critiquant le naturalisme). | | 1887 |
| Lefèvre, *Chemins de fer.*<br>Maupassant, *Pierre et Jean.* | | 1888 |
| Exposition universelle : inauguration de la tour Eiffel. | | 1889 |
| Claudel, *Tête d'or.* | | 1890 |
| | | 1891 |

## TABLEAU CHRONOLOGIQUE

| | Événements historiques en France | Vie et œuvre de Zola |
|---|---|---|
| 1892 | | *La Débâcle.* |
| 1893 | | *Le Docteur Pascal* (dernier volume des *Rougon-Macquart*). |
| 1894 | Début de l'affaire Dreyfus. | *Lourdes* (premier tome des *Trois Vill* |
| 1895 | | |
| 1896 | | *Rome.* |
| 1897 | | |
| 1898 | | Publication de « J'accuse » dans *L'Aurore* du 13 janvier.<br>Procès, puis exil en Angleterre.<br>*Paris.* |
| 1899 | | Retour d'exil.<br>*Fécondité* (premier des *Quatre Évang* le dernier, *Justice*, sera à l'état d'ébau à la mort de Zola). |
| 1900 | | |
| 1901 | Loi sur la liberté d'association. | *Travail.*<br>*La Vérité en marche* (recueil d'articles à propos de l'affaire Dreyfus). |
| 1902 | | Mort par asphyxie à Paris. |
| 1903 | | *Vérité* (posthume). |

## TABLEAU CHRONOLOGIQUE

| Les arts, les sciences et la technologie en France | Histoire des idées et des sciences hors de France | |
|---|---|---|
| | | 1892 |
| | | 1893 |
| Rodin, *Les Bourgeois de Calais* (sculpture). | | 1894 |
| Invention du cinéma par Auguste et Louis Lumière. | | 1895 |
| Jarry, *Ubu Roi.* | | 1896 |
| Mallarmé, *Un coup de dés…*<br>Rostand, *Cyrano de Bergerac.*<br>Gide, *Les Nourritures terrestres.* | | 1897 |
| | | 1898 |
| | | 1899 |
| Ouverture du métro parisien.<br>Exposition universelle à Paris. | Freud, *L'Interprétation des rêves* (Autriche). | 1900 |
| | Longue liaison par télégraphie sans fil au-dessus de l'Atlantique réalisée par l'Italien Guglielmo Marconi. | 1901 |
| | | 1902 |
| | | 1903 |

# Glossaire de l'œuvre

*aiguilleur* : employé de chemin de fer chargé de la manœuvre d'un appareil d'aiguillage dont le mécanisme permet les opérations de changement de voie.

*assesseur* : personne qui siège à côté d'une autre personne pour l'assister dans ses fonctions et, au besoin, la suppléer.

*assises* : la cour d'assises est un tribunal de première instance où sont jugées les affaires criminelles.

*ballast* : pierraille dont on garnit l'assise d'une voie ferrée pour asseoir et maintenir les traverses.

*bassin* : enceinte aménagée dans un port (il existe des bassins pour charger les bateaux, pour les décharger, pour les construire, les entretenir, etc.).

*bec de gaz* : réverbère fonctionnant au gaz.

*bielle* : pièce permettant la transformation du mouvement longitudinal en mouvement de rotation et qui est, avec la chaudière, à l'origine de la locomotive à vapeur. Ces deux inventions forment le noyau dur de la machine.

*blouse* : chemise en grosse toile portée autrefois dans leur travail quotidien par les gens de la campagne, les ouvriers, les marchands, etc.

*Bon Marché* : grand magasin parisien qui existe encore aujourd'hui.

*buraliste* : personne qui tient un bureau (de paiement, de recette, de tabac, etc.).

*bureau de tabac* : boutique très achalandée, car elle détient l'exclusivité de la vente de tabac.

*cabinet* : bureau d'un personnage important.

*cabinets* : (au pluriel) toilettes.

*carrier* : ouvrier qui extrait des pierres dans une carrière.

*cavale* : jument.

*Ceinture* : ligne de chemin de fer qui faisait le tour de Paris.

*cendrier* : récipient placé en dessous du foyer pour en recueillir les cendres.

*cent sous* : cinq francs.

*centime* : un centième de franc. C'est la plus petite unité monétaire française.

*Chambre* : le Corps législatif est aussi appelé la «Chambre des Députés».

*charbon* : combustible de couleur noire, riche en carbone et utilisé comme source de chaleur et d'énergie. Le charbon, en tant que premier combustible fossile découvert, fut à la base de la révolution industrielle, puisqu'il servait à alimenter les machines à vapeur. Il en fallait des quantités considérables pour approvisionner la chaudière de la locomotive, ce qui explique la présence de tas de charbon sur les terrains des gares.

*charge* : fait qui indique la culpabilité de quelqu'un.

*chasse-neige* : appareillage que l'on installe à l'avant d'une locomotive et qui sert à déblayer les voies rendues impraticables par l'abondance de la neige tombée.

*chaudière* : appareil dans lequel l'eau se transforme en vapeur grâce à la chaleur qui se dégage du foyer. Il s'agit de la pièce maîtresse de la locomotive, puisqu'elle détermine la puissance de la machine.

*chauffeur* : employé chargé de l'alimentation de la chaudière et placé sous les ordres du mécanicien.

*chef de l'exploitation* : responsable des services de l'entretien et du fonctionnement des trains, ainsi que de la gestion commerciale et administrative de la Compagnie.

*circonstances atténuantes* : éléments, faits qui diminuent la culpabilité des accusés et qui allègent leur peine.

*citation* : sommation de comparaître, dans un délai fixé, devant un juge, un tribunal correctionnel ou un tribunal de simple police pour être jugé ou pour témoigner.

*commissaire de surveillance* : fonctionnaire du ministère des Travaux publics placé dans une gare et chargé de relever les infractions relatives à l'exploitation des chemins de fer. Comme il est aussi officier de police judiciaire, il peut être mandaté par le juge d'instruction pour lui faire un rapport.

*Compagnie de l'Ouest* : sous le Second Empire, la Compagnie de l'Ouest, qui a été créée en 1851, était l'une des six grandes compagnies ferroviaires de France. Elle couvrait Paris et le nord-ouest de la France.

*compartiment* : division cloisonnée d'un wagon spécialement aménagé pour les voyageurs. Pour aller d'un compartiment à un autre, il faut passer par l'extérieur.

*conducteur chef* : responsable des employés qui travaillent à bord du train. Il commande notamment le départ du train.

*conducteur d'arrière* : employé placé sous les ordres du conducteur chef, occupant une place en queue du train et chargé, entre autres, des signaux arrière.

*conseiller* : titre des juges de certaines cours de justice.

*corps de garde* : local où se tient habituellement un groupe de soldats chargé d'assurer la garde d'un poste, d'un bâtiment de l'armée.

*coucou* : pendule dont les heures et les demi-heures sont ponctuées par l'apparition d'un oiseau imitant le cri du coucou.

*coupé* : compartiment aménagé à l'extrémité d'une voiture (généralement de première classe) et ne comportant qu'une seule banquette.

*cour du départ* : entrée de la gare située du côté de la rue.

*cours* : longue et large avenue.

*cylindre* : pièce tubulaire, généralement en fonte, dans laquelle se meuvent des pistons. Ces pistons, en se déplaçant sous l'action de la vapeur dans un mouvement de va-et-vient, actionnent, à leur tour, des bielles qui font bouger les roues de la locomotive.

*déjeuner* : repas du midi; prendre le repas du midi.

*dépêche* : information ou communication transmise par télégraphe.

*dépôt* : ensemble des voies, bâtiments et aménagements nécessaires pour garer, remiser, réparer et ravitailler les locomotives.

*dîner* : repas pris, selon les époques et les régions, le midi ou le soir. Aux environs de Paris, à la fin du XIXe siècle, il s'agit plutôt du repas du soir. Prendre le repas du soir.

*donation au dernier vivant* : contrat passé entre deux conjoints et prévoyant qu'à la mort d'un des époux tous ses biens deviendront la propriété de l'époux survivant.

*École des Arts et Métiers* : les écoles des arts et métiers ont été créées à la fin du XVIIIe siècle par le duc de La Rochefoucauld pour répondre aux besoins des métiers techniques en expansion.

*élections générales* : élections par lesquelles étaient désignés les membres du Corps législatif, c'est-à-dire les députés.

*essieu* : pièce placée transversalement sous un véhicule et qui en relie les roues (seules les grosses locomotives ont deux essieux reliés entre eux que l'on nomme « essieux couplés »).

*express* : train de voyageurs à vitesse accélérée ne s'arrêtant que dans les gares importantes du parcours et dont l'horaire est étudié pour assurer les principales correspondances en un temps minimal, dans la mesure du possible.

*fanal* : grosse lanterne placée à l'avant de la locomotive ou à l'arrière du dernier wagon.

*fardier* : voiture à roues basses solidement construite et servant au transport de charges très lourdes, telles que gros troncs d'arbres, pierres de taille et blocs de marbre.

*fourgon* : wagon situé à la tête ou à la queue du train et destiné au transport des employés, des bagages et des colis.

*foyer* : partie de la chaudière où brûle le charbon.

*franc* : en 1890, un ouvrier manuel non spécialisé gagnait environ quatre ou cinq francs par jour.

*frise* : petite lame de parquet.

*garde-barrière* : employé de chemin de fer chargé de la manœuvre des barrières d'un passage à niveau.

*gendarme* : militaire chargé du maintien de l'ordre et de la sûreté publique, ainsi que de l'exécution des arrêts judiciaires.

*godet graisseur* : petit récipient percé au fond et dans lequel on verse l'huile destinée au graissage de certaines pièces.

*greffier* : officier ministériel qui, entre autres tâches, consigne par écrit les débats judiciaires.

*guerre* : en juillet 1870, la France se dressa contre la puissance croissante de l'Allemagne que Bismarck tentait d'unifier sous l'hégémonie de la Prusse, un État allemand. L'élément déclencheur de cette guerre fut le litige soulevé par le refus de la France de soutenir la candidature du prince Léopold de Hohenzollern au trône d'Espagne.

*halle* : bâtiment de grande dimension destiné à abriter des voyageurs ou des marchandises.

*Havre, Le* : ville portuaire située à 228 km de Paris et d'où partaient la plupart des grands paquebots se dirigeant vers l'Amérique.

*hôtel* : maison de ville vaste et somptueuse.

*injecteur* : appareil qui sert à alimenter en eau la chaudière à vapeur.

*instruction* : ensemble des éléments nécessaires (documents, témoignages, interrogatoires) par lesquels un magistrat s'assure qu'une affaire est en état d'être jugée.

*juge d'instruction* : magistrat chargé de l'ensemble des actes et formalités préparatoires à un procès.

*Légion d'honneur* : la Légion d'honneur est un titre décerné pour récompenser les services militaires ou civils. Elle comprend plusieurs grades, dont celui de commandeur qui figure parmi les plus élevés.

*lieue* : mesure dont la valeur a beaucoup varié d'une époque à l'autre, mais que l'on s'entend généralement pour fixer à un peu plus de quatre kilomètres.

*ligne de fond* : fil de pêche sans flotteur, qui repose au fond de l'eau, garni d'hameçons.

*machine-pilote* : locomotive qui parcourt la voie pour s'assurer que cette dernière est libre après des travaux ou des changements dans l'ordre des trains. Elle sert aussi à la formation des trains.

*machine-tender* : locomotive avec un tender incorporé. Le tender est une voiture accrochée derrière une locomotive qui contient le charbon et l'eau nécessaires à son approvisionnement. La machine-tender peut donc servir à la manœuvre et à la traction des trains.

*manette* : petit levier, poignée de commande manuelle de certains mécanismes.

*manomètre* : appareil servant à indiquer la pression d'un gaz ou d'une vapeur qui se trouve dans un espace clos.

*marquise* : auvent vitré, en bois ou en zinc, qui protège les quais de gare.

*mécanicien* : employé chargé de la conduite et du fonctionnement d'une locomotive.

*non-lieu* : décision par laquelle un juge d'instruction déclare qu'il n'y a pas lieu de poursuivre un inculpé.

*omnibus* : voir *train omnibus.*

*opposition* : en cette fin d'Empire, l'opposition est surtout républicaine.

*pays, payse* : personne de la même ville.

*pétard* : dispositif détonant placé sur le rail et dont l'explosion prévient le mécanicien qu'il doit arrêter immédiatement sa locomotive.

*petite vitesse* : les transports ferroviaires de marchandises se divisent en deux catégories selon la rapidité du service ; on parle alors de grande vitesse ou de petite vitesse.

*piquet* : jeu de cartes.

*plaque tournante* : plaque circulaire pivotante équipée de rails et permettant de faire passer un véhicule d'une voie à une autre ou de renverser le sens de sa marche.

*plate-forme* : plancher qui termine la locomotive à l'arrière et sur lequel se placent le mécanicien et le chauffeur.

*plébiscite* : vote par lequel le peuple accorde ou refuse le pouvoir à un homme politique. Napoléon III s'en sert pour légitimer son pouvoir en 1852 et en 1870.

*première* : première classe (les trains comptaient trois classes).

*président* : Grandmorin est premier président à la cour de justice impériale de Rouen, c'est-à-dire qu'il est juge. Il conserve son titre malgré le fait qu'il soit à la retraite.

*prévenu* : individu appelé à répondre d'une infraction pénale devant la justice et qui est en attente d'un jugement définitif.

*procès-verbal* : acte de procédure établi par une autorité compétente et relatant des constatations ou des dépositions.
*procureur* : magistrat représentant le pouvoir en place (en l'occurrence l'Empire) auprès d'un tribunal de première instance.
*purgeur* : appareil servant à éliminer l'eau qui se condense dans les cylindres de la machine à vapeur.
*recette* : pourboire.
*républicain* : qui est partisan de la République, donc opposé au régime impérial en place.
*révocation* : annulation d'un acte juridique (donation, testament, etc.).
*secrétaire général* : fonctionnaire qui dirige le ministère de la Justice.
*soupape* : dispositif de sûreté fixé sur la chaudière d'une machine à vapeur et servant à libérer le surplus de vapeur pour éviter une explosion.
*sous-préfet* : administrativement, la France est divisée en départements, eux-mêmes divisés en arrondissements ; le préfet est un fonctionnaire public chargé de l'administration d'un département et, sous ses ordres, des sous-préfets sont responsables des arrondissements.
*stationnaire* : celui qui assure une garde.
*substitut* : magistrat chargé de remplacer le procureur impérial.
*tablier* : ensemble des passerelles et des plates-formes permettant de circuler autour de la chaudière.
*tender* : voir *machine-tender*.
*tiroir* : pièce mobile qui couvre et découvre alternativement les orifices des cylindres de manière à permettre la distribution de la vapeur.
*train omnibus* : train qui dessert toutes les gares d'un parcours.
*Tuileries* : résidence officielle de Napoléon III.
*vaporisation* : opération par laquelle l'eau, sous l'effet de la chaleur, passe à l'état de vapeur afin de produire une force motrice (c'est la pression causée par l'expansion de l'eau se transformant en vapeur qui crée cette force). Le verbe « vaporiser » désigne l'action de faire passer un liquide à l'état de vapeur.
*vigie* : cabine surélevée et vitrée installée sur un wagon en tête ou en queue de train et constituant un poste d'observation.
*volant du changement de marche* : appareil qui permet la mise en mouvement du train dans l'une ou l'autre direction.

# Bibliographie


### Ouvrages et articles de référence

ARLETTE, Michel, et autres. *Littérature française du XIX^e^ siècle*, Paris, PUF, 1993.

AUGÉ, Paul, et autres. *Larousse du XX^e^ siècle en six volumes*, Paris, Larousse, 1928-1933.

BECKER, Colette. «Républicain sous l'Empire», *CN*, n° 54, 1980.

BERGEZ, Daniel, et autres. *Vocabulaire de l'analyse littéraire*, Paris, Dunod, 1994.

DELEUZE, Gilles. «Zola et la fêlure», texte de la préface de *La Bête humaine*, Paris, Gallimard, coll. «Folio», 1977.

FRANCE, Anatole. «Dialogues des vivants. *La Bête humaine*» dans *Œuvres complètes illustrées de Anatole France*, TOME VII, Paris, Calmann-Lévy, 1926.

HAMON, Philippe. *Philippe Hamon présente «La Bête humaine» d'Émile Zola*, Paris, Gallimard, coll. «Foliothèque», n° 38, 1994.

HORCAJO, Carlos. *Le Naturalisme. Un mouvement littéraire et culturel du XIX^e^ siècle*, Paris, Magnard, coll. «Totem», 2002.

LAURIN, Michel, et Josée BONNEVILLE. *Anthologie littéraire, de 1850 à aujourd'hui*, Groupe Beauchemin éditeur, 2001.

LE BRIGAND, Henri. «Émile Zola aux prises avec les techniques ferroviaires», *La Vie du rail*, n° 1908, septembre 1983.

LEDUC-ADINE, Jean-Pierre. «Humanité et animalité : *La Bête humaine* de Zola» dans *L'Animalité. Hommes et animaux dans la littérature française*, Tübingen, Gunter Narr, coll. «Études littéraires françaises», n° 61, 1994.

MITTERAND, Henri. «Étude de *La Bête humaine*» dans *Les Rougon-Macquart. Histoire naturelle et sociale d'une famille sous le Second Empire*, TOME IV, Paris, Fasquelle et Gallimard, coll. «Bibliothèque de la Pléiade», 1966.

MITTERAND, Henri. «Genèse d'un naturalisme abstrait» dans *L'Illusion réaliste de Balzac à Aragon*, Paris, PUF, coll. «PUF écriture», 1994.

PIVIDAL, Rafaël. «La Biologie romancée», *Magazine littéraire*, n° 218, avril 1985.

POSSOT, André. «Thèmes et fantasmes de la machine dans *La Bête humaine*», *Les Cahiers naturalistes*, n° 57, 1983.

SIGAUX, Jean. «M. Émile Zola», *L'Illustration*, 8 mars 1890.

### Ressources Internet

RAMOND, F.C. *Les Personnages des Rougon-Macquart pour servir à la lecture et à l'étude de l'œuvre d'Émile Zola*, [en ligne], mars 2003. [http://www.as.wvu.edu/mlastinger/pers.htm]

ANALYSE ET TRAITEMENT INFORMATIQUE DE LA LANGUE FRANÇAISE. *Trésor de la langue française informatisé (TLF)*, [en ligne], décembre 2002. [http://atilf.inalf.fr]

BIBLIOTHÈQUE NATIONALE DE FRANCE. *Exposition virtuelle sur Émile Zola*, [en ligne], juillet 2003. [http://expositions.bnf.fr/zola/index.htm]

### Filmographie (adaptations les plus connues de *La Bête humaine*)

*La Bête humaine* de Jean Renoir, France, 1938 (noir et blanc).
*Human Desire* (*Désirs humains*), de Fritz Lang, États-Unis, 1954 (noir et blanc).

*La Bête humaine*, adaptation cinématographique de Jean Renoir, 1938.

Lantier (Jean Gabin).
Cahiers du cinéma, Paris.

## Œuvres parues

Apollinaire, *Alcools*
Balzac, *Le Colonel Chabert*
Balzac, *La Peau de chagrin*
Balzac, *Le Père Goriot*
Baudelaire, *Les Fleurs du mal* et *Le Spleen de Paris*
Beaumarchais, *Le Mariage de Figaro*
Chateaubriand, *Atala* et *René*
Chrétien de Troyes, *Yvain* ou *Le Chevalier au lion*
Corneille, *Le Cid*
Daudet, *Lettres de mon moulin*
Diderot, *La Religieuse*
Flaubert, *Trois Contes*
Hugo, *Le Dernier Jour d'un condamné*
Marivaux, *Le Jeu de l'amour et du hasard*
Maupassant, *Contes réalistes et Contes fantastiques*
Maupassant, *La Maison Tellier et autres contes*
Maupassant, *Pierre et Jean*
Mérimée, *La Vénus d'Ille* et *Carmen*
Molière, *L'Avare*
Molière, *Dom Juan*
Molière, *L'École des femmes*
Molière, *Les Fourberies de Scapin*
Molière, *Le Malade imaginaire*
Molière, *Le Misanthrope*
Molière, *Tartuffe*
Musset, *Lorenzaccio*
*Poètes romantiques*
*Poètes symbolistes*
Racine, *Phèdre*
Rostand, *Cyrano de Bergerac*
*Tristan et Iseut*
Voltaire, *Candide*
Voltaire, *Zadig* et *Micromégas*
Zola, *La Bête humaine*
Zola, *Thérèse Raquin*